Textbook of Clinical Nuclear Medicine

わかりやすい 核医学 第2版

編集 玉木長良
京都府立医科大学大学院医学研究科放射線診断治療学特任教授

平田健司
北海道大学大学院医学研究院画像診断学教室准教授

真鍋　治
自治医科大学附属さいたま医療センター放射線科准教授

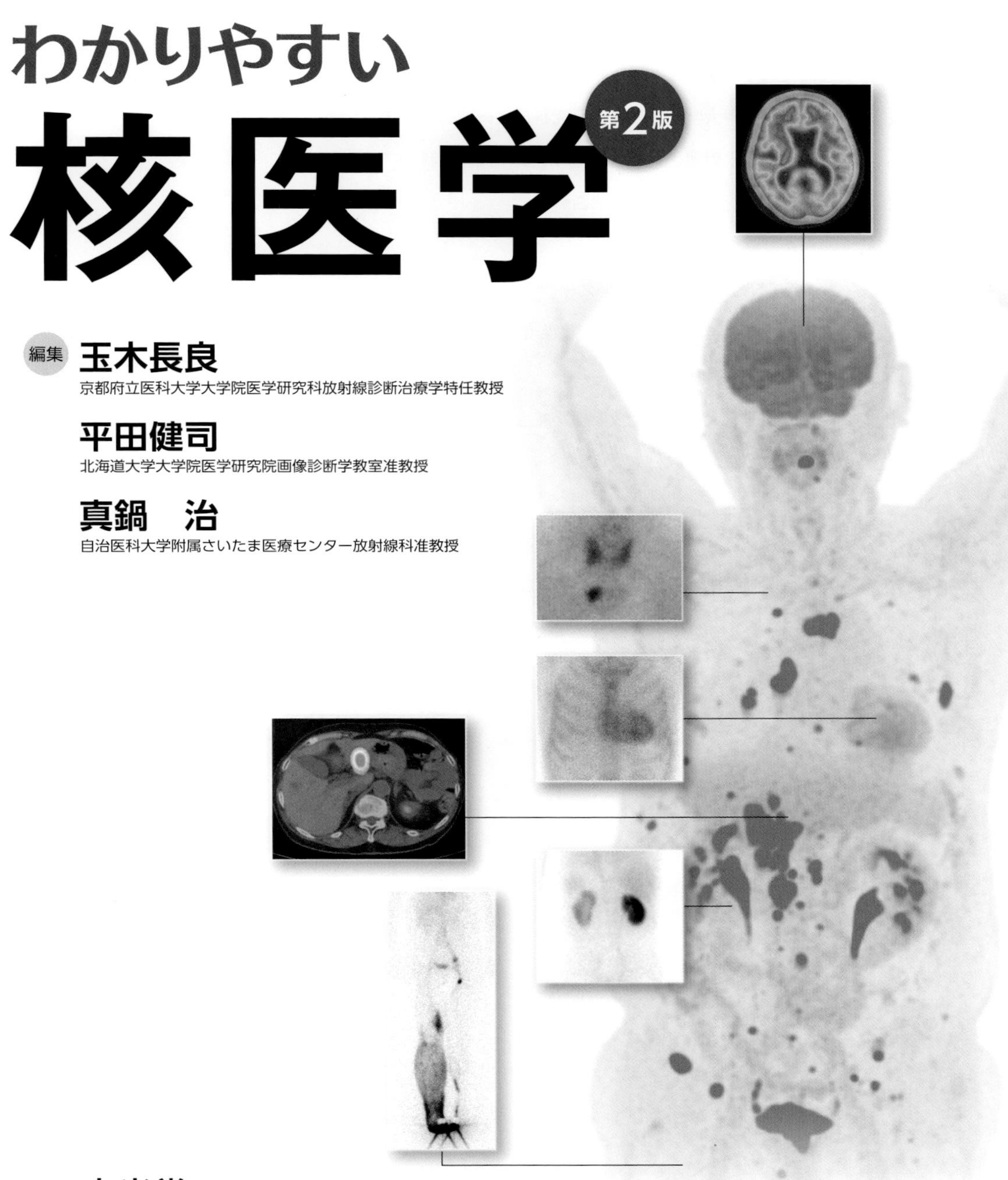

文光堂

執筆者一覧（執筆順）

久下　裕司　北海道大学アイソトープ総合センター

孫田　惠一　北海道大学病院医療技術部放射線部

志賀　　哲　福島県立医科大学先端臨床研究センター

平田　健司　北海道大学大学院医学研究院画像診断学教室

玉木　長良　京都府立医科大学大学院医学研究科放射線診断治療学

真鍋　　治　自治医科大学附属さいたま医療センター放射線科

宮崎知保子　北海道大野記念病院放射線診断科

小林健太郎　小樽市立病院放射線診断科

伊藤　和夫　札幌東徳洲会病院 PET センター

渡邊　史郎　北海道大学大学院医学研究院画像診断学教室

豊永　拓哉　Yale 大学 PET センター

西村　元喜　京都府立医科大学大学院放射線診断治療学講座

岡本　祥三　帯広厚生病院放射線科

執筆協力者

鈴木江り子　北海道大学アイソトープ総合センター

加藤千恵次　北海道大学大学院保健科学研究院

第２版　序文

「わかりやすい核医学」を出版して，約６年が経過しました．

この間に核医学の技術は進歩し，薬剤も開発され，新しい臨床応用も広がってきています．特に，内用療法の新しい手法が次々に登場し，わが国にも次第に臨床応用が広がりつつあります．核医学の一番の進歩は，この内用療法の発展により診断から治療まで一気通貫の流れができつつある点に集約されるかもしれません．そして，ほかの医療分野と同様に人工知能（AI）が研究段階から実用段階へと徐々に拡大し，診断支援や画質改善などの目的に活用されつつあります．

近年のCOVID-19感染拡大により，学生実習や研修医の教育などがインターネットを活用して遠隔で実施される機会も増えました．その折に学生や若手医師に対して，そばにある書籍を活用しにくくなったことがあります．学生実習を遠隔で行っていて，本当に困ったのが学生のそばにこのテキストがないことでした．このテキストを用いて授業を行った際に，学生から肺癌の病期分類が変更されていたことを指摘されました．このような最新の情報は，インターネットでの入手が優れている点を認めざるをえませんでした．その学生からの指摘が本書を改訂に導く強いきっかけになったことは事実です．参考書はどうしても数年経過すると古くなります．しかし系統的な学習をするには，インターネットだけではなく，成書を使って学習することが大切だと思います．またそれに即した参考書の定期的な更新も必要になります．核医学の実習や卒後研修において常に本書を手元に置いて活用できるように内容を更新し，読者の皆様が系統的な学習をできるように努めていきたいものです．

本書の改訂では，従来の手法をとりつつ，新しい分野の説明を追加するとともに，検査の少なくなった箇所は思い切って，分量を減らしています．特にPETの利用が広がってきており，画像の質も格段に改善されています．PETについては，内用療法と同様に分量を増やして，内容も充実させています．他方，各章の要点を必ず最後につけるようにし，また読影の鍵となるものも新しく挿入してみました．さらにこの改訂版の表紙と初版の表紙を見比べていただくと，どのような改良があるのかが一目でわかると思います．

本書の改訂が，多くの方々の核医学診療や教育，さらには研究にも活用されることを心から願っています．

2022年　新春

京都府立医科大学　玉木長良
北海道大学　平田健司
自治医科大学　真鍋　治

初版　序文

核医学はこの数年で大きく発展しています．FDG PET 検査が2002年に保険適用された後，幅広い領域で応用されるようになりました．特に臨床の現場では，PET を主体とした分子イメージングが活用されるようになりました．また新しい分子イメージング法も次々と登場し，注目されるようになっています．これまでの主流を占めてきた核医学検査は，新しい潮流に切り替わりつつあります．とりわけ近年医療費が高騰する中，適切な治療を選択できるような病態評価，治療効果判定など，治療戦略に直結する画像情報が求められており，核医学検査は数ある画像診断の中でも，最も期待されているように思えます．さらに核医学の優れた点は，放出する放射線の種類を γ 線から β 線や α 線に変えることで，治療に応用できるという特記すべき特徴を持っています．核医学治療法は長年甲状腺疾患の治療が主体でしたが，新しい治療薬が次々に登場し，最先端の標的治療法にも展開しようとしています．

このような日進月歩で発展する核医学をわかりやすく解説する適切な教科書が求められています．私たちが核医学を学び始めた頃には，「最新臨床核医学」や「核医学ハンドブック」などで勉強してきました．いずれも基礎から臨床までを網羅した優れた教科書です．でも内容が古くなっただけでなく，若い世代には難しく，ぶ厚い教科書は好まれません．他方，PET の登場と共に，画像を主体とするテキストが数多く出版されています．これらも役立ちますが，やはり最低限の原理や基礎知識は必要となります．

そこで私たちは繰り返し相談した結果，基礎から診断，治療までの幅広い領域を扱う教科書を作成することにしました．各章の最初にはできるだけわかりやすい図解をつけました．また各章の最後には POINT の項目を設けました．他方やや専門的な知識は，NOTE として別項目でまとめました．急いで読まれる方は，最初の図解とまとめに目を通すだけで概要をつかめます．他方専門的素養は，NOTE を含めて読破すると，かなりの知識が身につきます．もちろん，提示した症例に数多く目を通すと，画像診断の力が増します．いろいろな角度から活用していただけるような，みなさんのための核医学を意識して執筆しました．題名にもあるように，みなさんのためのわかりやすい核医学の教科書です．

これから核医学診断，治療に関わる幅広い方々に愛用していただきたいと願っています．とりわけ放射線科専門医や核医学専門医を目指す若手の方々には必須の教科書，参考書になれば幸いです．

2016 年 1 月

玉木長良・真鍋　治

目　次

著者，編集者，監修者ならびに弊社は，本書に掲載する医薬品情報等の内容が，最新かつ正確な情報であるよう最善の努力を払い編集をしております．また，掲載の医薬品情報等は本書出版時点の情報等に基づいております．読者の方には，実際の診療や薬剤の使用にあたり，常に最新の添付文書等を確認され，細心の注意を払われることをお願い申し上げます．

I

核医学で知っておくべき最低限の基礎知識

A 放射能・放射線の基礎

放射能と放射性壊変

原子核の安定性は，一般的には原子核を構成する陽子の数と中性子の数の比で決まる．エネルギー的に不安定な原子核は，過剰なエネルギーを放射線として放出して安定な原子核に変わっていく．このように，原子核が放射線を放出してほかの種類の原子核に変わる性質（能力）を放射能といい，この現象を放射性壊変または放射性崩壊と呼ぶ．

放射性壊変は温度や圧力などの影響を受けずに確率的法則に従って進行し，その速度は各々の核種で固有である．この壊変速度の目安としては核種に固有な壊変定数があるが，一般には放射能（放射性核種の数）が半分になるまでの時間，すなわち半減期（物理学的半減期）が用いられている．

放射性壊変の形式（種類）と特徴

主な放射性壊変の形式（種類）は，**表I-A-1** に示すように分類される．以下に各々の放射性壊変の特徴を解説する．

❶ α壊変

原子核からα粒子（陽子2個と中性子2個からなるHe原子核に相当）が放出される放射性壊変をα壊変という．α壊変では，壊変前の核種（親核種）に比べて原子番号が2，質量数が4減少した核種（娘核種）が生成する．α壊変は，通常Pb（原子番号82）以上の大きな核種にみられる現象であり，^{226}Ra，^{235}U などが代表例である．半減期の短いα線放出核種である ^{223}Ra，^{225}Ac，^{211}At，^{213}Bi などは核医学内用療法における利用が期待されている．

❷ β壊変

β壊変は，原子核内の陽子と中性子が電子を介して相互に変換する壊変形式であり，β^-壊変，β^+壊変，軌道電子捕獲 electron capture（EC）の3種類がある．

a．β^-壊変

β^-壊変は，中性子が陽子と電子（陰電子）および中性微子 neutrino（ν）に変換する現象であり，原子核内の中性子が過剰である場合に起こる．質量数は変化せず，原子番号（陽子数）が1大きい核種が生成する．陰電子（β^-線）および中性微子は核外に放出される．

Note 1

● **原子の構造**

原子は物質を構成する基本単位であり，原子核とその周囲を運動する電子から成る．さらに原子核は正電荷を持つ陽子と電気的に中性な中性子から構成される．

● **原子と元素**

原子が物質を構成する個々の粒子を指すのに対し，元素は原子のグループを指す．すなわち，米（元素）と米粒（原子）のような関係である．各元素は陽子数（原子番号）によって区別される．したがって中性子の数により質量数が異なる場合も同じ元素として扱われる．

● **同位体**

原子核内に含まれる陽子数は等しく（同じ原子番号），中性子数（質量数）が異なる原子・元素を互いに同位体・同位元素 isotope という．また，放射能を持たない同位体を安定同位体 stable isotope（SI），放射能を持つ同位体を放射性同位体 radioisotope（RI）という．

● **核種**

原子核の陽子数，中性子数，およびエネルギー状態によって規定される原子の種類を核種という．

表I-A-1 主な放射性壊変の形式(種類)と特徴

壊変形式		原子番号の変化	質量数の変化	一次的に放出される放射線	二次的に放出される放射線(放出されない場合あり)
α壊変		−2	−4	α線	γ線
β壊変	β^-壊変	+1	0	β^-線，中性微子	γ線
	β^+壊変	−1	0	β^+線，中性微子	消滅放射線，γ線
	軌道電子捕獲(EC)	−1	0	中性微子	γ線，特性X線，Auger電子
γ放射		0	0	γ線	内部転換電子，特性X線，Auger電子

EC：electron capture

b．β^+壊変

β^+壊変は，陽子が中性子と陽電子 positron および中性微子に変換する現象であり，原子核内の陽子が過剰である場合に起こる．質量数は変化せず，原子番号（陽子数）が1小さい核種が生成する．陽電子（β^+線）および中性微子は核外に放出される．放出された陽電子は運動エネルギーを失った状態で近傍の電子（陰電子）と結合し消滅する（陽電子消滅）．このとき2個の電子（陽電子と陰電子）の質量に相当するエネルギーが2本の電磁波（光子）としてほぼ正反対の方向に放出される．これらの電磁波（光子）は消滅放射線と呼ばれ，各々0.511 MeVのエネルギーを持つ．ポジトロンコンピュータ断層撮影法 computed tomography（CT）陽電子放出断層撮影法 positron emission tomography(PET) 診断では，^{18}F，^{15}O，^{13}N，^{11}Cなどの陽電子（β^+線）放出核種が用いられる．

c．EC

ECは，原子核内に軌道電子が取り込まれ，陽子と結合して中性子と中性微子が生成する現象であり，原子核内の陽子が過剰である場合に起こる．質量数は変化せず，原子番号（陽子数）が1小さい核種が生成する．

❸ γ放射

α壊変やβ壊変後の原子核が余剰なエネルギーを持った状態（励起状態）にある場合，そのエネルギーをγ線として放出してエネルギー準位の低い状態に移る．したがって放出されるγ線のエネルギーは一定であり，各々の核種に固有である．このγ線の放出は通常α壊変やβ壊変の直後に起こるが，励起状態が比較的長く（準安定状態，半減期の測定が可能な程度の時間）続いた後にγ線を放出する場合があり，このような現象を核異性体転移という．

放射平衡

放射性壊変で生じた娘核種も放射性核種であり，さらに放射性壊変を行う場合がある．この時親核種の半減期（T_1）が娘核種の半減期（T_2）に比べて長ければ（$T_1 > T_2$），時間が経過すると，娘核種の生成と壊変が釣り合った状態となる．この時，親核種と娘核種の原子数や放射能の比は一定であり，娘核種は見かけ上，親核種の半

Note 2

● 特性X線とAuger効果

軌道電子捕獲 electron capture(EC)で軌道電子(通常K軌道電子)が核内に取り込まれると，その電子軌道が空位となるためエネルギー準位の高い外側の軌道から電子が遷移する．この時両電子軌道のエネルギー差に相当するエネルギーが放出され，これを特性X線と呼ぶ．また特性X線を放出する代わりに，このエネルギーをより外側の軌道電子に与えてその電子を放出させる場合がある．この現象をAuger効果と呼び，放出された電子をAuger電子という．

● γ線とX線

ともに電磁波であるが，発生機構によって区別されている．原子核内のエネルギー準位の遷移を起源とするものをγ線，原子核外を起源とするものをX線と呼んでいる．

減期で減少する．この状態を過渡平衡と呼ぶ（10 <T_1/T_2<1,000 程度）．また親核種の半減期が娘核種の半減期より圧倒的に長ければ，親核種の放射能と娘核種の放射能はほぼ等しくなる．この状態を永続平衡と呼ぶ（T_1/T_2>1,000 程度）．過渡平衡と永続平衡をあわせて，放射平衡という．

放射平衡（過渡平衡）の代表例としては，^{99}Mo（親核種）−^{99m}Tc（娘核種）−^{99}Tc（孫核種）の壊変系列（逐次壊変）が挙げられる．放射性医薬品の標識によく用いられる ^{99m}Tc は，親核種である ^{99}Mo（半減期 66 時間）の β^-壊変により生成し，約 6 時間の半減期で核異性体転移（γ 線を放出）して ^{99}Tc となる．^{99}Mo と ^{99m}Tc の間には過渡平衡が成り立ち，この性質を利用したジェネレータシステムが広く利用されている（「B　放射性医薬品」参照）．

放射線とその作用

前項では，放射性壊変に伴い，α 粒子や電子，あるいは γ 線などが放出されることを学んだ．このような粒子線や電磁波（光子）は放射線と呼ばれている．粒子線には α 線，β^-線，β^+線，電子線，陽子線，重粒子線などの荷電粒子線と，中性子線などの非荷電粒子線があり，電磁波としては X 線，γ 線などがある．主な放射線の分類とその性質を表I-A-2 にまとめた．これらの放射線は，物質中を通過する際にそのエネルギーを物質に与え，電離や励起を起こす．逆に，物質は放射線の方向やエネルギーを変化させる．この現象を放射線と物質との相互作用という．本項では放射線が物質に及ぼす主な作用に注目し，それらについて簡単に解説する．

❶ 電離作用と励起作用

放射線が物質を通過する時，その物質を形成している原子の軌道電子に衝突して電子をはね飛ばす（原子核と軌道電子との結合を切断する）ことがあり，残された原子は電気を帯びたイオンになる．この現象を電離という．一方，放射線により与えられたエネルギーが，原子核と電子との結合を切断するほどには大きくない場合には電離は起こらず，軌道電子はエネルギー準位が高い外側の軌道に移る．この現象を励起という．放射線の電離作用・励起作用は，以下に述べる蛍光作用や化学作用などとも深く関係している．

❷ 蛍光作用

放射線により励起された軌道電子は余剰なエネルギーを光として放出して安定な状態（基底状態）に戻る．この時に放出される光を蛍光という．蛍光作用は，励起エネルギーが光エネルギーに転換される現象である．

❸ 化学作用

放射線により電離・励起された原子や分子は引き続いて化学的な反応に関与することがある．この現象を放射線の化学作用という．放射線の化学作用の例としては，高分子の重合反応が有名である．放射線により生じたフリーラジカルやイオンが重合反応を開始させると考えられている．以下に述べる写真作用も化学作用の一種である．

❹ 写真作用

放射線は，ハロゲン化銀を含む写真乳剤中の原子・分子を電離・励起させる．その結果，自由電子やイオン，励起種が生じ，これらが銀イオンを

Note 3

● 核異性体と核異性体転移

原子番号，質量数が同じでもエネルギー状態や半減期などが異なる核種が 2 種以上ある時，これらを互いに核異性体という．例として，^{99m}Tc と ^{99}Tc は互いに核異性体である．励起状態（準安定状態 metastable）の ^{99m}Tc は約 6 時間の半減期で核異性体転移（γ 線を放出）して ^{99}Tc となる．なお，準安定状態の核種は，質量数の右に m の記号で表記する（例：^{99m}Tc，^{81m}Kr など）．

● 内部転換・内部転換電子

励起された原子核が γ 線を放出せず，そのエネルギーを軌道電子に与えて電子を放出させる場合がある．この現象を内部転換といい，放出された電子を内部転換電子と呼ぶ．また，内部転換電子の放出により電子軌道に空位ができ，さらに特性 X 線や Auger 電子が放出される場合がある．

表I-A-2 主な放射線の分類とその性質

放射線	粒子線	荷電	α線	・α壊変に伴い，原子核から放出される ・ヘリウム4の原子核であり，陽子2個と中性子2個から成る ・電離作用が強いため透過力は小さく，紙や数cmの空気層で遮蔽できる
			β^-線	・β^-壊変に伴い，原子核から放出される(陰)電子をいう ・透過力は比較的小さく，数mmのアルミ板で遮蔽できる
			β^+線	・β^+壊変に伴い，原子核から放出される陽電子をいう ・透過力は比較的小さく，数mmのアルミ板で遮蔽できる ・陽電子消滅の際，2本の電磁波(光子)を放出する(本文参照)
		非荷電	中性子線	・エネルギーを持った中性子の流れをいう ・原子炉(核分裂)，加速器などにより発生させることができる ・電気的に中性で周囲の電気エネルギーの影響を受けないため，透過力が非常に大きい
	電磁波(光子)	非荷電	X線	・軌道電子や電子線などの作用により放出される電磁波(光子)をいう ・透過力は大きく，遮蔽には鉛板や重コンクリートなどが用いられる
			γ線	・放射性壊変に伴い励起された原子核が放出する電磁波(光子)をいう ・透過力は大きく，遮蔽には鉛板や重コンクリートなどが用いられる

還元して潜像を作る．これを現像，定着することにより，写真ができる．

❺ 透過力

放射線は，物質を透過する能力を持っている．この物質透過力は，放射線の種類（電荷，質量など），エネルギーなどによって決まる．α線などの荷電粒子線は物質との相互作用が大きいため透過力は小さく，中性子線，X線，γ線は物質との相互作用が小さいため透過力が大きい（表I-A-2）．

放射線の計測

前項で学んだように，放射線は，電離作用や励起作用などを持つ．これらを測定することにより，放射線を高感度で検出・定量することができる．図I-A-1に主な放射線検出器の例を示した．電離箱，Geiger-Müller（GM）計数管，比例計数管，半導体検出器などは電離作用により発生したイオンや電子を検出するものであり，シンチレーション検出器，蛍光ガラス線量計，熱ルミネセンス線量計などは蛍光作用により発生した蛍光を検出するものである．その他，化学作用（酸化・還元）を利用した化学線量計などもある．

放射線の取り扱いと防護

放射線の電離，励起などの作用は，生体中でも起こる．放射線の作用により，核酸やタンパク質などの生体分子が変化（損傷）すると，さまざまな生化学的変化が生じ，細胞死や発癌が起こる場合がある．この作用には，放射線が生体分子を直接的に電離または励起させる直接作用と，放射線

Note 4

● 放射線と電離放射線

放射線とはすべての粒子線・電磁波のことであり，厳密には比較的電離作用の大きい電離放射線と，それ以外の非電離放射線に分類される．電離放射線を単に放射線と呼ぶことも多い．本項で学んだα線，β^-線，β^+線，電子線，陽子線，重粒子線，中性子線，X線，γ線はすべて電離放射線である．他方，非電離放射線には可視光，赤外線，紫外線，マイクロ波，高周波，低周波，静電磁場などがある．紫外線や可視光線も電離作用は皆無ではないが，その能力が比較的弱いので非電離放射線に分類される．

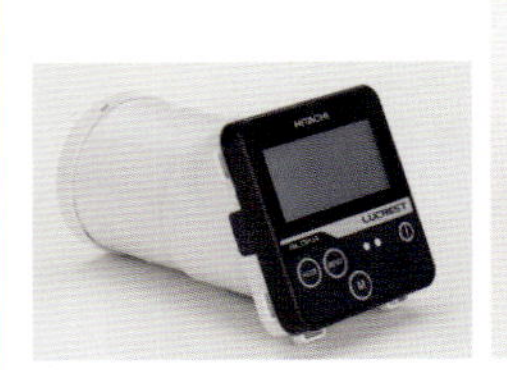

電離箱式
サーベイメータ*1

GM計数管式
サーベイメータ*1

^{3}He比例計数管式
中性子サーベイメータ*1

NaI(Tl)シンチレーション式
サーベイメータ*1

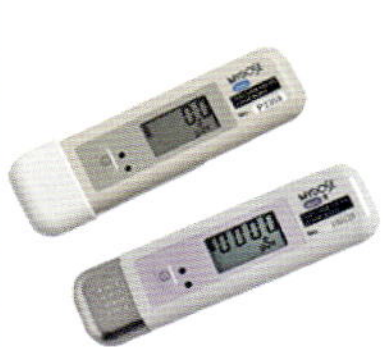

シリコン半導体式
個人被ばく線量計*1

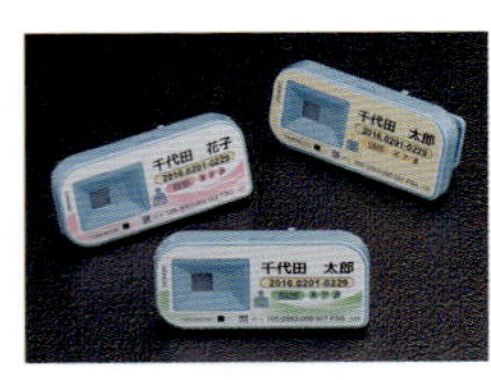

個人被ばく用蛍光ガラス
線量計(ガラスバッジ)*2

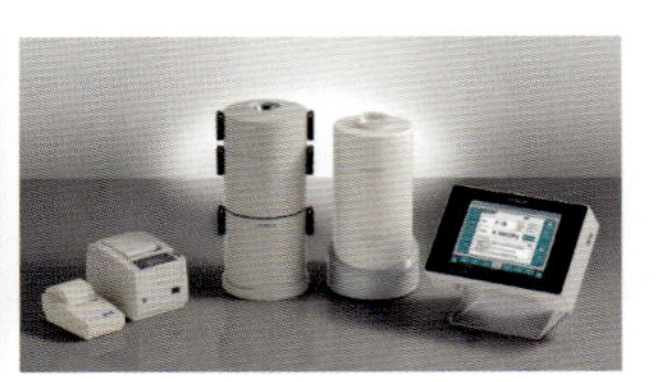

電離箱式
ドーズキャリブレータ*1

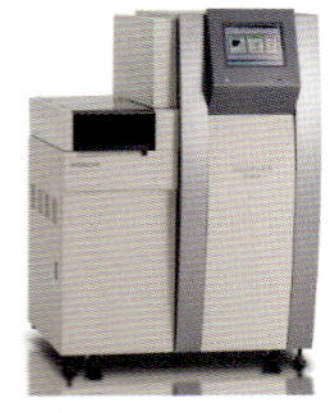

NaI(Tl)ウェル型シンチレーション式γカウンタ*1

液体シンチレーション
カウンタ*1

図I-A-1　主な放射線検出器の例

（*1 株式会社日立製作所，*2 株式会社千代田テクノルより許可を得て掲載）

により生じたフリーラジカルなどが生体分子に作用する間接作用があると考えられている．

このように放射線は生体（人体）にも影響を及ぼす．したがって，放射線を利用する際には，放射線から生体（人体）を防護する対策を講じる必要がある．

❶ 放射線利用の原則

国際放射線防護委員会 International Commission on Radiological Protection（ICRP）では，放射線の利用に伴う環境の保全を図るとともに，人体の安全を確保することを目的として，以下の3原則（放射線防護体系）の遵守を勧告している．

a．行為の正当化

放射線被曝を伴う行為は，被曝する個人，社会に対して，放射線障害などの損害（デメリット）を上回る利益（メリット）を生むものでなければならない．

b．防護の最適化

被曝線量や被曝人数などを，社会的，経済的要因を考慮したうえで合理的に可能な限り低く抑える（as low as reasonably achievable（ALARA）の原則）．

c．個人の線量制限

行為の正当化，防護の最適化が行われた場合においても，個人の被曝線量は線量限度（線量またはリスクの合計を制限するためにICRPが勧告する個人線量の上限値）を超えてはならない．

なお，線量限度は医療被曝（患者の被曝など）には適用されないが，これら3原則の趣旨をよく理解し，取り扱い者の被曝（職業被曝）防護だけでなく，一般公衆の被曝（公衆被曝）および患者の被曝（医療被曝）防護に努めなければならない．

❷ 放射線防護の基本

放射線防護に際しては，体内に取り込まれた放射線源からの被曝（内部被曝）と体外に存在する放射線源からの被曝（外部被曝）の両方を考慮する必要がある．

❸ 外部被曝の防護

外部被曝の防護に関しては，1）線源からの距離をとること（距離），2）遮蔽物を設けること（遮蔽），3）作業時間を短くすること（時間）の3つが基本原則である．

a．距離

点状線源からの放射線量は距離の二乗に反比例する．したがって，可能な限り線源から距離を置いて操作することが重要である．線源の取り扱い

表I-A-3　放射能・放射線に関する主な単位

項目	単位	定義・説明など
放射能	ベクレル(Bq)	1 秒当たりの壊変数，1 Bq は 1 秒間に 1 個の原子核が壊変すること
放射線のエネルギー	電子ボルト(eV) ジュール(J)	1 eV は，1 個の電子が 1 V の電圧で加速されて得られる運動エネルギー 1 eV=1.6×10^{-19} J
照射線量	クーロンごとキログラム(C/kg)	照射された γ 線および X 線量を表す尺度 γ 線および X 線が空気を電離する能力
吸収線量	グレイ(Gy)	放射線照射により物質が得たエネルギーの尺度 1 Gy は 1 kg の物質当たり 1 J のエネルギーの吸収(1 Gy=1 J/kg) (注)物質が異なると，同じ種類・量の放射線照射に対しても吸収線量の値は変化する
等価線量	シーベルト(Sv)	人体の各臓器に対する放射線の影響を表す尺度 人体組織の吸収線量に放射線荷重係数*1を乗じたもの (注)放射線の人体への影響は，同一の吸収線量であっても放射線の種類やエネルギーによって異なる．条件の異なる放射線照射の人体影響を同一尺度で評価するための尺度で，放射線防護の目的に用いられる
実効線量	シーベルト(Sv)	人の体全体に対する放射線の影響を表す尺度 放射線照射を受けた各組織の等価線量に組織荷重係数*2を乗じた値を足し合わせたもの

*1放射線の種類やエネルギーによって組織が受ける影響の程度が異なることを補正する係数.
*2各組織・臓器における放射線の影響度(放射線感受性)と重要性の指標となる係数.

に際しては，ピンセットやトングを利用することも有効である．

b．遮蔽

線源と身体の間に遮蔽体を置いて，放射線を遮る方法も有効である（表I-A-2）．γ 線源に対しては鉛板（鉛衝立）を用いたり，線源を鉛容器に収納する方法がよく用いられている．低エネルギーの β 線や α 線はガラス，プラスチック，アクリル板などで十分遮蔽できる．ただし，高エネルギーの β^- 線の遮蔽は，制動 X 線の発生を避けるため，線源をプラスチックで囲み，その外側を鉛などで遮蔽する．β^+ 線を扱う場合には，消滅放射線の遮蔽のための鉛板（鉛衝立）や鉛容器を用いる必要がある．

c．時間

被曝線量は，作業場所の放射線の強度（線量率）と時間の積であるので，作業時間を短くすることも重要である．綿密な計画や準備を行い，放射線源を用いない予行練習（コールドラン）を行うなど，作業時間の短縮に努めるとともに，放射性医薬品などを投与した患者との不必要な接触を避けることも被曝線量の低減には重要な要素である．

❹ 内部被曝の防護

吸入摂取，経口摂取，経皮摂取の三つが，放射性物質が体内に取り込まれる主な経路であるが，吸入摂取の頻度が最も高い．内部被曝を防止する

Note 5

● 制動放射と制動 X 線

高エネルギーの β^- 線（電子）が原子核近傍の強い電場を通過する時，Coulomb 力により減速され，運動エネルギーの一部を電磁波の形で放出する．この現象を制動放射といい，放出される電磁波を制動 X 線という．制動放射の確率は，β^- 線のエネルギーおよび相手物質（遮蔽体）の原子番号が大きいほど大きくなる．したがって，高エネルギーの β^- 線源は，制動 X 線の発生を避けるために原子番号の小さいプラスチックなどで囲んで β^- 線を遮蔽し，その外側から鉛などで X 線を遮蔽することが有効である．

要点

- 放射性壊変には，α 壊変，β 壊変（β^- 壊変，β^+ 壊変，軌道電子捕獲）および γ 放射がある．
- 放射線には，α 線，β^- 線，β^+ 線，電子線，陽子線，重粒子線などの荷電粒子線，中性子線などの非荷電粒子線，X 線，γ 線などの電磁波（光子）がある．
- 放射線の作用には，電離作用と励起作用がある．また，放射線は物質を透過する能力を持つ．
- 外部被曝の防護には，1）線源からの距離をとること（距離），2）遮蔽物を設けること（遮蔽），3）作業時間を短くすること（時間）の 3 原則が重要である．
- 内部被曝の防護には，放射性物質の主な摂取経路（吸入摂取，経口摂取，経皮摂取）を遮断することが重要である．

には，放射性物質，特に揮発・飛散しやすい放射性物質の取り扱いは可能な限りフードまたはグローブボックスの中で行うことが重要である．また，吸着剤を用いて放射性物質の飛散を防ぐことや，プラスチック手袋やマスクなどの防護用具を装着することも忘れてはならない．

放射能・放射線の単位

放射性物質の量や放射線の強度などを表すために基準となる単位が定められている．放射能・放射線に関する主な単位を表I-A-3 にまとめた．これらの単位について理解することは，放射性物質や放射線を取り扱ううえで極めて重要である．

◆ 参考文献

1）花田博之編：放射線技術シリーズ　放射化学（改訂第 2 版），オーム社，東京，2008
2）佐治英郎編：NEW 放射化学・放射薬品学　第 2 版，廣川書店，東京，2011
3）佐治英郎ほか編：新 放射化学・放射性医薬品学 改訂第 3 版，南江堂，東京，2011

B　放射性医薬品

放射性医薬品の分類

放射性医薬品とは，放射性核種あるいは放射性核種を含む化合物およびこれらの製剤であり，放射性核種が放出する放射線を診断または治療に利用する医薬品である．法的には「医薬品，医療機器等の品質，有効性及び安全性の確保等に関する法律（平成26年11月施行，旧薬事法）」に規定される医薬品で，原子力基本法に規定する放射線を放出する医薬品であって，放射性医薬品の製造および取扱規則に掲げるものをいう．

放射性医薬品は，疾患の診断を目的とする診断用放射性医薬品と，治療を目的とする治療用放射性医薬品に大別される．診断用放射性医薬品はさらに，体内に投与して診断に用いる体内（インビボ）診断用と，採取した生体試料（血液など）中に存在する生理活性物質や腫瘍マーカーなどを試験管内（インビトロ）で測定する体外（インビトロ）診断用に分類される．

インビボ診断用放射性医薬品

放射性医薬品を体内に投与し，放射性核種が放出する放射線を体外から計測することにより，放射性核種の体内での挙動・分布を画像として表示し，検査・診断を行う診断法をインビボ核医学診断法という．これに用いる放射性医薬品がインビボ診断用放射性医薬品である．

体内にある放射性核種から放出される放射線を，体外から検出するためには高い物質（組織）透過力を有するγ線やX線を放出する放射性核種の利用が理にかなっている．この観点から，インビボ診断用放射性医薬品には，軌道電子捕獲や核異性体転移により単一のγ線（シングルフォトン）を放出する核種および陽電子消滅により消滅放射線を放出する陽電子（ポジトロン）放出核種が用いられる．なお，患者の被曝低減のためにはα線やβ^-線を放出せず，半減期の短い核種がよいが，使用上の利便性との関係から数分～数日の物理的半減期を持つ核種が多く用いられている（表I-B-1，2）．インビボ核医学診断による被曝線量を表I-B-3，4に示した．通常，これらの被曝による健康被害の心配はないと考えられている．

❶ シングルフォトン放射性医薬品

シングルフォトン放射性医薬品に用いられる主な放射性核種を表I-B-1にまとめた．シングルフォトン放射性医薬品を用いるインビボ核医学診断では，これらの放射性核種から放出されるγ（X）線をシンチレーションカメラ（シンチカメラ，ガンマカメラ）やシングルフォトンCT単一光子放射コンピュータ断層撮影法 single photon emission computed tomography（SPECT）で検出し，画像化する．組織透過力や測定器の検出感度，被曝などの観点からγ（X）線のエネルギーは100～200 keV程度が適切とされている．これらの核種の中で汎用されているのが，^{99m}Tcと^{123}I

Note 1

● **インビトロ診断用放射性医薬品**

検体（被検者から採取された血液や体液）に含まれる生理活性物質（腫瘍マーカーやホルモンなど）や薬物の量を試験管内で定量測定する方法を，インビトロ診断（検査）法という．核医学的手法を用いるインビトロ診断（検査）では，試験管内で検体と放射性医薬品を反応させる．これに用いる放射性医薬品がインビトロ診断用放射性医薬品である．核医学的手法を用いるインビトロ診断（検査）法には，抗原抗体反応を利用するラジオイムノアッセイ radioimmunoassay（RIA）やイムノラジオメトリックアッセイ immnoradiometric assay（IRMA）などがある．核医学的手法を用いるインビトロ診断（検査）件数は年々減少している．これは放射性核種を用いない検査法の普及が進んでいるためである．

表I-B-1 核医学診断に用いられる主なシングルフォトン放出核種

核種	壊変形式	物理的半減期	主なγ線エネルギー	製造方法
^{99m}Tc	核異性体転移(IT)	6.01 時間	141 keV	ジェネレータ(^{99}Mo-^{99m}Tc)
^{123}I	軌道電子捕獲(EC)	13.2 時間	159 keV	サイクロトロン
^{201}Tl	軌道電子捕獲(EC)	3.04 日(73.1 時間)	135, 167 keV*	サイクロトロン
^{67}Ga	軌道電子捕獲(EC)	3.26 日(78.3 時間)	93, 185, 300 keV	サイクロトロン
^{111}In	軌道電子捕獲(EC)	2.80 日(67.4 時間)	171, 245 keV	サイクロトロン
^{81m}Kr	核異性体転移(IT)	13.1 秒	190 keV	ジェネレータ(^{81}Rb-^{81m}Kr)
^{133}Xe	β^-壊変	5.25 日(126 時間)	81 keV	原子炉

*これらγ線の放出割合は低く，Hg 特性 X 線(70.3, 80.9 keV)も計測される.
IT：isomeric transition, EC：electron capture.

表I-B-2 核医学診断に用いられる主なポジトロン放出核種

核種	物理的半減期	製造方法	核反応
^{18}F	110 分	サイクロトロン*	$^{18}O(p, n)^{18}F$ $^{20}Ne(d, \alpha)^{18}F$
^{15}O	122 秒	サイクロトロン*	$^{14}N(d, n)^{15}O$ $^{15}N(p, n)^{15}O$
^{13}N	9.97 分	サイクロトロン*	$^{16}O(p, \alpha)^{13}N$
^{11}C	20.4 分	サイクロトロン*	$^{14}N(p, \alpha)^{11}C$
^{68}Ga	67.8 分	ジェネレータ(^{68}Ge-^{68}Ga)	—

*院内用小型サイクロトロンにより製造可能.

である.

a. ^{99m}Tc 標識放射性医薬品

^{99m}Tc は約 6 時間の半減期で核異性体転移（γ 線を放出）して ^{99}Tc となる（表I-B-1）. ^{99m}Tc は ^{99}Mo-^{99m}Tc ジェネレータシステムを用いて容易に入手できるため放射性医薬品の標識核種として広く用いられている. ^{99}Mo-^{99m}Tc ジェネレータシステムの内部構造および ^{99m}Tc の溶出原理を図I-B-1 に示した. ^{99}Mo の半減期が約 66 時間であるため，購入したジェネレータシステムは 1 週間程度の利用が可能であり，その間 ^{99m}Tc の生成にあわせて ^{99m}Tc を利用できる.

主な ^{99m}Tc 標識放射性医薬品を図I-B-2 および表I-B-3 に示した. ^{99m}Tc はジェネレータシステムから $^{99m}TcO_4^-$ の化学形で溶出される. $^{99m}TcO_4^-$ の分子サイズや電荷は I^- や ClO_4^- などと類似しており, $^{99m}TcO_4^-$ は甲状腺，唾液腺，胃粘膜に高く集積するので，甲状腺疾患，唾液腺疾

Note 2

● 物理学的半減期，生物学的半減期と実効半減期

放射性核種は物理学的半減期をもって壊変(崩壊)する. 一方，体内に投与された放射性医薬品(標識化合物)は，生体の代謝・排泄作用により尿・糞便・呼気などから排泄され，指数関数的に体内から消失する. この生体の代謝・排泄作用による消失速度は生物学的半減期(Tb)により表すことができる. 放射性医薬品による生体の被曝などを考える場合には，物理学的半減期(Tp)と Tb の両方を勘案すべきであり，その指標として有効半減期(実効半減期)(Te)が用いられる. Tp, Tb と Te は以下の関係にある.

$$1/Te = 1/Tp + 1/Tb$$

表I-B-3　核医学診断に用いられる主なシングルフォトン放射性医薬品

核種	放射性医薬品 （化合物または化学形）	診断・測定できる主な疾患または機能	被曝線量（静脈内投与） （実効線量：mSv/MBq）
^{99m}Tc	$^{99m}TcO_4^{-}$ *1	脳腫瘍および脳血管障害，甲状腺疾患，唾液腺疾患，異所性胃粘膜疾患	1.3×10^{-2}
	^{99m}Tc-HMPAO *2 ^{99m}Tc-ECD *3	局所脳血流	^{99m}Tc-HMPAO：9.3×10^{-3} ^{99m}Tc-ECD：7.7×10^{-3}
	^{99m}Tc-MIBI *4 ^{99m}Tc-テトロホスミン（^{99m}Tc-TF）*5	心疾患（心筋血流），心機能（初回循環法）	^{99m}Tc-MIBI：9.0×10^{-3} ^{99m}Tc-TF：8.0×10^{-3}
	^{99m}Tc-MDP *6 ^{99m}Tc-HMDP *7	骨疾患（骨腫瘍，骨折など）	4.9×10^{-3}
	^{99m}Tc-MAA *8	肺疾患（肺血流分布）	1.1×10^{-2}
	^{99m}Tc-MAG_3 *9	腎および尿路疾患	7.0×10^{-3}
	^{99m}Tc-DTPA *10 ^{99m}Tc-DMSA *11	腎疾患	^{99m}Tc-DTPA：4.9×10^{-3} ^{99m}Tc-DMSA：8.8×10^{-3}
	^{99m}Tc-フィチン酸 *12 ^{99m}Tc-スズコロイド *13	リンパ節・センチネルリンパ節（乳癌，悪性黒色腫），肝・脾疾患	9.1×10^{-3}
	^{99m}Tc-GSA *14	肝臓の機能・形態	記載なし
^{123}I	^{123}I-IMP *15	局所脳血流	3.2×10^{-2}
	^{123}I-MIBG *16	心疾患，腫瘍（神経芽腫・褐色細胞腫）	1.3×10^{-2}
	^{123}I-BMIPP *17	心疾患（脂肪酸代謝）	1.6×10^{-2}
	^{123}I-NaI *18	甲状腺疾患・甲状腺摂取率（甲状腺機能）	2.3×10^{-1} （経口投与：2.2×10^{-1}）
	^{123}I-イオマゼニル *19	部分てんかん（てんかん焦点の診断）	5.0×10^{-2}
	^{123}I-イオフルパン（^{123}I-FP-CIT）*20	Parkinson 症候群・Lewy 小体型認知症（ドパミントランスポーター）	2.5×10^{-2}
^{201}Tl	^{201}Tl-塩化タリウム *21	心疾患（心筋血流），腫瘍（脳腫瘍，甲状腺腫瘍，肺腫瘍，骨・軟部腫瘍，縦隔腫瘍），副甲状腺疾患	1.4×10^{-1}
^{67}Ga	^{67}Ga-クエン酸ガリウム *22	悪性腫瘍，炎症性疾患	1.0×10^{-1}

*1過テクネチウム酸ナトリウム（^{99m}Tc）注射液，*2エキサメタジムテクネチウム（^{99m}Tc）注射液，*3［*N,N'*-エチレンジ-L-システイネート（3-）］オキソテクネチウム（^{99m}Tc），ジエステル注射液，*4ヘキサキス（2-メトキシイソブチルイソニトリル）テクネチウム（^{99m}Tc）注射液，*5テトロホスミンテクネチウム（^{99m}Tc）注射液，*6メチレンジホスホン酸テクネチウム（^{99m}Tc）注射液，*7ヒドロキシメチレンジホスホン酸テクネチウム（^{99m}Tc）注射液，*8テクネチウム大凝集人血清アルブミン（^{99m}Tc）注射液，*9メルカプトアセチルグリシルグリシルグリシンテクネチウム（^{99m}Tc）注射液，*10ジエチレントリアミン五酢酸テクネチウム（^{99m}Tc）注射液，*11ジメルカプトコハク酸テクネチウム（^{99m}Tc）注射液，*12フィチン酸テクネチウム（^{99m}Tc）注射液，*13テクネチウムスズコロイド（^{99m}Tc）注射液，*14ガラクトシル人血清アルブミンジエチレントリアミン五酢酸テクネチウム（^{99m}Tc）注射液，*15N-塩酸イソプロピル-4-ヨードアンフェタミン（^{123}I）注射液，*163-ヨードベンジルグアニジン（^{123}I）注射液，*1715-(4-ヨードフェニル)-3(R, S)-メチルペンタデカン酸（^{123}I）注射液，*18ヨウ化ナトリウム（^{123}I）カプセル，*19イオマゼニル（^{123}I）注射液，*20イオフルパン（^{123}I）注射液，*21塩化タリウム（^{201}Tl）注射液，*22クエン酸ガリウム（^{67}Ga）注射液．

（文献 1～4）より作成）

患，異所性胃粘膜の診断に用いられる．また，$^{99m}TcO_4^{-}$は，正常な血液脳関門 blood-brain barrier（BBB）は透過できないので，BBB の傷害や透過性の亢進の検出に基づく脳腫瘍や脳血管障害の診断に用いることも可能である．

+7価の$^{99m}TcO_4^{-}$は化学的に安定であるが，塩化第一スズ（$SnCl_2$）などを用いて還元することにより，種々の配位子と配位結合し，錯体を形成

表I-B-4　核医学診断に用いられる主なポジトロン放射性医薬品

放射性医薬品	診断・測定できる主な疾患または機能	被曝線量（実効線量：mSv/MBq）
^{18}F-FDG（静脈内投与）	悪性腫瘍，虚血性心疾患，難治性部分てんかん，大型血管炎	1.9×10^{-2}
^{11}C-メチオニン（静脈内投与）	悪性脳腫瘍	8.2×10^{-3}
^{13}N-アンモニア（静脈内投与）	心疾患（心筋血流）	2.0×10^{-3}
^{15}O-O_2（1時間の持続吸入）	酸素代謝	4.0×10^{-4}
^{15}O-CO（1時間の持続吸入）	血液量	5.5×10^{-4}
^{15}O-CO_2（1時間の持続吸入）	血流量	3.8×10^{-4}

（被曝線量は文献1，2）より）

するようになる．^{99m}Tcと結合して形成された錯体は，各々の錯体の化学形に基づく化学的・生物学的性質を示す．すなわち，錯体の化学形を工夫・デザインすることにより，種々の機能・疾患の診断に適した^{99m}Tc標識放射性医薬品の創製が可能であり，実際に多くの^{99m}Tc標識錯体が核医学診断に利用されている（図I-B-2，表I-B-3）．また，分子内に^{99m}Tcと結合して錯体を形成する部位と，タンパク質，ペプチドなどの生理活性物質と結合する部位とをあわせ持つ標識試薬（二官能性キレート試薬 bifunctional chelating agent）が開発され，タンパク質，ペプチドなどの標識に用いられている．

b．^{123}I標識放射性医薬品

^{123}Iは，軌道電子捕獲 electron capture（EC）に伴い159 keVのγ線を放出する（表I-B-1）．^{123}Iはサイクロトロンで製造され，その物理学的半減期は約13時間である．

主な^{123}I標識放射性医薬品を図I-B-2および表I-B-3に記した．甲状腺は，ヨウ素を取り込んでホルモンを合成するため，^{123}Iは^{123}I-NaIの形で甲状腺疾患の診断や甲状腺摂取率（甲状腺機能）の測定に用いられている．また，求核置換反応や交換反応，金属置換反応，親電子置換反応などの化学反応を利用した芳香環の標識が検討され，表I-B-3に記した数種の^{123}I標識放射性医薬品が市販されているほか，さまざまな低分子化合物や，ペプチド，タンパク質の^{123}I標識体が報告されている．

c．そのほかのシングルフォトン放射性医薬品

^{99m}Tcおよび^{123}I以外のシングルフォトン放射性医薬品で汎用されているのは，^{201}Tl-塩化タリウムと^{67}Ga-クエン酸ガリウムである（表I-B-3，図I-B-2）．^{201}Tlは，ECに伴い135，167 keVのγ線を放出するが，これらγ線の放出割合は低く，撮像には^{201}Tlの娘核種である^{201}Hgの特性X線（70.3，80.9 keV）も利用される（表I-B-1）．^{201}Tlは，^{201}Tl-塩化タリウムとして，心筋血流に基づく心疾患の診断や，腫瘍，甲状腺疾患の診断に用いられている．

^{67}Gaは，ECに伴い93，185，300 keVのγ線を放出する（表I-B-1）．^{67}Gaは，^{67}Ga-クエン酸ガリウムとして悪性腫瘍，炎症性疾患の診断に広く用いられてきたが，近年，^{18}F-フルオロデオキシグルコース fluorodeoxyglucose（FDG）を用いたPET検査の普及により，その利用数は減少している（表I-B-3，図I-B-2）．

そのほかのシングルフォトン放射性医薬品としては，^{81m}Krガス，^{133}Xeガス，^{111}In標識放射性医薬品，^{131}I標識放射性医薬品なども利用されている．

❷ ポジトロン放射性医薬品

ポジトロン放射性医薬品に用いられる主な放射性核種を表I-B-2にまとめた．ポジトロン放射性医薬品を用いるインビボ核医学診断では，陽電子消滅の際にほぼ正反対の方向に放出される2本の消滅放射線をポジトロンCT（PET）を用いて検出し，画像化する．インビボ核医学診断に用いるポジトロン放出核種は，前述のシングルフォトン放出核種に比べ，物理学的半減期が短く，繰り返し検査が容易であることや，比放射能の高い標識化合物が得られるなどの特徴を持っている．また，生理活性物質の構成元素（C，N，O）や，これらに近いサイズの原子（F）の放射性同位体を利用できることも大きな特徴である．他方，これらの核種は，その物理学的半減期の短さのため，多くは院内用小型サイクロトロンで製造され，標

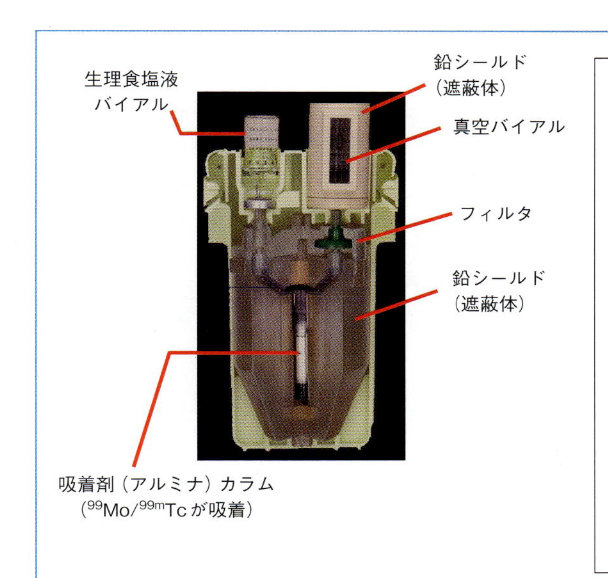

【^{99m}Tcの溶出原理】

1. 親核種である^{99}Mo（半減期約66時間）と娘核種^{99m}Tc（半減期約6時間）の間には過渡平衡が成立する（I．A．放射能・放射線の基礎参照）
2. ^{99m}Tcの生成量は約23時間で最大となる
3. ^{99}Moは$^{99}MoO_4{}^{2-}$の化学形で吸着剤（アルミナ）カラムに吸着している
4. ^{99m}Tcは生成後，$^{99m}TcO_4{}^{-}$の化学形で吸着剤（アルミナ）カラムに吸着している
5. 真空バイアルをセットすると負圧が生じて，生理食塩液バイアル→吸着剤カラム→真空バイアルへと，生理食塩液が流れる
6. $^{99}MoO_4{}^{2-}$と$^{99m}TcO_4{}^{-}$ではアルミナへの親和性が異なるため，生理食塩液により$^{99m}TcO_4{}^{-}$のみが溶出される（$^{99}MoO_4{}^{2-}$は，吸着したままである）
7. $^{99m}TcO_4{}^{-}$が真空バイアルに回収される
8. ^{99}Moが存在すれば，新たに^{99m}Tcが生成するので，繰り返して$^{99m}TcO_4{}^{-}$を溶出することができる

図I-B-1　^{99}Mo-^{99m}Tc ジェネレータシステムの内部構造および^{99m}Tc の溶出原理
（日本メジフィジックス株式会社より許可を得て掲載）

図I-B-2　主なシングルフォトン放射性医薬品の投与件数（2017年6月調査に基づく推定）
（文献5）より作成）

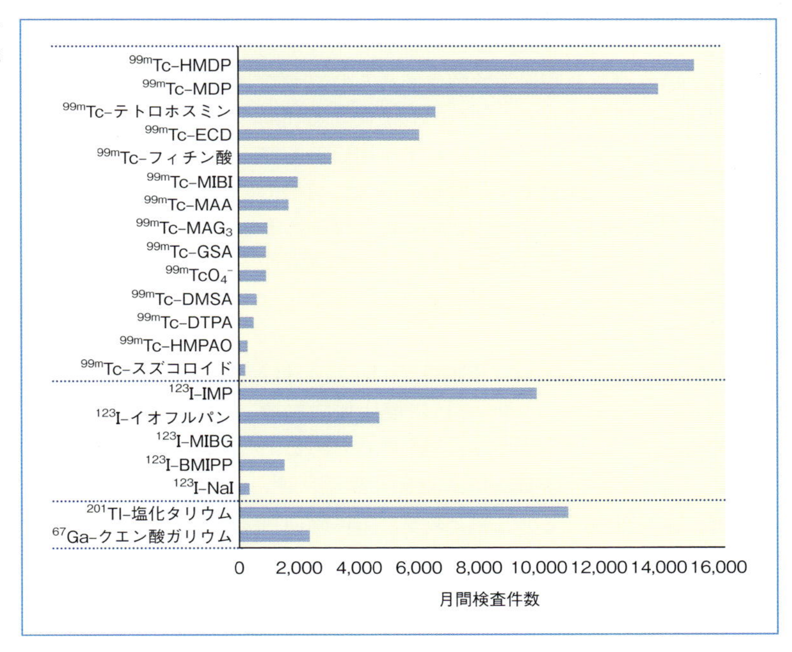

識合成・製剤化も院内で行われている．

主なポジトロン放射性医薬品によるPET検査の件数を図I-B-3に，診断できる疾患（あるいは機能），被曝線量を表I-B-4に示した．近年，ブドウ糖誘導体である^{18}F-FDGを用いるPET検査数が飛躍的に増加しており，その検査数はインビボ診断用放射性医薬品の中で最大である．^{18}F-FDGを用いるPET検査は種々の腫瘍の診断において健康保険診療が認められており，^{18}F-FDG利用の90%程度は腫瘍診断が目的である．なお，^{18}Fの物理学的半減期（110分）はポジトロン放出核種の中では比較的長く，製薬会社からの供給（デリバリー）も可能であるため，^{18}F-FDGは製薬会社からの市販品と院内製造品の双方がPET

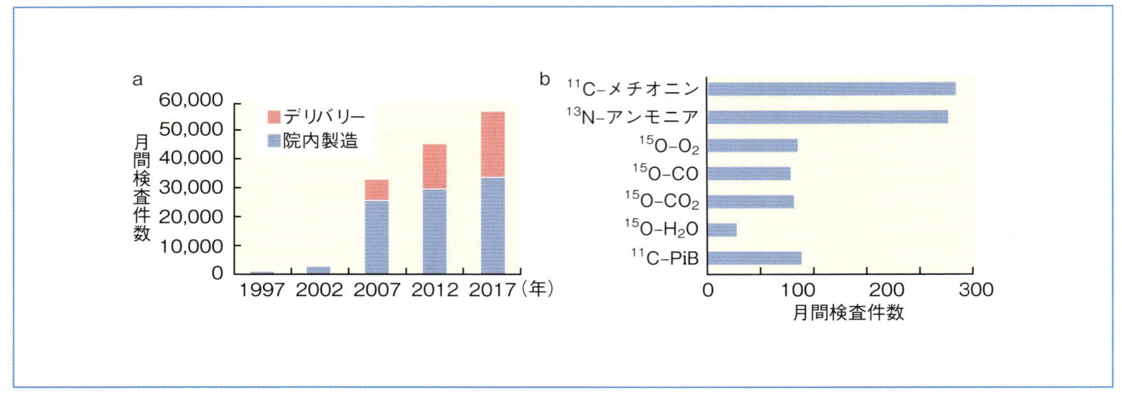

図I-B-3　主なポジトロン放射性医薬品の検査件数（推定）
a：^{18}F-FDG の月間検査件数，b：^{18}F-FDG 以外の主なポジトロン放射性医薬品月間検査件数．

（文献 5）より作成）

検査に用いられている（**図I-B-3**）．

わが国において，^{18}F-FDG に次いで多く行われている PET 検査は ^{11}C-メチオニン，^{13}N-アンモニアを用いる PET 検査である（**図I-B-3**）．^{11}C-メチオニンは，^{18}F-FDG に比べて正常脳への集積が少ないことから脳腫瘍診断における有用性が期待されているが，健康保険診療は認められておらず，現状では研究的あるいは自由診療による利用にとどまっている．^{13}N-アンモニアを用いる心筋血流イメージングは虚血性心疾患の診断に有用であることが示されており，2012 年に健康保険診療が認められた．なお，^{11}C，^{13}N の物理学的半減期は極めて短いため，これらの標識合成・製剤化は院内で行われている．

^{15}O-標識ガス（$^{15}O\text{-}O_2$，^{15}O-CO，$^{15}O\text{-}CO_2$）は，わが国において最初（1996 年）に健康保険診療が認められたポジトロン放射性医薬品である．$^{15}O\text{-}O_2$，^{15}O-CO，$^{15}O\text{-}CO_2$により各々酸素代謝，血液量，血流量の測定が可能であり，主に脳血管障害の診断に用いられている．$^{15}O\text{-}H_2O$ を用いる PET 検査は，定量性の高い血流量測定法として主に脳や心筋血流量の測定に用いられているが，健康保険診療は認められていない．

^{11}C，^{13}N，^{15}O および ^{18}F による標識合成においては，種々の有機化学合成反応の応用が可能であり，実際，これらの核種で標識した種々の標識化合物が報告されている．これらの中で，近年注目されているのが，^{11}C-Pittsburgh compound B（PiB）などの脳内のアミロイドベータプラークを画像化しうるポジトロン放射性医薬品であり（**図I-B-3**），Alzheimer 型認知症診断における有用性が期待されている．また最近では，^{18}F で標識した候補化合物も報告されており，これらのポジトロン放射性医薬品を用いたアミロイドベータプラーク診断の健康保険適用への期待が高まっている．

最近，^{68}Ga で標識したポジトロン放射性医薬品も注目されている．^{68}Ga（半減期 68 分）は，ポジトロン放出核種であり，^{68}Ge（半減期 271 日）を親核種とするジェネレータ（^{68}Ge-^{68}Ga ジェネレータ）として入手できるため，サイクロトロンを有しない施設（病院）においても院内標識による PET 検査が可能である．欧米を中心に，ソマトスタチン受容体を画像化できる ^{68}Ga-標識化合物（^{68}Ga-DOTATATE，^{68}Ga-DOTATOC）や前立腺特異的膜抗原 prostate specific membrane antigen（PSMA）を画像化できる ^{68}Ga-標識化合物（^{68}Ga-PSMA）などの開発が進められており，米国などでは神経内分泌腫瘍（^{68}Ga-DOTATATE，^{68}Ga-DOTATOC），あるいは前立腺癌（^{68}Ga-PSMA）診断用ポジトロン放射性医薬品として承認されている．^{68}Ga 以外でジェネレータシステムにより入手可能なポジトロン放出核種としては ^{82}Rb があり，^{82}Rb-塩化ルビジウムは主に米国で心筋血流測定に用いられている．

インビボ治療用放射性医薬品

放射性医薬品を体内に投与し，放射性核種が放出する放射線の細胞傷害作用により腫瘍などの治

表I-B-5 核医学治療に用いられる主な放射性核種とその性質

	核種	物理的半減期	主なα，β線エネルギー（MeV）
β^-線放出核種	^{131}I	8.03 日	0.606（β^-線）
	^{89}Sr	50.6 日	1.50（β^-線）
	^{90}Y	64.0 時間	2.28（β^-線）
	^{177}Lu	6.65 日	0.498（β^-線）
α線放出核種	^{223}Ra	11.4 日	5.61，5.72（α線）
	^{211}At	7.21 日	5.87（α線）
	^{225}Ac	9.92 日	5.79，5.83（α線）
Auger 電子放出核種	^{125}I	59.4 日	—

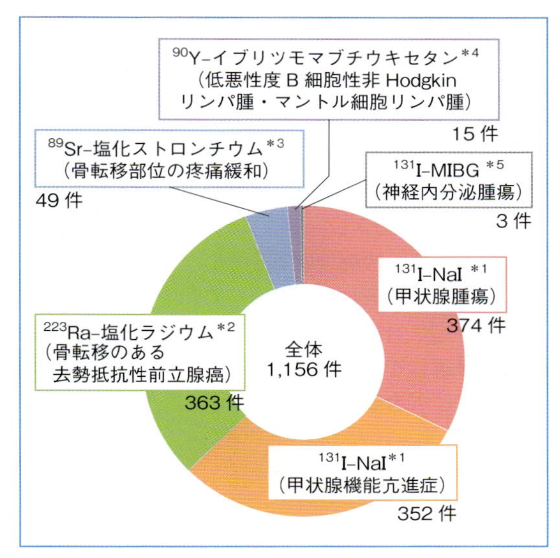

図I-B-4 RI 内用療法による月間治療件数（2017 年 6 月調査に基づく推定）

*1ヨウ化ナトリウム（^{131}I）カプセル，*2塩化ラジウム（^{223}Ra）注射液，*3塩化ストロンチウム（^{89}Sr）注射液（2019 年 1 月販売中止），*4イットリウム（^{90}Y）イブリツモマブチウキセタン（遺伝子組換え）注射液，*53-ヨードベンジルグアニジン（^{131}I）注射液（褐色細胞腫，神経芽細胞腫，甲状腺髄様癌の診断用放射性医薬品であり，治療に対する健康保険診療は未承認）．

（文献 5）より作成）

療を行う方法を RI 内用療法という．また核医学治療，内（部）照射療法，アイソトープ内用療法，内用放射線療法などとも呼ばれている．RI 内用療法に用いる放射性医薬品がインビボ治療用放射性医薬品である．なお，体内に刺入して治療を行うことを目的とする密封小線源（ヨウ素 125 シード，金 198 グレインなど）は，放射性医薬品ではなく，医療機器に分類される．

インビボ治療用放射性医薬品は，放射性核種が放出する放射線の細胞傷害作用により腫瘍などの治療を行うものであるため，その標識には細胞傷害作用の大きいα線，β^-線，Auger 電子などを放出する核種が適している．これまで臨床診療においては，主に ^{131}I（最大エネルギー：0.61 MeV，物理的半減期 8.03 日）などのβ^-線放出核種が用いられてきたが，最近 ^{223}Ra などのα線放出核種の利用も進んでいる（**表I-B-5**）．

RI 内用療法による治療件数を**図I-B-4**に示した．従来，RI 内用療法の大部分は，^{131}I-ヨウ化ナトリウムカプセルを用いた甲状腺機能亢進症および甲状腺腫瘍の治療であった．^{131}I-ヨウ化ナトリウムを体内に投与すると，甲状腺ホルモンであるチロキシンやトリヨードチロニンの合成のために ^{131}I が甲状腺に集積し，^{131}I から放出されるβ^-線の細胞障害作用により，甲状腺機能亢進症や甲状

Note 3

● セラノスティクス（ラジオセラノスティクス）

セラノスティクス（theranostics）は，“診断（therapeutics）”と“治療（diagnosis）”を組み合わせた造語であり，“診断と治療の融合”，“診断と治療の密接な関係”といった意味を持つ．核医学診療では，従来から治療に必須の画像診断情報を提供することや，放射性ヨウ素を用いた甲状腺癌の診断・治療などにより“セラノスティクス”が実践されてきた．核医学診断と核医学治療の組み合わせは，ラジオセラノスティクス（radiotheranostics）と呼ばれている．^{111}In-イブリツモマブ チウキセタンと^{90}Y-イブリツモマブ チウキセタン，^{123}I-MIBG と^{131}I-MIBG を用いる診断と治療の組み合わせも，ラジオセラノスティクスの例である．さらに最近では，これらの^{123}I と^{131}I，^{111}In と^{90}Y，あるいは^{68}Ga と^{177}Lu の組み合わせによる診断と治療（β^-線による治療）に加えて，^{211}At や^{225}Ac のようなα線放出核種の利用が可能になりつつあり，ラジオセラノスティクスは大きく発展しようとしている．

要点

- 放射性医薬品は，インビボ診断用，インビトロ診断用およびインビボ治療用放射性医薬品に分類される．
- インビボ診断用放射性医薬品には，γ線放出核種，β^+放出核種が使用される．
- シングルフォトン放射性医薬品としては，^{99m}Tc，^{123}I，^{201}Tl で標識した化合物が多く用いられている．
- ^{99m}Tc はジェネレータシステムから溶出して利用できる．
- ポジトロン放射性医薬品としては，^{18}F，^{15}O，^{13}N，^{11}C で標識した化合物が用いられている．ジェネレータシステムから溶出して利用できる^{68}Ga の利用も期待されている．
- インビボ治療用放射性医薬品には，細胞傷害作用の大きいα線，β^-線，Auger 電子などを放出する核種が適している．
- インビボ治療用放射性医薬品としては，^{131}I-ヨウ化ナトリウム，^{223}Ra-塩化ラジウムが多く用いられている．

腺癌およびその転移巣の治療が行われる．一方，2016 年に ^{223}Ra-塩化ラジウムの販売，および骨転移を有する症候性去勢抵抗性前立腺癌に対する健康保険診療が開始されると，その利用が急激に増加し 2017 年の調査で既に全体の 3 分の 1 近くを占めている（図I-B-4）．^{223}Ra は Ca と類似した性質を有しており，骨転移巣などの骨代謝が亢進している部位に集積し，α線の強い細胞障害作用により腫瘍増殖抑制作用を示すと考えられている．^{90}Y-イブリツモマブ チウキセタンは，悪性リンパ腫細胞に多く発現しているタンパク質（CD20）に対するモノクローナル抗体にβ^-線放出核種 ^{90}Y を結合させた放射性医薬品である．これにより，放射免疫療法が現実のものとなった．放射免疫療法は，抗原抗体反応を利用し，癌細胞などの標的細胞（組織）に多く発現する分子（抗原）に特異的に標識抗体を集積させ，標的細胞（組織）を破壊する治療法で，いわゆるミサイル療法の一種である．なお，^{90}Y-イブリツモマブ チウキセタンによる治療に際しては，前もって ^{111}In-イブリツモマブ チウキセタンを用いてイブリツモマブ チウキセタンの集積部位を確認（診断）する必要がある．さらに，最近，^{131}I-metaiodo benzylguanidine（MIBG），^{177}Lu-DOTATATE の健康保険診療に向けた取り組みが行われている．MIBG はノルアドレナリン noradrenaline（NA）類似化合物であり，NA の再摂取機構を介してカテコールアミン産生腫瘍に取り込まれる．^{123}I-MIBG は神経芽腫・褐色細胞腫の診断薬としての承認を受けており（表I-B-3），^{131}I-MIBG はこれらを含む神経内分泌腫瘍の核医学治療薬として期待されている（図I-B-4）．^{177}Lu-DOTATATE はソマトスタチン受容体を発現した神経内分泌腫瘍診断用ポジトロン放射性医薬品 ^{68}Ga-DOTATATE の ^{68}Ga をβ^-線放出核種である ^{177}Lu に置き換えた化合物（^{177}Lu-DOTATATE）であり，神経内分泌腫瘍を対象にした核医学治療薬である．^{177}Lu-DOTATATE は 2021 年 6 月に製造販売が承認された．

◆ 参考文献

1）医療用医薬品添付文書集(2020 年度版)，日本メジフィジックス株式会社，2020
2）富士フイルム富山化学添付文書集，富士フイルム富山化学株式会社，2020
3）Clement, CH et al eds, Radiation Dose to Patients from Radiopharmaceuticals：a Compendium of Current Information Related to Frequently Used Substances. ICRP Publication 128. Ann ICRP, 44, 2015.
4）Valentin, J ed, Radiation Dose to Patients from Radiopharmaceuticals. ICRP Publication 80. Ann ICRP, 28, 1998.
5）日本アイソトープ協会医学・薬学部会　全国核医学診療実態調査専門委員会：第 8 回全国核医学診療実態調査報告書．Radioisotopes 67：339-387，2018

C　核医学装置

核医学検査の中でイメージングを目的として用いられる装置は，シンチレーションカメラとPET装置がある．開発に関する歴史的な背景は成書に譲るが，両装置ともに現在では日常的に使用されるものとなった．

2020年1月時点における調査では，日本国内にはシンチレーションカメラが1,499台，PET装置が570台設置されている．特にPET装置は製薬会社によりデリバリーでの^{18}F-FDGが供給されるようになり，急速に設置台数が増えた．

基本構成

両装置の基本的な構成は，γ線検出器，位置演算回路，画像表示装置，画像記録装置である．**図I-C-1**にシンチレーションカメラおよびPET装置の基本的な装置構成を示す．シンチレーションカメラでは，γ線を1本だけ出す単光子放出核種を検出し画像化する（「B　放射性医薬品，①シングルフォトン放射性医薬品」参照）．放出されたγ線の飛来方向を特定し，それ以外の方向からのγ線を遮断するコリメータと呼ばれる部品が必要になる．PETでは陽電子が消滅した際に放出される対になった2本消滅放射線（消滅γ線）を検出し画像化する（「B　放射性医薬品，②ポジトロン放射性医薬品」参照）．シンチレーションカメラで使われるコリメータは特に必要としない．そのほか，被検者が臥床する寝台，心拍あるいは呼吸同期収集のための装置，収集した画像データを表示および解析するためのワークステーションなどから構成されている．また，シンチレーションカメラやPET装置にCT装置を物理的に組み込んだ装置もある（SPECT/CT装置，PET/CT装置）．特異的な集積をする放射性薬剤を用いる場合には，核医学画像（SPECT/PET）画像とCT画像を融合（fusion）することで周囲臓器との位置関係を同定することが容易となる．また，CT画像からbilinear法などを用いて減弱マップを作成し吸収補正を行うことができる．

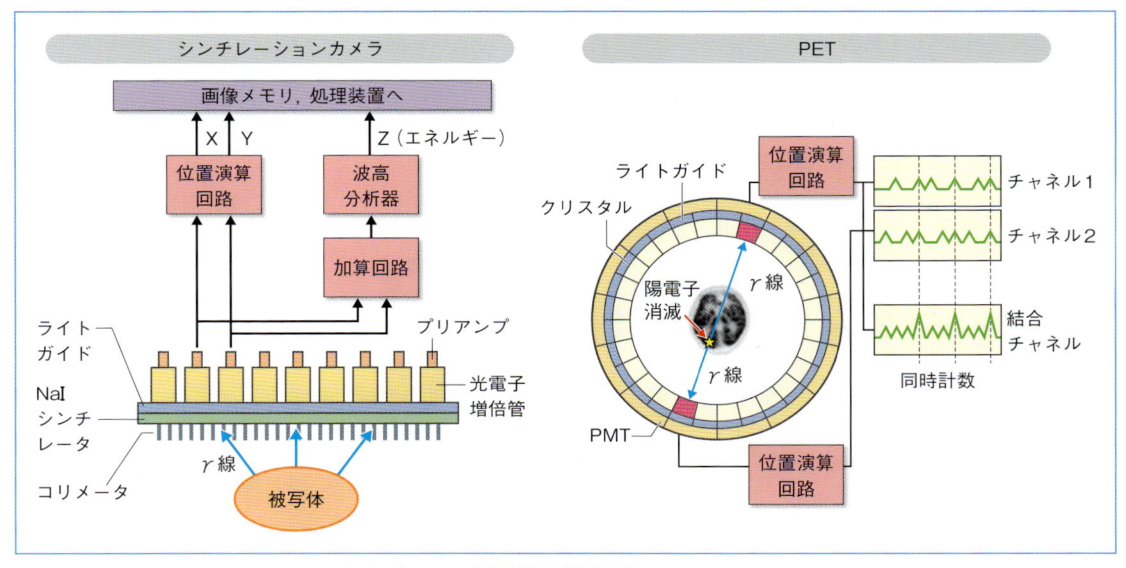

図I-C-1　シンチレーションカメラおよびPETの装置構成（概念図）

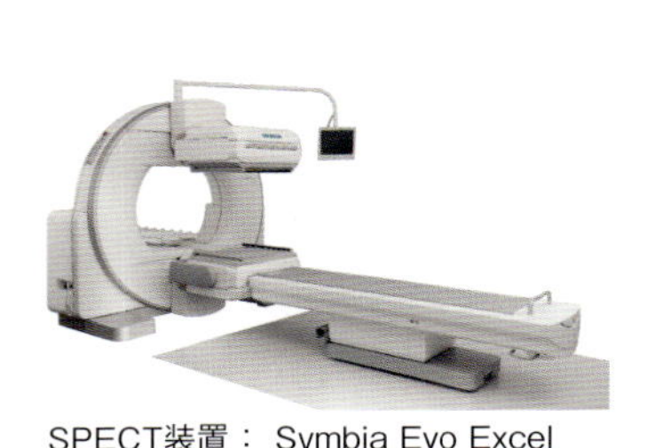

SPECT装置： Symbia Evo Excel
（SIEMENS）

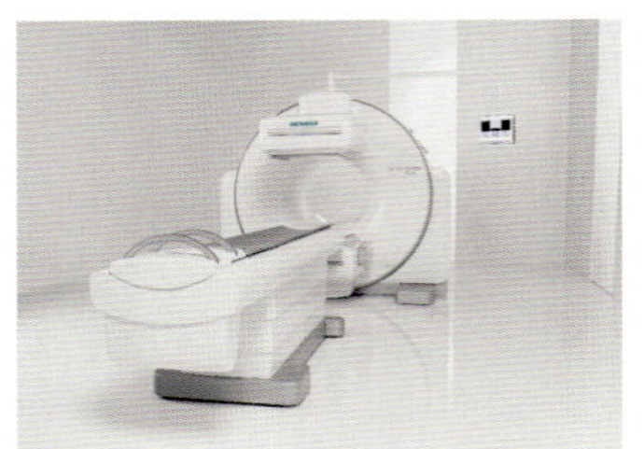

SPECT/CT装置：Symbia Intevo
（SIEMENS）

図I-C-2　シンチレーションカメラの概観例
（シーメンスヘルスケア株式会社より提供）

シンチレーションカメラ

現在市販されている多くのシンチレーションカメラは，シンチレータ，光電子増倍管 photomultiplier tube（PMT）および位置演算回路などの信号処理回路を組み合わせたアンガー方式によるものが主流である（図I-C-1）．単光子放出核種より放出されたγ線は，コリメータにより入射方向を規定された後，シンチレータにより光へ変換される．PMT にて増幅された後電気信号へ変換され，線源位置を特定するための位置演算回路，γ線エネルギー範囲を規定する波高分析器へと情報が送られる．最終的に，直線性補正（γ線入射位置と光信号出力位置のずれ補正）およびシンチレータの均一性を補正し画像として出力される．図I-C-2 にシンチレーションカメラの概観例を示す．以下に主構成部分について説明する．

❶ コリメータ

単光子放出核種によって放出されたγ線は最初にコリメータにより入射方向を限定される．コリメータは，γ線を遮蔽する鉛あるいはタングステンで作製されており，使用する核種のエネルギーや撮影用途により使い分ける．コリメータによって画質は大きく変化するため非常に重要な部分で

Note 1

● 心臓専用 SPECT 装置

これまで提示したシンチレーションカメラは，検出器を体周に沿って回転させることにより SPECT データ収集を行うものであり，収集にはある程度長い時間が必要となる（おおむね 20～30 分）．近年，撮像対象を限定することによりこの問題を解消した装置が開発されている．図は心臓専用 SPECT 装置の外観写真であり，あらかじめ左前胸部を囲うように多数の検出器が配置され，それぞれ同時収集を行う．ひとつの投影像を形成する単位あたりのカウントを増やすことが可能であるため，収集時間（あるいは投与量）を低減することが可能となる．

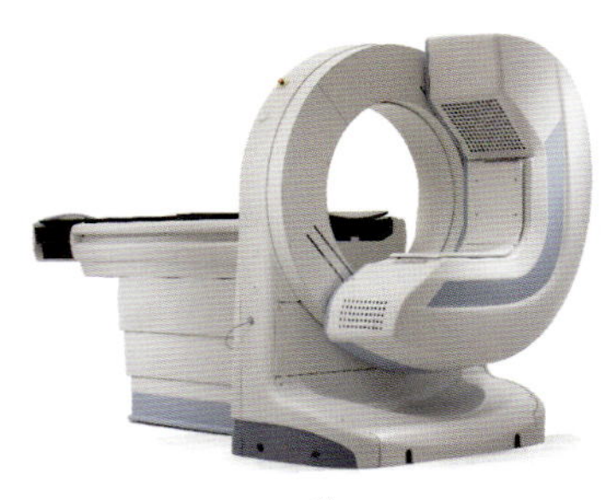

Discovery™ NM530c
（GE Healthcare）

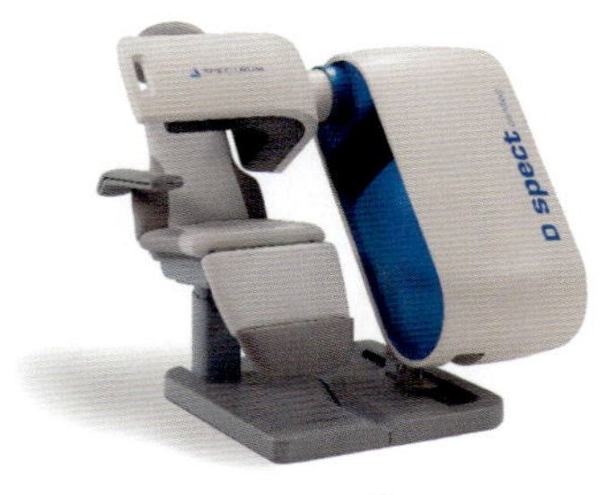

D-SPECT®
（Spectrum Dynamics Medical）

図　心臓専用 SPECT 装置
（左：GE ヘルスケア・ジャパン株式会社より提供，右：Spectrum Dynamics Medical Japan 株式会社より提供）

図I-C-3　代表的なコリメータの概念図

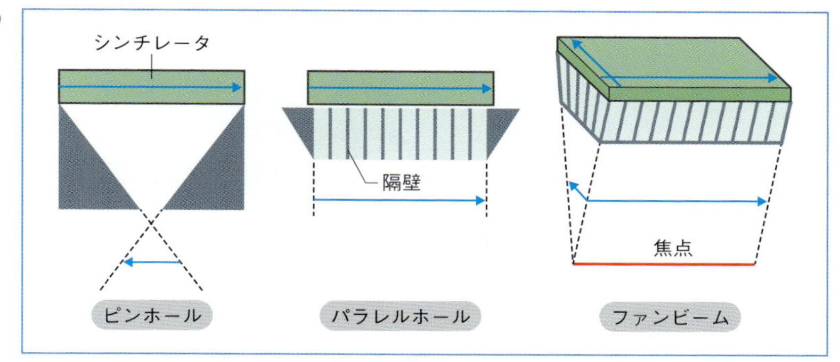

図I-C-4　線源-コリメータ間距離の違いによる空間分解能，感度，視野径の変化

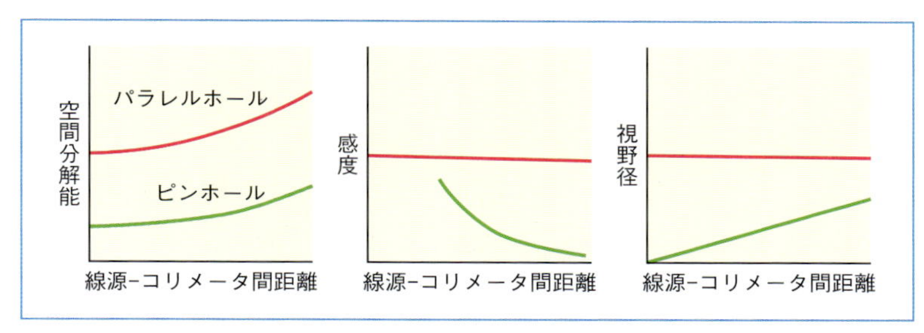

ある．種類は大きく単孔型と多孔型に分けられ，その孔の形状は円形，四角形，六角形があり現在ほとんどの装置が六角形を採用している．図I-C-3に，主なコリメータの種類およびその概念図を示し，以下にその特徴を示す．

a．ピンホールコリメータ

ピンホールカメラの原理を応用したものであり，画像は常に反転される．感度が悪いため，ある程度被写体を近づける必要がある．また，画像の拡大率が被写体との距離に依存するため，画像位置により画像がゆがむことがある．空間分解能が良好であるため，甲状腺や小動物などの小さな被写体，また最近では心臓専用ガンマカメラで使用されている．

b．パラレルホールコリメータ

現在最も用いられているコリメータであり，孔を平行に配置しているため拡大やゆがみのない画像を得ることができる．γ線のエネルギーや撮影用途によってさまざまなタイプがあり，孔の直径，隔壁の長さ・厚さによって調整されている．一般的に，孔の直径が大きい場合には空間分解能は劣化するが感度は上昇し，隔壁が長くなると空間分解能は改善するが感度は低下する．隔壁の厚さはγ線のエネルギーに関係し，高エネルギーγ線を使用する場合には，ペネトレーション（突き抜け）を避けるため，厚くする必要がある．また，線源（被写体)-コリメータ間距離の違いにより空間分解能，感度および視野径が変化する（図I-C-4）．線源-コリメータ間距離が大きくなると，空間分解能は劣化するが感度・視野径は大きな変化はない．一方，前述したピンホールコリメータでは線源-コリメータ間距離が大きくなると同様に空間分解能は劣化するが，それ以上に感度が大きく低下する．

c．ファンビームコリメータ

一つの軸側（x軸）に沿う方向は被写体を拡大する形状（コンバージ）で，もう一方の軸（y軸）に沿う方向は平行となるコリメータである．焦点は平行側に沿って一直線状に並ぶことになる．主に心臓や脳など小さな臓器のSPECT撮像で使用される．拡大効果があるため空間分解能は向上し，また感度も上昇する．

❷ NaIシンチレータ

コリメータにより入射方向が規定されたγ線は，NaIシンチレータと呼ばれる平板状結晶内にて吸収されγ線エネルギーに比例した量の蛍光を発生する．吸収はγ線のエネルギーが高いほど深い位置で起こる．シンチレータの厚さは1/4～1インチさまざまであり3/8インチが最も用いられ

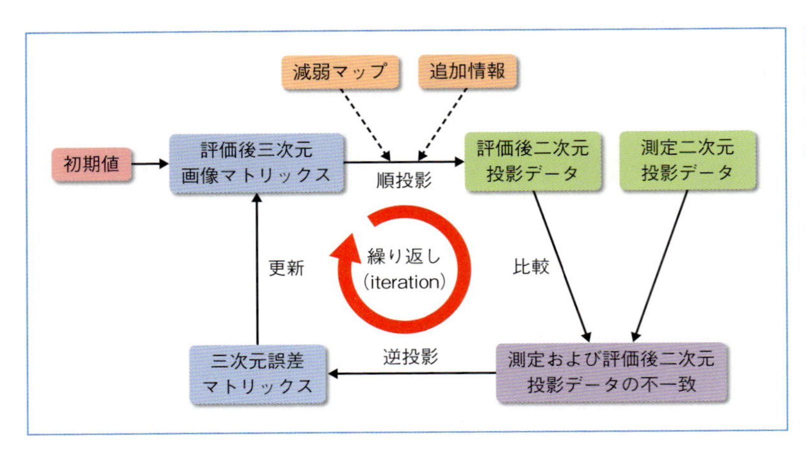

図I-C-5　逐次近似再構成の概念図

初期値→順投影→測定データとの比較→逆投影→更新で１サイクルとなり，繰り返し（iteration）をすることで画像を推定する．再構成過程に，減弱マップなどの物理学的・統計学的な追加情報を組み込むことが可能である．

ている．厚いほど高エネルギーγ線に対する検出効率は高くなるが，シンチレータ内にて光の拡散するため位置分解能の劣化を招く．

❸ データ収集

シンチレーションカメラによるデータ収集で基本となるのは静態画像（planar 画像）である．各画素におけるエネルギー弁別されたγ線によるカウント画像となる．静態画像は設定した撮像時間内における特定部位の画像となり，装置の有効視野範囲のものが描出される．全身画像は被検者が臥床する寝台を頭尾方向（z 方向）に連続移動しながら撮像を行う．骨シンチグラフィなど頭頂から足先全ての画像を要する場合に用いられる．動態画像（ダイナミック画像）は，静態画像を時間方向に追って撮像するものである．放射性薬剤の注入直後から撮像を開始することで，生体内における放射性薬剤の挙動を画像化することができる．得られた一連の画像に関心領域 region of interest（ROI）を設定することにより動態解析を行い生体内の絶対値指標（定量値）を得ることができる．また，同期画像は心電図を用いて心拍と同期させた画像である．SPECT 画像は，検出器を被検者の周囲で回転させ，いくつかの方向からの静態画像（投影データ）を得たうえで，コンピュータ上にて画像再構成することにより得られた断層画像である．心拍同期を組み合わせた SPECT 収集も可能であり，心筋血流と心機能の同時評価がよく行われている．

❹ SPECT 画像再構成

SPECT 収集されたデータ（あらゆる角度の投影データの集まり）を断層画像に再構成する方法は大きく二つに分かれる．一つはフィルタ補正逆投影 filtered back projection（FBP）法に代表される解析的手法である．投影データは，一投影当たりの収集時間が短いため投影データ自体にはノイズが多い．したがって，まずは再構成前にバターワースフィルタ（低周波通過型フィルタ）などを使ってノイズを除去する．その後，再構成フィルタ（ランプフィルタなど）を用いて逆投影し再構成画像を得る．もう一つの方法が，ordered subset expectation maximization（OSEM）法に代表される代数的手法（逐次近似法）である．測定されたデータが Poisson 分布に従っているとの仮定のもと統計学的手法によって，確率的に最も可能性の高い断層画像を推定する方法である．**図I-C-5** に逐次近似法の再構成過程の概要図を示す．OSEM 法におけるパラメータは，iteration（繰り返し回数）および subset がある．得られた投影データをいくつかのグループ（subset）に分け，グループごとに繰り返し計算を行う．OSEM 法は FBP 法でみられる高集積部位での放射状アーチファクトを軽減することができる（**図I-C-6**）．また，再構成過程に減弱・散乱・分解能補正を組み込むことができることも特徴であり，精度の高い補正が可能である．

Note 2

● time of flight (TOF) 測定

近年のPET装置では，TOF測定が実装されている．図1aにその原理図を示す．消滅γ線は対になった検出器間距離の中点(検出器-中点間距離：d)からd1離れた位置で発生すると仮定すると，一方のγ線はd－d1の距離を飛行し，(d－d1)/c(cは光の速度)の時間で検出器へ到達する．もう一方のγ線はd+d1の距離を飛行し，(d+d1)/cの時間で検出器へ到達するため，両者が検出器へ到達する時間差Δtは(d+d1)－(d－d1)/c=2d1/cとなる．したがって，γ線が検出器へ到達する時間差を計測することにより，消滅γ線の発生点(d1=Δt・c/2)を絞ることが可能となる．TOF測定は，ノイズが低減され，見かけ上の感度が増加する(図1b)．TOF測定の有無による信号雑音比signal to noise ratio (SNR)は以下の式で表される．

$$SNR_{TOF} = \sqrt{\frac{D}{\Delta x}} \times SNR_{non\text{-}TOF}$$

Dは被写体の直径，Δxはエレメントサイズと呼ばれ，表される装置の時間分解能に依存する値である．TOFのSNRは，被写体直径が大きいほど，そして時間分解能が小さいほどその効果が大きくなる(図1c)．実際の画像を図2に示す．

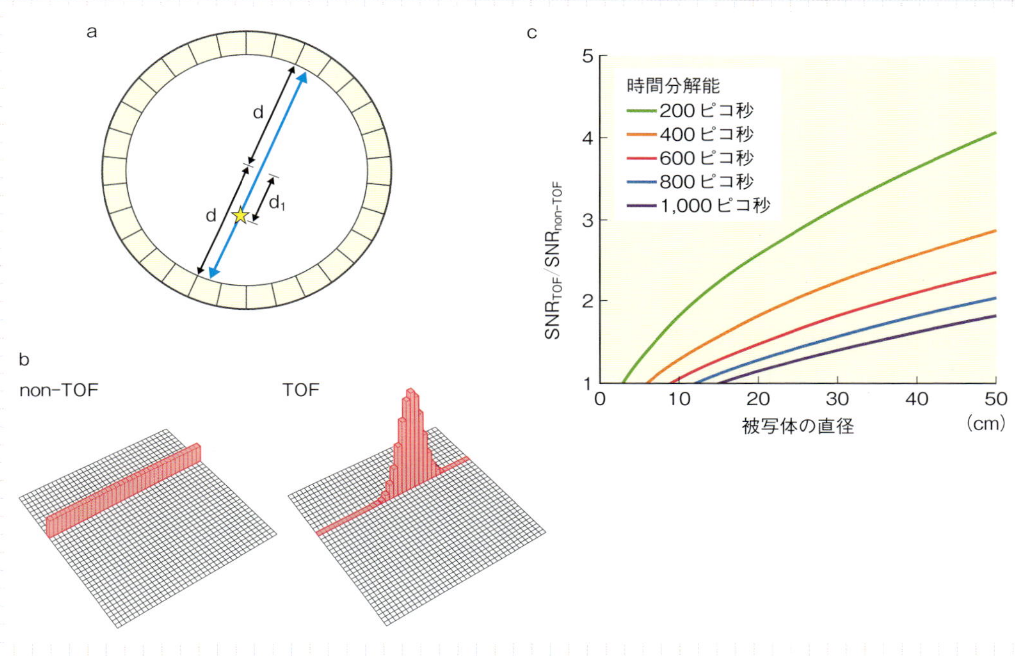

図1　time of flight (TOF) 測定技術
a：TOF測定の原理図，b：TOF測定の有無による位置同定範囲の差，c：被写体の直径とTOF測定の有無による信号雑音比の関係．

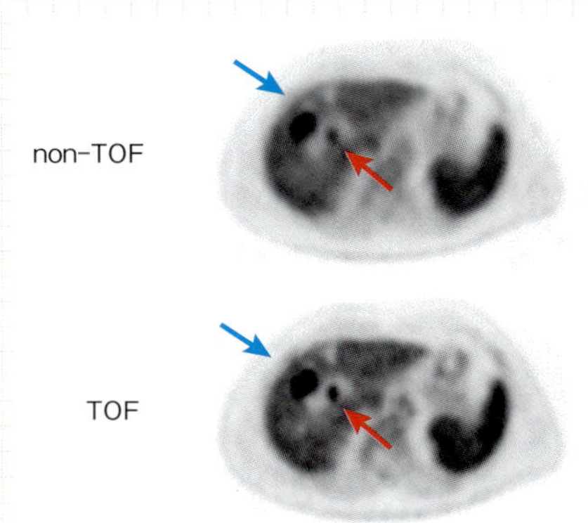

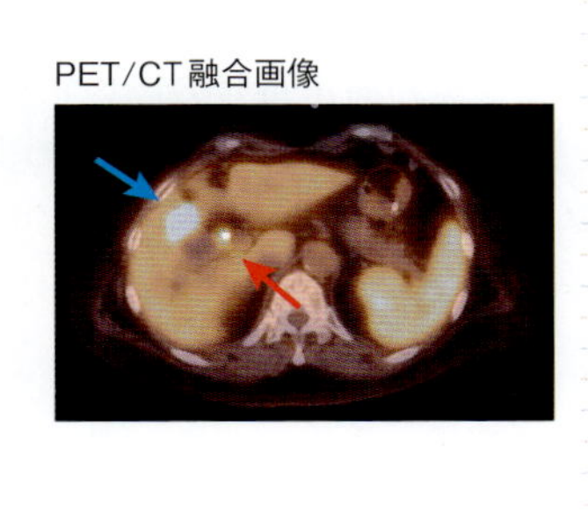

図2　time of flight (TOF) 測定の有無による画像比較
TOF測定で，胆嚢癌(青矢印)，特に胆管癌(赤矢印)がより明瞭に描出できた例．

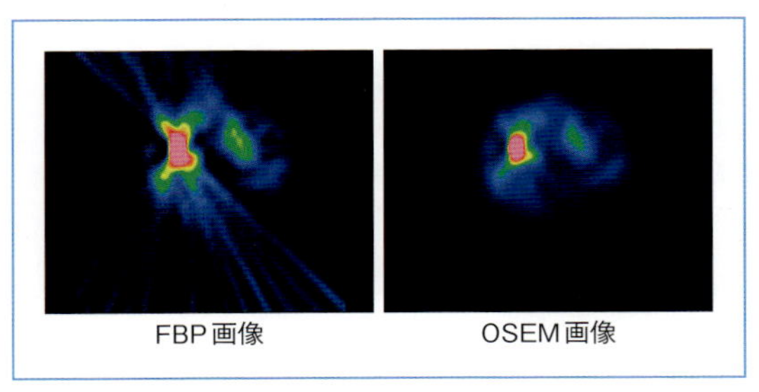

図I-C-6 FBP画像とOSEM画像の比較
心筋血流シンチグラフィ画像(^{99m}Tc-tetrofosmin).
胆嚢への高い集積は，FBP画像で顕著な放射状アーチファクトを呈する．OSEM画像では高集積の影響を軽減することができる．

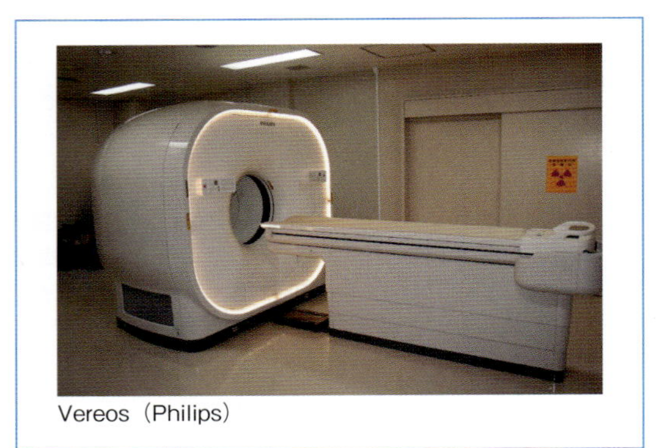

図I-C-7 PET/CT装置の概観例

PET

PET装置は，陽電子放出核からの陽電子が消滅した際の二つの1直線かつ180°逆方向に放出される511 keVのγ線を計測する．この対消滅γ線をリング状に360°配置した同時計数回路で計測すれば画像情報が得られる．

図I-C-7に最新PET/CT装置の概観を示す．以下に主構成部分について説明する．

❶ 検出器

PET装置の検出器部は，主にクリスタルと光検出器から成る．

a．クリスタル

クリスタルは，γ線を阻止することにより蛍光（シンチレーション）する物質である．表I-C-1に主なクリスタルの特徴を示す．PET装置における理想的なクリスタルの条件は，高いγ線阻止能を持つこと，発光量が多く減衰が早いこと，エネルギー分解能がよいことが求められる．阻止能は高密度で実効原子番号の高い物質ほど良好である．減衰時間はクリスタル内での蛍光がバックグラウンドレベルまで薄れるまでの時間である．カウントレートが高い計測の場合には，減衰する前に次の蛍光が入射することがあり，次に入射した蛍光を一つのカウントとして記録できない（不感時間 dead time という）．したがって減衰時間はできるだけ短いものが求められる．近年のPET装置では，発光量が多く減衰時間も短いLSO，LYSO，GSOなどが主に使用されており，$LaBr_3$のようにより特性のよい素材も開発され始めている．

b．光検出器

クリスタルにて生成した蛍光は，その後，光検出器により測定される．主な光検出器は光電子増倍管であり，電子に変換し増幅されたアナログ信号をデジタル信号へ変換する．最近では，半導体を応用した光検出器（avalanche photo diode（APD），silicon photo multiplier（SiPM））もある（後述）．

❷ 収集方式

図I-C-8にPETにおける収集モードの違いを示す．クリスタルリング間に鉛あるいはタングステン製の隔壁（セプタ）が設置された状態での収集を2Dモード収集という．2Dモード収集では，同一リングあるいは近隣リングにて同時計数され

Note 3

● **消滅γ線の角度揺動（noncolinearity）**
陽電子消滅後に生成される二つのγ線は，厳密には180°逆方向に放出されずわずかに角度の揺らぎがある（180±0.25°）．この影響はPET画像の空間分解能の劣化を招く．リング直径に比例して空間分解能は劣化し，リング径が50 cmで1.5 mm，100 cmで3 mmの誤差を生じる．

表I-C-1 PETで用いられるクリスタル用蛍光物質

	NaI(Tl)	BGO	LSO	LYSO	GSO	BaF_2	$LaBr_3$
密度(g/cm^3)	3.7	7.1	7.4	7.1	6.7	4.9	5.3
511 keVにおける線減弱係数(cm^{-1})	0.34	0.92	0.87	0.86	0.62	0.44	0.48
減衰長(cm)*1	2.9	1.1	1.2	1.2	1.4	2.2	2.1
511 keVにおけるエネルギー分解能(%)	6.6	10.2	10	14	8.5	11.4	N/A
減衰時間(ナノ秒)	230	300	40	42	60	0.6〜0.8	15〜25
相対発光量(%)*2	100	15	75	90	25〜30	5〜12	160
潮解性	あり	なし	なし	なし	なし	少しあり	あり

*1 511 keVの光子を阻止するのに必要な平均クリスタル厚.
*2 NaI(Tl)の発光量を100%とした場合.

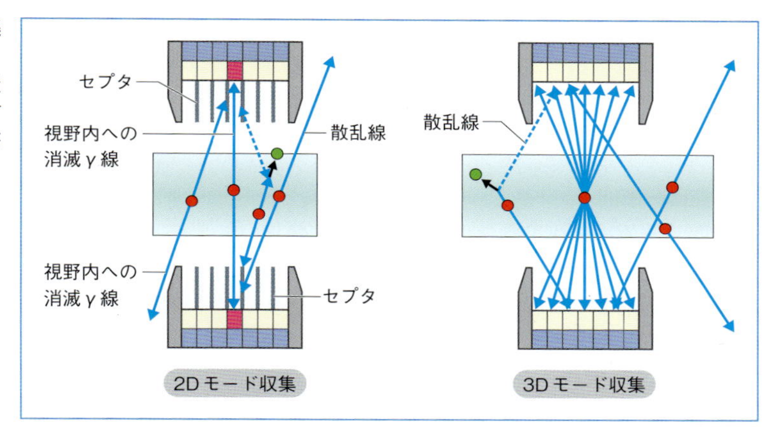

図I-C-8 2Dおよび3Dモード収集の概念図
2Dモード収集では隔壁(セプタ)が設置されている. 現在市販されているPET装置のほとんどが3Dモード収集のみ搭載したものである.

たものを記録する. 3Dモード収集では, セプタが取り除かれた状態での収集であり, 隣り合うリング以上で同時計数を記録する. 2Dモード収集は, セプタにより散乱線の混入が減少するため定量性の高い画像が得られるが, 収集感度が低下するため画質が問題となることがある. 3Dモード収集は, 収集感度が上昇する(2Dモードと比較して約5~8倍といわれている)ため画質は良好である. しかし, 視野外からの散乱線は2Dモード収集の3倍以上といわれており定量性が問題となることがある. また, 3Dモード収集では体軸(Z軸)方向へ向かうに従い画像にゆがみがみられる.

❸ 計数の種類

PETにおける同時計数イベントは, 図I-C-9に示すような真の同時計数, 散乱同時計数, 偶発同時計数および多発同時計数, シングルスがある. 下記に主な前三者の同時計数の説明をする.

a. 真の同時計数

一組のγ線を二つの検出器で計測したイベントであり, 画像化されるものである.

b. 散乱同時計数

二つのγ線の少なくとも一つが検出器に到達する前に, 被写体などによってCompton散乱し曲げられて間違った検出器で計測されたイベントである. 結果として間違った同時計数線が割り当てられることになる. 画像コントラストの低下や放射能濃度の過大評価の原因となる. また, 散乱同時計数は被写体の大きさやその組成に依存して増加する. 散乱同時計数の補正は, CT画像を使った減弱体の分布パターンからシミュレーションして推定する方法などがある.

c. 偶発同時計数

同じ消滅イベントから生じていないγ線が, 偶然正しい同時計数線として計測されたイベントであり, 放射能濃度の二乗に比例する. 散乱同時計数と同様に放射能濃度の過大評価の原因となり,

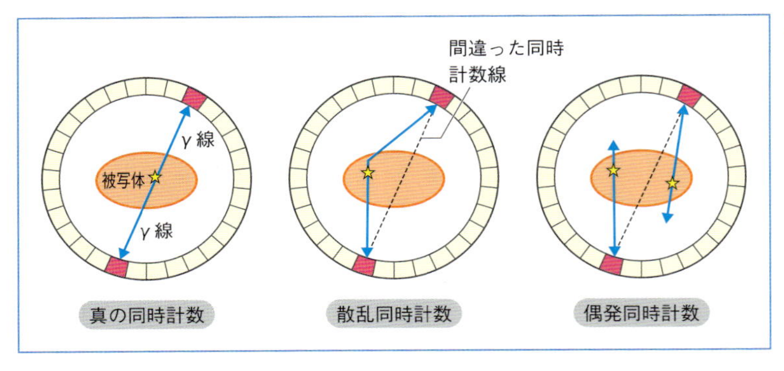

図I-C-9　PETにおける同時計数の種類
散乱同時計数，偶発同時計数はPET画像を劣化させる．

被写体の大きさやその組成に依存して増加する．偶発同時計数の補正は，シングルスの計数率と同時計数時間幅から推定することが可能であるが，データ収集時に遅延同時計数回路を用いた補正法がより一般的である．

❹ PET画像の特性

a．空間分解能

空間分解能は，PET画像において重要な要素の一つである．空間分解能の劣化は，部分容積効果により放射能濃度を過小評価するため定量精度に大きな影響を与える．空間分解能は，小線源の点応答関数の半値幅 full width at half maximum（FWHM）で規定され，以下のように表すことができる．

$$\mathrm{FWHM} \approx \sqrt{(d/2)^2 + b^2 + (0.0022\,D) + r^2}$$

d はクリスタル幅，b は γ 線検出過程およびブロック型検出器による空間分解能劣化を表す係数，D はリング径（0.0022 D で光子角度揺動），r は陽電子飛程によるボケを考慮した係数である．リング径，クリスタル幅および陽電子飛呈が小さいほど空間分解能は改善することになる．ただし，実際のPET画像での空間分解能は，画像再構成方法やそのパラメータによっても変動するため注意が必要である．

また，空間分解能はXY平面内で変動する．field of view（FOV）辺縁になるほど，空間分解能は劣化する．これを模式的に示したのが図I-C-10である．生成された γ 線は始めに到達したクリスタル内で全てが阻止され蛍光するわけではなく，いくつかは通り抜けてその先の隣接クリスタルで阻止されることがある．そのため，点状線源を収集した場合，FOV辺縁では半径方向にゆがみが生じ空間分解能を劣化させる．近年のPET装置では，FOV辺縁でのゆがみについての

Note 4

● 陽電子の飛程について

陽電子が放射性同位元素から放出して，静止するまでの距離を飛程と呼ぶ．放出される消滅放射線のエネルギーは同じ511 keVであっても，陽電子が持つエネルギーは放射性同位元素によってさまざまであり，したがって飛程も異なる．表にPETで用いられる主な放射性同位元素の陽電子エネルギーと水中での飛程を示す．飛程が長くなると空間分解能の劣化に繋がる．

表　PETで用いられる主な核種とその特徴

	^{11}C	^{13}N	^{15}O	^{18}F	^{68}Ga	^{82}Rb
半減期	20.3分	10.0分	2.0分	109.8分	67.7分	1.3分
β^+線エネルギー 最大（平均）[MeV]	0.96 (0.32)	1.20 (0.43)	1.74 (0.70)	0.63 (0.20)	1.90 (0.83)	3.36 (1.39)
水中での 最大（平均）飛呈[mm]	4.1 (1.1)	5.1 (1.5)	7.3 (2.5)	2.4 (0.6)	10.3 (2.9)	14.1 (5.9)

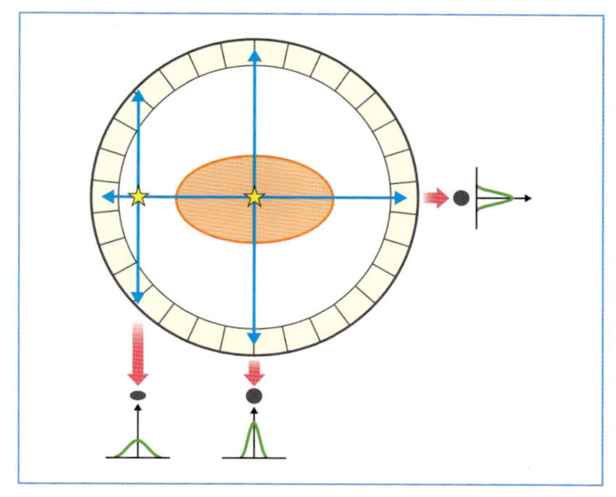

図Ⅰ-C-10 PET 画像における空間分解能の模式図

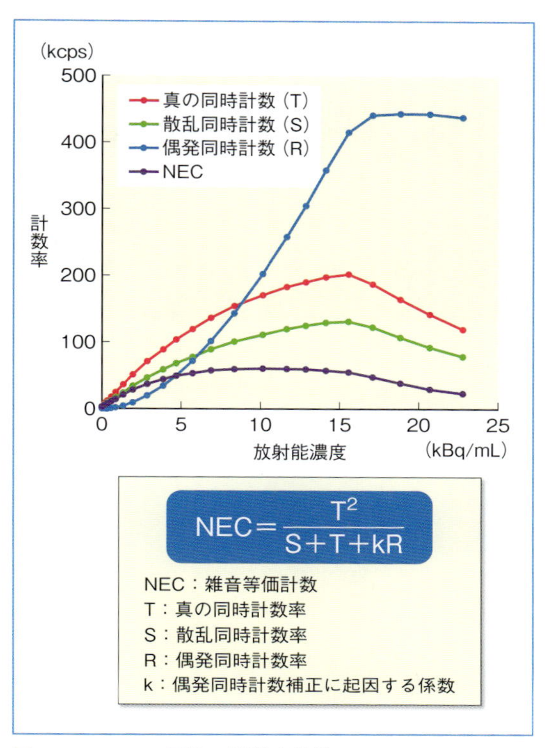

図Ⅰ-C-11 PET 画像の計数率特性

情報（実測あるいは数学的モデルによる推定）を画像再構成の際に先見情報として組み込むことにより補正する技術（point spread function（PSF）reconstruction）が実装されている．この補正は画像コントラストの改善にも寄与するが，条件によっては過補正となる場合があるとの指摘があり，定量評価などの際には注意を要する．

b．計数率特性

前述したように PET の同時計数は，真の同時計数，散乱同時計数，偶発同時計数が存在する．図Ⅰ-C-11 に 3D モード収集を行った PET 装置における放射能濃度と各計数率の関係を示す．放射能濃度が高くなると，偶発同時計数が多くなる（放射能濃度の二乗に比例）．偶発同時計数の補正はプロンプト同時計数（検出された同時計数の総和）の減算により行うため，画像の single/noise（SN）比が劣化することになる．最適な放射能濃度は，雑音等価計数 noise equivalent count（NEC）から推測することが必要であり，断層画像のノイズを抑える目的で，より高い計数率での測定がなされた場合には特に注意が必要である．

❺ アーチファクト

PET 画像で観察されるアーチファクトはさまざまな種類および要因がある．主に画像再構成方法によるものと吸収補正に代表される各種補正にエラーが生じた場合に分けられる．また，PET 単独装置から CT 組み込み型 PET 装置となったことによる特有のアーチファクトも存在する．CT 画像を利用した吸収補正および散乱補正は CT 画像と PET 画像の位置ずれがないことが前提条件であり，何らかの原因で位置ずれを起こした場合には不正確な補正となりアーチファクトを発生させる（例；CT と PET で腕の位置が変わったなど）．

画像再構成によるアーチファクトでは，FBP 法における高集積部位からのストリーク状アーチファクトが挙げられる．ただし，このアーチファクトは逐次近似再構成法を用いることで改善できる（図Ⅰ-C-6 参照）．

以下に代表的な補正エラーが原因で起こるアーチファクトを示す．

a．CT の金属アーチファクトによる PET 吸収補正アーチファクト

経口および経静脈性陽性造影剤，義歯・ペースメーカー・人工関節などの体内金属は，非常に高い Hounsfield unit 値となり CT 画像上に甚大なアーチファクトを引き起こすことがある．この CT 画像から PET 画像の吸収補正を行った場合は過補正となり偽陽性となる．放射性薬剤の集積の有無自体は，吸収補正を行っていない PET 画像にて確認することができる場合があるため，CT

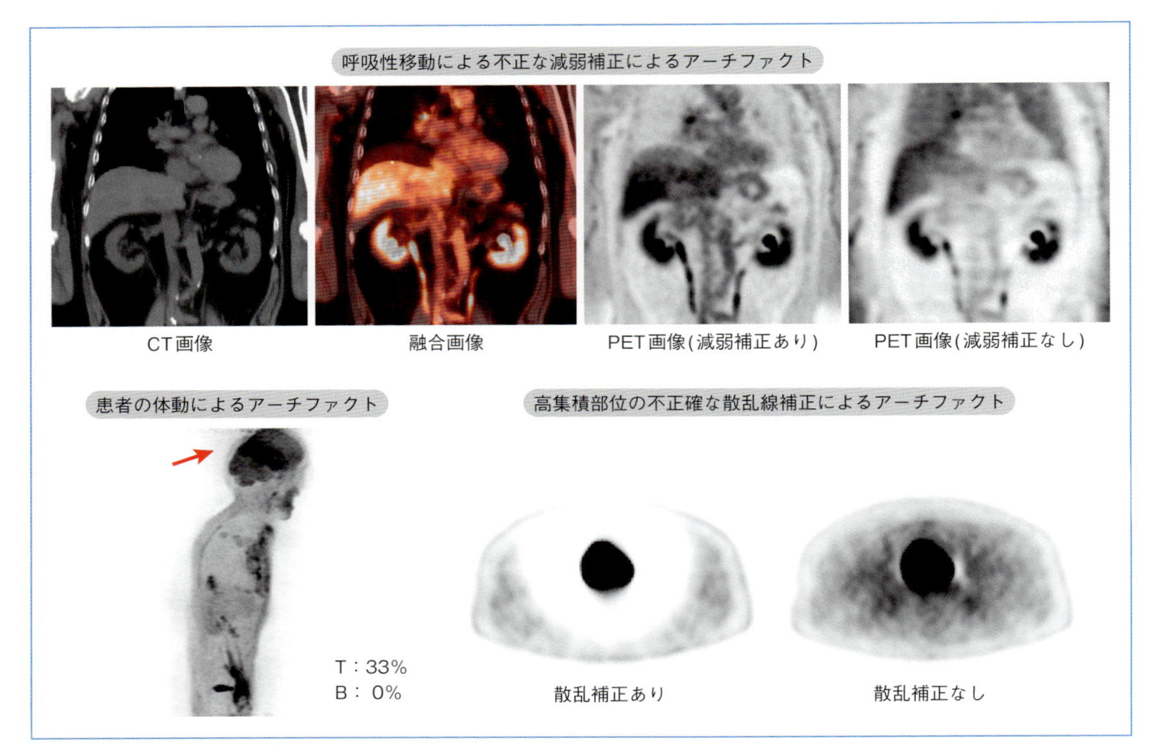

図I-C-12　PETにおける主なアーチファクト

画像にアーチファクトがみられた場合には必ず参照することが肝要である.

b．呼吸性移動による PET 吸収補正アーチファクト

横隔膜付近臓器の PET 撮像では，呼吸が原因で起こるアーチファクトが散見される（図I-C-12）．吸収補正用の CT 画像は通常，呼気での息止めあるいは自由呼吸下で撮影される．一方，PET 撮像はCTよりも多くの撮像時間が必要であり，呼吸などによる撮像時間内の平均画像となる．したがって，CT 画像と PET 画像の間に位置ずれを発生させ，不正確な吸収補正の原因となる．

また，呼吸による PET 画像の動きによる画像のぼけは集積を過小評価するが，圧力センサー，赤外線センサーなどを利用した呼吸同期撮像を行うことで改善できる．

c．体動による PET 散乱補正アーチファクト

CT 画像と PET 画像の位置ずれの影響は，散乱補正の不正を招くこともある（図I-C-12）．散乱補正の不正に起因するアーチファクトは，散乱補正を行っていない PET 画像を作成することにより改善できるが，当然ながら standardized uptake value（SUV）などの定量値算出はできない．

最新トピックス

❶ 半導体を応用した核医学装置

a．SPECT 装置への応用

従来のアンガー型シンチレーションカメラでは，シンチレータからの発光を光電子増倍管で受け取り間接的に電気信号へ変換する．一方，シンチレータの替わりに CdTe や CdZnTe（CZT）などの半導体により，γ線を直接的に電気信号へ変換するタイプの装置が商用化されている（図I-C-13）．半導体搭載型 SPECT 装置の最大の特徴はエネルギー分解能がよいことである．エネルギーウィンドウを狭くすることができるため，SN 比が高く，高いコントラストと高い定量精度が実現できる．また，二核種同時収集にも応用可能である（図I-C-14）．

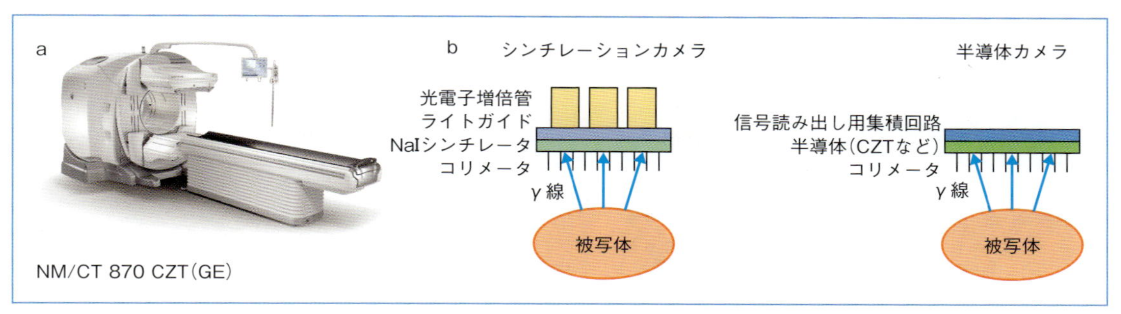

図I-C-13 半導体 SPECT 装置
a：概観例，b：従来型シンチレーションカメラと半導体カメラの構造比較(模式図).
(a は GE ヘルスケア・ジャパン株式会社より提供)

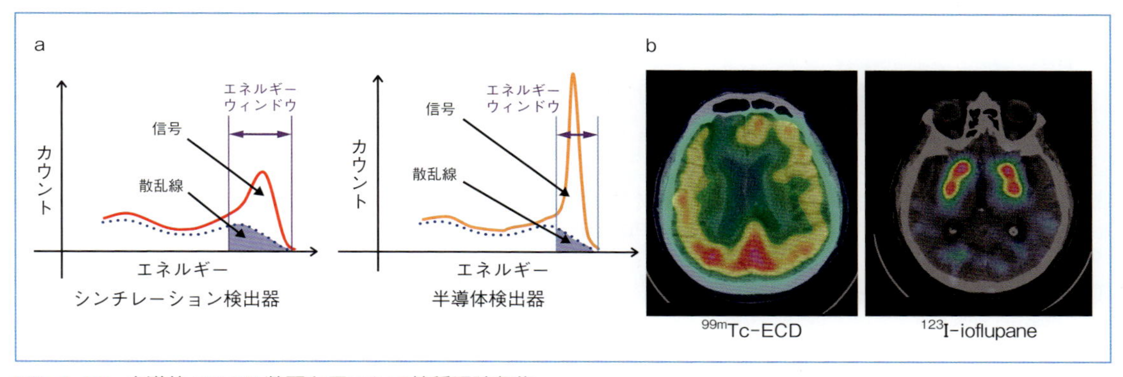

図I-C-14 半導体 SPECT 装置を用いた二核種同時収集
a：従来型 SPECT 装置(シンチレーション検出器)と半導体 SPECT 装置におけるエネルギースペクトルとエネルギーウィンドウ.
b：半導体 SPECT 装置を用いた二核種同時収集の臨床画像例.
(b は GE ヘルスケア・ジャパン株式会社より提供)

表I-C-2 PET で用いられる光検出素子の比較

	光電子増倍管 (PMT)	シリコン光電子増倍器 (SiPM)
印加電圧	高電圧	低電圧
検出器の最小サイズ	大きい	とても小さい
単一光子の検出	不可	可能
磁場内での使用	不可	可能
Time-of-flight 測定	限定的	可能

b．PET 装置への応用

PET 装置において，半導体は PMT に置き換わる光検出器として応用されている．単元素半導体であるシリコン（Si）を用いた silicon photo multiplier（SiPM）を搭載した装置が商用化されている（図I-C-7）．表I-C-2 に PMT と比較した SiPM の特徴をまとめた．半導体 SPECT 装置との違いは，患者から放出されたγ線はクリスタルで光信号となり，この光信号を受信する素子として SiPM が使用されている点である．SiPM の採用により，time of flight（TOF）時間分解能が向上するため SN 比が大きく向上する[1]．この性能を生かし，投与放射能量を減らすことが可能になる[2]（NOTE 2：time of flight（TOF）測定参照）．また，γ線の数え落としの低減にも寄与するため，ダイナミック収集など高計数率測定時にも有効であるとされている．図I-C-15 に PMT および SiPM を搭載した PET 装置における PET 画像を示す．従来型 PET 装置による画像に比べ，SiPM 搭載型 PET 装置では大幅に画質が向上していることが分かる．

❷ PET/MRI 装置

従来型の PET/CT 装置で用いられている PMT は磁場の影響を大きく受けるため，PET/磁気共

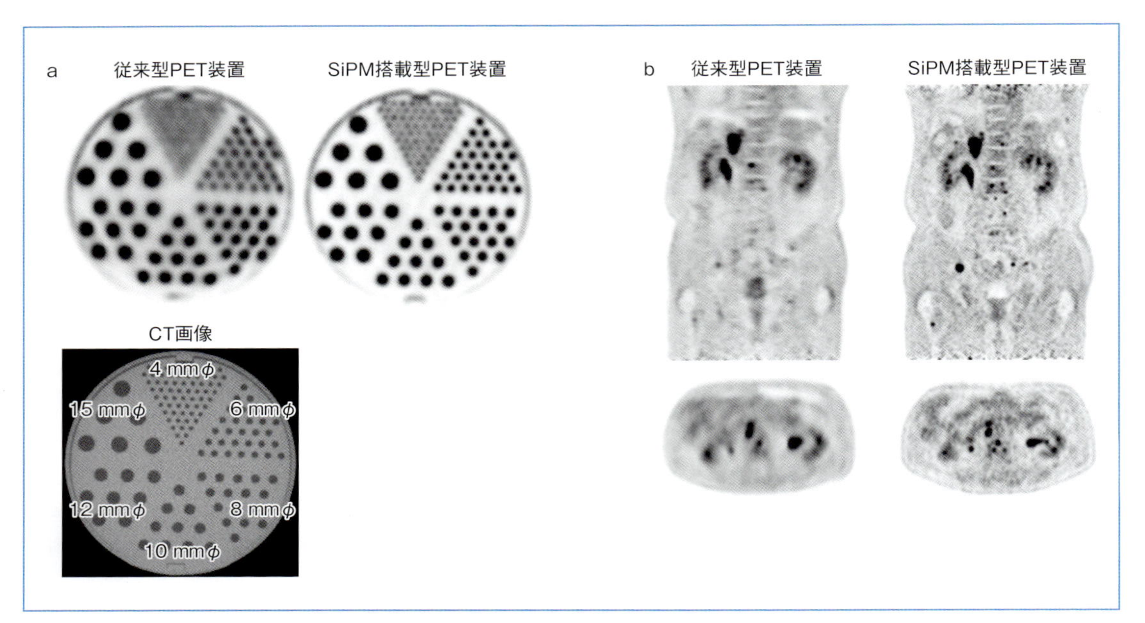

図I-C-15　従来型のPMT搭載型PET装置とSiPM搭載型PET装置（Philips社製Vereos）の比較
a：ファントム画像，b：悪性神経膠腫患者の^{18}F-FDG PET画像（60歳代，男性）．

鳴画像法 magnetic resonance imaging（MRI）装置には利用できない．一方で，半導体を応用した検出器であるアバランシェ・フォトダイオード avalanche photodiode（APD）は磁場の影響を受けない．そのため，PET検出器をMRI内部へ配置できPET/MRI装置へ応用可能である（図I-C-16a，b）．PET/MRI装置の長所としては，1）位置ずれの少ないPET画像とMRI画像を取得できる，2）PETの吸収補正はMRI画像を用いて行うためCTによる被曝がない，3）近年のPET/MRI装置はMRIガントリ内にPET検出器が組み込まれた構造となっているため，PETおよびMRIデータを同時に収集することが可能である点が挙げられる．一方で短所としては，1）PET/MRI装置を用いた多くの検査は検査時間が長くスループットがよくない，2）MRIはγ線による線減弱係数を反映した画像を出力できないため，正確なPET画像の吸収補正ができない（特に骨の描出に関してはMRIの撮像シーケンスを工夫する必要がある）などが挙げられる．短所2）については，深層学習を利用しPETエミッション画像から線減弱係数マップを作成する試みもあり，PET/CTで問題となる呼吸による位置ずれのない正確な線減弱係数画像を作成できる可能性がある[3]．図I-C-16c，dにPET/MRI装置による臨床画像を提示する．PETトレーサの集積がMRIによる形態画像上にて良好に描出されている．

❸ 乳房専用PET装置

乳癌の画像診断では，スクリーニングにはマンモグラフィと超音波検査，良悪性の鑑別にはマンモグラフィ，超音波検査，MRIが用いられており，FDG PETは病期診断や再発診断に対する手段の一つという位置付けであることが多い．腫瘍径の小さな乳癌の検出は，近年のPET/CT装置が高分解能化したとはいえ，その検出は難しいことが多い．また，通常，仰臥位で撮像するPET/CTでは，呼吸性移動による画像のボケも問題点として挙げられる．これらの問題を解決するため，乳房専用PET装置が開発され，2013年には保険収載された（ただし，全身PETとの併用が条件）．

乳癌専用PET装置は，対向型の検出器を用いてマンモグラフィと同様に乳房を挟み込んで撮像するタイプやリング上に配列された検出器に乳房をポジショニングし，MRIと同様に腹臥位で撮像するタイプがある[4]（図I-C-17a）．

乳房専用PET装置の空間分解能は約1.5 mmであり，全身用PET装置の約4 mm程度と比較すると大きく向上している．感度および特異度はそ

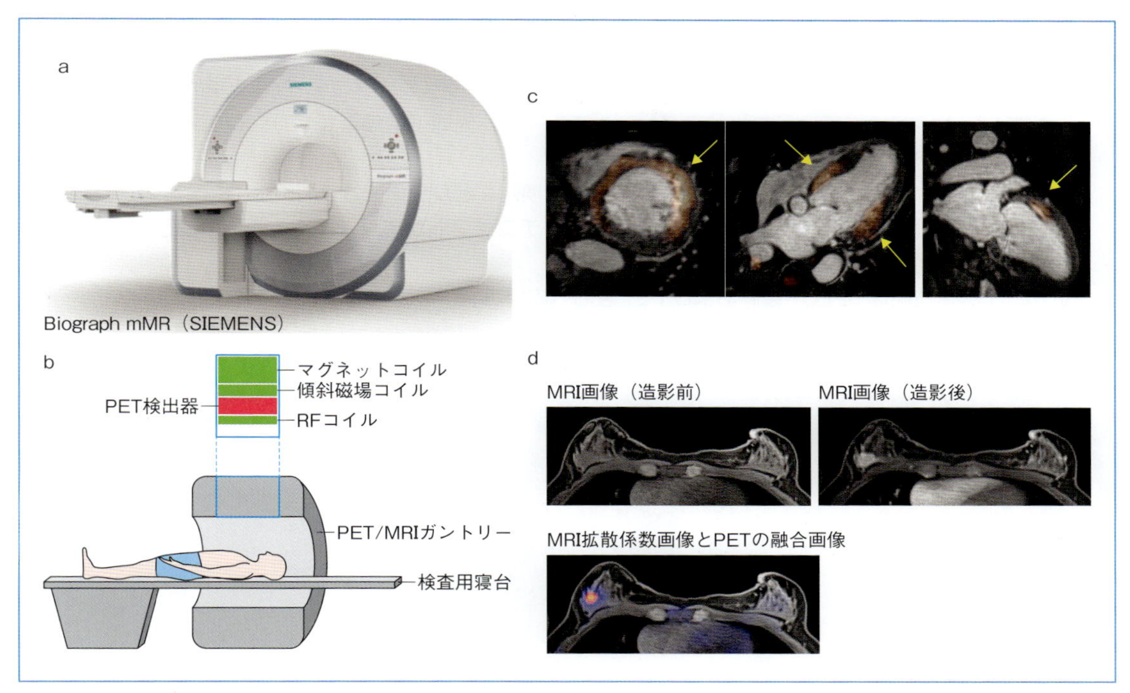

図I-C-16 PET/MRI 装置

a：概観例，b：PET/MRI 装置の模式図，c：心臓サルコイドーシス患者の^{18}F-FDG PET/MRI 画像（70 歳代，女性），d：乳癌患者の^{18}F-FDG PET/MRI 画像（30 歳代，女性）.
（a はシーメンスヘルスケア株式会社より提供，b：Data courtesy of Lawson Health Research Institute, London, Canada（シーメンスヘルスケア株式会社より提供），d：Data courtesy of NYU Langone Medical Center, New York, USA（シーメンスヘルスケア株式会社より提供）

れぞれ 80%，90%程度との報告があり[4]，乳癌の診療に有効な手段であるといえる．図I-C-17b にリング型の乳房専用 PET 装置で撮像された乳癌患者の画像を示す．

❹ 寝台連続移動による全身撮像技術

一般的に，全身の PET 画像は撮像と寝台移動を繰り返すステップアンドシュート撮像によりデータ収集を行う．近年，一部の装置メーカーの PET/CT 装置では，速度可変型の寝台連続移動撮像技術が搭載されている．全身を 3 分程度の短時間で連続撮影し，それを繰り返すことで最終的な全身画像を取得することができる．短時間収集の全身画像を多数作成できるため，腫瘍と生理的集積の経時的変化を観察でき，両者の鑑別に役立つ．また，検査途中で患者の体動があった場合には，動きのない短時間画像のみを選択加算することが可能である[5]．さらに，FDG の投与と同時に撮像を行うことで，全身のダイナミック画像を取得することができる．このデータを用いてパトラックモデル解析を行い，FDG 代謝率画像や distribution volume 画像といったパラメトリック画像を作成できる[6]．FDG 代謝率画像は通常作成される SUV 画像に比べ，腫瘍対バックグラウンド比が優れているため正確な診断に寄与できる可能性がある（図I-C-18）.

◆ 文献

1）Zhang, J et al：Performance evaluation of the next generation solid-state digital photon counting PET/CT system. EJNMMI Res 8：97, 2018
2）Sekine, T et al：Reduction of ^{18}F-FDG dose in clinical PET/MR imaging by using silicon photomultiplier detectors. Radiology 286：249-259, 2018
3）Hwang, D et al：Generation of PET attenuation map for whole-body time-of-flight ^{18}F-FDG PET/MRI using a deep neural network trained with simultaneously reconstructed activity and attenuation maps. J Nucl Med 60：1183-1189, 2019
4）Iima, M et al：Clinical performance of 2 dedicated PET scanners for breast imaging：initial evaluation. J Nucl Med 53：1534-1542, 2012
5）Kaji, T et al：Dynamic whole-body ^{18}F-FDG PET

要点

- 核医学検査でイメージングを目的とした装置は，シンチレーションカメラ SPECT と PET 装置がある．
- シンチレーションカメラは，コリメータ，シンチレータ，光電子増倍管（PMT），位置演算回路などを組み合わせたアンガー方式が主流である．
- PET は，クリスタル（シンチレータ），PMT，A/D 変換器などから構成される．
- 金属，呼吸移動による位置ずれなど PET 特有のアーチファクトがあり，読影の際には注意を要する場合がある．
- 近年，半導体技術は SPECT 装置および PET 装置へ応用され，装置性能が大幅に向上している．

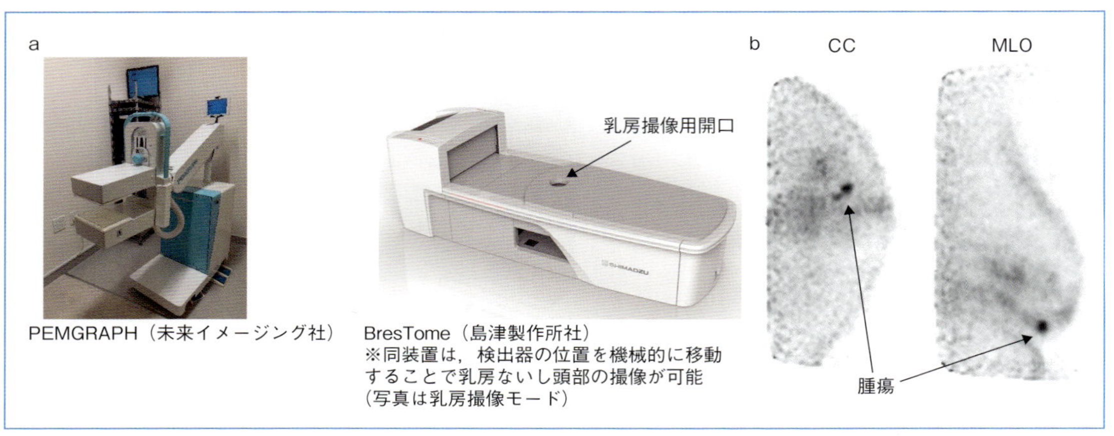

図I-C-17　乳房専用 PET 装置

a：概観例，b：左乳房浸潤性乳管癌症例の^{18}F-FDG PET 画像（70 歳代，女性）．

（a 左，b は社会福祉法人孝仁会北海道大野記念病院　安藤　彰先生のご厚意による，a 右は株式会社島津製作所より提供）

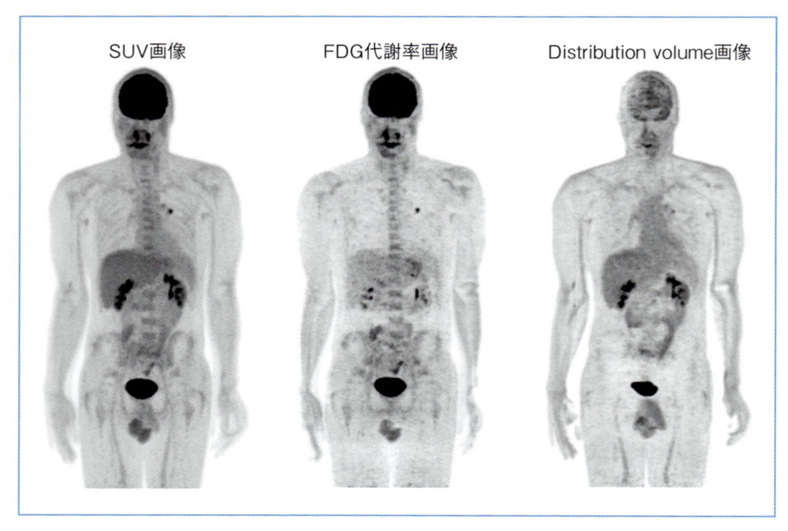

図I-C-18　寝台連続移動収集画像を用いたパラメトリック画像解析例

（Data courtesy of Yale University, New Haven, USA（シーメンスヘルスケア株式会社より提供））

for minimizing patient motion artifact. Clin Nucl Med 45：880-882, 2020

6) Dias, HA et al：Clinical feasibility and impact of fully automated multiparametric PET imaging using direct Patlak reconstruction：evaluation of 103 dynamic whole-body ^{18}F-FDG PET/CT scans. Eur J Nucl Med Mol Imaging, 2020. https://doi.org/10.1007/s00259-020-05007-2

画像解析

核医学検査で得られる画像は用いたトレーサの化学的性質を反映した生体内の分布画像である．トレーサを体内に投与した直後から撮像を行えば，動画として撮像することもできる．画像の評価方法としては，スケーリングを用いた視覚的評価があるが，より客観性のある方法としては，肝臓 glactosyl human serum albumin（GSA）シンチグラフィにおける HH15 や LHL15（後述）のような画像に関心領域 region of interest（ROI）を設定し，参照領域との比較をすることにより定量値を算出する方法がある．あるいはコンパートメントモデル解析のように微分方程式に基づく複雑なものも存在する．近年，CT や MRI といったモダリティーでも定量値を算出する報告があるが，研究段階のものも多く，核医学検査がゴールドスタンダードとなる場面はいまだに多い．

PET における SUV

収集された PET データは，3 次元画像に再構成されるが，画素値はまず Bq/mL として表される．Bq/mL のまま診断に使われることは少なく，通常は次式で定義される standardized uptake value（SUV）に変換される．

$$\mathrm{SUV}=\frac{\text{PET 画像の放射能濃度[Bq/mL]}}{\text{投与量[Bq]/体重[g]}}$$

SUV は放射性薬剤の濃度を投与した投与量および体重で補正した値である．放射性薬剤が排泄されずに体全体に均等に分布した場合に，SUV＝1 g/mL となる．実際には，人体の比重を 1 g/mL と仮定し，SUV は無単位で表すことが多い．

病変部の放射性薬剤の濃度を表すには，ROI 内の平均値を評価に用いる場合と，最大値を用いる場合とがある．SUV を使う場合，前者を SUV_{mean}，後者を SUV_{max} と表記する．

現在，臨床現場でよく用いられているのは SUV_{max} である．その理由は，最大点を含む ROI が設定されていれば，ROI の大きさや微妙なずれに影響されないため，評価者内・評価者間の再現性が非常に高い点にある．多くの画像ビューアーで SUV_{max} は測定できる．いろいろな PET の指標の中で，診断能や予後予測能に関する論文での報告は SUV_{max} が圧倒的に多い[1]．画像診断レポートにも頻繁に記載される．一方，1 画素のみの値であるため画像ノイズに影響されやすいことや，腫瘍内の不均一な分布を表現できないことは，SUV_{max} の欠点である．SUV の正確性のためには，

Note

● cross calibration factor（CCF）

PET 画像の測定値（カウント）を放射能濃度の単位に変換するための校正値である．患者への投与時に使用するドーズキャリブレータにて測定した放射能 D（Bq）の ^{18}F-FDG を容積 P（mL）が既知の円柱ファントムに封入し，その PET 画像の ROI 値 R（count/秒/pixel）から CCF＝D（Bq）/P（mL）/R（cps/pixel）にて算出する．PET 画像にこの CCF を乗じることにより，放射能濃度（Bq/mL）の単位に変換することができる．

● 赤池の情報量基準 Akaike's information criterion（AIC）

AIC とは測定データのモデルに対する一致率の評価を行うための指標である．モデルはパラメータ数が多くなるほど測定データとの一致率は高くなる．しかし，パラメータ数を増加させるとモデルを測定ノイズへも無理に合せてしまうため，臨床情報を正しく反映しない恐れがある．そこで，誤差の大小を比較するだけではなく，パラメータ数も考慮したモデルの一致率の指標としてこの AIC が用いられる．AIC は以下の式で与えられる．

$$\mathrm{AIC}=-2\ln L+2p$$

L：最大尤度，p：パラメータ数

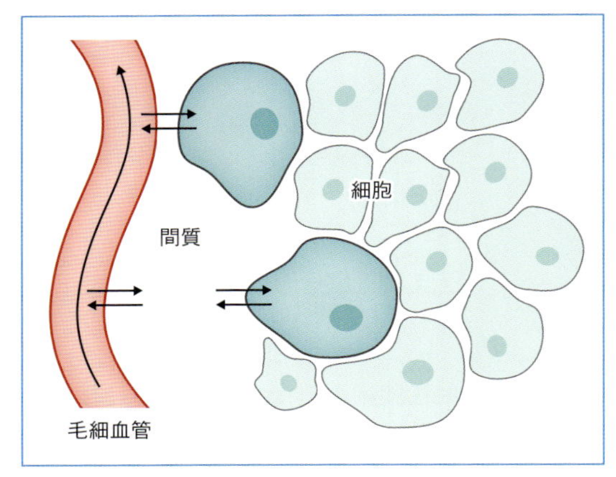

図I-D-1　コンパートメントモデルの模式図

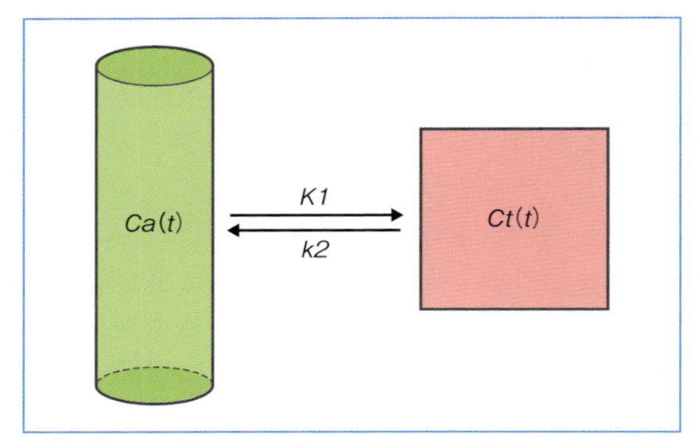

図I-D-2　組織1コンパートメントモデル

cross calibration factor（CCF），体重，投与時刻，投与量が正確に測定されていることが必要である．SUVはPETスキャナーや画像再構成法にも影響を受ける．撮像条件の施設間の差を縮めることを目指して，ハーモニゼーションの試みが国内外で行われている．

体積指標

SUV_{max}の欠点を補うため，閾値以上の濃度で放射性薬剤を取り込む体積が新たな指標として導入された．特に，トレーサとしてFDGが使われている場合，活発に糖代謝を行っている体積と読み替えることができるため，metabolic tumor volume（MTV）と呼ばれる．閾値の決め方にはさまざまなものがある．例えば，SUVの値をそのまま用いて，「2.5以上」と決める方法がある．また，病変のSUV_{max}に対する相対値として，「SUV_{max}の40%」と決める方法もよく用いられる．より高度な方法として，バックグラウンドのSUVを用いたり，画像のグラディエント（勾配）を用いたりする方法も報告されている．類似した指標として，total lesion glycolysis（TLG）がある．腫瘍境界内のSUVの平均値（SUV_{mean}）を用いて，TLG＝MTV×SUV_{mean}として定義される．TLGは腫瘍境界内でSUVを積分した値といってよい．MTVもTLGも単位はmLである．MTV，TLGは，SUV_{max}以上の予後予測能があるとする報告は多い．

MTV，TLGにも欠点がある．まず，前述のとおり閾値の決め方が統一されていないため，MTVを報告する際には閾値を明記しなければ，数値自体は意味を成さない．また，腫瘍境界がどれくらい明瞭に描出されるかはスキャナーの性能と画像再構成法に影響され，これらの因子がそのままMTV，TLGに影響する．したがって，施設間での比較には厳格なルールが必要になる．さらに，腫瘍に近接して非腫瘍性集積（咽頭や膀胱などへの生理的集積）が存在する場合，閾値法では非腫瘍性集積も含んでしまうため，用手的に不要部分を除去する作業が必要となる．用手的作業は時間がかかるうえ，操作者間の再現性を低下させる．加えて，一般的な画像ビューアーには必ずしもMTVの測定環境が完備されているとはいえない．こうした理由で，MTVやTLGは日常診療の読影レポートに記載されることは少ない．こうした状況を踏まえ，筆者らはMTV，TLGの測定を効率化するためのソフトウェアを開発し，フリーソフトウェアとして公開している[2)]．

コンパートメントモデル解析

トレーサ分子の「動き」をコンパートメントモデルに基づき数理的に解析すれば，血流や受容体密度などの生理学的指標を算出することができる（図I-D-1）．各コンパートメントには薬剤が均一に分布すると仮定する．

コンパートメント間の薬剤の移動速度を速度定数（未知数）として，PET/SPECTで実際に得られた測定値に最も近づくように速度定数を求める．

ここでは代表的な1組織コンパートメントモデルを解説する（図I-D-2）．このモデルは，毛細血管からの流入と1つの組織コンパートメントか

要点

- PET では画素値を SUV に変換して評価することが多い.
- 関心領域 region of interest（ROI）内の SUV の最大値である SUV_{max} が最も広く用いられる.
- 体積指標として，metabolic tumor volume（MTV）と total lesion glycolysis（TLG）が用いられる.
- コンパートメントモデル解析により生物学的な指標を定量することもできる.
- 統計画像解析，人工知能 artificial intelligence（AI）による解析，テクスチャー解析なども用いられる.

ら構成される．図Ⅰ-D-2におけるトレーサ分子の単位時間当たりの変化は以下の式で表現される.

$$\frac{dCt(t)}{dt} = K1Ca(t) - k2Ct(t)$$

$Ca(t)$：血液内トレーサ量(Bq/mL)
$Ct(t)$：組織内トレーサ量(Bq/g)
$K1$　：速度定数(mL/分/g)
$k2$　：速度定数(1/分)

この微分方程式を解き，畳み込み積分表記（⊗）で表現すると，

$$Ca(t) \otimes K1e^{-k2t} = Ct(t)$$

採血や PET で実測される $Ca(t)$ と $Ct(t)$ にフィッティングさせることで，$K1$, $k2$ を求める.

1 組織コンパートメントモデルは，毛細血管から浸透するが組織内で代謝されないトレーサに適用される．速度定数 $K1$ が組織内への血流とよく相関するため，脳血流の ^{123}I-iodoamphetamine（IMP），^{15}O-H_2O に用いられることが多い.

注意点として，コンパートメントの概念は近似的なものであり，実際の生体内の挙動を表現しきれている訳ではない.

また，コンパートメント数を増やせばフィッティングが改善する一方で，過学習をもたらす．赤池の情報量基準 Akaike's information criterion（AIC）などの指標でモデルを評価することも重要である.

そのほかの解析

ほかにも核医学画像解析法にはさまざまなものが提案されている．統計画像解析（3D-SSP），人工知能 artificial intelligence（AI）による解析（BONENAVI など）も，読影支援に広く用いられている．これらはそれぞれ「Ⅱ　脳神経」，「Ⅵ　骨」の章で改めて説明する．ここでは，テクスチャー解析について簡単に述べる.

近年，腫瘍内のトレーサの分布の不均一性が注目されている．FDG 集積の不均一性は代謝が空間的に不均一であることを表し，腫瘍の悪性度を反映するといわれる．不均一かどうかは，見た目でもある程度は判断できるが，客観的に定量化する手法として，テクスチャー解析が知られている．最も基本的なものは，腫瘍境界内の画素値からヒストグラムをつくり，分散やエントロピーといった指標を算出するものである．この方法では画素値の隣接関係が表現できない．そこで，隣接する画素値の頻度に基づいて gray level cooccurrence matrix（GLCM）をつくり，そこからエントロピーなどを算出する方法もある．実際には多数の不均一性指標が提案されており，解析ソフトウェアによっては 1,000 を超える指標を算出するものもある．テクチャー解析で得られる指標が鑑別診断や予後予測に有用であることを示す報告は多いが，臨床で使用するには MTV や TLG と同様の問題を解決しなければならない．すなわち，テクスチャー指標は画質によって影響を受け，計算式も報告によって少しずつ異なるため，単純比較はできない．今後の研究成果が待たれる領域である.

◆ 文献

1）Hirata, K et al：Quantitative FDG PET Assessment for Oncology Therapy. Cancers(Basel) 13：869, 2021
2）Hirata, K et al：A semi-automated technique determining the liver standardized uptake value reference for tumor delineation in FDG PET-CT. PLoS One 9：e105682, 2014

Ⅱ

脳神経

II 脳神経

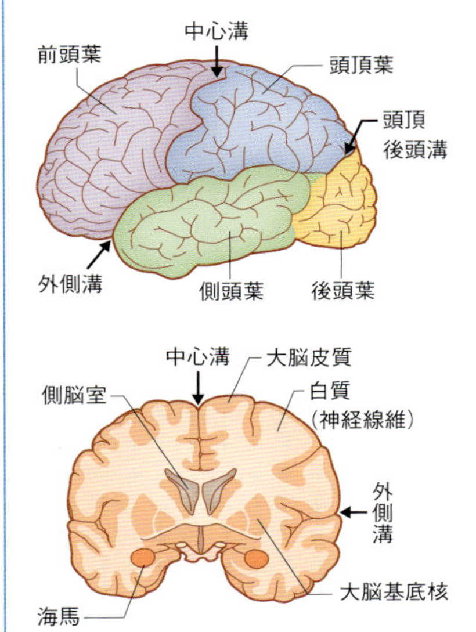

図II-1　中枢神経
中枢神経は大脳・小脳・脳幹・脊髄に分けられ，特に大脳は左右の半球が脳梁などを介して神経系全体を統合している．各大脳半球は前頭葉，頭頂葉，側頭葉，後頭葉に分けられる．

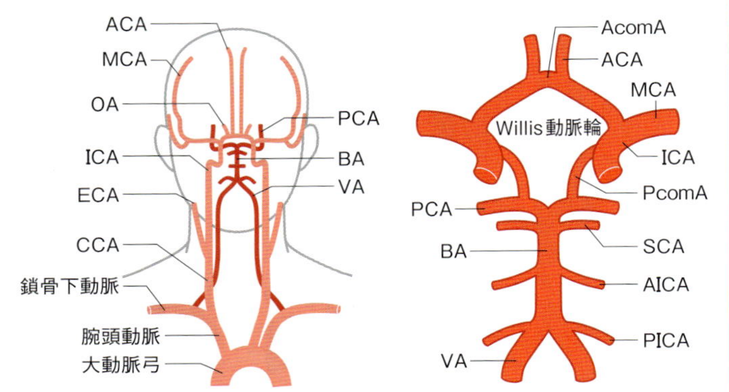

図II-2　脳動脈
前大脳動脈(ACA)，後大脳動脈(PCA)，中大脳動脈(MCA)，脳底動脈(BA)，内頸動脈(ICA)，外頸動脈(ECA)，椎骨動脈(VA)，総頸動脈(CCA)，鎖骨下動脈，前交通動脈(AcomA)，前大脳動脈(ACA)，眼動脈(OA)，後交通動脈(PcomA)，上小脳動脈(SCA)，後下小脳動脈(PICA)，前下小脳動脈(AICA)．

病態生理

❶ 解剖

中枢神経は大脳・小脳・脳幹・脊髄から成る．単に脳という場合，大脳・小脳・脳幹を総称していることが多い．大脳は表面から深部に向かって大脳皮質（灰白質），大脳髄質（白質），基底核，視床などの構造に分けられる．左右の大脳半球は前頭葉，頭頂葉，側頭葉，後頭葉に分けられる(図II-1)．

一方，ミクロでみると神経細胞（ニューロン），神経膠細胞（グリア），毛細血管内皮などの細胞によって構成される．髄膜にはリンパ管が存在するが，脳自体にはリンパ管が存在しない．

大脳皮質や基底核には神経細胞の細胞体が存在し，髄質には軸索が走る．軸索は希突起膠細胞（オリゴデンドロサイト）が形成する髄鞘に包まれる．神経細胞が発する信号は，軸索を通じて電気的に伝導され，シナプスでは化学物質によって隣接する神経細胞に情報伝達される．同一葉内，同側他葉，対側の大脳皮質の神経細胞は軸索によって密に連絡しており，極めて複雑な神経回路ネットワークを形成している．

❷ 血行動態

脳組織はグルコース（ブドウ糖）を唯一のエネルギー源としている．神経膠細胞の一つである星状膠細胞（アストロサイト）には，グルコースをグリコーゲンとして貯蔵するシステムの存在が知られているものの，脳機能を正常に保つには十分な酸素とグルコースが常に供給される必要がある．この需要を満たすため，成人では毎分，心拍

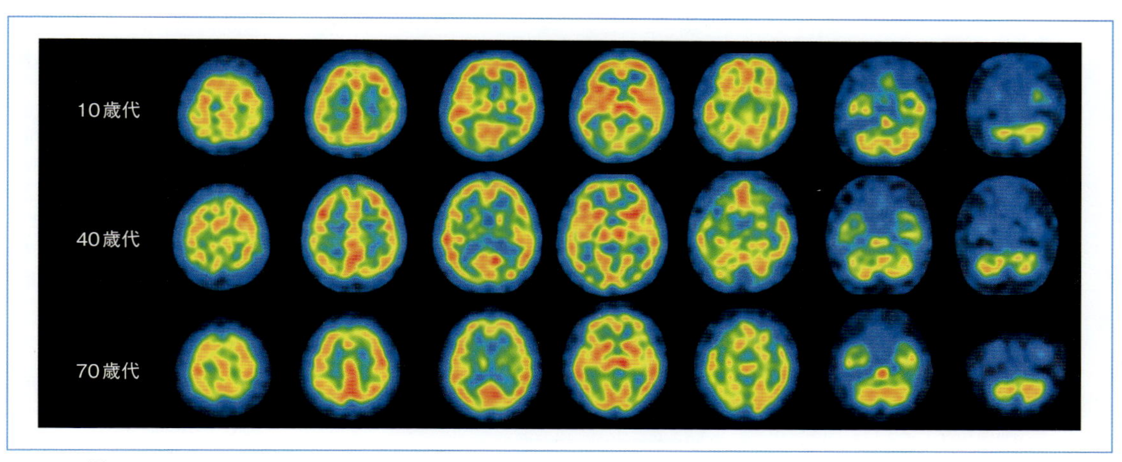

図Ⅱ-3 ^{123}I-IMP：脳血流シンチグラフィ 脳血流正常例
大脳皮質の血流は，加齢に伴い前頭葉を中心に低下する．一方で小脳の血流は保たれる傾向にある．

出量の約15%にあたる700 mLの血液が脳に供給されている．成人の脳の平均的な重量は1.4 kgであるから，脳全体の平均血流は約50 mL/100 g脳/分となる．この値は血圧の生理的な変動にかかわらず一定であるが，これは脳がもつ自動調節能（オートレギュレーション）による．灰白質と白質の血流比はおよそ4：1である．図Ⅱ-3に正常例の脳血流シンチグラフィ（^{123}I-iodoamphetamine（IMP））の画像を示す．

脳への供血は，左右内頸動脈と左右椎骨動脈，計4本の動脈を介し行われている．内頸動脈は眼動脈を分岐した後に頭蓋腔に入り，後交通動脈と前脈絡叢動脈を出し，その後，前大脳動脈と中大脳動脈とに分かれる．椎骨動脈は両側の鎖骨下動脈から分岐し，大孔を通って頭蓋腔へ入る．その後，左右の椎骨動脈が延髄の上縁で合流し1本の脳底動脈を形成する．脳底動脈は橋の腹側面を上行し，再び2本の後大脳動脈に分岐する．後大脳動脈と後交通動脈とが合流することでWillis動脈輪の一部を成す．そのほか，椎骨動脈から後下小脳動脈が，脳底動脈から上小脳動脈や前下小脳動脈が分岐し，小脳や脳幹などへ血液を供給している（図Ⅱ-2）．

❸ 自動調整能

さて，前述のとおり，正常脳では血圧の変動に対して脳血流を一定に維持するため自動調節能が働く．内頸動脈狭窄や心原性ショックなどによって灌流圧（平均動脈圧から内頸静脈圧を引いたもの）が低下する．電流・電圧・抵抗の関係を定めるOhmの法則と同様に，「灌流圧＝血流×抵抗」の関係式が成り立つ．したがって，灌流圧の低下に見合うだけ抵抗減少を実現すれば，血流は一定を保つことができる．抵抗を下げるためには血管を拡張させればよい．正常の脳血管は拡張能を有しており，予備能とも呼ばれる．灌流圧の低下に対して，血管拡張によって一定の血流が維持できている状態をPowers分類のStage Ⅰという（図Ⅱ-4）．

しかし，血管拡張にも限度があるため，灌流圧の低下がさらに重度になると血流が低下し始める．この段階で起こる反応が，酸素摂取率oxygen extraction fraction（OEF）の増加である．生理的な環境下ではOEFは0.4程度であるが，これは動脈血に含まれる酸素の40%を脳組織が取り込むことを意味する．言い換えると，仮に酸素飽和度100%の動脈血が脳に供給されたとすると，内頸静脈を流れる静脈血の酸素飽和度は60%ということになる．OEFには若干の増大余地がある．OEFを増加させれば，血流低下に抗して脳組織への酸素供給量を保つことができる．この段階をPowers分類のStage Ⅱという．

しかし，OEFの上昇もせいぜい0.6までが限度であり，これを超えて血流量が減少すると酸素供給量の低下が始まる．脳血流が約10 mL/100 g脳/分を下回ると，不可逆的な器質的障害が生じる（図Ⅱ-4）．

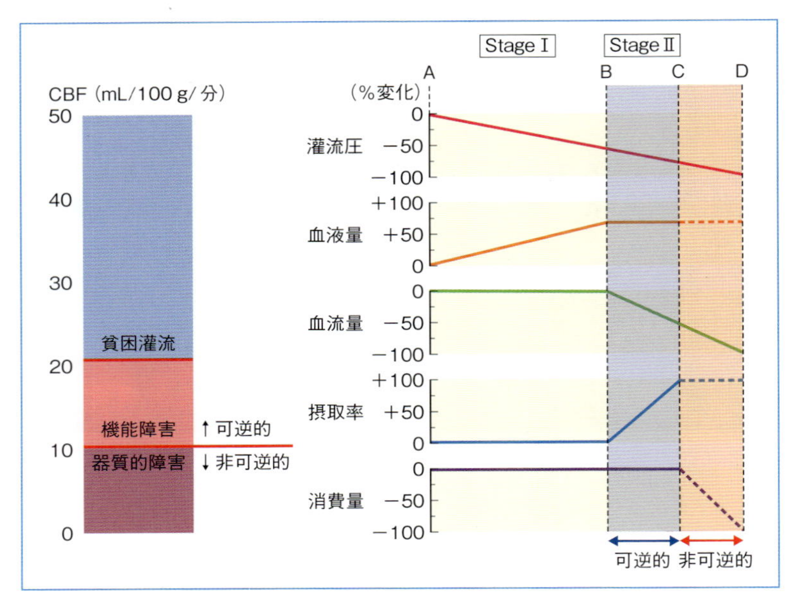

図Ⅱ-4　脳の障害
灌流圧の低下が生じると，脳血流量(CBF)を維持するために，脳血管床の拡張(血管抵抗の減少)，酸素摂取率(OEF)の上昇といった制御機構が働き，酸素消費量($CMRO_2$)を保とうとする．さらに血流量が減少し，脳血流量が約 10 mL/100 g 分以下になると，不可逆的変化が起こり，器質的障害が生じる．

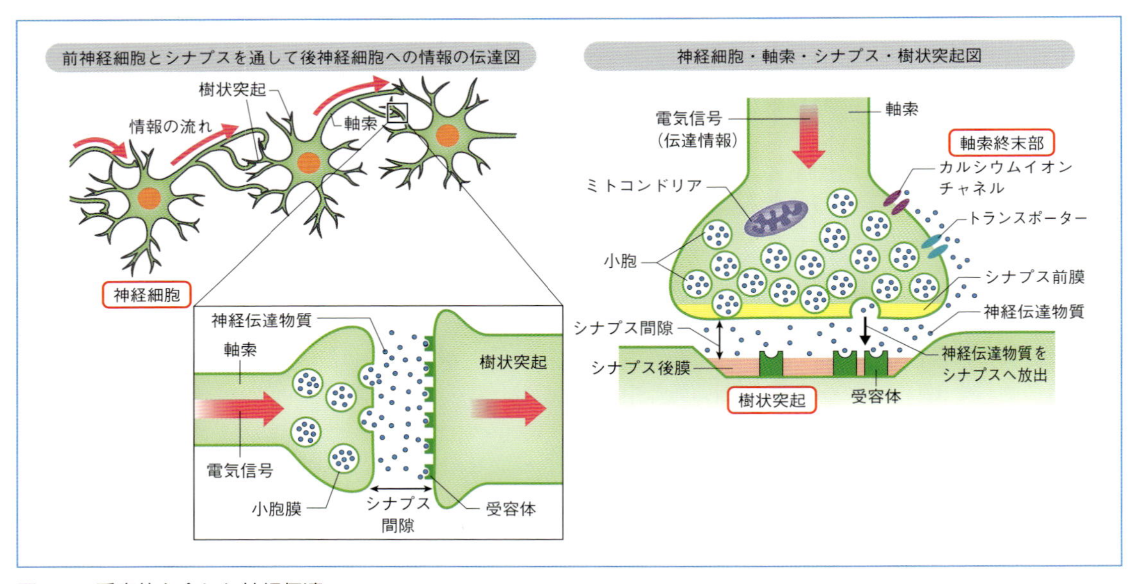

図Ⅱ-5　受容体を介した神経伝達
神経細胞からの電気信号は，軸索の終末でシナプス前小胞から放出された神経伝達物質により，次のニューロンの受容体に結合し，情報が伝達される．

❹ 血流以外の異常

さて，シナプスに注目すると，信号を送る側をシナプス前ニューロン，信号を受け取る側をシナプス後ニューロンと呼ぶ．シナプス前ニューロンには小胞が多数存在し，神経伝達物質が貯蔵されている．神経細胞が興奮すると，神経伝達物質がシナプス間隙に放出される．この物質がシナプス後ニューロンの受容体に結合し，シナプス後ニューロンに対して興奮性または抑制性に影響する(図Ⅱ-5)．神経伝達物質は数多くの種類があり，受容体もそれに応じて異なる．それらを画像化することができれば，特定の神経伝達物質や受容体の異常により引き起こされる病態を評価することができる．シナプスの機能を画像化するため，現在臨床的に，イオンチャネル型受容体であるGABA$_A$受容体のベンゾジアゼピン結合部位に特異的に結合する^{123}I-iomazenil（IMZ）および，シナプス前細胞の表面に分布するドパミントランスポーターに高い親和性を示す^{123}I-ioflupane（FP-CIT）が用いられている．研究段階ではセロトニン，ヒスタミン，グルタミン酸，アセチルコリンなど，多数のPET用もしくはSPECT用のトレーサーが開発され，ヒトに応用されている．受容体リガンドは少量でも薬理作用を引き起こす心配があるが，核医学イメージングはその特長として感度が非常に高いため，薬理作用を生じる閾値よりも十分低い濃度で安全にイメージングを行うことが可能である．

脳組織は脳脊髄液 cerebrospinal fluid（CSF）あるいは単に髄液と呼ばれる液体の中に置かれている．脳脊髄液は通常は無色透明であるが，病的状態では性状が変化することもある．脳脊髄液は主に脳室内脈絡膜叢で産生され，脳室を出てからくも膜下腔に移行し，脳内では上矢状静脈洞にて，くも膜顆粒を介して静脈内に吸収される（図Ⅱ-6）．脊髄では脊髄神経内から神経周囲腔を通り神経末端まで流れた後，末端の組織で吸収される．健常人の脳脊髄液量は約150 mLで，1日に約500 mLが産生されている．脳脊髄液の過剰貯留により頭蓋内圧が上昇すると，脳実質が圧迫され，頭痛，嘔気，痙攣，精神症状などの症状を生じうる．脳圧亢進の原因として，閉塞に伴う水頭症，炎症などによる過産生，くも膜顆粒からの吸収障害などが挙げられる．逆に脱水，髄液漏などにより脳脊髄液が減少すると，頭痛，めまい，嘔気などの症状が生じうる．

近年，glymphatic systemと呼ばれる脳内の水輸送システムが注目されている．脳実質にはリンパ管が存在しないため，脳実質のタンパク質や老廃物は血管壁に沿った血管周囲腔の液体を通じて脳脊髄液へと排泄される．星状膠細胞の足突起に発現している水チャネル（アクアポリン4 aquaporin 4（AQP-4））が水の移動に重要な役割を果たしている．近年の研究で，水輸送システムの破綻がAlzheimer病などの複数の病態に関与している可能性が示唆されている．

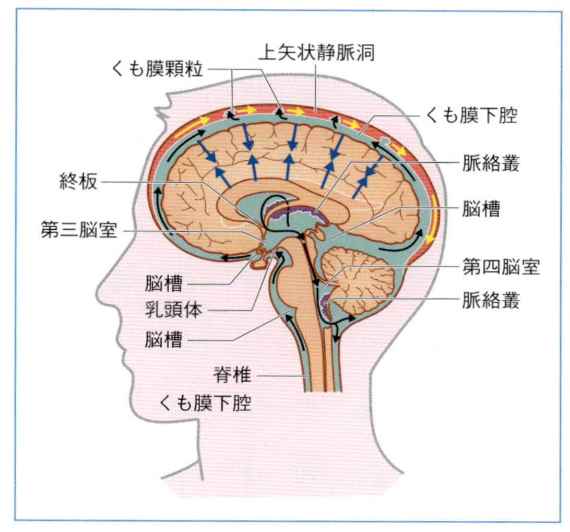

図Ⅱ-6　脳脊髄液循環
脳脊髄液は主に脳室内脈絡膜叢から産生され，脳室を出てからくも膜下腔に移行し，脳内では上矢状静脈洞にて，くも膜顆粒を介して静脈内に吸収される．

検査の進め方

❶ 脳血流（SPECT）

脳血流を評価するためのSPECT用放射性薬剤として，現在わが国で保険診療として用いられているものは，蓄積型のトレーサーである^{123}I-IMP，^{99m}Tc-*d*,*l*-hexamethyl-propyleneamine oxime（HMPAO），^{99m}Tc-ethyl cysteinate dimer（ECD）の3種類である．いずれも脂溶性であり，大部分が血液脳関門を通過して脳組織に取り込まれる（表Ⅱ-1）．

a．^{123}I-IMP

^{123}I-IMPは静注後，大部分が肺に取り込まれ，その後，緩徐に動脈血中に放出される．最初の循環で90％以上が脳内に取り込まれ，20～30分後にピークに達する．脳内滞留機序に関しては，大容量の非特異的結合部位への結合やpH勾配などが関与していると考えられている．脳内保持は不可逆的ではなく，経時的に洗い出されるが，静注後1時間ほどまでは大きな変化はない．動脈採血により脳血流量を定量することが可能である．^{123}I-IMPは，^{99m}Tc-HMPAO，^{99m}Tc-ECDに比べて定量性に優れる．すなわち，血流が2倍になれば集

表Ⅱ-1　脳血流シンチグラフィ

	投与量（MBq）	extraction fraction（%）	脳内摂取率（%）	撮像	特徴
^{123}I-IMP	111～222	90 以上	8.5	20 分後	脳血流との直線性がよく，特に高血流領域の定量性に優れる
^{99m}Tc-HMPAO	370～740	80	5～6	5 分以降	緊急検査が可能 安定性が悪く，標識後 30 分以内に使用しないといけない
^{99m}Tc-ECD	370～740	77	5～6	5 分以降	緊急検査が可能 ぜいたく灌流領域や脳炎などの高血流病変が検出できないことがある

積量もほぼ 2 倍になり，血流が半分になれば集積量も約半分になる．血流追従性がよいとも表現される．高血流領域において病変コントラストがつきやすい．これは，アセタゾラミド（ダイアモックス®）を血管拡張薬として用いた負荷試験において，血管拡張予備能を測定する際に利点となる．ただし，この目的でのアセタゾラミドの使用は添付文書の効能・効果に含まれない，いわゆる適応外使用であるため，使用に関しては安全上注意を要する．実際に，アセタゾラミド投与による副作用はまれではあるが，頭痛，吐き気，手足のしびれなどのほか，肺水腫，急性心不全などによる死亡事例の報告もあるため，慎重な判断・観察を行う必要がある．

^{123}I 標識体であるため，緊急検査には使用できず，また ^{99m}Tc 製剤と比較すると投与量を多くすることができない（被曝の問題）こと，さらには ^{123}I が放出する γ 線のエネルギー（159 keV）が ^{99m}Tc（141 keV）よりも高いため画質がやや劣るという欠点がある．IMP を用いた血流検査では動脈採血を行うことで入力関数を推定し，IMP マイクロスフェア法，IMP オートラジオグラフィ法（autoradiography（ARG）法）を行うことが可能である．動脈採血は連続的に行う場合と 1 回のみ行ってカーブを推定する場合とがあるが，臨床的には侵襲の少ない 1 回採血法が好まれる．ただし，わが国で発売されている 2 種類の ^{123}I-IMP 製剤は，互いに動脈入力関数が異なるという点に注意を要する．補足として，^{123}I-IMP はほとんどの腫瘍性病変には取り込まれないが，悪性黒色腫が取り込むことがある．悪性黒色腫を評価する目的では本検査が行われることは多くはない（保険外診療にあたる）が，脳血流の評価時に偶発的にぶどう膜の悪性黒色腫が発見されることはありえるため，注意を要する．悪性黒色腫を描出する目的では 24 時間後の撮影が望ましい．

b．^{99m}Tc-HMPAO・^{99m}Tc-ECD

^{99m}Tc-HMPAO と ^{99m}Tc-ECD は血液脳関門を通過した後，脳内でそれぞれグルタチオン，エステラーゼにより分解され水溶性化合物となるため，血液脳関門を再通過できず停滞する．^{123}I-IMP と比較すると初回循環における脳の摂取率は低く，また，血流追従性が低いため，特に高血流領域で血流が過小評価される．脳への集積は静注後より早期にピークに達するため，投与後 5 分ほどからの撮像が可能である．^{99m}Tc 製剤であるため，^{99}Mo-^{99m}Tc ジェネレーターにより生成が可能であり，緊急時に対応可能である．^{99m}Tc-HMPAO は標識率が 90% ほどと低く，経時的に低下していくため，バックグラウンドとのコントラストがやや悪い．^{99m}Tc-ECD は標識率 97～98% と高く，経時的な低下は認められないこともあり，画像コントラストはよいが，組織障害の高度な領域ではエステラーゼ活性が欠如するため，ぜいたく灌流 luxury perfusion を示す領域や脳炎などの高血流病変が検出できないことがある．また，^{99m}Tc-HMPAO に比べて ^{99m}Tc-ECD は標識後の安定性が高いため，てんかん発作時の脳血流検査（非発作時のうちに薬剤を準備しておき、発作を確認したら直ちに投与する）に有用である．^{99m}Tc 製剤では Patlak plot 法などを用いて脳血流を定量することが可能であるが，静注時に頭部と大動脈弓部を同時に視野に入れる必要があり，大視野の撮影装置を要する．また，前述のよう

に ^{123}I-IMP に比べると定量性は高くなく，特に高血流領域で過小評価がみられる．

c．実際の検査の流れ

患者に SPECT 装置の寝台に上がってもらい，仰臥位，閉眼安静状態を保ってもらった状態で薬剤を静脈内投与する．^{123}I-IMP では投与後 20～30 分後に，^{99m}Tc-HMPAO，^{99m}Tc-ECD では 5～10 分後に高分解能型のコリメーターを用いて SPECT を撮像する．脳血流分布がおよそ一定になるまで，^{123}I-IMP では 10 分ほど，^{99m}Tc-HMPAO，^{99m}Tc-ECD では数分，閉眼安静状態を保つ．注意点として，^{123}I-IMP で ARG 法による定量を行う場合は，^{123}I-IMP の投与は 1 分かけてゆっくりと行い，投与開始から約 10 分後に動脈採血を行う．アセタゾラミド負荷試験を行う場合は，1 g を生理食塩水に溶解し，脳血流製剤を投与する前にアセタゾラミドを 1 分かけてゆっくりと静注し，10 分後に脳血流製剤を投与する．アセタゾラミドは前述の有害事象に注意しながら慎重に使用する．

❷ 脳血流・代謝（PET）

脳機能には未解明な部分が多く，機能画像をつくる PET は脳科学において大変魅力的である．健常人を対象とした脳機能の探求や，治療に直接結びつく臨床的な目的に，PET を用いた脳のイメージングは幅広く使われている．SPECT と比較した時の PET の利点として次の 4 点が挙げられる．1）ポジトロン放出核種である ^{11}C，^{13}N，^{15}O，^{18}F などの生体分子構成元素を利用できるため，分子構造を変えずに標識することができる．2）定量性が高い．3）コリメーターがないため多くの光子を検出できる．4）空間分解能が高い．

こうした特長を生かして，PET は血流，酸素代謝，糖代謝，受容体密度，トランスポーター密度，アミロイドの測定に用いられている．

a．^{15}O-PET

血流の測定には ^{15}O-H_2O（水）の静注または ^{15}O-CO_2（二酸化炭素）の吸入を用いる．^{15}O-CO_2 は吸入された後に肺において ^{15}O 原子が水分子に移り，血液中に放出されるため，投与速度の違いを除けば ^{15}O-H_2O の静注とほぼ同等と考えられている．トレーサーを含む血液は心臓から拍出され，大動脈，主幹動脈を経て，毛細血管で組織と物質交換される．放射性の ^{15}O-H_2O と非放射性の H_2O とは生体には区別されない．動脈血の放射能濃度に対する局所脳組織の放射能濃度の反応が，血流を表すと考えてよい．動脈血放射能濃度は，投与時刻を t=0 とする時間放射能曲線で表される．これを入力関数という．局所脳組織の放射能濃度も同様に時間の関数として表し，これを出力関数とする．入力関数と組織応答関数との畳み込み積分が出力関数となるように組織応答関数を求める．実際の測定には入力関数を得るために多点動脈血採血が必要である．コンパートメントモデルを用いることで血流を mL/100 g/分の単位で求めることができる．適応疾患は SPECT で述べた血流検査のものと同様である．

酸素代謝は ^{15}O-O_2（酸素）の吸入によって求めることができる．これに代わる SPECT 薬剤はないため，酸素代謝は PET のみで求めることができる．血流の情報に酸素の情報を加えることで，酸素消費量 cerebral metabolic rate of oxygen（$CMRO_2$），OEF を求めることができる．さらに ^{15}O-CO（一酸化炭素）をトレーサーとして使用すると，脳血液量 cerebral blood volume（CBV）を求めることができる．これは，CO が赤血球内のヘモグロビンと強く結合するため，血管外には分布しないという性質を利用している．CO は有毒ガスであるが，核医学検査で使用する量はごくわずかであり，薬理作用は認められない．

脳血管障害の症例では，CBV，脳血流量 cerebral blood flow（CBF），OEF，脳酸素代謝率 cerebral metabolic rate of oxygen（$CMRO_2$）がそろうと Powers 分類における脳虚血の Stage が決定される．OEF が上昇し $CMRO_2$ が保たれる Stage Ⅱは，血行再建術（血管内膜剝離術，ステント術，あるいは内頸動脈外頸動脈バイパス術）のよい適応とされる．これは Stage Ⅱにおいては抗血小板薬などによる内科的治療よりも血行再建術が脳梗塞のリスクを下げると考えられてきたためである．

b．^{18}F-FDG

糖代謝を測定するには ^{18}F-フルオロデオキシグルコース fluorodeoxyglucose（FDG）が用いられる．現在では ^{18}F-FDG の用途の大部分が腫瘍の評価目的であるが，もともとこのトレーサーが開発された目的は脳や心筋などの生理的な糖代謝の測定であったことは興味深い．定量検査には多点動脈血採血が必要であるため，侵襲性だけでなく採血を行う者の被曝も問題になる．実臨床では採血をしない定性検査が広く行われている．採血を行わない方法では，脳グルコース代謝速度 cerebral metabolic rate of glucose（CMRglc）を micro mol/100 g/mL で定量することはできないが，脳内の分布から相対的な糖代謝の大小を推測することができる．腫瘍学で用いられるように standard uptake value（SUV）を使って ^{18}F-FDG の取り込みを数値化することができるが，SUV は個体内，個人間での差が大きく，CMRglc を SUV から推定することはできないとされている．脳 ^{18}F-FDG PET の適応疾患は，てんかん，および脳腫瘍である．難治性の部分てんかんでは，頻発するてんかん発作の結果として，てんかん焦点だけではなく，その周囲の脳組織にも広く糖代謝の低下が認められることが多い．側頭葉てんかんにおいては，その病側を決定する精度は高い．しかし，手術範囲を決める場合に ^{18}F-FDG を用いると，正常部分も含んでしまうため好ましくない．

❸ 受容体およびトランスポーター・イメージング

a．^{123}I-IMZ

ガンマアミノ酪酸 γ-aminobutyric acid（GABA）は抑制性のシグナルを伝える神経伝達物質であり，複数の受容体が知られている．GABA$_A$ 受容体はイオンチャネル型受容体で，GABA が結合すると Cl$^-$イオンを透過させ，これが細胞内に流入するため，細胞内の電位が低下し，神経細胞の興奮（脱分極）を抑制する．GABA$_A$ 受容体は α サブユニットと γ サブユニットの境界部分にベンゾジアゼピン部位を持ち，ベンゾジアゼピンの結合有無により受容体と GABA との親和性が変化する．ベンゾジアゼピン系の薬剤は，睡眠導入薬や抗不安薬として用いられるが，ベンゾジアゼピンが GABA$_A$ 受容体のベンゾジアゼピン部位に結合すると，GABA の作用が増強される．^{123}I-IMZ はこのベンゾジアゼピン部位に高い親和性を示し，選択的に結合するトレーサーであるため，静注してから 3 時間後に得られる SPECT 像により脳内局所の GABA$_A$ 受容体の分布を評価することが可能である．なお，GABA$_A$ 受容体のことを，ベンゾジアゼピン結合部位を持つことから中枢性ベンゾジアゼピン受容体ともいう．GABA$_A$ 受容体は中枢神経のニューロンに広汎に発現している．

手術摘出標本や動物モデルを用いた検討から，てんかん焦点において GABA$_A$ 受容体が低下していることが明らかにされている．これは主にニューロン自体の脱落による．この事実に基づき，^{123}I-IMZ SPECT はてんかんの焦点部位を特定する目的で使用される．てんかん焦点においては，^{99m}Tc-ECD などで測定される血流や FDG で測定される代謝も変化していることが知られている（発作間欠期には血流・代謝は低下．発作時から発作直後は増加）．^{123}I-IMZ の集積低下範囲は，代謝や血流の異常範囲と比較して一般に限局した領域でみられる．これにより，ピンポイントでのてんかん焦点部位を推定でき，薬剤でのコントロールが不良な難治性てんかんの症例で外科的治療が考慮される場合に，手術範囲の決定に有用である．

また，研究的な取り組みではあるが，頭部外傷後の神経細胞脱落を ^{123}I-IMZ の集積低下によって評価する試みや，脳血管障害に対する血行再建術や幹細胞による再生医療による機能回復を ^{123}I-IMZ の取り込みで評価あるいは事前予測する試みもなされている．特に，交通外傷の後遺症として MRI で異常がないにもかかわらず物忘れなどの高次機能障害を呈する症例において，神経障害を客観的に証明する根拠になる可能性があり，注目されている．

実際の検査にあたって，ベンゾジアゼピン系薬剤を服用している場合は，投与前，数日間の休薬が必要となる．

b．^{123}I-FP-CIT

大脳基底核は大脳深部に両側性に存在する構造物であり，線条体，視床下核，淡蒼球，黒質から成る．また，線条体は尾状核と被殻から成る．被殻と淡蒼球を合わせてレンズ核という呼び名もある．黒質は中脳に存在しているが，発生学的には大脳基底核の一部とされる．Parkinson 病 Parkinson disease（PD）と Lewy 小体型認知症 dementia with Lewy bodies（DLB）では，黒質に細胞体を持ち線条体に投射する黒質線条体ドパミン神経細

図Ⅱ-7 特異的結合比（SBR）

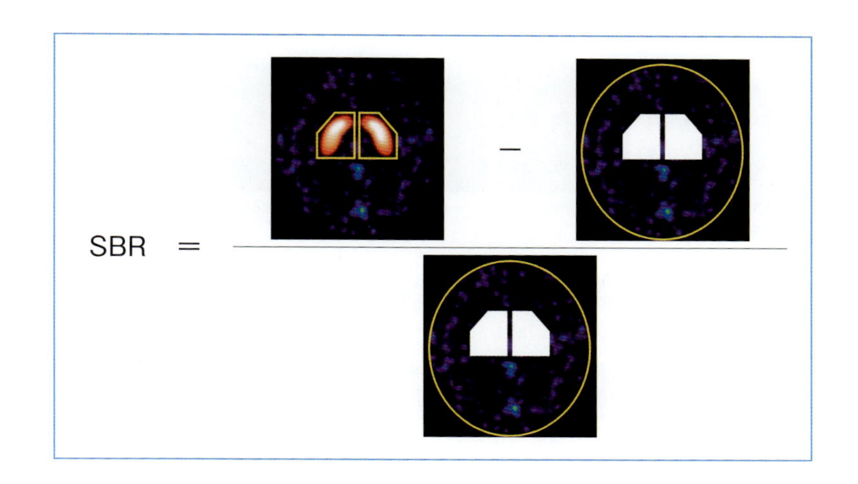

胞が変性し脱落する．これにより，線条体においてドパミン濃度が低下し，症状としては運動失調が引き起こされる．神経終末においては，ドパミン濃度の低下に反応してシナプス後ドパミン受容体の密度は逆に増加し，シナプス間隙からドパミンを取り込むシナプス前ドパミントランスポーター dopamine transporter（DAT）の密度は低下することが明らかにされている．^{123}I-FP-CIT はDAT に高い親和性を有する薬剤で，ドパミン神経細胞の投射先である線条体における DAT 分布密度を画像化できる．線条体以外の脳組織にはほとんど集積がみられない．シナプス前ドパミン障害を有する PD の疑いのある患者，シナプス前Parkinson 症候群の早期診断，シナプス前ドパミン障害がない Parkinson 症候群との鑑別，DLB とAlzheimer 病との鑑別に有用である．

注射剤はエタノールを 5％含有するため，アルコール過敏症や飲酒の拒絶反応などを事前に確認し，過敏症が疑われる場合は慎重に検査を行うか，検査の中止を指示する必要がある．投与直後の気分不良に備えて，可能であれば臥位で投与するのが望ましい．また，薬剤が弱酸性であるため，静注時に疼痛が生じることがあるので，ゆっくりと投与する．選択的セロトニン再取り込み阻害薬 selective serotonine reuptake inhibitor（SSRI）やセロトニン・ノルアドレナリン再取り込み阻害薬 serotonine noradrenaline reuptake inhibitor（SNRI），三環系抗うつ薬などを内服中の場合，集積に影響を及ぼす可能性があるため，可能であれば事前に投薬を中止する．成人には111～185 MBq を静脈内投与し，通常は投与後 3 時間で撮像する．線条体への集積の定量的指標として特異的結合比 specific binding ratio（SBR）が用いられる（図Ⅱ-7）．SBR は SPECT 装置，コリメーター，撮影方法，再構成方法に影響を受ける数値であるため，施設間での比較や正常範囲の設定は慎重に行うべきである．ファントム撮影により標準的な撮影条件をあらかじめ決定しておくことが望ましい．radiomics や AI による自動診断の試みもさかんに行われている．

^{123}I-FP-CIT の集積は，健常人でも加齢により低下する傾向にあり，年齢を考慮しながら判断することが望まれる．集積パターンは図Ⅱ-8 の表のように大別される（パターン分類に SBR は使用されない）．正常では両側線条体に対称性に集積する．PD は一般に臨床症状に左右差のある疾患とされ，運動症状が片側で始まり対側に進展していく．四肢は対側の線条体に神経支配されているため，運動症状の強い四肢と反対側の線条体における障害が画像所見として認められる．すなわち，運動症状がみられる側とは対側の線条体で集積低下が生じ，左右非対称に進行しながらやがて両側で集積低下がみられるようになることが多い．尾状核への集積が維持されながら被殻への集積のみが低下すると，画像上は円形に近くなり，正常の三日月型とは区別される．DLB，多系統萎縮症，進行性核上性麻痺では，左右の対称性および三日月型の形状を維持したまま，線条体全体での集積低下を示す傾向があり，バックグラウンドとのコントラストが低下する．SBR も低下する．

c．PET 製剤

前述の SPECT 製剤 ^{123}I-IMZ や，PET 製剤 ^{11}C-

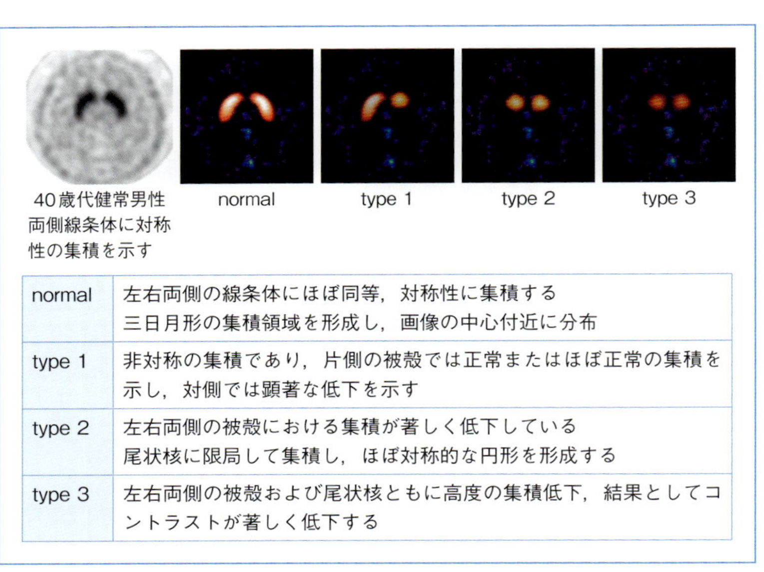

normal	左右両側の線条体にほぼ同等，対称性に集積する 三日月形の集積領域を形成し，画像の中心付近に分布
type 1	非対称の集積であり，片側の被殻では正常またはほぼ正常の集積を示し，対側では顕著な低下を示す
type 2	左右両側の被殻における集積が著しく低下している 尾状核に限局して集積し，ほぼ対称的な円形を形成する
type 3	左右両側の被殻および尾状核ともに高度の集積低下，結果としてコントラストが著しく低下する

図Ⅱ-8　^{123}I-ioflupaneの集積パターン

フルマゼニル flumazenil（FMZ）が，^{18}F-FDGよりも限局しててんかん源を反映するため，手術のナビゲーションとしては優れている．脳腫瘍についてはⅨ 腫瘍の章で詳しく述べる．このほか，わが国では保険適用となっていないが，Alzheimer病では血流低下部位とほぼ同様の部位に糖代謝の低下がみられることが知られている．脳組織には多彩な受容体やトランスポーターが発現しており，それらに対応する受容体製剤が開発され，応用されている．保険適用となっているものはないが，^{11}C-raclopride によるドパミン D_2 受容体，^{11}C-3-amino-4-(2-dimethylaminomethyl-phenylsulfanyl)-benzonitrile（DASB）によるセロトニン・トランスポーター，^{11}C-FMZ による $GABA_A$ 受容体などが代表的なものである．脳内の免疫担当細胞であるミクログリアをイメージングする末梢型ベンゾジアゼピン受容体リガンド（^{11}C-PK-11195など）も，変性疾患や脳虚血の炎症との関連で注目されている．動脈採血を行う標準的な定量法のほかに，ある組織をリファレンスとすることで動脈採血を省く reference tissue model も盛んに用いられる．

❹ アミロイド・イメージング

Alzheimer病の病理学的特徴として，老人斑，神経原線維変化，神経細胞の脱落の3つが挙げられる．老人斑はβアミロイドが脳内に沈着したものである．βアミロイドの沈着は，Alzheimer病において症状出現や血流・代謝変化に先行することが知られている（図Ⅱ-9）[1]．アミロイドの沈着は，従来は生検あるいは剖検脳でみるしかなかったが，PETによるアミロイド・イメージングが可能になって以後は非侵襲的に可視化することができるようになり，Alzheimerの病態解明や治療薬開発に大きく寄与している．^{11}C-Pittsburgh compound B（PIB）は米国Pittsburgh大学にて最初期に開発され，その後世界で広く使われた．^{11}C標識製剤は短半減期（20分）のためサイクロトロンを有する施設でなければ使えない．この点を踏まえて，現在国内では，いずれも^{18}F標識された florbetapir，flutemetamol，florbetaben の3剤が薬事承認されている．ただし，いずれも保険収載には至っていないことには注意する必要がある．読影方法は薬剤ごとに若干異なるため，読影医はそれぞれ専門の講習を受けることが必要とされている．具体例として，アミロイド陰性とアミロイド陽性の症例を図Ⅱ-10に示す．

神経原線維変化はタウ蛋白の凝集物であることが知られているが，研究段階ではタウ蛋白を画像化するPET製剤も複数報告されている．Alzheimer病だけではなく前頭側頭葉型認知症などタウオパチーと総称される神経変性疾患の病態解明や診断に有用と期待されている．

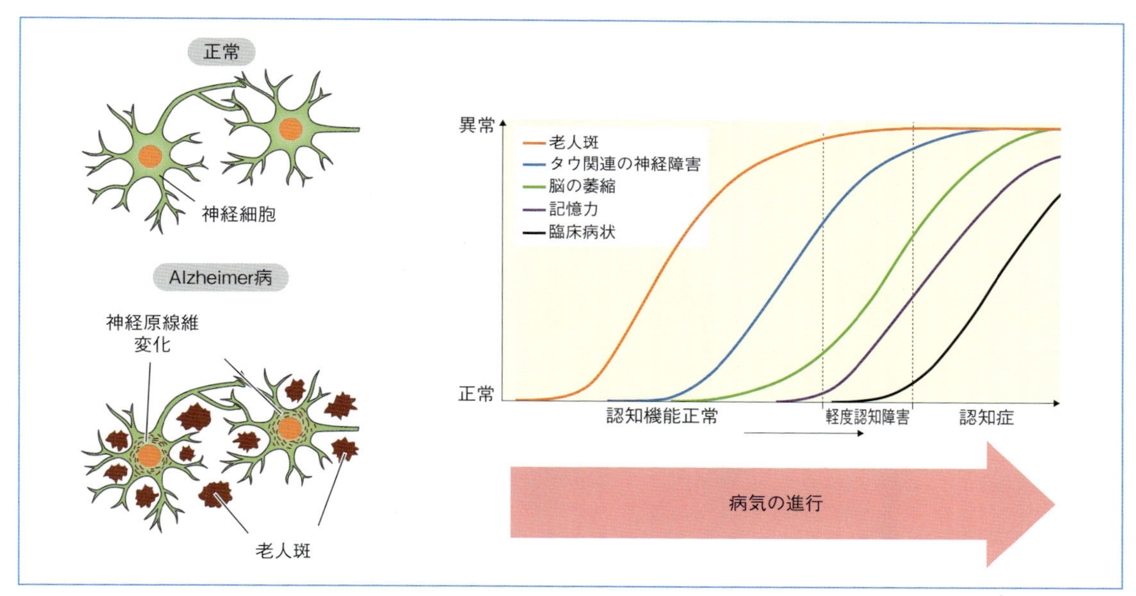

図Ⅱ-9 Alzheimer 病の進行に伴う変化

（文献 1）より）

❺ 脳脊髄腔シンチグラフィ

腰椎穿刺にて脳脊髄液腔内への投与経路を確保した後，約 18.5～37 MBq の ^{111}In-diethylene triamine pentaacetate acid（DTPA）を注入する．脳脊髄液腔内に投与された後は，脳脊髄液と同様の挙動を示すため，脳脊髄液動態を視覚的に把握することが可能である．注入後，時間を追って撮像する．正常圧水頭症，髄液漏（鼻漏・耳漏），脳脊髄液減少症，脳脊髄液腔病変の診断に用いられる．髄液循環速度は髄液腔の容量や，髄液産生量などに影響されるため，一般的に小児で速く，加齢とともに遅くなる．成人では放射性医薬品注入 2 時間後に脳底槽，4 時間後に Sylvius 槽，24 時間後に大脳半球表面から傍矢状部のくも膜下腔が描出されていき，時間経過とともに脊髄くも膜下腔像から消失する（図Ⅱ-11）．クリアランスが悪い場合は，72 時間後等の後期像の撮像も考慮する．髄液漏の診断には，鼻や耳に当てたガーゼの放射能カウントも重要な診断情報となる．最近では MRI に取って変わられることも多い．

❻ 統計画像解析

脳血流画像や受容体画像の診断には，断層像を観察するのが第一であるが，正常分布は年齢によって異なるため，異常かどうかを判定するためには年齢ごとの正常分布を知らなければならない．これにはトレーニングを要するうえ，熟練者間でも読影の再現性を担保することが難しい．こうした背景で，統計画像解析法が開発され，現在日常臨床で標準的に用いられている．事前に年齢ごとの健常人のトレーサー分布を収集しておき，これをデータベースとする．健常人であっても，

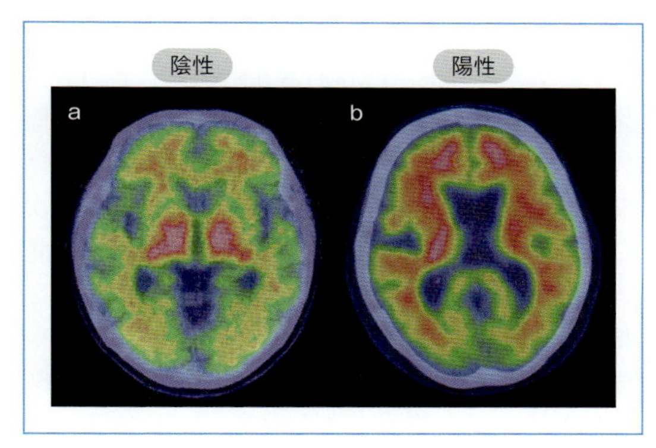

図Ⅱ-10 アミロイド PET

a：正常例．b：Alzheimer 型認知症例．正常例と比べると Alzheimer 型認知症例で大脳皮質に広く集積亢進がみられ，アミロイド沈着が示唆される．
（陽性例は自治医科大学附属さいたま医療センター放射線科 真鍋 治先生，陰性例はさいたまセントラルクリニック理事長・院長 雫石一也先生のご厚意による）

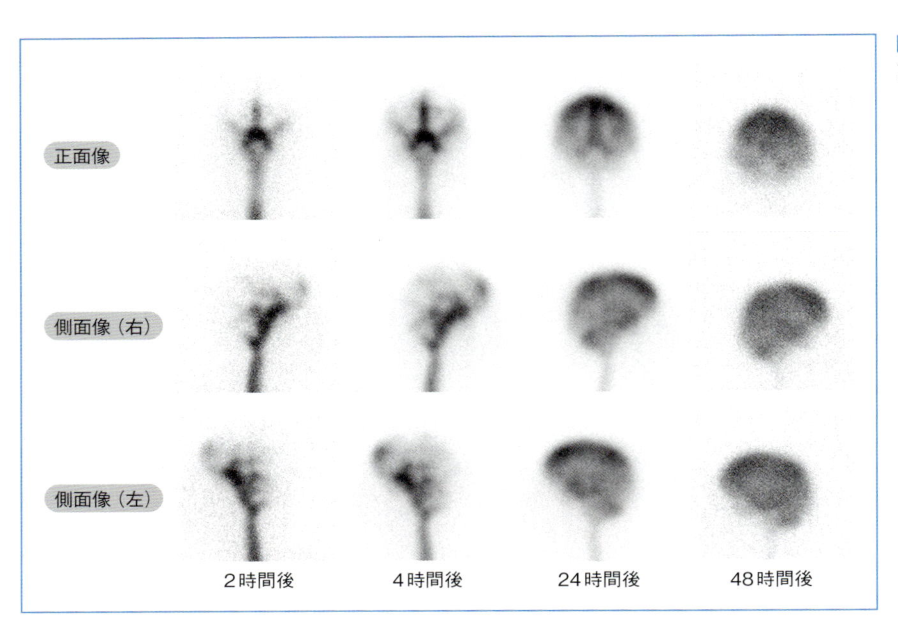

図II-11 脳脊髄腔シンチグラフィ（正常例）

脳の形態は皆異なるため，平行移動・回転移動，すなわち剛体としての変換と，特定の方向に拡大・縮小させて形をゆがめる非剛体としての変換を合わせて行い，標準脳へ変換する（解剖学的標準化）．変換後は，3次元空間（x，y，z）における同じ座標のボクセルが同じ脳部位を表す．次に，全脳あるいは特定部位（小脳など）が個体間で同じカウントとなるように全ボクセルに定数を乗ずる（カウントの標準化）．ボクセルごとに平均値と標準偏差を求め，正規分布を仮定してボクセルごとに正常範囲を持たせる．これでノーマル・データベースができあがる．施設ごとにノーマル・データベースを持つことが理想ではあるが，現実的ではないため，実際には他施設で作成されたノーマル・データベースを使用されることがほとんどである．

さて，実際の患者の画像を撮影した際には，同様の方法で標準脳に変換し，先ほどの平均・標準偏差と比較する．一般には，平均との差を標準偏差で除したz-scoreと呼ばれる指標で表す．例を挙げると，あるボクセルが平均50，標準偏差15を持っていたとして，ある症例の当該ボクセルが20であったならば，z-scoreは，$(20-50)/15=-2$と算出される．一般的には±2を超えたものを統計学的に有意な増加・低下と判定するが，これは医学・生物学の研究でスタンダードとされる有意水準$P<0.05$にほぼ相当する．すべてのボクセルについてz-scoreを算出し，画像化のうえ画像診断医が読影する．わが国では，断層像のまま処理するeasy Z score Imaging System（eZIS）と，大脳皮質から一定の深さまでの最大値を脳表上にプロットするthree-dimensional stereotactic sur-

Note 1

eZISと3D-SSP

本文中で述べたとおり，どちらも統計解析を利用して血流低下部位をわかりやすく表示するためのソフトウェアである．easy Z score Imaging System（eZIS）は解剖学的標準化にstatistical parametric mapping（SPM）を用い，three-dimensional stereotactic surface projection（3D-SSP）は解剖学的標準化には独自のアルゴリズムを用いている．なお，SPMはMRIでも使われる脳画像解析ツール（MATLAB上で動作するフリーソフトウェア）である．

断層像のまま評価するeZISは深部脳の評価もできる一方，標準脳変換の位置ずれの影響を受けやすい．他方，脳表に最大値を投射する3D-SSPは，脳表しか評価できないという制限はあるが，投射する過程で多少の位置ずれを吸収するため再現性が高いという長所がある．

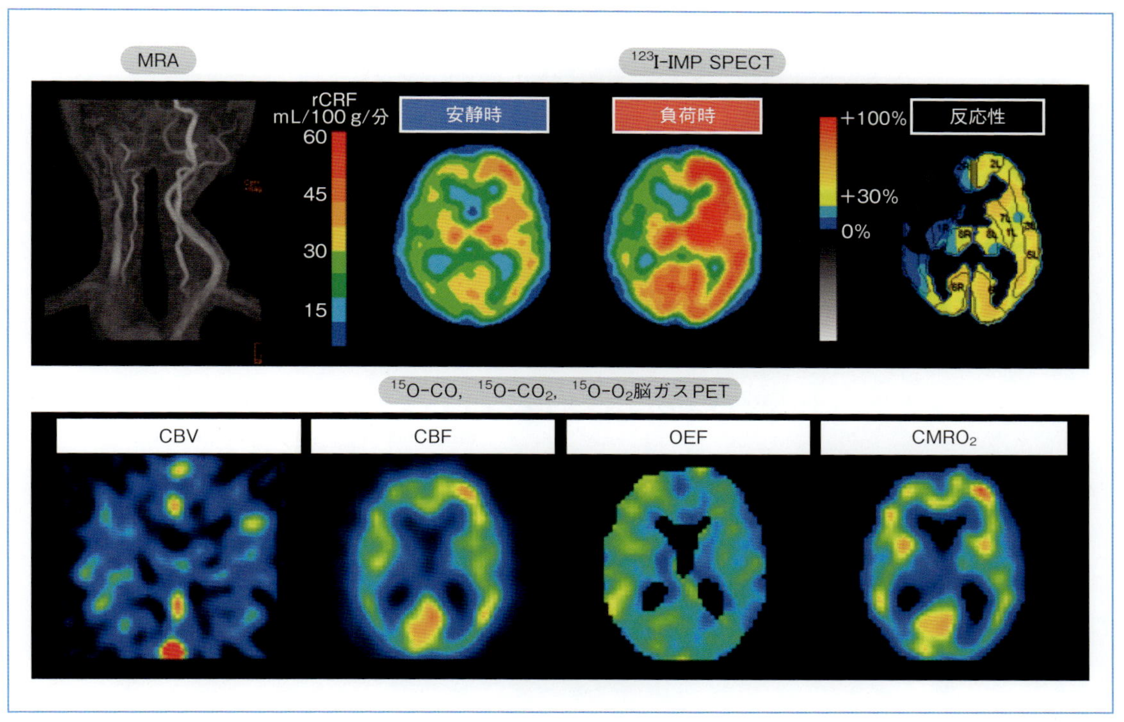

図Ⅱ-12　脳循環予備能

70 歳代女性．右内頸動脈狭窄に対して，内膜剝離術前検査．安静時 SPECT：右大脳半球血流低下．acetazolamide 負荷：予備能は高度低下．脳 PET：脳血流量（CBF）は軽度低下しているが，酸素摂取率（OEF）が上昇しており，Powers 分類 stage Ⅱに相当する．

CBV：脳血流量，$CMRO_2$：酸素消費量

face projection（3D-SSP）が広く用いられている．典型的には，Alzheimer 病では頭頂葉，側頭葉，後部帯状回などの血流低下をきたしやすく，DLB では後頭葉の血流低下がみられることが多い．また，DLB では後部帯状回の血流が楔前部に比べて保たれるという，後部帯状回の相対的血流保持cingulate island sign（CIS）も知られている．

こうした血流低下部位は，断層画像のみを読影するよりも統計画像を組み合わせた方が判断しやすい．ただし，読影の際には，統計画像のみをみて診断するのではなく，必ず対応する断層像（元画像）で異常の有無を確かめることが重要である．前述したように解剖学的標準化という複雑な数学的プロセスを経ているため，結果が元画像の印象と異なる場合は慎重な判断が必要である．また，撮影条件を標準データベースと同じものにすることが重要である．統計的手法は，血流画像に対して用いられることが多いが，^{123}I-IMZ や FDG PET に対しても同様に処理可能である．

画像の読み方

❶ 脳血管障害

核医学検査の性質として，緊急検査への対応が一般に難しい．そのため，急性期の脳血管障害における SPECT や PET の役割は大きくない．

閉塞性脳血管障害における血行再建術の適応判断には，PET で OEF を測定することが理想的ではあるが，^{15}O 製剤による PET を実施できる施設は限られているため，代替的に負荷テストによる反応性（脳循環予備能）を組み合わせた評価が行われてきた（図Ⅱ-12）．acetazolamide を投与することにより，健常者では平均で約 40～50％の脳血流増加が見込まれる．閉塞病変の末梢側で灌流圧が低下している場合は，代償性に安静時から血管が拡張（Powers 分類の Stage Ⅰ以降に相当）しており，脳血流増加率が低下する．ただし，副

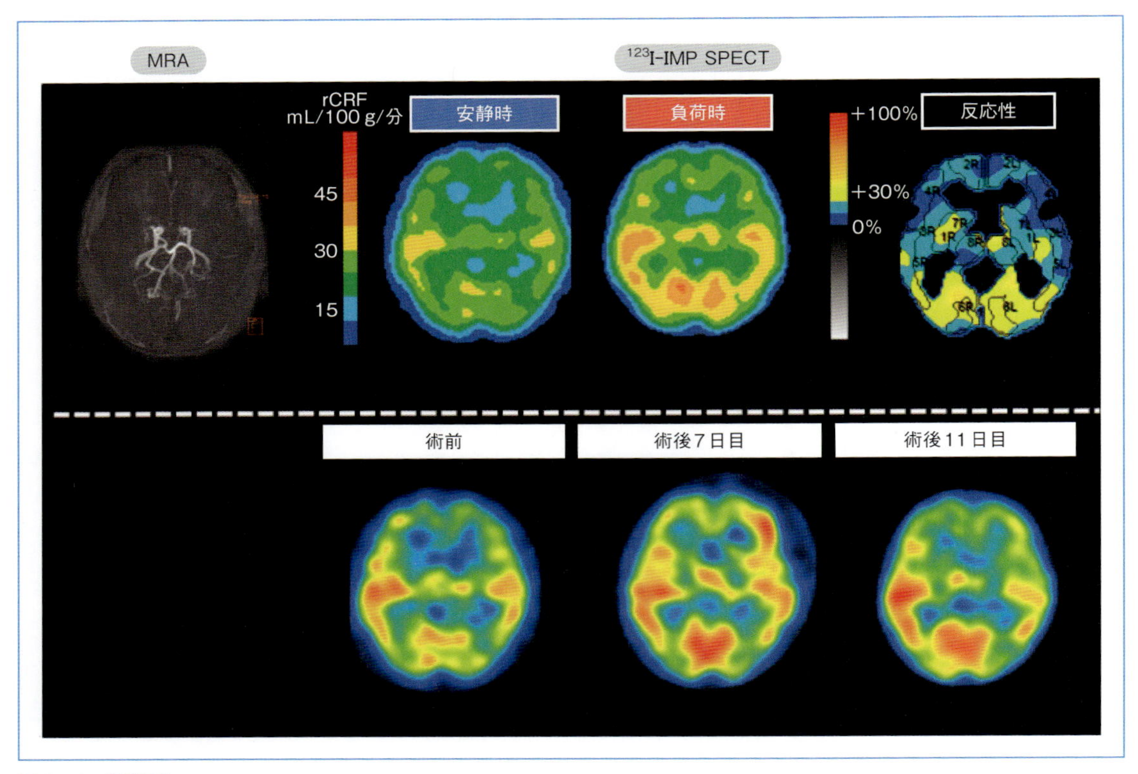

図II-13　過灌流
40歳代女性．MRAにてもやもや病が疑われ術前検査．安静時：両側前頭葉に血流低下がみられる．acetazolamide負荷時：予備能は広範囲に低下．左側術直後：過灌流あり．その後改善した．

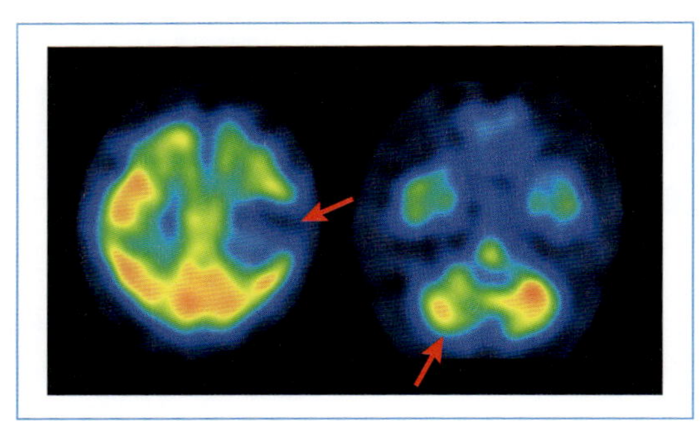

図II-14　遠隔効果（CCD）
80歳代男性．脳梗塞の既往，右片麻痺の症状あり．脳血流シンチグラフィでは左中心溝周囲に血流低下（矢印）を認める．また右小脳半球に血流低下を認めるが，CCDによると考えられる．

作用の理由から，最近はacetazolamideの使用を取りやめた施設も多い．

もやもや病は両側内頸動脈終末部の閉塞により，脳虚血や，新生血管（もやもや血管）の破綻による脳出血を症状とする疾患である．欧米人に比べてアジア人で10倍多いとされる．脳虚血症状は若年に，脳出血症状は中高年に多い傾向がある．脳虚血症状を伴うもやもや病に対する治療法として，直接バイパス術（浅側頭動脈・中大脳動脈吻合術）や間接バイパス術（硬膜や筋膜を脳表に敷く）が有効であり，長期的に脳機能を保護することもわかってきている．術直後の合併症として，術前に拡張していた脳血管が自己調節能を取り戻す前に急激に血流供給が増えるため，過灌流が問題となることがある（図II-13）．もやもや病では無症候性を含めると約6割にも過灌流が起こるとされている（小児の場合は少ない）．過灌流は頭痛，顔面痛，眼球痛，痙攣，大脳半球局所症状のほか，脳内出血を起こしうるため，術後血圧管理が重要となる．過灌流の早期発見には術直後あるいは翌日の脳血流SPECTの有用性が高い．

脳領域の障害により，その領域と線維連絡のある遠位部の代謝と血流が低下することがある．病変のサイズや障害程度が大きいとみられることが

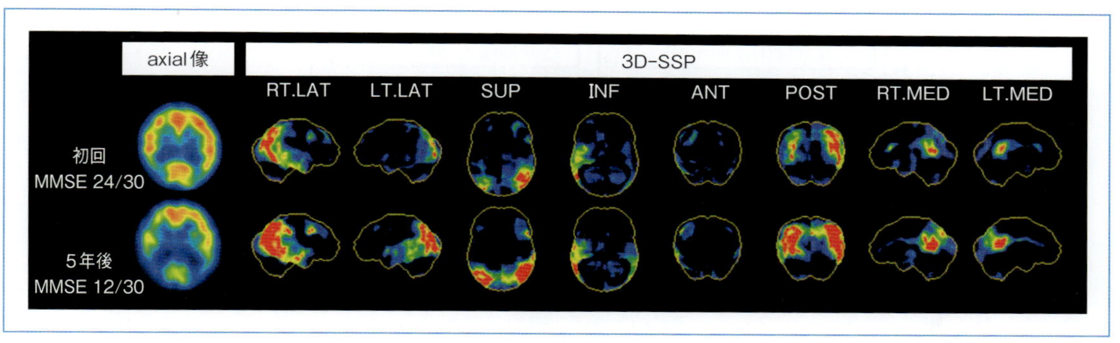

図Ⅱ-15 Alzheimer 病
50 歳代女性．物忘れを自覚し受診．簡易知能検査（MMSE）24/30．後部帯状回，頭頂葉の集積低下が認められ，Alzheimer 型認知症に典型的な所見．ドネペジル塩酸塩（アリセプト®）内服で経過観察 5 年後，MMSE 12/30 まで低下．集積低下範囲の拡大がみられる．

多いが，大脳半球から対側小脳への遠隔効果 crossed cerebellar diaschisis（CCD）がよく知られている（図Ⅱ-14）．

❷ 認知症

認知症は血管性（虚血，梗塞），変性性（Alzheimer 病，DLB，認知症を伴う PD，前頭側頭型認知症 frontotemporal dementia（FTLD）など）のほか，感染性，慢性硬膜下血腫，正常圧水頭症などでも生じうる．混合型認知症もまれではなく，典型的な画像所見を呈さないこともある．

Alzheimer 病では，短期記憶障害をはじめとする認知機能障害が緩徐に進行する．病理学的にはアミロイド蛋白の蓄積とタウ蛋白の過剰なリン酸化が認められる．核医学検査では，典型的には後部帯状回～楔前部，頭頂葉，側頭葉連合野の血流低下が認められる．進行すると内側側頭葉や前頭葉連合野にも血流低下が及ぶ．中心溝周囲，後頭葉，基底核，小脳，橋の血流は相対的に保たれる（図Ⅱ-15）．アミロイド・イメージング（PET）が行える場合には，アミロイドの沈着部位に注意しながら読影する．

DLB は，幻視を主体とする幻覚，Parkinson 症状，急激な認知機能の変動，自律神経症状などが特徴的な認知症である．Alzheimer 型認知症の血流低下に加え，後頭葉の血流低下が特徴である．また，^{123}I-metaiodobenzylguanidine（MIBG）シンチグラフィでは心臓交感神経分布の低下を認める（図Ⅱ-16）．

前頭側頭型認知症は，初老期に発症することが多く，若年性認知症の原因疾患の一つである．早期から性格変化をきたし，無関心に代表される行動障害や感情障害が特徴である．一方で，記憶の障害や視空間認知機能の低下は軽度であることが多い．前頭葉や側頭葉腹側の萎縮が生じ，それに応じて血流低下が認められる（図Ⅱ-17）．

❸ Parkinson 症状を呈する疾患の鑑別

臨床的に，四肢の筋固縮，安静時振戦，寡動や無動，姿勢保持反射障害が Parkinson 症状と呼ばれるが，原因疾患は多岐にわたり，PD，多系統萎縮症，進行性核上性麻痺，大脳皮質基底核変性症などの鑑別に画像診断が重要となる．

PD では，線条体のドパミントランスポーター密度の低下が認められるが，非対称の集積を示すことが多い（臨床的に症状が生じた側と対側が低下する）．また，^{123}I-MIBG シンチグラフィで心筋集積の低下が認められる（図Ⅱ-18）．

多系統萎縮症 multiple system atrophy（MSA）では起立性低血圧，排尿障害，Parkinson 症候群などが症状としてみられる．小脳の血流低下，線条体のドパミントランスポーター密度の低下がみられる一方，^{123}I-MIBG シンチグラフィで心筋集積の低下が目立たないのが特徴である（図Ⅱ-19）．

進行性核上性麻痺 progressive supranuclear palsy（PSP）では，高位前頭葉内側の血流低下がみられることがあり，線条体のドパミントランスポーター密度が左右対称性に低下することが多い．また，大脳皮質基底核変性症 corticobasal

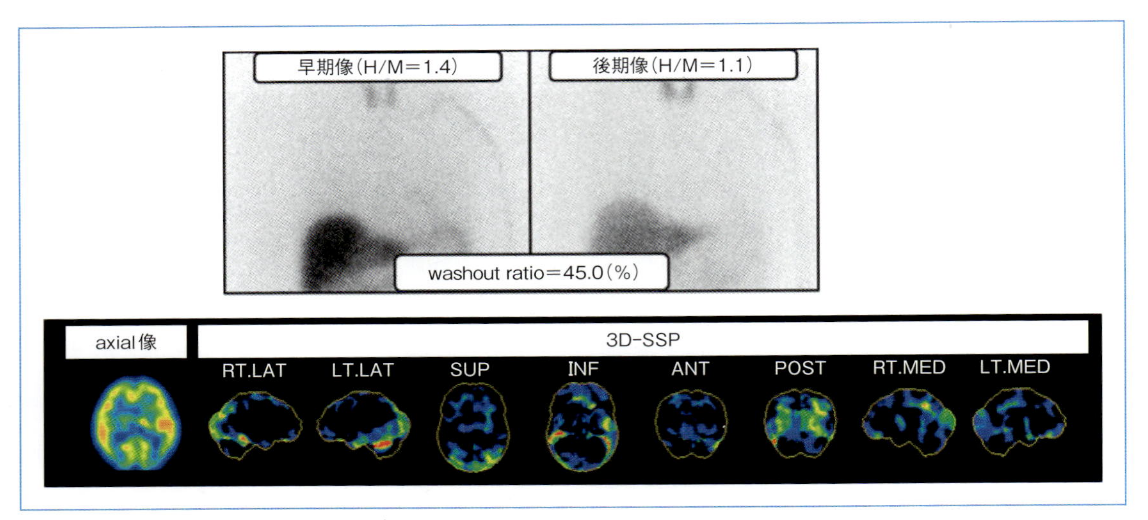

図Ⅱ-16　Lewy 小体型認知症(DLB)
60 歳代男性．意欲低下，物忘れ，歩行障害を主訴に受診．受診時パーキンソニズムを認めた．^{123}I-MIBG では心筋への集積が認められず，^{123}I-IMP 検査にて両側後頭葉に集積低下を認める．画像診断と併せて DLB と診断された．

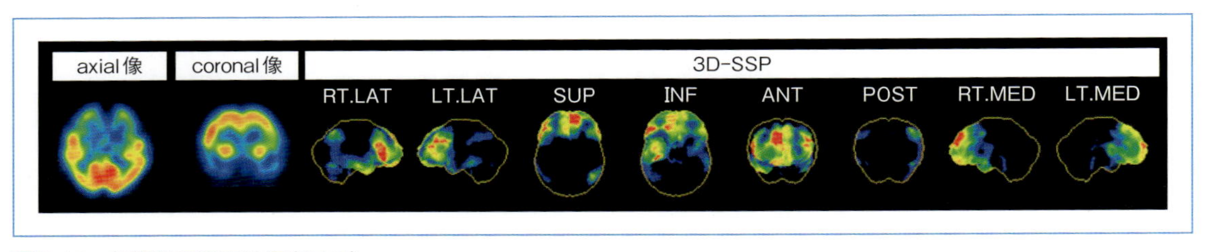

図Ⅱ-17　前頭側頭葉変性症(FTLD)
50 歳代男性．認知症が疑われ受診．前頭葉および側頭葉に両側性の血流低下を認める．

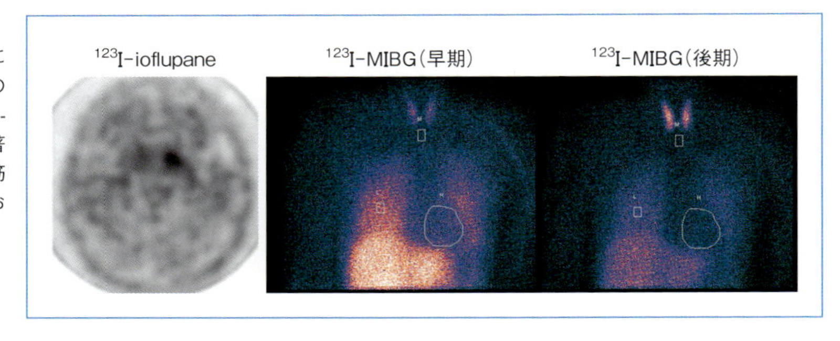

図Ⅱ-18　Parkinson 病
70 歳代女性．臨床的に左上肢優位に Parkinson 症状を認める．被殻優位の集積低下を認める．右側で顕著．specific binding ratio(SBR)は 1.99 と著明に低下している．^{123}I-MIBG の心筋集積は早期，後期ともに低下しており，洗い出しの亢進も認められる．

degeneration（CBD）では大脳皮質に強い血流の左右差が認められ，中心溝周囲皮質でも血流低下がみられる．

❹ てんかん

てんかんの原因として，先天性，外傷性，血管性，腫瘍性などが挙げられるが，原因不明であることも多い．発作間欠期では，^{18}F-FDG PET の集積低下（糖代謝の低下），脳血流の低下，^{123}I-IMZ の集積低下（ベンゾジアゼピン受容体の減少）から，てんかん焦点が推測される．発作時検査では，血流亢進領域を指摘することによりてんかん焦点を検出する（図Ⅱ-20）．発作時の脳血流から発作間欠期の脳血流を減算する subtraction ictal SPECT coregistered to MRI（SISCOM）解析によって，てんかん焦点は同定しやすくなる．

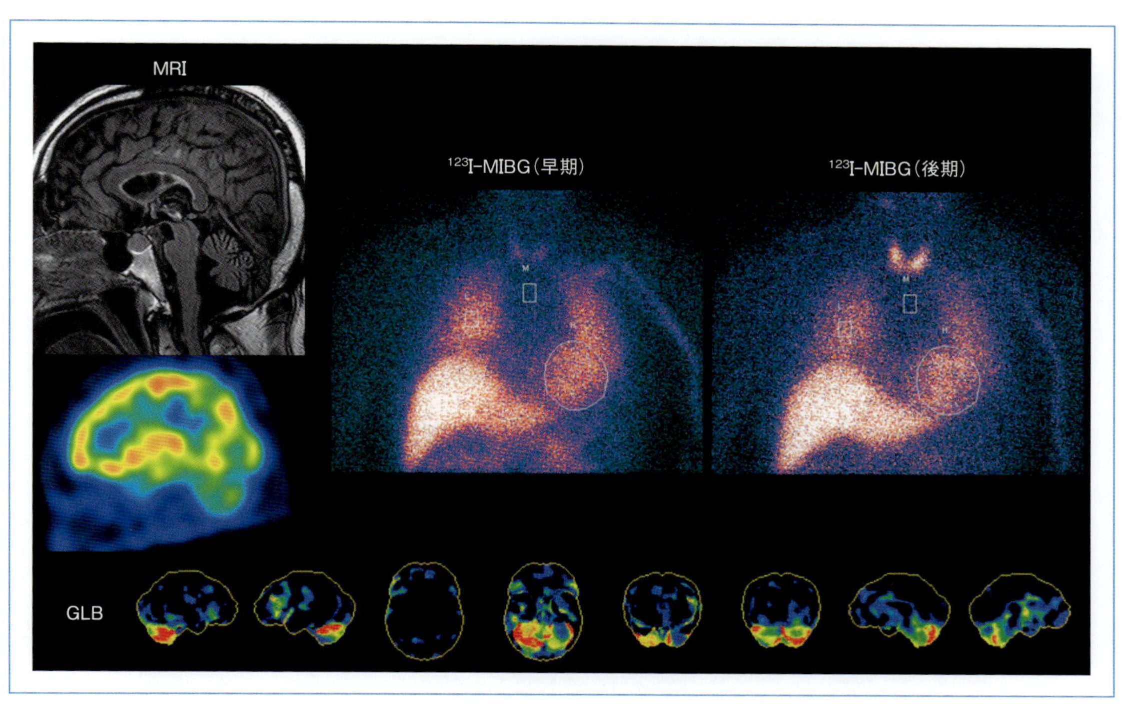

図Ⅱ-19　多系統萎縮症
60歳代男性．MRIで小脳，橋の著明な萎縮を認め，脳血流は著明に低下している．^{123}I-MIBGでの集積は早期，後期ともに保たれている．

❺ 精神疾患

うつ病では，びまん性の脳血流低下所見のほか，前頭葉皮質（特に底部の眼窩皮質）の相対的血流低下を認める場合があるが，特異的ではない．統合失調症では，幻覚症状（幻聴，幻視など）が強い場合，側頭葉，後頭葉，大脳基底核などに血流左右差を認めることがあるが，症状の改善により血流も改善することが多い．概して，これらの精神疾患における脳血流，代謝イメージングの有用性は高いとはいえず，ほかの疾患を除外する目的に用いられる程度である．

❻ 脳脊髄

脳脊髄液減少症は，特発性（特発性髄液漏，髄液産生低下，過剰吸収），続発性（頭蓋底手術・骨折後の髄液漏，腰椎穿刺，脱水など）に大別される．頭痛，頸部痛，めまい，耳鳴，倦怠感などの症状を呈する．髄液鼻漏や耳漏の診断では漏出量が多い場合は画像として描出されるが，少ない場合は鼻栓や耳栓の放射能を測定することにより診断が可能となる．脊髄からの漏出では頸胸椎移行部や胸椎にみられることが多いが，片側性に ^{111}In-DTPAの描出が認められた場合を陽性とする（図Ⅱ-21）．副次所見として早期（投与後

Note 2

● MRIをみながら読影する

脳の画像診断の基本はあくまでMRIである．核医学検査の読影をMRI抜きで行うことは適切ではない．血流低下が脳萎縮によるものであるか，真の単位体積あたりの血流低下であるかは，MRIがなければわからない．MRIで異常信号のみられる部位と血流・代謝の異常が一致するのか，より大きくみられるのかといった情報にも注意する．MRIと核医学画像を自動的にfusionするツールも利用できる．MRIから皮質のみを抽出し，核医学画像の部分容積効果を補正する手法も提案されている．

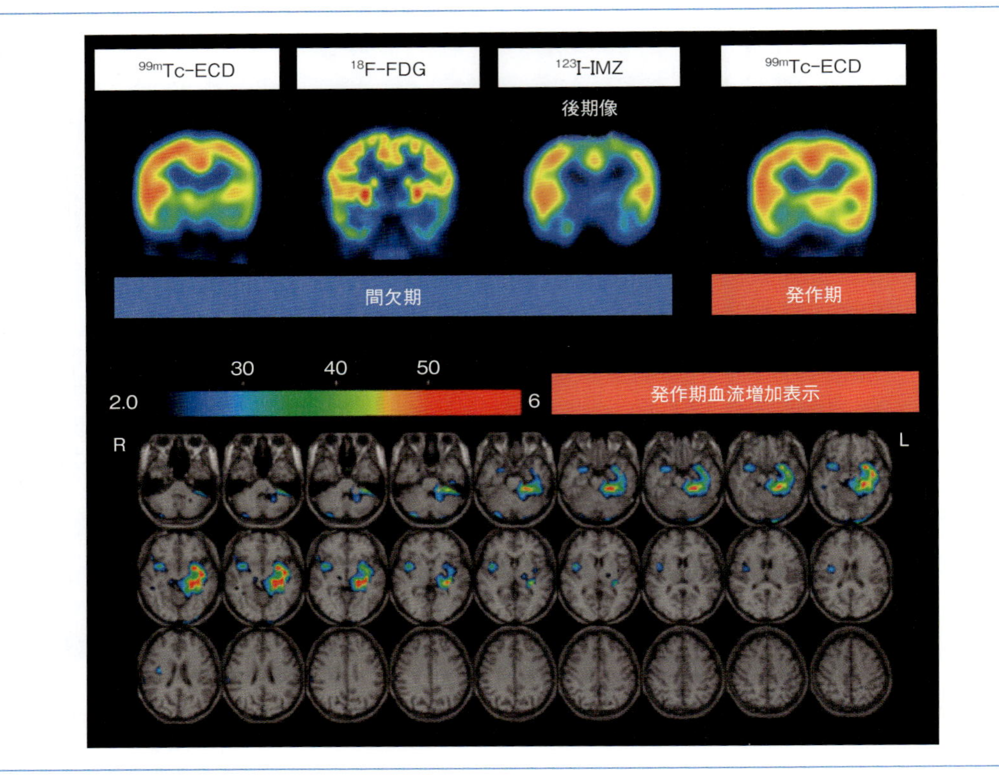

図II-20　てんかん
1 歳女児．てんかんを主訴に受診．間欠期および発作期に検査を施行．発作間欠期では左側頭葉の脳血流が低下，糖代謝の低下，ベンゾジアゼピン受容体分布の低下が認められる．発作期では血流が亢進しており，てんかん焦点と考えられる．

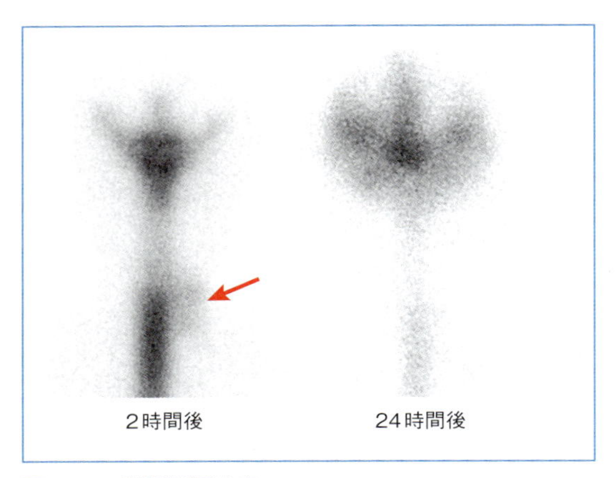

図II-21　脳脊髄漏出症
30 歳代女性．主訴は起立性頭痛．2 時間像で脊髄左側にラジオアイソトープ(RI)の漏出(矢印)が観察される．

1～3 時間像）の膀胱描出が診断の一助となることがある．

正常圧水頭症は脳脊髄液の循環不全により引き起こされるが，認知症，歩行障害，尿失禁をはじめとした多彩な神経症状が起こる．脳脊髄シンチグラフィでは，持続性に脳室逆流が起こり，後期像でもラジオアイソトープ radioisotope（RI）のうっ滞が認められる（図II-22）．

◆ 文献

1）Jack CR Jr et al：Hypothetical model of dynamic biomarkers of the Alzheimer's pathological cascade. Lancet Neurol 9：119-128, 2008

◆ 参考文献

1）Torosyan, N et al：Neuronuclear imaging in the evaluation of dementia and mild decline in cognition. Semin Nucl Med 42：415-422, 2012
2）Bajaj, N et al：Clinical utility of dopamine transporter single photon emission CT (DaT-SPECT) with (123I) ioflupane in diagnosis of parkinsonian syndromes. J Neurol Neurosurg Psychiatry 84：

要点

- SPECT では，脳血流，受容体密度，トランスポーター密度を非侵襲的に画像化することができる．
- PET では，脳血流，酸素代謝，糖代謝，受容体密度，アミロイドなどを非侵襲的に画像化することができる．
- 脳血管の狭窄が進行すると，Powers 分類の Stage Ⅰでは血管拡張，Stage Ⅱでは酸素摂取率（OEF）の上昇による代償機構が働く．
- 認知症や Parkinson 症候群の鑑別診断において複数の核医学検査から得られる情報が役立つ．

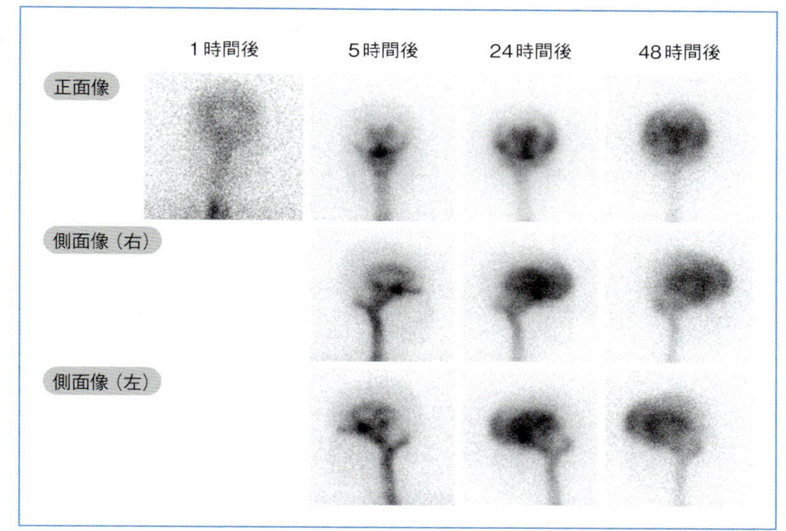

図Ⅱ-22　正常圧水頭症
60歳代女性．3年前より，歩行障害が出現し徐々に増悪．認知機能低下および尿失禁症状も出現．投与5時間後に両側の右室の描出を認め，側脳室への逆流が示唆される．24，48時間像でも側脳室の描出は認められ，灌流停滞が示唆される．

1288-1295, 2013

3）Goffin, K et al：Neuronuclear assessment of patients with epilepsy. Semin Nucl Med 38：227-239, 2008

4）Kuroda, S：Utility and validity of SPECT and PET in the perioperative managements of patients with cervical internal carotid artery stenosis. Brain Nerve 63：933-944, 2011

5）Morioka, T et al：Cerebrospinal fluid leakage in intracranial hypotension syndrome：usefulness of indirect findings in radionuclide cisternography for detection and treatment monitoring. Clin Nucl Med 33：181-185, 2008

読影の鍵　核医学検査にもとづく認知症・Parkinson 症候群の鑑別

表　認知症・Parkinson 症候群と核医学検査所見

疾患	血流・代謝低下部位	DATスキャン	MIBGシンチグラフィ	アミロイドPET
Alzheimer 病(AD)	頭頂葉，側頭葉，後部帯状回，楔前部	正常	正常	陽性
Parkinson 病(PD)	進行すると後頭葉	低下(左右差あり)	低下	-
Lewy 小体型認知症(DLB)	後頭葉	低下	低下	-
前頭側頭葉変性症(FTLD)	前頭葉〜側頭葉	正常	正常	陰性
進行性核上性麻痺(PSP)	前頭葉	低下	正常	陰性
多系統萎縮症(MSA)	小脳	低下	正常	陰性
大脳皮質基底核変性症(CBD)	一側性の前頭葉〜基底核	低下	正常	陰性

(石井賢二：脳神経外科　45(12)：1190-1119，2017 を参考に作成)

認知症や Parkinson 症候群の病型診断は臨床所見が最も重視されるが，画像診断を追加することで鑑別診断に有用な情報が得られる．特に，複数の核医学検査を組み合わせれば診断をかなり絞り込むことができる．ここでは脳血流・代謝，ドパミントランスポーター(DAT)スキャン，MIBG シンチグラフィ，アミロイド PET が，主な疾患でどのような所見を呈するか整理した．

実臨床には，「低下」と記載したものが全例で低下するわけではないこと，また病期によっても所見は刻々と変化することを念頭に置いたうえで使用してほしい．

Ⅲ

循 環 器

A 心筋血流シンチグラフィ

病態生理

❶ 冠動脈の解剖

心筋は右冠動脈 right coronary artery（RCA），左冠動脈 left coronary artery（LCA）の 2 本の冠動脈によって灌流されている．LCA は前下行枝 left anterior descending artery（LAD）と回旋枝 left circumflex artery（LCX）に分かれ，LAD は左室の前壁・中隔，LCX は左室側壁を灌流する．RCA は右室・左室下壁を灌流する（図Ⅲ-A-1）．一般的に左室下壁は RCA が灌流することが多いが，灌流域は個人によっても異なり LCX に養われる場合もある．心筋血流量はその時の身体の状態により変動し，正常では安静時で 0.6～0.8 mL/分/g 程度であり，運動負荷や薬剤負荷により 4～6 倍にまで上昇する（図Ⅲ-A-2）[1]．

❷ 虚血のメカニズム

冠動脈はさまざまな原因によって狭窄や閉塞を起こすが，その主原因は動脈硬化である．そのほかに，冠攣縮による一過性の狭窄や，解剖学的な異常による物理的狭窄を起こすことがある．冠血流は，冠動脈狭窄が軽度であれば代償されるため，安静時の血流量は狭窄度が 80～90％でも保たれるとされている．一方，負荷時には狭窄度が 50％を超えると低下し始めるとされる．すなわち，狭窄のある冠動脈に支配された心筋では，安静時の心筋血流は正常領域と同程度であるが，負荷時には，十分な心筋血流の増加が得られず（血流予備能の低下），正常心筋に比べて，相対的に血流低下として描出される[2]．したがって早期の病変の検出には負荷時の血流の反応性（血流予備能）の解析が必須となる（図Ⅲ-A-2[1]，3）．

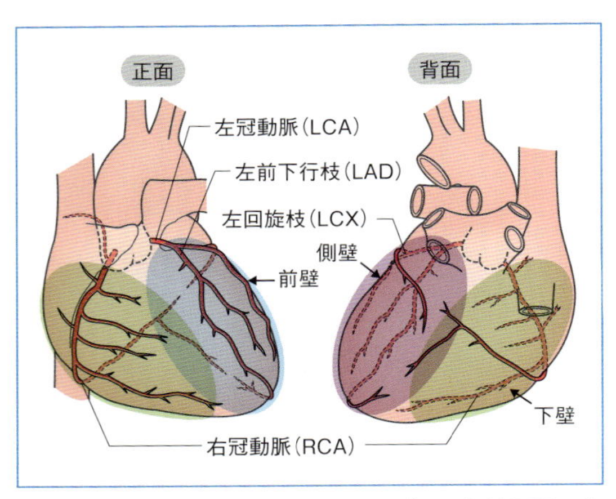

図Ⅲ-A-1　三つの冠動脈の枝とそれぞれの心筋局所の支配領域

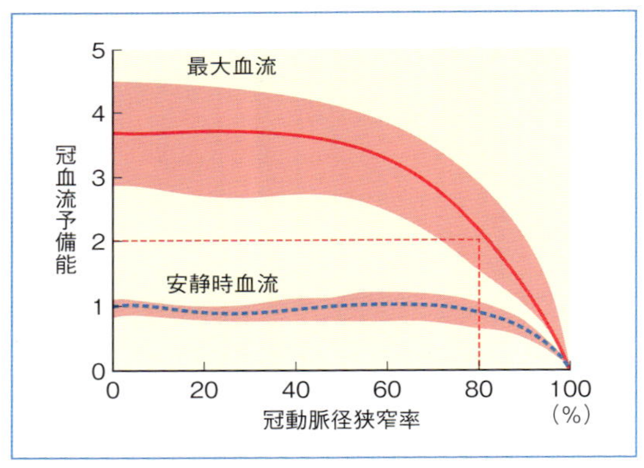

図Ⅲ-A-2　安静時および最大負荷時の心筋血流量と冠動脈狭窄との関係

（文献 1 より改変）

検査の進め方

❶ 負荷法の選択

負荷法は運動負荷と薬剤負荷の 2 種類があり，患者の状態によって適切に負荷法を選択する必要がある．

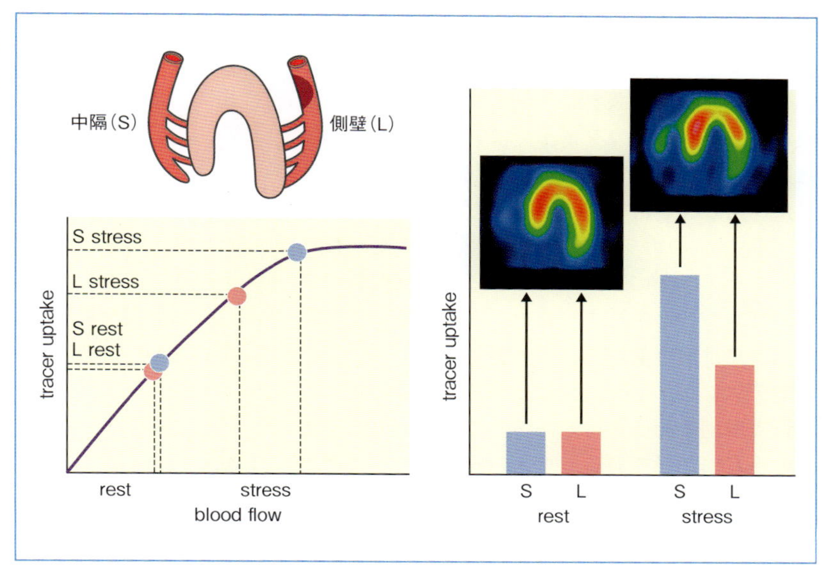

図Ⅲ-A-3 冠動脈狭窄のない領域と狭窄のある領域での安静時と負荷時の心筋血流の相違

狭窄のある冠動脈に支配された心筋では，安静時の心筋血流は正常領域と同程度であるが，負荷時には十分な心筋血流の増加が得られず(血流予備能の低下)，正常心筋に比べて，相対的に血流低下として描出される．

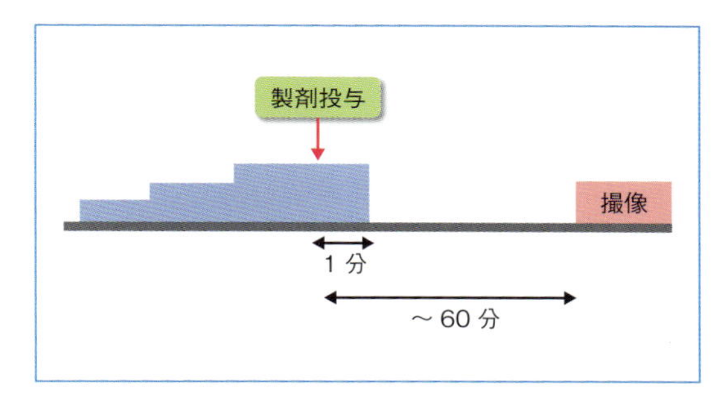

図Ⅲ-A-4 運動負荷のプロトコール

表Ⅲ-A-1 主な負荷薬剤の投与方法と半減期

	投与量	投与方法・時間	半減期
アデノシン	120 μg/mL/分	精密持続静注・6 分間	10秒以内
ATP	140～160 μg/mL/分	精密持続静注・5～6 分間	10秒以内
ジピリダモール	0.56 mg/kg	4 分間で静注	30～40 分
レガデノソン	400 mg	10 秒で一回静注	2.5 分

a．運動負荷

運動の可能な症例には運動負荷を第一選択とすべきである．運動負荷をかけることで，血流の異常だけではなく，運動耐容能や負荷時の心電図変化も診断や予後評価の一助となる．

運動負荷のプロトコールの例を図Ⅲ-A-4 に示す．運動負荷はトレッドミルか自転車エルゴメーターが広く用いられる．いずれも軽度の運動負荷から段階ごとに負荷を増加して，最大負荷時にトレーサを投与し，その後は最低でも 1 分以上運動を継続する必要がある．検者は患者の状態を常に把握し，運動対応能，症状や心電図の所見などを総合的に判断して，適切なタイミングでトレーサを投与しなければならない（NOTE 1）[1]．

b．薬剤負荷

負荷薬剤は一般的にジピリダモール，アデノシン三リン酸 adenosine triphosphate（ATP），アデノシンが用いられる．それぞれの負荷の特徴と概略を表Ⅲ-A-1 に示す．わが国で保険診療上，薬剤負荷心筋シンチグラフィに使用できるのはアデノシンのみである．また，ドブタミンによる負荷も可能であり，運動不能でかつ気管支喘息もあるような患者に適応があると考えられる．

負荷薬剤は，いずれも冠血管の拡張作用があり，負荷時の冠血流量を増加させる．負荷薬剤の作用機序は，いずれもアデノシン A2A 受容体を介して作用を発揮し，血管平滑筋を弛緩させる．アデノシンはアデノシン受容体に直接作用するが，ジピリダモールはアデノシンの分解を阻害する．近年米国ではアデノシンの類似物質で，かつ一回投与で負荷を終了できるレガデノソンが使用されるようになった．一回投与で済むため負荷が楽で，その後副作用軽減のための対応も容易とされている（NOTE 2）．

薬剤負荷の前処置として，カフェイン摂取の制限が必要である．カフェインはアデノシンの作用と拮抗するため，カフェイン摂取後には薬剤が十分に作用しない可能性がある．ガイドラインでは12時間以上のカフェイン摂取制限が推奨されている．そのほかにも，アミノフィリン製剤も同様にアデノシンと拮抗するため，内服している患者の場合には検査前に中止が必要である．

アデノシン，ATP，ジピリダモールはいずれも気管支攣縮を起こす可能性があるため，気管支喘息の患者に禁忌である．また，安静時に収縮期血圧が90 mmHg以下となるような低血圧の患者の場合は，薬剤負荷によってさらに血圧が低下することが予想されるため，薬剤負荷は選択しない方がよい．

❷ 血流製剤の種類

一般的に使用されている血流製剤の特徴を**表Ⅲ-A-2**に示す．

a．^{99m}Tc-sestamibi（MIBI），^{99m}Tc-tetrofosmin（テトロホスミン）

^{99m}Tc製剤は，半減期が6時間と短く，γ線のエネルギーは140 keVと比較的高い．半減期が比較的短いため，十分な量の製剤を投与することが可能である．投与量は負荷・安静であわせて740〜1,110 MBqである（**表Ⅲ-A-2**）．高いエネルギーと投与量の多さから，良好な画質を得ることができ，かつ体内の吸収の影響が少ない．methoxy isobutyl isonitrile（MIBI），テトロホスミンはいずれも投与後に速やかに心筋に分布する．どちらの製剤も，心筋細胞内のミトコンドリア内膜の電気的勾配によってトラップされ，集積後の分布の変化（再分布）は少ないとされている．再分布しないため，負荷・安静の検査を行う場合にはそれぞれで製剤の投与が必要である（**図Ⅲ-A-5**）．また，半減期が短いため，後述の^{201}Tlと比較して放射線被曝を低減できる．MIBIとテトロホスミンの違いは，テトロホスミンの方が投与後の肝臓や胆嚢からのクリアランスがわずかに早いため，肝臓や胆嚢の集積によるアーチファクトを受けにくいという利点がある（**表Ⅲ-A-2**）．

^{99m}Tc製剤の欠点は，心筋血流量が増加するほど細胞への抽出率が低くなり，高血流領域が過小評価される点である．すなわち，高血流領域では正常と異常の集積のコントラストが相対的に少なくなる可能性がある．もう一つの欠点は原則負荷時と安静時の二回投与が必要であり，医療チームによる投与の協力のない施設では煩雑になる．

b．^{201}Tl（タリウム）

タリウムは，半減期が73時間と長く，γ線のエネルギーは70〜80 keVと比較的低い．投与量は74〜111 MBqである．タリウムはカリウムと同様の動態を示し，ATP依存性Na-Kポンプにより能動的に細胞内に取り込まれる．タリウムの大きな特徴は集積が再分布する点である．タリウム投与後，血流の勾配によって正常部位と異常部位の集積にコントラストができるが，時間がたつとすぐに異常部位にタリウムが再分布する．そのため，負荷検査の場合には，製剤投与後すぐに撮像を開始しなければならない．タリウムは心筋に集積した後，そこからの洗い出しが虚血心筋で遅く，後期像で見かけ上分布が改善してみえる（再

Note 1

● 運動負荷の際の注意点

運動負荷が十分であるかの目安として，一般的に予測最大心拍数の85%が目標心拍数として設けられているが，運動負荷のエンドポイントは，症候限界が望ましい．

目標心拍数 target heart rate（THR）＝（220－年齢）×0.85

運動負荷の禁忌は，不安定狭心症や急性期の心不全・心筋梗塞など不安定な状態の患者である．また血圧コントロールが著しく不良の高血圧患者は，血圧の高度上昇をきたすおそれがあるため，運動負荷をかけるべきではないと考えられる．相対的な禁忌として，左脚ブロック患者やペースメーカー患者は虚血の疑陽性所見が出るため運動負荷を選択するべきではない．また，β遮断薬やカルシウム拮抗薬（非ジヒドロピリジン系であるベラパミル，ジルチアゼムなど）は運動負荷による検査感度の低下を招く原因となるため，可能であればそれらの薬剤中止が望ましい．中止が難しい場合には薬剤負荷を考慮すべきである．

表Ⅲ-A-2 主な心筋血流製剤とその特徴

	半減期	γ線エネルギー	投与量	特徴
^{201}Tl	73時間	主に70 keV	74 ～111 MBq	一回の投与で負荷と安静時血流評価が可能 心筋摂取率が高く病変コントラストが高い カウントが少なく，画質はやや不鮮明 エネルギーが低く散乱吸収の影響が大きい 半減期が長く，被曝線量がかなり高い
^{99m}Tc-MIBI	6時間	140 keV	555～1,110 MBq	カウントが高く，画質は鮮明 心電図同期SPECTに適している 肝臓への集積が高い 負荷時と安静時の二回投与が必要
^{99m}Tc-tetrofosmin	6時間	140 keV	555～1,110 MBq	^{99m}Tc-MIBIと同様．ただし肝臓からの洗い出しは比較的早い

分布する）性質を利用して，心筋生存能（バイアビリティ viability）の判定に利用できる（図Ⅲ-A-5）．したがって^{99m}Tc製剤とは異なり，負荷時・安静時検査とも一回の製剤の静注で検査可能である．また，タリウム投与24時間後の遅延像を評価することで心筋バイアビリティの評価にも有用とされている．^{99m}Tc製剤と比較して高血流領域でも心筋への抽出率が高いため，虚血部と正常部とのコントラストが高い．さらに，肝臓や胆嚢への集積が少なく，肝臓や胆嚢のアーチファクトの影響を受けにくい．ただ欠点は，γ線のエネルギーが低いため，胸壁や横隔膜による吸収の影響を受けやすい．また物理的半減期が長いため，放射線被曝が多い点である．被曝低減の観点から近年米国を中心に^{99m}Tc製剤に置き換える傾向がある．

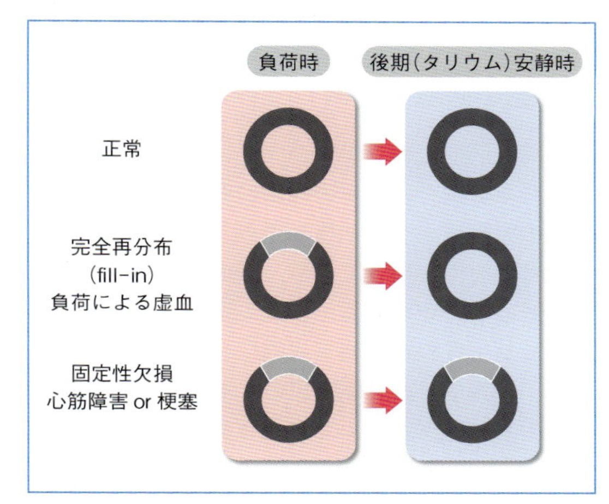

図Ⅲ-A-5 負荷時と安静時(タリウムの場合後期)画像
両者より分布の改善の有無を判定して，虚血心筋か梗塞心筋かの判定(バイアビリティの判定)を行う．

Note 2

● 薬剤負荷の際の注意点

薬剤投与の副作用として，顔面紅潮，息切れ，胸痛，動悸，血圧低下，心拍数増加，房室ブロック，気管支攣縮などが起こりうる．いずれも一過性の症状であるため対処は必要ない．冠血管に狭窄がない患者でも胸部症状を訴えるため，薬剤負荷時の胸部症状は必ずしも狭心痛ではないことに留意する必要がある．副作用の頻度は，ジピリダモールよりも，アデノシン三リン酸 adenosine triphosphate (ATP)・アデノシンで副作用の頻度が高いが，重篤な副作用を起こすことはまれである．ATPやアデノシンを使用した場合は薬剤の半減期が非常に短いため，気管支攣縮などの重篤な副作用の出現時には薬剤の停止のみで十分な場合が多い．一方，ジピリダモールは効果が30分程度持続するため，重篤な副作用が出現した場合には拮抗薬であるアミノフィリン製剤の投与が必要である．高度の血圧低下，高度の房室ブロックの出現，気管支攣縮の出現時には負荷を中止すべきである．また，症状が高度であり患者から負荷の中止が求められた場合も，負荷中止を考慮しなければならない．近年米国で臨床応用の始まったレガデノソンは，一回静注でアデノシンと同等の血管拡張作用があり，容易に負荷ができ，かつ副作用にも対応でき，今後の応用に期待がかかる．

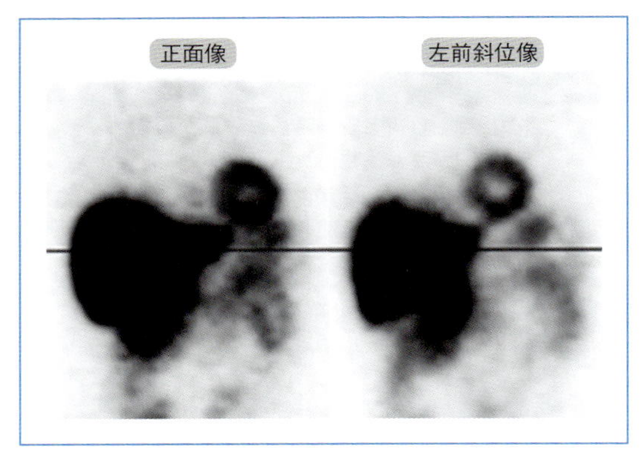

図Ⅲ-A-6　心筋血流分布の２次元像
心臓の集積のほかに，肝臓，胆嚢，脾臓，消化管への生理的な集積を認める．

❸ 検査の適応

負荷心筋血流シンチグラフィは，冠動脈疾患を疑われた症例での病変の検出に有効である．特に胸痛の原因検索や，他検査で冠動脈疾患が疑われる患者に有用な検査であり，虚血の程度や範囲を評価することができる．また，過去に冠動脈治療を行った患者の経過観察目的にも用いることができる．一方で，冠動脈疾患のリスクが低く，無症状の患者のスクリーニング検査としては不適切とされる[2)]．また心筋バイアビリティの評価を行うことができる．

画像の読み方

❶ 表示法

a．MIP 像

患者の撮像中の状態を確認するために，２次元投影像（planar 像）あるいは maximum intensity projection（MIP）像の確認を行う．確認すべき点は，心臓の近傍に消化管への異常集積があるかどうか，肝臓が近接していないか，両腕をしっかり挙上しているか，心外に異常集積を認めるかどうかなどである（図Ⅲ-A-6）．さらには連続した planar 像より，撮影中の患者の動きの有無の確認にも役立つ．

b．SPECT 像

心筋 single photon emission computed tomography（SPECT）像は，短軸面断層像 short-axis（SA）・長軸面垂直断層像 vertical long-axis（VLA）・長軸面水平断層像 horizontal long-axis（HLA）の３断面で表される．それぞれ異なった方向からの断面で局所評価を行う．短軸面断層像では心尖部から心基部にかけての輪切りの断層像が得られ，前壁，側壁，下壁，中隔が描出される（図Ⅲ-A-7）．長軸面垂直断層像は縦切りの断層像を右からみた画像で，前壁，心尖部，下壁が描出される．また長軸面水平断層像は水平の断層像を下からみた画像で，中隔，心尖部，側壁が描出される（図Ⅲ-A-8）．左室基部の中隔壁は，膜様部であるため集積は認めない．右室は淡く描出され，はっきりと描出を認める場合には異常所見である．いずれかの断面で異常があった場合，ほかの断面で異常があるかどうかを確認する．基部側壁は長軸面水平断層像，心尖部の評価は長軸面垂直・水平断層像で評価しやすい．血流評価を行う場合には，17 区域モデルを用いることが推奨されている（図Ⅲ-A-7）．

SPECT 像を読影する際に，画像を表示しているカラーにも注意すべきである．グレースケール，レインボーカラーなどさまざまな表示があるが，特にレインボーカラーを用いる場合には，微細な集積の変化もすぐに色調の変化として捉えてしまい，所見を過大評価してしまう場合が多い．また，さまざまなカラーマップにより見え方が変わるため，グレースケールでの表示が最も一般的と考えられる．また，SPECT 画像を作成する際の画像の「濃さ」にも注意する必要がある．画像が薄すぎても，濃すぎても所見の過小評価や過大評価に繋がるため，画像を作成する際には注意が必要である．また，負荷時，安静時での画像の濃さを統一しなければならない．

c．quantitative perfusion SPECT（QPS）（bull's eye，polar map 表示）

左室心筋への集積を，心尖部（中心）から基部（外側）までを円形に表示する方法である．視覚的に異常を検出しやすい．また，３断面で評価が難しい微妙な虚血の変化も評価することができる．ただし，関心領域 region of interest（ROI）の設定によって見え方が大きく変わるため，ROI の設定が適切に行われているかどうかを常に確かめる必要がある（図Ⅲ-A-9）．

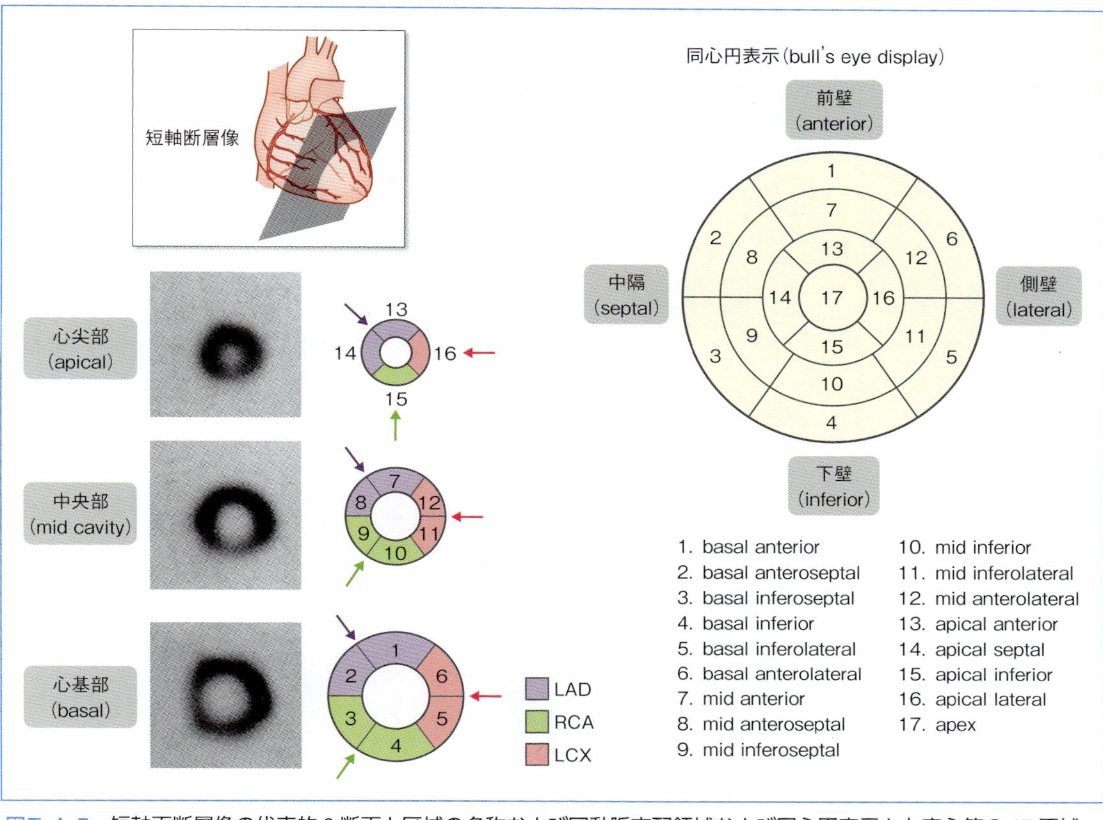

図Ⅲ-A-7 短軸面断層像の代表的 3 断面と区域の名称および冠動脈支配領域および同心円表示と左室心筋の 17 区域

左室心筋は，基部，中部はそれぞれ 6 区域，心尖部周囲の 4 区域，心尖部の 1 区域の 17 区域で評価する．■で示す範囲は LAD 領域，■は LCX 領域，■は RCA 領域となる．

図Ⅲ-A-8 長軸面断層像の代表的断面と区域の名称

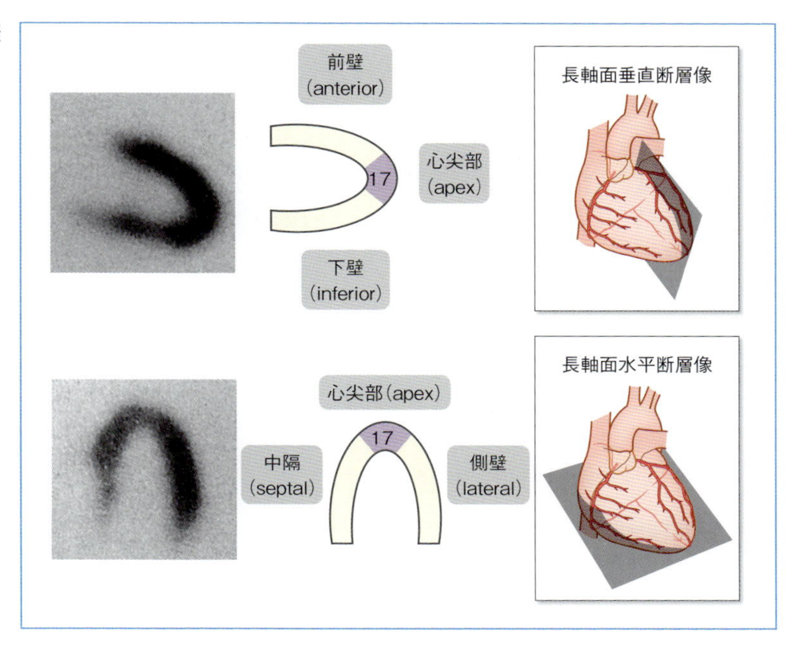

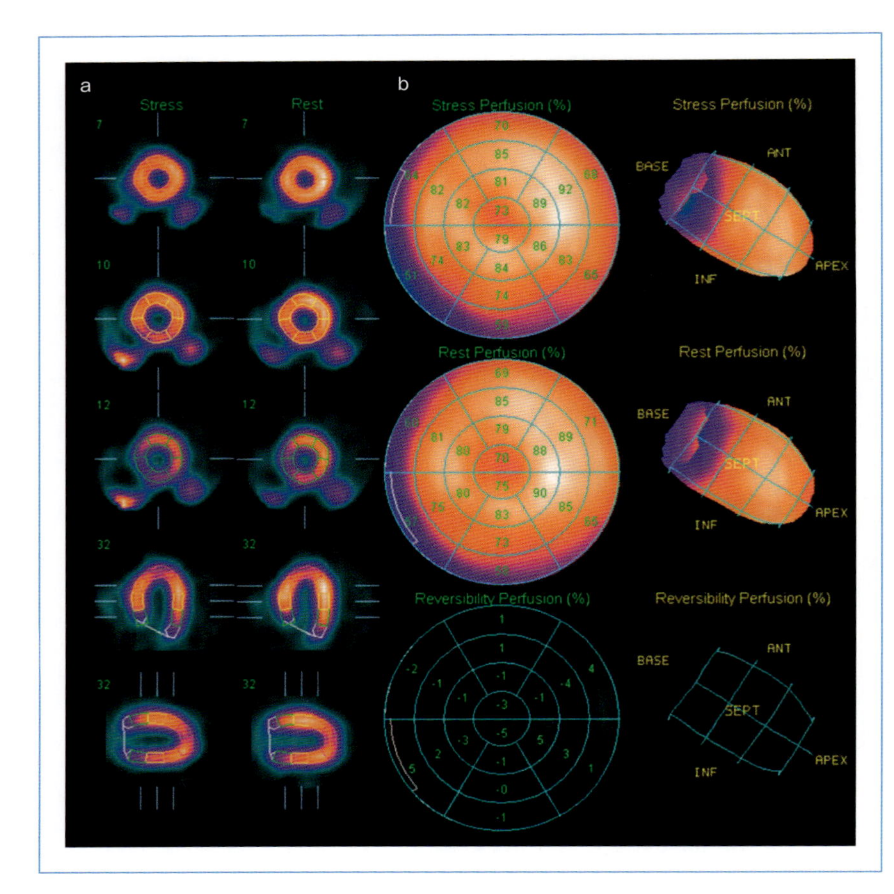

図Ⅲ-A-9　QPS の表示例
血流が正常であった患者の quantitative perfusion SPECT(QPS)表示の例を示す．
a：負荷時，安静時の region of interest(ROI)の設定が示されている．負荷時，安静の ROI が適切に設定されているかどうかをここで確認する．
b：上段に負荷時，中段に安静時の polar map 表示が示されている．中心部が心尖部，最も外周が基部の集積を示している．上が前壁，右が側壁，下が下壁，左が中隔側である．基部の中隔～下壁(左下部)に円弧状に集積低下を示しているが，左室基部の膜様部を反映したものである．下段の reversibility perfusion は負荷，安静で fill-in がある部位をソフトウェアで計算したものである．

d．QGS

quantitative gated SPECT（QGS）では，左心機能の評価が可能である．心電図同期下で撮像することで，局所壁運動の情報を得ることができる．得られた時間放射能曲線 time activity curve（TAC）により，左室拡張末期容積 end diastolic volume（EDV），左室収縮末期容積 end systolic volume（ESV），左室駆出率 ejection fanction（EF），心拍出量 cardiac output（CO）または一回拍出量 stroke colume（SV）を評価することができる（図Ⅲ-A-10）．注意点は小さな心臓の場合に各指標を過大・過小評価する可能性があること，また ROI の設定により測定値が変動する可能性があるため，QPS と同様に適切に ROI が設定されているかどうか確認する必要がある．

❷ 病変の検出および心筋虚血の判定

前述（図Ⅲ-A-5）のように通常，虚血の評価には，負荷と安静（タリウムの場合は後期像）の2回の検査を行い，血流の差異をみることになる．すなわち，正常心筋では負荷時・安静時とも心筋血流は正常であるのに対し，心筋が虚血に陥ると，心筋の代謝が障害され収縮能の低下を起こす．虚血が一過性の場合には，収縮能の障害があっても一過性であり（これを気絶心筋 stunned myocardium と称する），冠動脈の高度狭窄や閉塞により高度の虚血に陥った場合には，心筋は死に至る（梗塞・瘢痕）．また，血流低下状態が慢性的に続いた場合，心筋は壊死に陥らずに，血流が改善した後に機能が回復することがある（これを冬眠心筋 hibernating myocardium と称する）．冬眠心筋は生きた心筋であるが，血流は低下した状態であるため，血流の情報のみでは死んだ心筋（瘢痕）との鑑別が難しい場合がある．

心筋虚血がある場合には，負荷時に集積低下を認め，安静時に集積低下の改善を認める．それぞれの製剤の集積機序により，^{99m}Tc 製剤の場合には fill-in，タリウムの場合には再分布と表現す

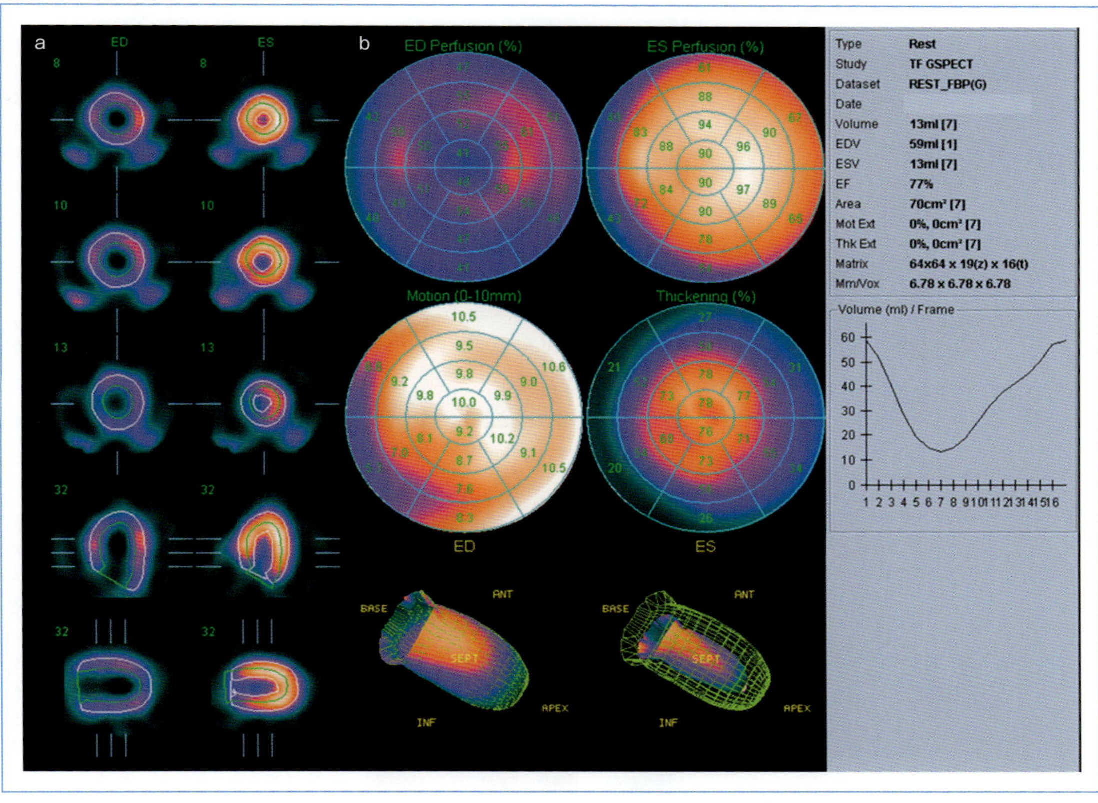

図Ⅲ-A-10　正常例の心電図同期心筋 SPECT より QGS ソフトウェアより算出された表示

a：拡張末期(ED)および収縮末期(ES)心筋血流 SPECT の代表的断面，b：その分布の同心円表示，壁運動(motion)，壁収縮(thickening)と拡張末期，収縮末期の立体像，およびこれらから得られた左室機能指標と容量曲線を示す．

図Ⅲ-A-11　狭心症の負荷時および安静時心筋血流 SPECT の代表的断面およびその同心円表示

負荷時，前壁～前壁中隔に広範囲に高度の集積低下を認めるが，安静時に大部分で fill-in を認め虚血を示す所見である．心尖部下壁にも虚血を疑う所見を認める．心尖部下壁は RCA の灌流域であることが多いが，本症例は LAD の灌流域が心尖部下壁まで及ぶ患者であり，LAD 領域の異常と判断された．検査時に冠動脈造影の結果が出ていれば，読影時に灌流域の確認を行う必要がある．

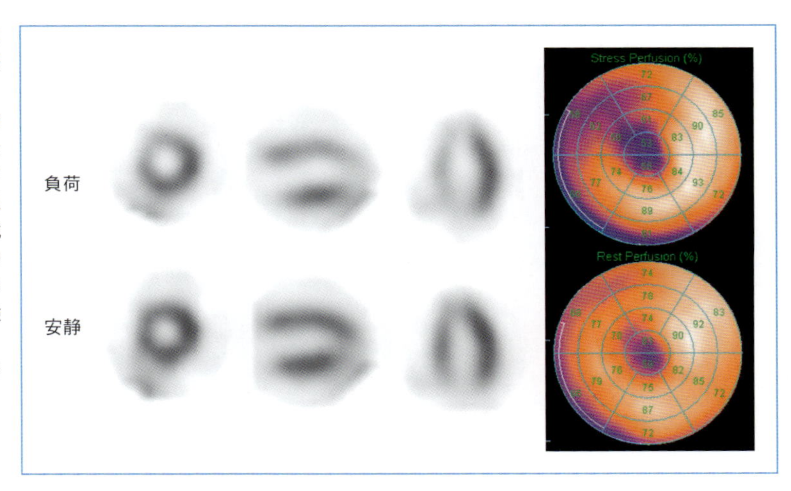

る．以下，混乱を避けるため再分布と統一して説明する．

再分布を呈した典型的な狭心症の SPECT を図Ⅲ-A-11 に示す．心筋障害（瘢痕・梗塞）がある場合には，負荷時，安静時ともに集積低下を認め固定性の集積低下を示す（図Ⅲ-A-12）．ただし，いずれか一方の所見だけでなく，しばしば虚血と心筋障害が混在している場合がある（不完全再分

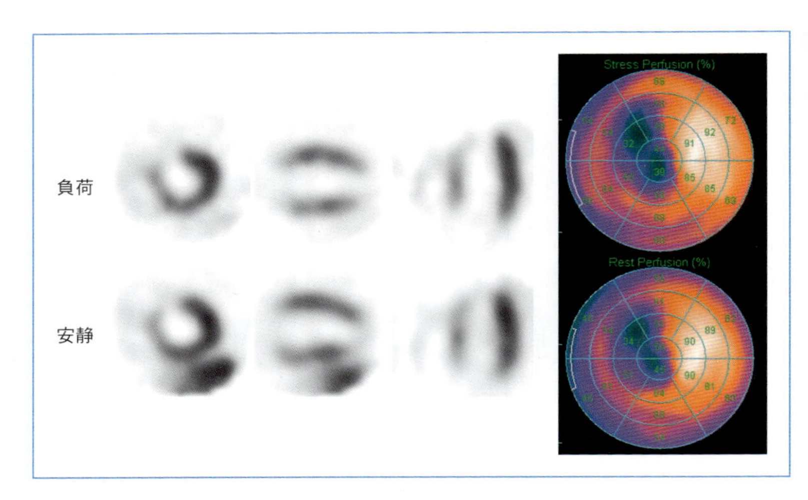

図Ⅲ-A-12　心筋梗塞例の負荷時および安静時心筋血流SPECTの代表的断面およびその同心円表示

前壁，中隔から心尖部にかけて負荷時に血流低下を示し，安静時にも分布の改善はなく，障害心筋と判断される．

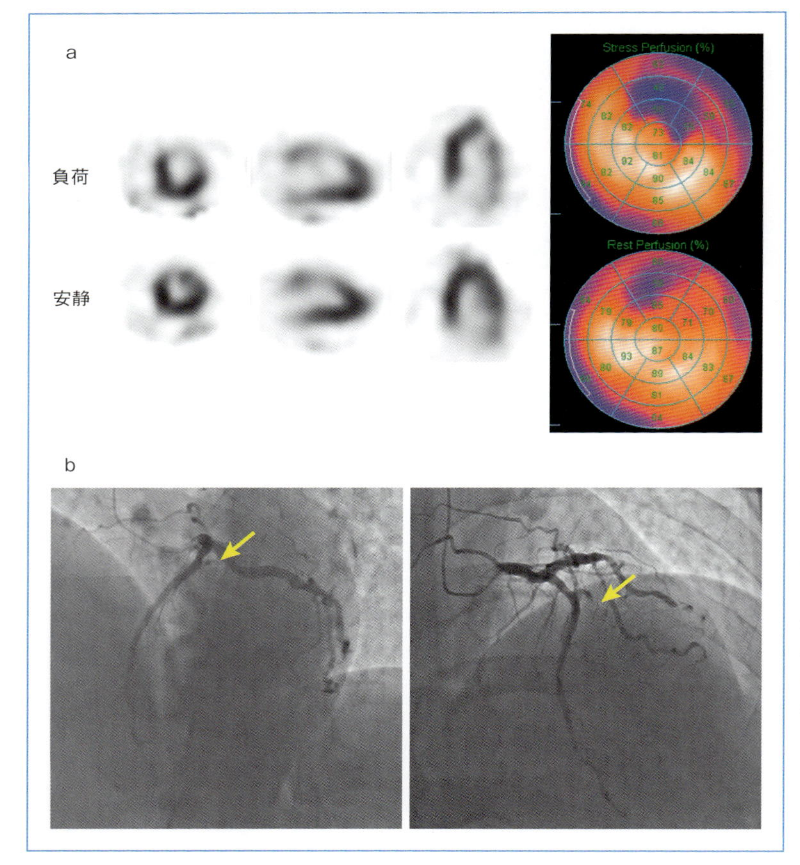

図Ⅲ-A-13　左冠動脈対角枝の閉塞症例の負荷時および安静時心筋血流SPECTの代表的断面およびその同心円表示(a)および冠動脈造影(b)

負荷時，中部前壁，基部の前壁～前側壁に高度の集積低下を認めるが，安静時に一部を除いて fill-in を認め，虚血を示す所見である．前壁は一部で固定性の集積低下を示しており，心筋障害(瘢痕)が疑われる．また，視覚的に明らかに負荷時に左室内腔の拡大を認め，一過性内腔拡大(TID)を疑う所見である．定量的には，TID score は1.26であり有意に高い値であった(QPS で得た数値から，負荷時左室容量 67 mL，安静時左室容量 53 mL，67/53=1.26)．本症例では，心尖部と中隔領域の異常所見を認めない．LAD 領域の虚血である場合には心尖部，中隔の領域は必ず異常が出るはずなので，本症例の場合には LAD の側枝である対角枝領域(あるいは高位側壁枝)が疑われた．冠動脈造影では，前壁に広い範囲で灌流する対角枝の閉塞症例であった．

布）（図Ⅲ-A-13）．一般に完全再分布と不完全再分布とを区別することは難しい．軽度の虚血では完全再分布する一方，虚血が重症になるほど，再分布は軽度でみえにくくなる（判断の難しい場合には，後で述べるフルオロデオキシグルコース fluorodeoxyglucose（FDG）PET が必要になることもある）．いずれにせよ軽度でも再分布がある場合には，心筋虚血（あるいは生存した心筋）と判定し，血行再建術などの適応を考慮することが望ましい．このように可逆的虚血心筋か非可逆的

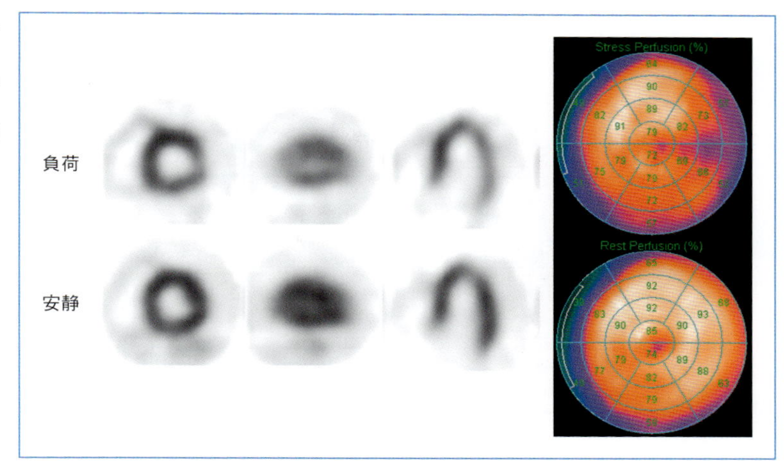

図Ⅲ-A-14 LCX に狭窄を有する狭心症例の SPECT の代表的断面
負荷時に側壁に限局した血流低下があり，安静時に再分布が明らかである．その部位から LCX 病変による心筋虚血と判断される．

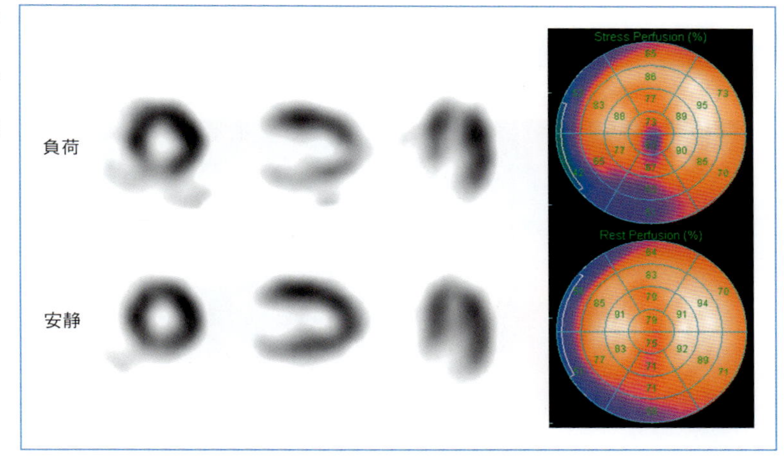

図Ⅲ-A-15 RCA に狭窄を有する狭心症例の SPECT の代表的断面
負荷時に下壁に限局した血流低下があり，安静時に再分布が明らかである．その部位から RCA 病変による心筋虚血と判断される．

障害心筋かの鑑別（心筋生存能，あるいはバイアビリティの判定と称する）は，臨床上，極めて重要である．

❸ 読影の要点

虚血，心筋障害を評価する場合には，異常の範囲と程度を指摘する．また，虚血性心疾患が疑われる場合には必ず異常を認める領域（LAD，RCA，LCX）を指摘する必要がある．その際，図Ⅲ-A-1，7 で解説した各冠動脈枝の支配領域を参照してほしい．側壁に限局した血流低下を有する症例ではLCX の病変と判断してよい（図Ⅲ-A-14）．他方，下壁の灌流は，RCA と LCX のどちらもありうるが，灌流域の情報（冠動脈造影や冠動脈 CT など）がない場合には下壁は RCA の領域として考えて評価するのが一般的である（図Ⅲ-A-15）．

SPECT の読影の場合，同心円表示にも利用され理解しやすい短軸面断層像が参考になるが，そこで異常を認めた場合には，ほかの長軸面断層像でも同様に異常を同定できるか，確認することで読影の確信度が高まる．特に短軸面断層像では心尖部が死角になりやすい．心尖部の評価は必ず長軸面断層像を参考にしてほしい（図Ⅲ-A-16）．特に心尖部に大きな病変がある場合，心尖部の同定が難しく，同心円表示ばかりに頼ると，負荷時と安静時の心尖部の同定にずれなどが出ることがあり，とんでもない判定の誤りを生じることがあり，注意が必要である．

多枝病変の場合，心筋血流分布を相対的に表示するこの手法は，虚血の検出は心筋シンチグラフィでは難しい場合が多い．範囲の広い虚血の場

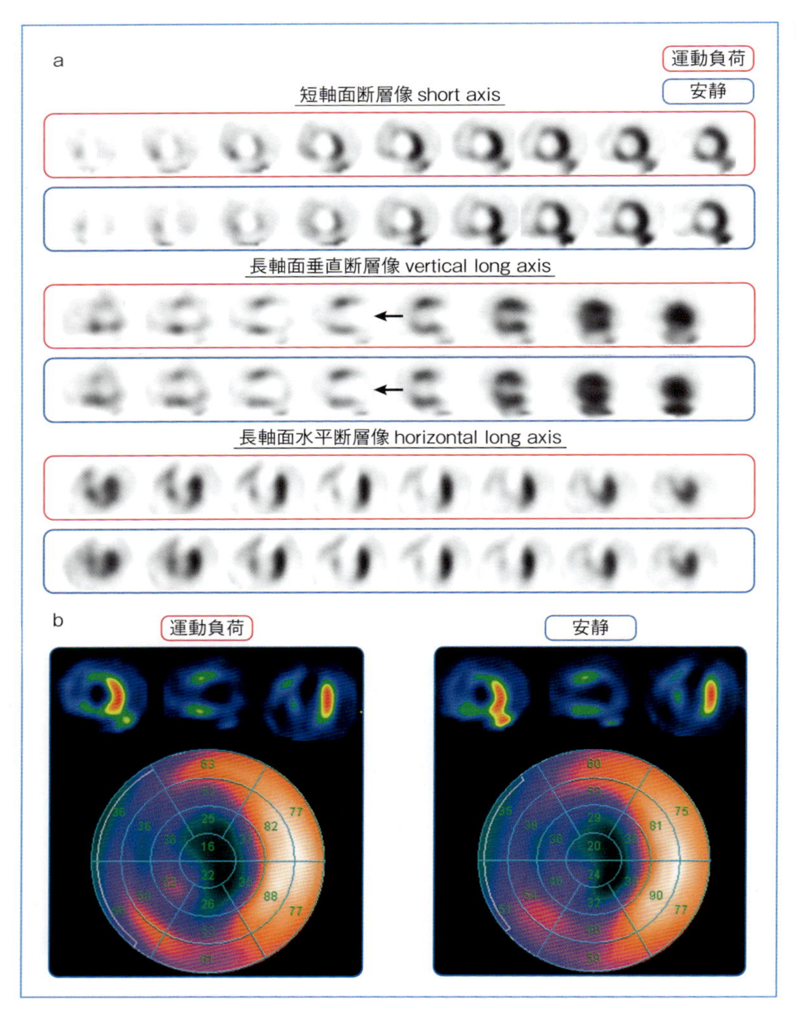

図Ⅲ-A-16　心尖部の心筋梗塞例の連続した断面(a)と同心円表示(b)

負荷時，安静時ともに心尖部を中心に大きな血流低下がみられる．短軸面断層像では同じ断面で表示されているかどうか明らかでなく，分布の変化の判定は難しい．短軸面断層像から作成する同心円表示も同様で，判定には限界がある．他方，長軸面断層像では，心尖部に限局した広範囲の血流低下がみられ，負荷時・安静時で分布の差がないことが明瞭となる(矢印)．このように心尖部病変の評価には長軸面断層像を用いるべきである．

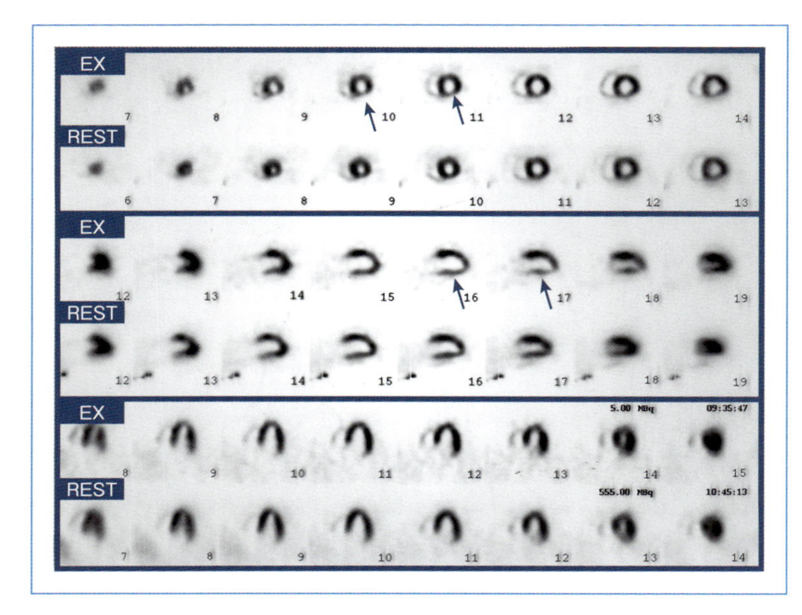

図Ⅲ-A-17　RCAに高度狭窄を有する狭心症例のSPECTの代表的断面

負荷時に下壁に限局した血流低下があり，安静時に再分布が明らかである．ただ安静時に比べて負荷時の内腔の一過性拡大(TID)が認められる．冠動脈造影では3枝病変であったが，RCAの狭窄が最も高度であった．このように多枝病変では冠動脈狭窄病変を過小評価することがあるが，それでも最も高度の狭窄病変の同定には役立つ．

合には，全体的に集積が低下するため，相対的な集積の差が出にくいためである（balanced ischemia とも呼ぶ）．虚血の所見は認めないか軽度であっても，左室の一過性内腔拡大 transient ischemic dilatation（TID）や負荷後の左心機能低下などの副次的所見として現れることもある（NOTE 3）．このような副次的な所見は重症心筋虚血を示唆する所見として重要視される．ただ 3 枝病変でびまん性虚血病変があったとしても，負荷心筋血流 SPECT が全く正常となって見逃すことは極めてまれで，多くの場合，最も重症な虚血病変は検出可能である（図Ⅲ-A-17）．いずれにせよ，負荷時と安静時を詳細に対比して，血流分布だけでなく，TID や機能低下なども含めて総合的に判定することが大切である．

a．異常所見の半定量的評価

虚血や心筋障害を評価するために負荷時，安静時ともに異常所見をスコアリングする方法があり，負荷時の欠損スコア summed stress score（SSS），安静時の欠損スコア summed rest score（SRS），負荷時の欠損スコアと安静時の欠損スコアの差 summed difference score（SDS）を用いる．それぞれ，SSS は負荷時，SRS は安静時，SDS は負荷時と安静時の欠損スコアの違いを示している．欠損スコアは 0～4 点の 5 段階評価で，0＝正常，1＝軽度低下，2＝中等度低下，3＝高度低下，4＝集積欠損として評価する．左室を 17 区域に分割して計算するため，スコアは最大で 68 ポイントである．SSS 7 以上（10％以上）が心事故予測の一つの目安である[2]．QPS では正常データベースをもとに SSS，SRS，SDS が自動算出されるが，種々の技術的影響を受けるため，読影者が各自確認することが必要である．

❹ リスク評価

心筋シンチグラフィの結果により，患者のリスク層別化が可能である．血流の異常がなかった患者や，異常があっても軽度であった患者は心筋梗塞や心臓死といったイベント発生が少ないと報告されている[3]．また，内服治療と冠動脈治療を比較した最近の大規模臨床成績によると，左室心筋の 10％を超える虚血を有する際には，血行再建術を施行する方が内科的治療よりも長期予後は優れている．他方，虚血があっても 10％未満の場合には，血行再建術よりも内科治療の方が予後がよいとされる[4]．したがって虚血の程度を客観的，かつ定量的に評価することが，その後の治療方針を決めるうえで重要である．もちろん治療方針の決定には，個々の患者の情報ともあわせて総合的に判断するべきであると考えられる．

Note 3

● 心筋血流シンチグラフィの副次所見

副次所見として次のようなものが挙げられる．

・一過性内腔拡大 transient ischemic dilatation（TID）

安静時と比較して負荷時の左室の一過性の内腔拡大がある場合に TID と定義される．TID は多枝病変や広範囲の虚血により認める所見である．TID の機序は，広範囲の左室心内膜下虚血や，左室内腔の拡大などが考えられている．定量値では，TID＞1.2 以上などさまざまなカットオフ値が報告されているが，TID の判定は視覚的な評価とあわせて判断するべきである．

・肺への集積

タリウム，^{99m}Tc 製剤ともに，負荷時に肺の集積亢進を認めることがある．タリウムの場合には，一般的に肺と心臓のカウント比が 0.5 以上の場合に陽性とされる．^{99m}Tc 製剤の場合には，撮像までの時間が長いため，カウント比は低下する．肺へのトレーサの集積は，左室充満圧の上昇や左室機能障害と関連すると報告されており，予後不良の因子である．

・負荷後の左心機能低下（post stress LV dysfunction）

負荷後に左室駆出率が 5％以上低下する場合に，post stress LV dysfunction と定義される．冠狭窄病変が増加するにつれ，LVEF 低下の程度はより高度となる．また，虚血が疑われる領域で，負荷時に QGS で局所壁運動低下が観察される場合には，その所見が診断の一助となることがある．

・右室壁の描出

肺高血圧患者や両心不全に陥った患者は，しばしば右室壁の描出を認める．右室負荷のある患者で認める所見であり，右室壁の肥厚などにより出現する所見と考えられる．

・心外への異常集積

最大値投影法 maximum intensity projection（MIP）像を確認した際に，心外への集積をみつけることがある．肝臓や胆囊，消化管への集積は生理的なものであるが，乳腺や肺への局所集積は悪性腫瘍を疑う必要がある．

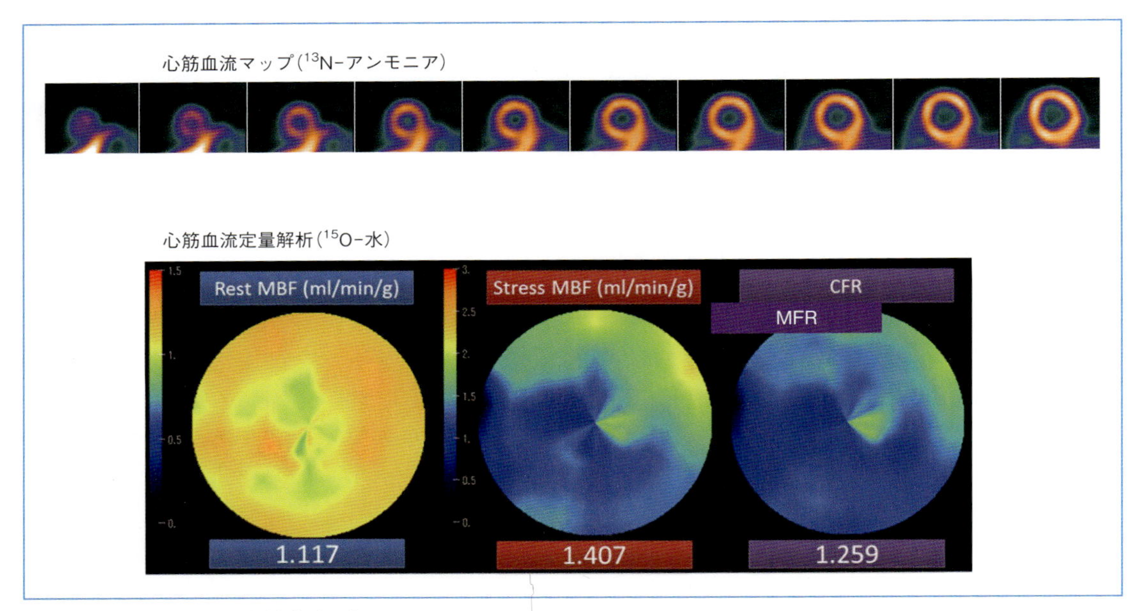

図Ⅲ-A-18　PETによる心筋血流評価
MBF（myocardial blood flow）
MFR=stress/rest MBF（myocardial flow reserve）

❺ PETによる心筋血流評価

循環器領域でもPET検査の有用性が示されている．PETは高精度の画質を提供し，種々の分子細胞機能の映像化ができる優れた特徴がある．さらには定量性も高く，心筋血流の定量評価にも利用されている[5]．適切なトレーサの動態モデル解析から心筋血流量myocardial blood flow（MBF）や安静時MBFと最大負荷時のMBFの比から算出される心筋血流予備能myocardial flow reserve（MFR）を正確に算定できる点が優れている．

図Ⅲ-A-18に典型的な症例の^{13}N-アンモニアを用いた心筋血流分布像と^{15}O-水によるMBF，MFRの定量値を示す．血流分布像は吸収補正をされており，心筋に均一な血流分布を示している．またMBFやMFRは左室心筋全体だけでなく，同心円表示により心筋局所の定量値も算定されている．

現在利用されている種々の心筋血流PETの製剤の特徴を表Ⅲ-A-3にまとめた[6]．この中でもわが国では^{13}N-アンモニアが保険適用とされており，数施設で利用が始まっている．高画質の心筋血流分布が得られ，かつ予後に関連の深いMFRの算出ができるため，重宝されている．ただサイクロトロンが必要であり，あまり広くは普及していない．他方，米国では^{82}Rbジェネレータを用いた臨床応用がかなり浸透してきている．また^{18}F標識心筋血流製剤も臨床試験されている．この製剤が臨床応用できるようになれば，FDGと同じように多くのPET施設に供給されて，高精細な心筋血流分布像が得られるだけでなく，予後に重要とされるMFRの算出が容易にできるようになることが期待される．

❻ ガイドラインより

心筋血流シンチグラフィについてはこれまで欧米を中心にガイドラインや検査の適格性（appropriate use criteria）などが論じられてきている[2]．わが国でも心臓核医学の検査のガイドラインが日本循環器学会から作成されてきた．近年慢性虚血性心疾患の診断ガイドラインが改訂された[7]．これによると虚血性心疾患を疑われる多くの場合においてClass Ⅰ（行うべきである）との指示が出ている（表Ⅲ-A-4）[7]．主に虚血性心疾患を疑わせる症状を伴う症例が適応になることが多いが，リスクの高い無症状の症例も適応になる場合がある．他方，無症状の方のスクリーニング検査としての意義は少なく，むしろ有害であると

表Ⅲ-A-3 各種心筋血流 PET 製剤の特徴

薬剤	T1/2	負荷-安静の検査時間	生産	高血流域の摂取率	利点	欠点
^{82}Rb（ルビジウム）	76 秒	30 分	ジェネレータ	65%	多くの症例に実施可能 サイクロトロンが不要 短半減期で被曝が少ない	画質がやや劣る 高血流域の摂取率がやや低く，定量性には限界
^{15}O-水	110 秒	30 分	サイクロトロン	100%	摂取率が 100% で定量化に最適 短半減期で被曝が少ない	血流分布像が得られない 繰り返しのサイクロトロン利用が必要 スループットに限界
^{13}N-アンモニア	10 分	90 分	サイクロトロン	80～90%	高画質の心筋血流分布像 摂取率が高く定量化に優れる	繰り返しのサイクロトロン利用が必要 スループットに限界
^{18}F-フルピリダズ	110 分	3～4 時間 or 2 日	デリバリー	>90%	最高の画質の心筋血流分布像 摂取率が極めて高く定量化に優れる 運動負荷にも利用が可能	臨床試験中で応用はまだ 半減期が長く，検査に時間がかかる

表Ⅲ-A-4 心筋血流イメージングの推奨とエビデンスレベル

	推奨クラス	エビデンスレベル	Minds 推奨グレード	Minds エビデンス分類
心電図評価が困難な症例（完全左脚ブロック，心室ペーシング，心室早期興奮症候群は薬物負荷に限る）	Ⅰ	B	B	Ⅰ
負荷心電図が異常な場合	Ⅰ	B	B	Ⅰ
検査前確率が中等度以上で，典型的な狭心痛の場合	Ⅰ	B	B	Ⅰ
既知冠動脈疾患の残存虚血の存在と部位診断を行う場合	Ⅰ	B	B	Ⅰ
心筋梗塞の部位診断を行う場合	Ⅰ	B	B	Ⅰ
冠動脈血行再建術の適応を決定する場合	Ⅰ	B	B	Ⅰ
検査前確率が中等度以上もしくは CACS 400 以上の非典型的胸痛の症例	Ⅱa	B	C1	Ⅱ
中等度（40～75%）狭窄病変の機能的狭窄度評価を行う場合	Ⅱa	B	C1	Ⅱ
治療効果を判定する場合	Ⅱa	C	C1	Ⅲ
検査前確率が中等度以上だが運動負荷ができないため，薬物負荷検査を行う場合	Ⅱa	C	C1	Ⅲ
無症候患者のうち，糖尿病，濃厚な冠動脈疾患の家族歴，CACS 400 以上のいずれかを伴う場合	Ⅱb	C	C2	Ⅳb
検査前確率が低い胸痛症例における虚血の存在診断を行う場合	Ⅱb	C	C2	Ⅳb
PCI 後 5 年以降の検査を行う場合	Ⅱb	C	C2	Ⅳb
検査前確率が中等度未満の無症候症例	Ⅲ	C	D	Ⅴ
PCI 後 2 年以内のルーチン検査を行う場合	Ⅲ	C	D	Ⅴ

（文献 7）日本循環器学会：慢性冠動脈疾患診断ガイドライン（2018 年改訂版）．https://www.j-circ.or.jp/cms/wp-content/uploads/2020/02/JCS2018_yamagishi_tamaki.pdf（2021 年 3 月閲覧）より）

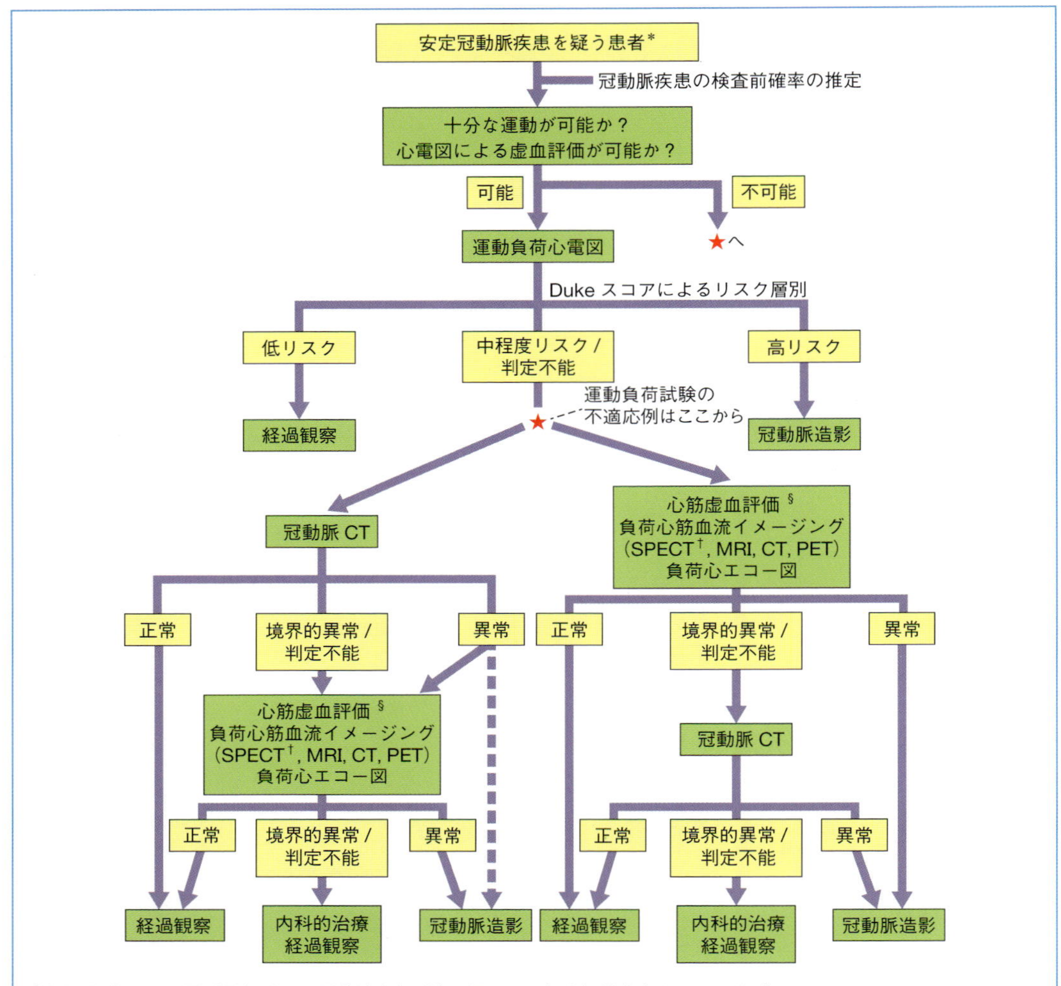

図Ⅲ-A-19　心筋虚血の診断アルゴリズム

（文献 7）日本循環器学会：慢性冠動脈疾患診断ガイドライン（2018 年改訂版）https://www.j-circ.or.jp/cms/wp-content/uploads/2020/02/JCS2018_yamagishi_tamaki.pdf（2020 年 3 月閲覧）より）

もされている（Class Ⅲ）．いずれにせよ，ガイドラインの適応をしっかり定めて的確な利用が必要となる．

また近年の心臓 CT 検査の幅広い利用の広がりを受けて，このガイドラインでは心筋虚血の診断アルゴリズムも作成している[7]（図Ⅲ-A-19）．これによると，慢性虚血性心疾患の場合，まず運動負荷が十分できる症例に対しては，運動負荷心電図検査を行い，リスク層別化を行う．そのうえで中程度リスクの症例に対して，冠動脈 CT か心筋血流シンチグラフィを含む心筋虚血評価か，どちらを選択してもよいこととしている．また冠動脈 CT で異常を生じた場合，結行再建術を必要とする高度狭窄の症例は，すぐに侵襲的冠動脈造影 coronary angiography（CAG）を施行する．他方，それ以外の異常所見を呈した症例には，心筋虚血評価に進むように指示されている．要点はできるだけ簡便な検査からスタートさせるアルゴリズム

要点

- 負荷心筋シンチグラフィは心筋虚血の検出に優れた検査である.
- 負荷の方法は運動負荷，薬剤負荷があり，負荷法の選択は慎重に行う必要がある.
- 負荷心筋シンチグラフィによる虚血心筋か梗塞心筋かの鑑別（生存能（バイアビリティ））評価ができ，冠動脈治療の方針決定に有効である.
- 負荷心筋血流シンチグラフィにより患者のリスク層別化が可能である.
- 新しいガイドラインでも負荷心筋血流シンチグラフィを含む虚血評価の重要性が強調されている.

を用いて層別化すること，また心筋虚血の評価の重要性を強調されていることが，このガイドラインの主な点と考えられる．ただ心筋虚血の評価には，SPECT だけでなく，負荷 MRI，CT，PET や負荷心エコーも選択できることも注目に値する．このような新しいガイドラインに基づいて的確な利用を行っていただきたい．

◆ 文献

1）Gould, KL et al：Compensatory changes of the distal coronary vascular bed during progressive coronary constriction. Circulation 51：1085-1094, 1975
2）Wolk, MJ et al：ACCF/AHA/ASE/ASNC/HFSA/HRS/SCAI/SCCT/SCMR/STS/2013 multimodality appropriate use criteria for the detection and risk assessment of stable ischemic heart disease：a report of the American College of Cardiology Foundation Appropriate Use Criteria Task Force, American Heart Association, American Society of Echocardiography, American Society of Nuclear Cardiology, Heart Failure Society of America, Heart Rhythm Society, Society for Cardiovascular Angiography and Interventions, Society of Cardiovascular Computed Tomography, Society for Cardiovascular Magnetic Resonance, and Society of Thoracic Surgeons. J Am Coll Cardiol 63：380-406, 2014
3）Hachamovitch, R et al：Incremental prognostic value of myocardial perfusion single photon emission computed tomography for the prediction of cardiac death：differential stratification for risk of cardiac death and myocardial infarction. Circulation 97：535-543, 1998
4）Hachamovitch, R et al：Comparison of the short-term survival benefit associated with revascularization compared with medical therapy in patients with no prior coronary artery disease undergoing stress myocardial perfusion single photon emission computed tomography. Circulation 107：2900-2907, 2003
5）Yoshinaga, K et al：Absolute quantification of myocardial blood flow. J Nucl Cardiol 25：635-651, 2018
6）Tamaki, N et al：Positron Emission Tomography Myocardial Perfusion Imaging Tracer Choice for Assessment of Myocardial Blood Flow. Annals Nucl Cardiology 5：50-52, 2019
7）日本循環器学会：慢性冠動脈疾患診断ガイドライン（2018 年改訂版）．https://www.j-circ.or.jp/old/guideline/pdf/JCS2018_yamagishi_tamaki.pdf（2021 年 3 月閲覧）

Note 4

ほかの画像診断との相補的役割

CT，MRI などの非侵襲的な画像診断法の顕著な進歩に伴い，心筋血流シンチグラフィの役割を再考する時期にきている．特に心臓 CT 検査にて冠動脈の狭窄や石灰化などの異常所見を簡便に検出できるようになった．他方，慢性虚血性心疾患においては，血行再建術の適用を決めるうえで，心筋虚血の証明が求められる．特に治療方針は，冠動脈狭窄などの解剖学的所見よりも虚血などの機能的所見で判断する方が，その後の予後改善に役立つとする報告が多いためである．したがって心筋虚血を客観的，かつ定量的に解析する点で，あらためて心筋血流シンチグラフィの意義が確認されている．他方，CT や MRI でも，薬剤負荷時での造影検査を行って，心筋虚血部位を描出できるようになってきている．その意味では，これから虚血を評価する新しい競争が始まりつつある．他方一般核医学で得られるのは血流の相対的な評価であり．今後は心筋血流 PET を用いて心筋血流量 myocardial blood flow（MBF）や血流予備能 myocardial flow reserve（MFR）を定量的に求める意義も散見されるようになっている[5]．

B 心臓交感神経イメージング

病態生理

交感神経は，交感神経系血管運動神経，心臓，腎臓，副腎交感神経などに分布し，これらが統合して全身循環系の協調的調節を行っている（図Ⅲ-B-1）．心臓は交感神経，副交感神経により二重の支配を受けているが，交感神経刺激により心臓の心拍数増加，収縮力および弛緩速度を上昇させる．心不全などの病態では，低下した心機能を代償するために交感神経活動は活発になっており，心疾患の病態と深くかかわっている．

検査の進め方

❶ 交感神経機能解析薬剤

^{123}Iは半減期13.3時間，γ線のエネルギーは159 keVである．^{123}I-metaiodobenzylguanidine（MIBG）はカテコールアミンのアナログであり，MIBGはノルエピネフリンと似た動態を示す（図Ⅲ-B-2）．MIBGはシナプスの終末にノルエピネフリントランスポーター（uptake-1）を介して取り込まれ，シナプス小胞内に貯蔵される．貯蔵されたMIBGは開口分泌によりシナプス間隙に放出されるが，MIBGはカテコールアミン受容体には結合せず，生理的な活性は持たない．また，モノアミン酸化酵素monoamine oxidase（MAO）やカテコール-O-メチルトランスフェラーゼcatechol-O-methyltransferase（COMT）により代謝を受けない．そのため，シナプス間隙に放出されたMIBGはシナプス終末に再取り込みされ，代謝されずに再びシナプス小胞内に貯蔵される．シナプス間隙に放出されたMIBGの一部は，血中へと放出される（図Ⅲ-B-2）．したがって，MIBGシンチグラフィによって得られる情報は，シナプス終末への取り込み・小胞内への貯蔵・分泌・再吸収・血中への放出の過程を反映したものである．

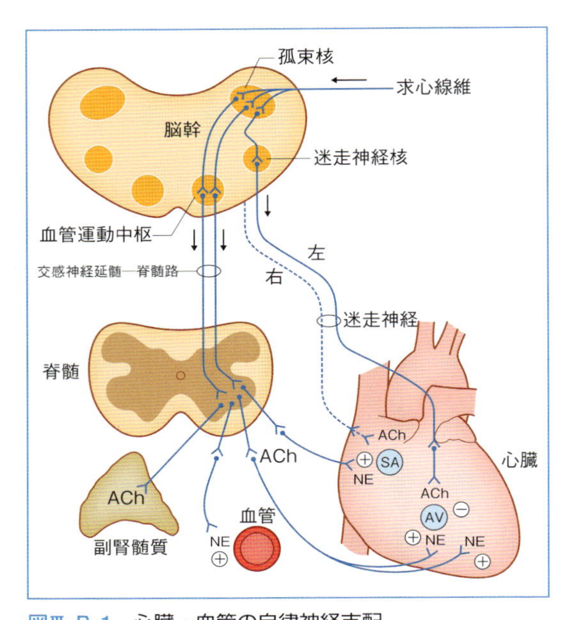

図Ⅲ-B-1　心臓・血管の自律神経支配
SA：洞結節，AV：房室結節，NE：ノルエピネフリン，ACh：アセチルコリン．

❷ 検査の実際

MIBGの動態にさまざまな薬剤が影響を及ぼすことが知られており，検査前の準備として，種々の薬剤を制限することが必要となる．代表的な薬剤として，三環系抗うつ薬，抗精神病薬はMIBGの取り込みに影響を与える．精神疾患の既往がある患者の場合には該当薬剤を内服している可能性が高く，特に注意すべきと考えられる．また，降圧薬であるレセルピンや，カルシウム拮抗薬もMIBGに影響することが知られている．いずれの薬剤も，最低でも1～2週間以上の中止が推奨されている．一般的な心不全に対する薬剤（β遮断薬やアンジオテンシン変換酵素angiotensin converting enzyme（ACE）阻害薬）は影響が少ない．

また，バニリン（バニラの香りの主成分）やカテコールアミン類似物質（チョコレートやブルーチーズ）などの食べ物もMIBGに影響を与えるため，検査前は制限が必要である．

図Ⅲ-B-2 心臓交感神経終末におけるノルエピネフリン(NE)の遊離とその促進(+)・抑制(−)因子およびMIBGの動態(赤矢印)

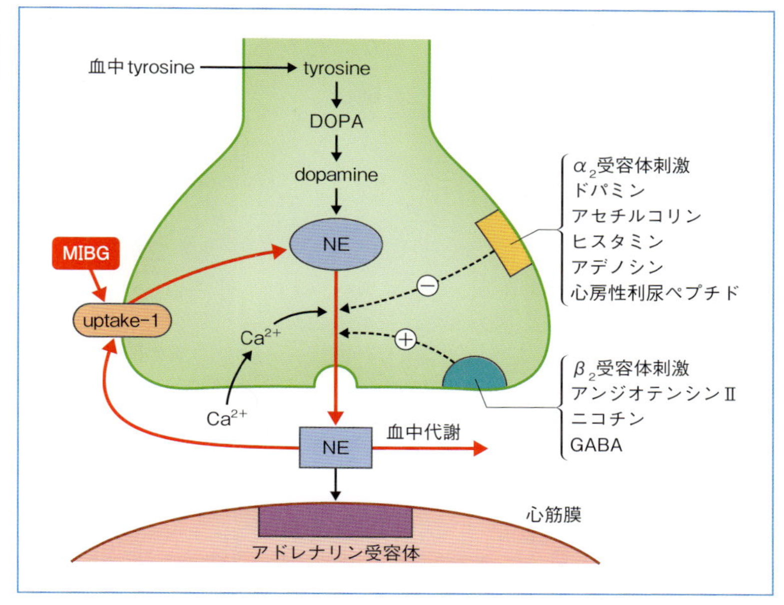

撮像は，MIBG 111 MBqを安静時に静注し，15〜20分後の早期像と，180〜240分後の後期像の2回の撮像を行う．撮像には前面の2次元像（planar像）を撮像する．またSPECT撮影も行う．

前面像から心筋と上縦隔に関心領域を設定して，心筋・縦隔比や洗い出し率などの定量的な指標を算出する．

❸ 検査の適応

心臓MIBGシンチグラフィ上，健常例では心筋への良好な集積がみられるが，心不全例では重症になるほど，交感神経機能が低下し，MIBGの心筋集積は低下する（図Ⅲ-B-3）．MIBGを用いた心不全患者の予後評価としての有用性が多数報告されている[1〜3]．特にわが国で臨床検討が開始された薬剤でもあり，国内から世界に発信している．また，不整脈患者の突然死予測に有用性が報告されている[4]．とりわけ重症不整脈と交感神経異常との関連が注目されており，今後不整脈発生の予測やアブレーションを含む治療の適用やその部位の判定などで，MIBGが活用されることが期待される．

非心臓疾患にも検査の適応が拡大されている．Parkinson病やLewy小体型認知症を非常に優れた感度・特異度で診断可能と報告されており，心筋MIBGシンチグラフィがパーキンソニズムの鑑別に有用と考えられる[5]．心臓交感神経機能の低下をきたす機序は全身の交感神経機能異常を反映したものと考えられるが，いまだ十分に明らかにされていない．また，糖尿病による自律神経障害で心臓交感神経機能が低下するため，糖尿病患者でMIBGを施行する場合には結果の解釈に注意が必要である．

画像の読み方

❶ 基本事項

a．撮像

撮像は，MIBG静注後の15〜20分後の早期像と，180〜240分後の後期像の2回の撮像を行う．

b．planar像

planar像から得られる半定量的指標はMIBGシンチグラフィの主要な評価項目である．

心臓と縦隔のカウント比heart to mediastinum ratio（H/M ratio）は，心臓と縦隔に設定したROIの平均カウントの比である．縦隔をバックグラウンドとし，心臓のMIBGの集積を半定量的に評価するものである（式1）（図Ⅲ-B-4）．

H/M ratio＝(心臓の平均カウント/pixel)/(縦隔の平均カウント/pixel)（式1）

H/M ratioの値は，年齢や使用したコリメータ

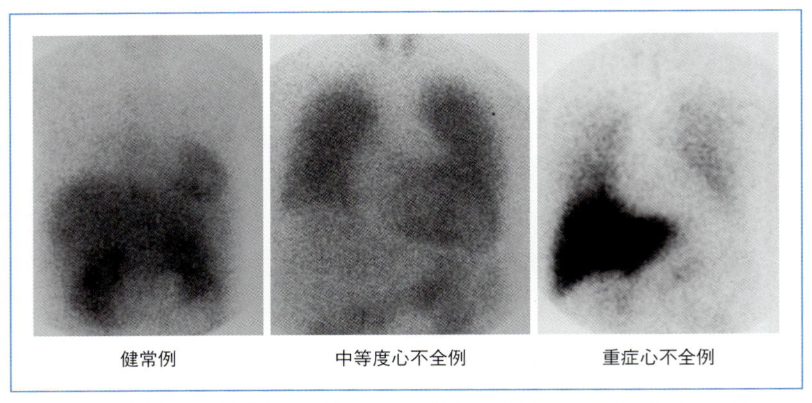

図Ⅲ-B-3 健常例，中等度心不全例，および重症心不全例の MIBG の planar 像
健常例では心筋への良好な集積がみられるが，心不全が重症になると MIBG の集積が低下し，交感神経機能障害が示唆される．

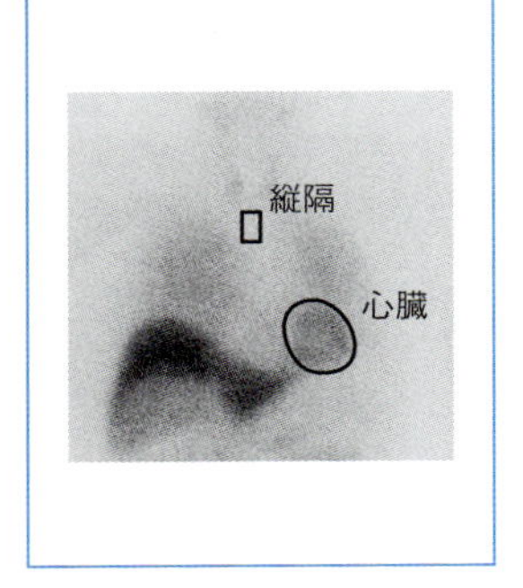

図Ⅲ-B-4 MIBG の planar 像と関心領域（ROI）の設定
左室心筋，縦隔にそれぞれ ROI を設定し，平均カウントの計算を行う．

の種類，撮像時間により変動する．そのため，H/M ratio のカットオフ値は施設ごとに異なると考えられる．一般的に，高齢になるにつれ H/M ratio は低下する．正常では H/M ratio は少なくとも 2.0 以上となると考えられるが，これまでの心不全の予後評価では，H/M ratio のカットオフ値を 1.6～1.7 として報告されたものが多い[1,2]．

他方，MIBG は ^{123}I で標識されており，高いエネルギー成分も含むため，撮像に用いるカメラやコリメータなどの違いにより，計算される H/M ratio に差異が出ることが知られている．較正ファントム実験を施行して，差異を補正するためのソフトウェアが開発されており，正常値や評価基準の共有化，他施設との比較に役立つ．

洗い出し率 washout rate（WR）は，早期相と後期相の心臓の MIBG 集積がどの程度低下したかを表す指標である（式 2）．WR も H/M ratio と同様に撮像条件によって違うが，目安として 35% 以下が正常と考えられる．

$$WR = \{([He]-[Me])-([Hd]^{*}-[Md]^{*})\} / ([He]-[Me]) \quad (式 2)$$

（*減衰補正後，He＝早期心臓平均カウント，Me＝早期縦隔平均カウント，Hd＝後期心臓平均カウント，Md＝後期縦隔平均カウント）

最近はコリメータなどの収集条件の差を補正するソフトウェアも紹介されている[6]．

c．SPECT 像

SPECT 像では，局所の交感神経機能評価が可能である．特に高齢者や糖尿病患者では，左室下壁の局所の交感神経機能障害を起こすといわれている（図Ⅲ-B-5）．

MIBG が最も高頻度に応用されている心不全例を図Ⅲ-B-6 に示す．planar 像では早期像，後期像ともに心臓への MIBG の集積は高度に低下しており，WR の亢進を認める．心機能低下は left ventricular ejection fraction（LVEF）で 30％で中等度低下しているが，交感神経機能の高度低下が示唆され，予後不良の症例と判断される．

近年 Parkinson 病や Lewy 小体型認知症で MIBG の心筋の高度集積低下を認めることが知られ，パーキンソニズムの鑑別に有用と考えられるようになった．その結果，神経内科領域でも急速にその需要が増大している（図Ⅲ-B-7）．

◆ 文献

1) Jacobson, AF et al：Myocardial iodine-123 meta-iodobenzylguanidine imaging and cardiac events in heart failure. Results of the prospective ADMIRE-HF（AdreView Myocardial Imaging for Risk Evaluation in Heart Failure）study. J Am Coll Cardiol 55：2212-2221, 2010
2) Nakata, T et al：A pooled analysis of multicenter cohort studies of（123）I-mIBG imaging of sympathetic innervation for assessment of long-term prognosis in heart failure. JACC Cardiovasc Imaging 6：772-784, 2013
3) Travin, MI et al：How do we establish cardiac sympathetic nervous system imaging with ^{123}I-mIBG in clinical practice? Perspectives and lessons from Japan and the US. J Nucl Cardiol 26：1434-1451, 2019

要点

- MIBG 投与後の心筋集積の程度を定量的に解析することで，心臓交感神経機能評価が可能である．
- 心不全の重症度評価や不整脈の評価として MIBG を用いた心臓交感神経機能評価が有用である．
- 心疾患以外にも，糖尿病や Parkinson 病，Lewy 小体型認知症でも心臓交感神経機能の異常を呈する．

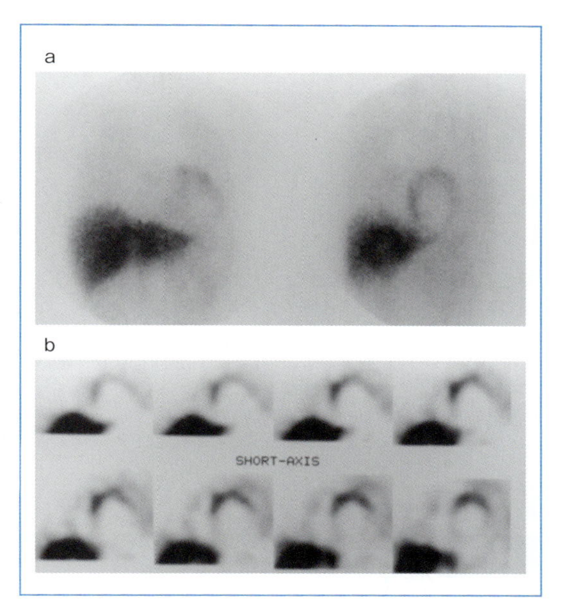

図Ⅲ-B-5 糖尿病のMIBGのplanar 像(a)とSPECT像(b)
MIBG の心筋集積は下壁を中心に低下している．

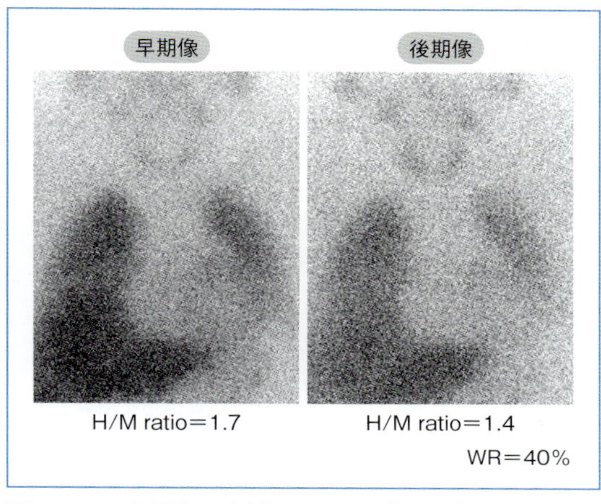

図Ⅲ-B-6 心不全の症例のMIBG早期，後期のplanar像
拡張型心筋症の症例で左室駆出率は 30%で低下を認め，心不全の増悪を繰り返し起こしている．早期像，後期像ともに心臓への MIBG の集積は高度に低下しており，washout rate (WR) の亢進を認める．

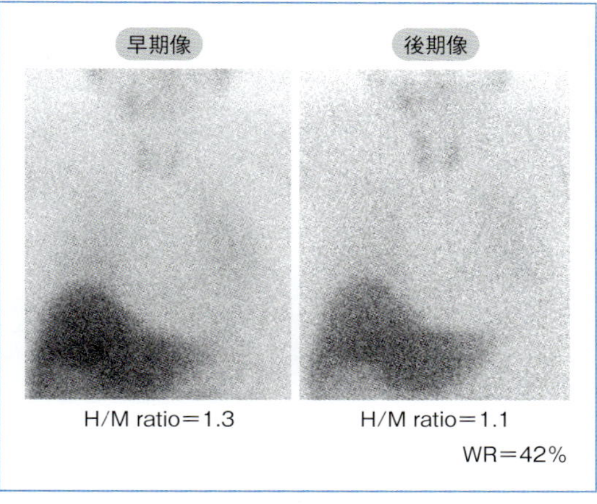

図Ⅲ-B-7 Parkinson 病症例の MIBG 早期，後期の planar 像
早期像，後期像ともに MIBG はほぼ無集積であり，washout rate (WR) も亢進を認める．心疾患や糖尿病の既往はない．

4) Imanli, H et al : Ventricular Tachycardia (VT) Substrate Characteristics : Insights from Multimodality Structural and Functional Imaging of the VT Substrate Using Cardiac MRI Scar, ^{123}I-Metaiodobenzylguanidine SPECT Innervation, and Bipolar Voltage. J Nucl Med 60 : 79-85, 2019
5) Treglia, G et al : Diagnostic performance of myocardial innervation imaging using MIBG scintigraphy in differential diagnosis between dementia with lewy bodies and other dementias : a systematic review and a meta-analysis. J Neuroimaging 22 : 111-117, 2012
6) Okuda K, et al : Calibrated scintigraphic imaging procedures improve quantitative assessment of the cardiac sympathetic nerve activity. Sci Rep 10 : 21834, 2020

心臓脂肪酸代謝

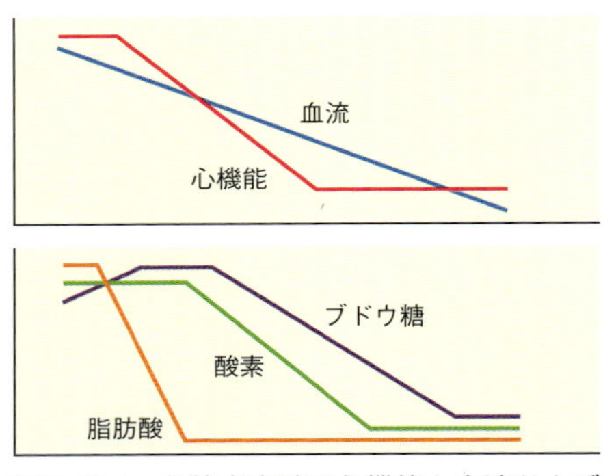

図Ⅲ-C-1 心筋虚血時の心機能と血流および心筋エネルギー代謝の変化の模式図

左側は正常心筋で，右に行くほど心筋虚血は重症となる．

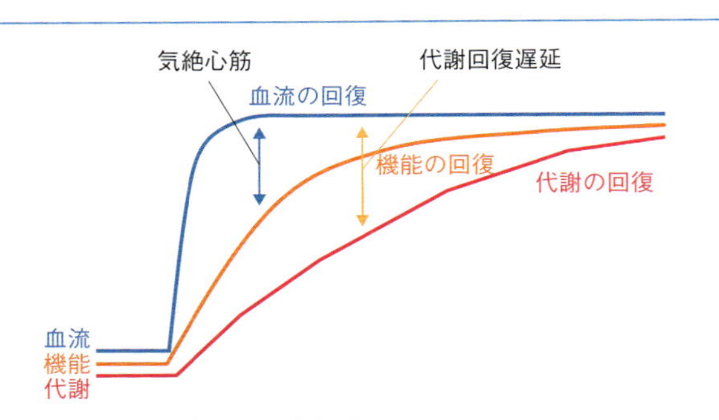

図Ⅲ-C-2 虚血後の回復経過

血流の回復後の経時的変化を示す．血行再建後に血流は改善しても，局所収縮能は低下している．これを気絶心筋 stunned myocardium という．虚血が著しい場合には，血流回復後，機能もある程度回復した後も，代謝異常は持続している．これを代謝回復遅延 metabolic stunning と呼んでいる．

病態生理

❶ 心臓のエネルギー代謝基質

心臓のエネルギーの基質は，60～80％が脂肪酸の代謝によるものである．残りはブドウ糖や乳酸によって行われる．心臓の脂肪酸とブドウ糖の代謝のバランスは，身体の状態で大きく変化する．特に食事の前後でバランスは大きく変化し，食後はインスリンが上昇することでブドウ糖の代謝が増加し，脂肪酸代謝は抑制される．他方，絶食時にはインスリンの分泌は減少し心臓でのエネルギー代謝はブドウ糖から脂肪酸が優位となる．

脂肪酸代謝はエネルギー効率がよいものの，酸素を多く利用するため，心筋の虚血では容易に抑制され，ブドウ糖利用に変化する（図Ⅲ-C-1）．心筋が虚血にさらされることで心筋の脂肪酸代謝は速やかに障害され，嫌気的なブドウ糖代謝が主要なエネルギー源へと切り替わる．そのため，心筋脂肪酸代謝は心筋虚血を鋭敏に反映する指標になる．また虚血回復時には，虚血により障害された脂肪酸代謝はしばらく持続するため（図Ⅲ-C-2），過去に生じた高度の虚血の既往をみることにも応用することができる．

検査の進め方

❶ 脂肪酸代謝製剤

脂肪酸代謝の解析を目的とした放射性薬剤には^{11}C 標識パルミチン酸をはじめ，種々の ^{123}I 標識脂肪酸が開発・検討されてきた．その中で臨床応用が進んでいるのがβ-methyl-p-[^{123}I]-iodophenyl-pentadecanoic acid（BMIPP）である．これは側鎖の脂肪酸でベンゼン環のパラの位置に ^{123}I を標識して安定化を図った薬剤で，わが国で臨床応用の進んだ薬剤である[1]．

BMIPP は心筋細胞に取り込まれた後にトリグリセリドプールに取り込まれる．一部しかβ酸化を受けないため，心筋細胞からの洗い出しが遅く，BMIPP-CoA の形で比較的長く心筋内に停滞する（図Ⅲ-C-3）．他方，心筋虚血や虚血の回復後には，β酸化が抑制され，lipid store が増大する．その結果，心筋に取り込まれた BMIPP は血液に逆拡散 back diffusion する量が増大するとされる[2]（図Ⅲ-C-3）．したがって BMIPP の心筋への集積度から脂肪酸の利用をある程度反映できると考えられている．BMIPP 核種である ^{123}I の半減期は 13.3 時間，γ 線のエネルギーは 159 keV である．

❷ 検査の実際

原則として検査前の食事は絶食が望ましい．ただパルミチン酸などの直鎖の脂肪酸とは異なり，β 酸化の影響をあまり受けないため，食事の影響は強くは受けない．

多くの場合，安静時に BMIPP 111 MBq を静脈投与後，10～30 分から撮影する．この検査の多くは心筋虚血の同定を目的とするため，運動負荷時の投与も検討されたことがある．しかし BMIPP は心筋血流製剤ほど血液からの洗い出しが速やかでないため，負荷心筋血流検査ほど高頻度に虚血部を集積低下として描出されない．むしろ安静状態で代謝の異常があるかどうかの観点で利用される．また心筋血流と対比することが多く，心筋血流検査と同様に SPECT 撮影が必須である．撮影時間はガンマカメラによって異なるが，心筋血流 SPECT とほぼ同程度で 10～30 分である．

❸ 検査の適応

虚血性心疾患が BMIPP のよい適応である．虚血を繰り返している心筋は，安静時には血流は保たれているが，脂肪酸代謝は障害されている．BMIPP のみの施行でも脂肪酸代謝の障害は検出可能であるが，虚血心筋と障害心筋（瘢痕）の判断ができない．そのため，血流シンチグラフィと併用することで虚血の診断ができる[1,3]．負荷心筋シンチグラフィと比較した BMIPP の大きな利点は，負荷をかける必要がないことである．そのため，高齢者の喘息症例など，運動負荷も薬剤負荷も施行できない症例にはよい適応であると考えられる．特に胸痛で来院した症例で急性心筋梗塞を除外できた症例での安静時 BMIPP 検査で不安定狭心症などを的確に診断することの意義は大きい[4]．過去に高度の虚血の既往があったかどうかを判定することができると考えられている[5]．また腎透析症例にしばしばみられる虚血性心疾患の早期診断や重症度判定に負荷の不要な BMIPP 検査が用いられるようになっている[6]．

虚血性心疾患の中でも特に，冠攣縮性狭心症の診断に BMIPP が有用であると考えられる[7,8]．冠攣縮性狭心症は安静時には冠動脈狭窄を認めず，負荷心筋シンチグラフィでは虚血の所見を示さない．そのため，発作後できるだけ早期に BMIPP シンチグラフィを施行することで虚血の有無の鑑別ができる[8]（図Ⅲ-C-4）．

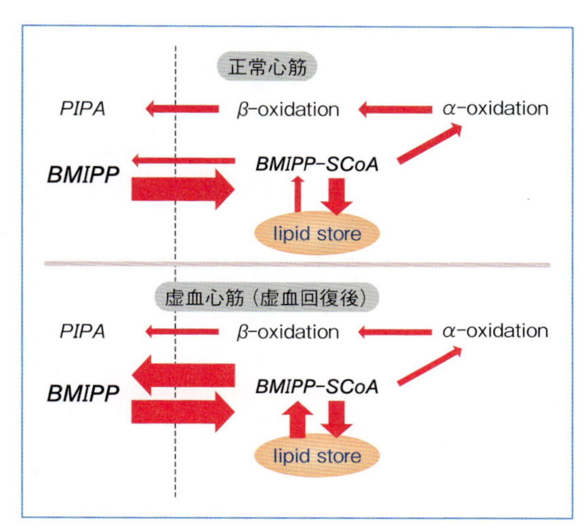

図Ⅲ-C-3 正常心筋と虚血心筋の BMIPP の体内挙動
破線の右側は心筋細胞内を示す．

他方，肥大型心筋症などでは，高率に脂肪酸代謝異常を呈することが BMIPP などの検査で明らかになってきている[9]．心筋症の病態評価にも役立つ．中でも不安定狭心症や冠攣縮性狭心症の診断，評価にはぜひ実施すべき検査法と位置づけされている．

画像の読み方

❶ SPECT 像

画像の基本的な読み方は，「A 心筋血流シンチグラフィ」に準じる．注意すべき点は，血流シンチグラフィと比較して放出するエネルギーが比較的高く，特にタリウムに比べるとγ線吸収の影響が少なく，正常例でも下壁などで心筋血流分布と微妙に異なってみえることがある．

❷ 病変の検出，病態評価の考え方

多くの場合には負荷時あるいは安静時の心筋血流 SPECT と対比しながら安静時 BMIPP-SPECT を読影する．その場合，血流分布に比べて BMIPP 集積低下があるか否か，またその異常は

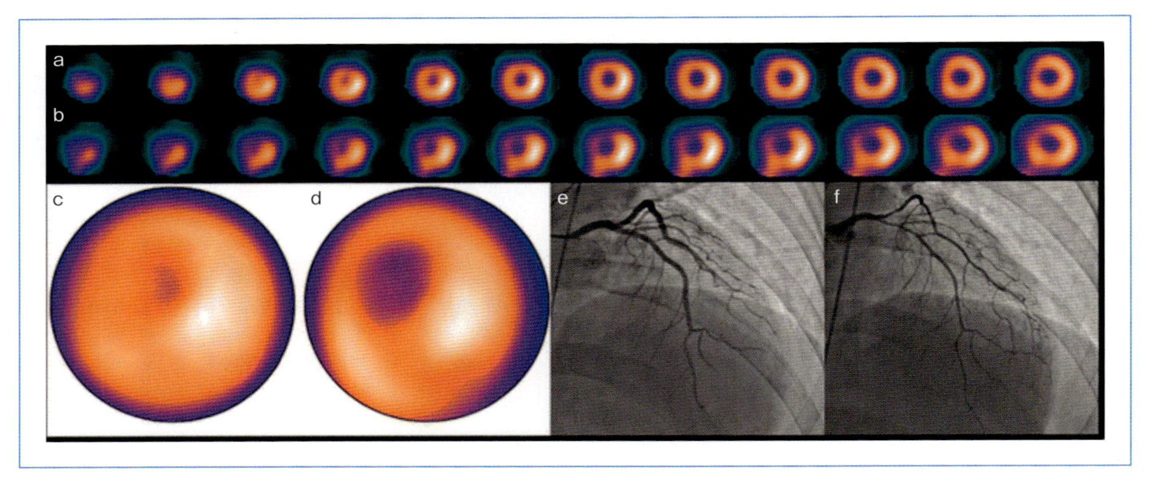

図Ⅲ-C-4 冠攣縮性狭心症の血流と代謝イメージング

冠攣縮を繰り返す症例の^{99m}Tc-血流製剤および^{123}I-BMIPP による短軸断層像（a，b）およびその同心円表示（c，d）．CAG ではアセチルコリン負荷前後により，LAD の攣縮がみられる（e，f）．

どの部位にあり，どの程度広がっているかについて詳細に検討する（図Ⅲ-C-5，6）．これらの症例をみると，負荷をかけずに高度の虚血の既往を安静時 BMIPP の検査で代謝の異常として描出できる意義がよく理解できる．

また，心筋症でも肥大部を中心に高率に代謝の異常を同定することができる（図Ⅲ-C-7）．心筋症においても心筋血流とともに BMIPP 検査を併用することで病態把握に役立つ．その他，たこつぼ型心筋症などの心筋疾患でも，血流と脂肪酸代謝の乖離（ミスマッチ）した所見を高頻度に呈することが示されている（NOTE 参照）．

Note

● 血流と脂肪酸代謝の乖離

本章で繰り返し紹介しているように，脂肪酸代謝イメージングの意義は血流分布に比べて脂肪酸代謝を反映する BMIPP の集積が低下してみえる所見（血流と脂肪酸代謝の乖離，ミスマッチ）である．これは高度の虚血や虚血の回復期に血流は改善しても，脂肪酸代謝の遷延する異常を反映していると考えられている．したがって虚血を同定することに役立つ．他方，心筋症などの心筋疾患では，早期より脂肪酸代謝異常を呈するとされ，血流の異常は呈さなくても，代謝の異常として描出され，血流と脂肪酸代謝の乖離を示す．

◆ 文献

1）Tamaki, N et al：The Japanese experience with metabolic imaging in the clinical setting. J Nucl Cardiol 14(3 Suppl)：S145-S152, 2007
2）Hosokawa, R et al：Myocardial kinetics of iodine-123-BMIPP in canine myocardium after regional ischemia and reperfusion：implications for clinical SPECT. J Nucl Med 38：1857-1863, 1997
3）Inaba, Y et al：Diagnostic accuracy of β-methyl-*p*-[123I]-iodophenyl-pentadecanoic acid(BMIPP) imaging：A meta analysis. J Nucl Cardiol 15：345-352, 2008
4）Kawai, Y et al：Significance of reduced uptake of iodinated fatty acid analogue for the evaluation of patients with acute chest pain. J Am Coll Cardiol 38：1888-1894, 2001
5）Yoshinaga, K et al：Ischaemic memory imaging using metabolic radiopharmaceuticals：overview of clinical settings and ongoing investigations. Eur J Nucl Med Mol Imaging 41：384-393, 2014
6）Nishimura, M et al：Prediction of cardiac death in hemodialysis patients by myocardial fatty acid imaging. J Am Coll Cardiol 51：139-145, 2008
7）Nakajima, K et al：Utility of iodine-123-BMIPP in the diagnosis and follow-up of vasospastic angina. J Nucl Med 36：1934-1940, 1995
8）Manabe, O et al：Radiopharmaceutical tracers for cardiac imaging. J Nucl Cardiol 25：1204-1236, 2018
9）Tadamura, E et al：Impairment of BMIPP uptake precedes abnormalities in oxygen and glucose metabolism in hypertrophic cardiomyopathy. J Nucl Med 39：390-396, 1998

要点

- BMIPP はその分布から心筋脂肪酸代謝を映像化できるわが国で開発された薬剤である.
- 高度の虚血やその回復期には血流は回復しても脂肪酸代謝異常は遷延するため，虚血病変を BMIPP で同定できる.
- BMIPP は器質的な冠動脈狭窄のない冠攣縮性狭心症や，透析症例などの冠動脈病変の検出に役立つ.
- BMIPP は肥大型心筋症などの心筋疾患でも高頻度に代謝異常を同定できる.

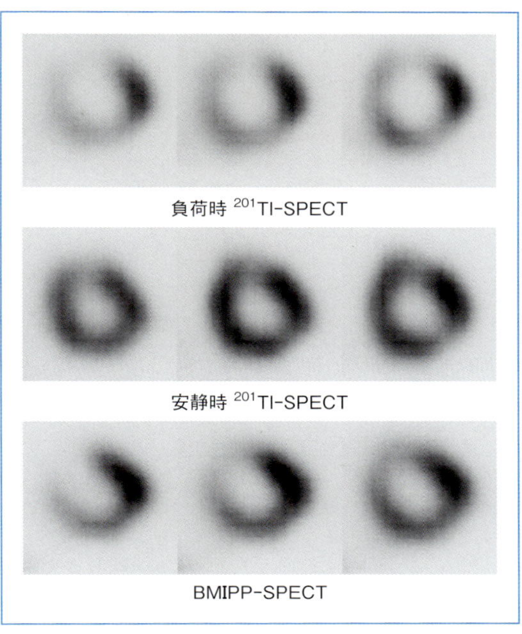

図Ⅲ-C-5 LAD を責任病変とする不安定狭心症例の運動負荷時（上段）と安静時（中段）および安静時 BMIPP（下段）の短軸面断層像

軽度の負荷にて前壁，中隔に広範囲な心筋虚血を示す．安静時血流分布はほぼ正常である．しかし安静時 BMIPP では前壁，中隔の集積低下が顕著で，安静時の代謝の異常があり，心筋虚血の既往を示唆する所見と考えられる．

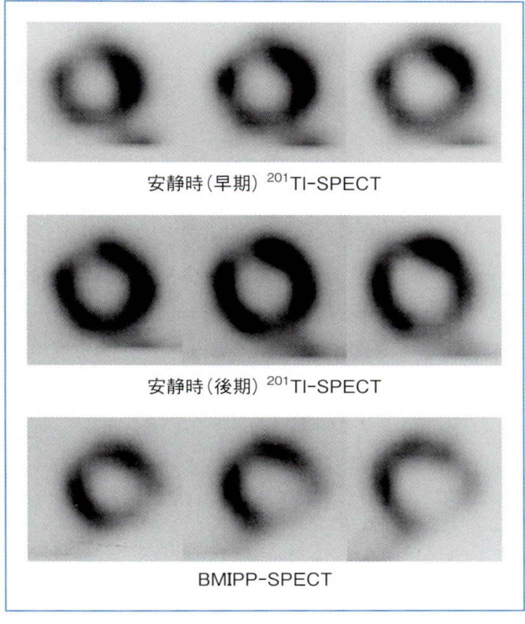

図Ⅲ-C-6 3 枝病変の不安定狭心症の安静時タリウムの早期像（上段）と後期像（中段）および安静時 BMIPP（下段）の短軸面断層像

不安定症例のため，負荷をかけることができず，安静時の血流は前壁と下壁に軽度の血流低下が示唆される．他方，BMIPP では前壁はごく軽度の低下があるが，下壁から側壁にかけての著明な集積低下があり，高度の虚血病変が RCA から LCX 領域にあることが示唆される．

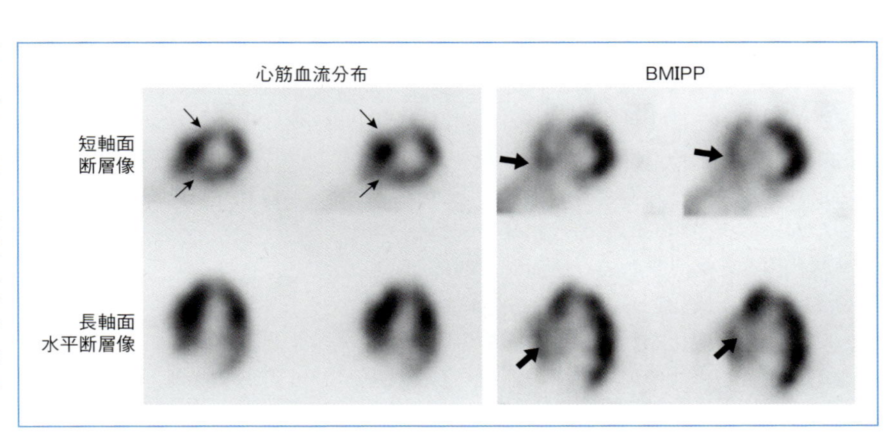

図Ⅲ-C-7 肥大型心筋症の安静時タリウムおよび BMIPP の短軸面断層像

非対称性肥大を示す中隔の前接合部と後接合部に血流低下がみられ（矢印），肥大型狭心症（HCM）に特徴的な所見を呈している．BMIPP では中隔全体に集積低下があり（太矢印），肥大部における代謝の顕著な異常が示唆される．

D 心臓糖代謝イメージング

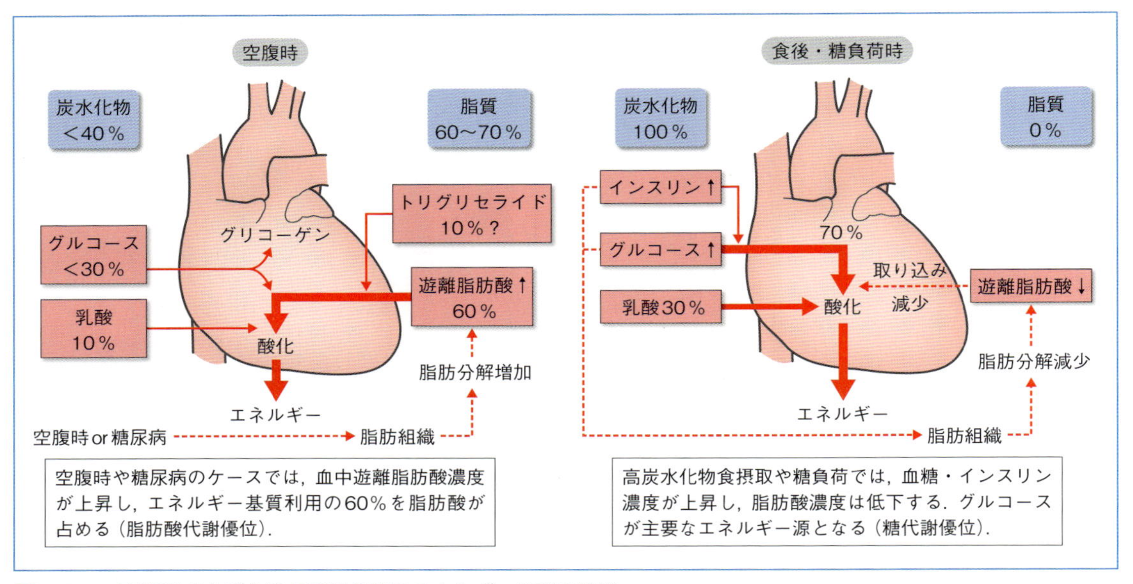

図Ⅲ-D-1　空腹時および食後の正常心筋のエネルギー代謝の特徴

空腹時や糖尿病では血液遊離脂肪酸濃度が上昇し，エネルギー基質は脂肪酸が占める．他方，食後や糖負荷時にはインスリン濃度が上昇し，脂肪酸代謝は抑制され，ブドウ糖が主なエネルギー源となる．

（文献 1）より改変）

病態生理

心臓はエネルギーの基質として，脂肪酸，ブドウ糖，乳酸などを代謝する．心臓のエネルギーは60〜80％が脂肪酸によるものであるが，食事の前後でブドウ糖代謝は変化する．正常心筋のブドウ糖代謝はインスリンにより調節されており，食後は血糖が上昇しインスリンの分泌が亢進して心筋でのブドウ糖代謝は増加する．一方で，絶食時にはインスリンの分泌が低下し心筋の代謝はほぼ脂肪酸のみで行われる（図Ⅲ-D-1）[1]．

心筋が虚血に陥った場合，心臓での脂肪酸代謝は速やかに障害され，心筋の代謝は嫌気的なグルコース代謝へと切り替わる．虚血が高度になり心筋細胞が壊死に陥ると，糖代謝も行われなくなる．この代謝の変化を利用し，心筋の生存性の評価を行うことが可能である．この虚血心筋を梗塞心筋と鑑別する心筋バイアビリティの判定には，十分ブドウ糖を負荷した状態で検査を行い，ブドウ糖の利用の高い正常心筋と虚血心筋と，利用のない梗塞心筋とを鑑別する．

他方，絶食時には正常心筋は，脂肪酸を利用してブドウ糖の利用が抑制されている．また，虚血心筋は，脂肪酸代謝が抑制され，ブドウ糖を利用するため，虚血心筋のみ陽性に描出される．同様に活動性炎症性病変では，マクロファージなどがブドウ糖を利用するため，絶食状態ではこのような病変を陽性に描出することができる（図Ⅲ-D-2）．

検査の進め方

❶ FDG

^{18}F-FDG は PET 製剤である．^{18}F の半減期は110分である．

FDG はグルコーストランスポーター glucose

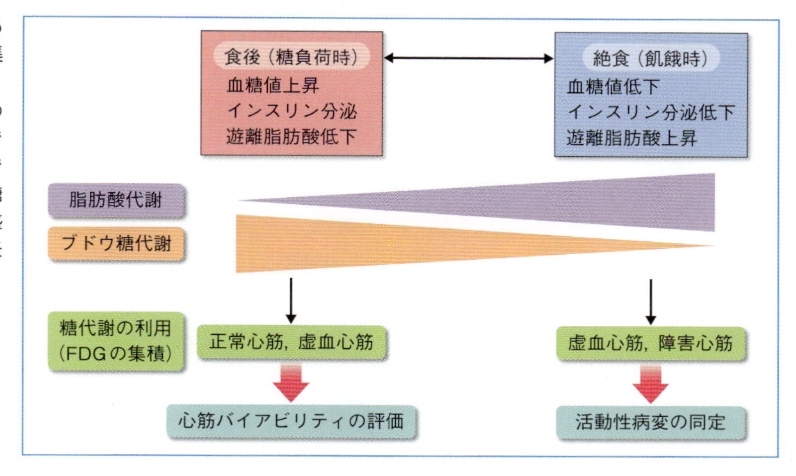

図Ⅲ-D-2 食後と絶食時におけるエネルギー基質の変化とFDGの集積による利用法
糖負荷時には正常心筋と虚血心筋でのブドウ糖の利用があるため，FDGでは心筋バイアビリティの評価に利用できる．他方，絶食時には正常心筋の糖代謝は抑制されており，ブドウ糖を盛んに利用している虚血心筋や活動性炎症がFDGで陽性に描出される．

transporter（GLUT）を介して細胞内に取り込まれ，細胞内でヘキソキナーゼによりFDG-6-リン酸へと代謝される．しかし，グルコースと違いその先の代謝経路には進まず細胞内にトラップされる（薬剤の詳細は「Ⅸ 腫瘍」を参照）．

FDGは，糖代謝が盛んな領域に集積する．健常人でも，脳，肝臓，脾臓，消化管，尿路などには代謝や排泄に伴う生理的集積を認める．悪性腫瘍には一般的にFDGは高度の集積を示し，病態評価に広く用いられている．また，炎症巣では炎症細胞が活性化され糖代謝が盛んになるため，FDGがよく集積する．

❷ 検査前処置

前述のように心筋はエネルギー基質の状態に応じてブドウ糖を利用したり，脂肪酸を利用したりする．したがって図Ⅲ-D-2に示したように，目的に応じて検査前処置をしっかり定める必要がある．

心筋バイアビリティの評価の場合には，障害心筋を判別するために正常心筋の生理的なFDG集積を亢進させる必要がある．そのため，検査前に血糖値を測定し，90 mg/dL以下であれば，糖負荷（経口ブドウ糖の投与あるいはブドウ糖の静注）を行う．血糖値を測定して，120～160 mg/dLまで上昇すれば，そのままFDGを投与する[2]．糖尿病症例であっても，血糖値を十分モニターすることでFDG PETは十分可能である（NOTE）．

心臓の活動性病変の評価を行う場合には，正常心筋の生理的な糖代謝を抑制する必要がある．心臓の糖代謝を抑制する最も一般的な方法は炭水化物の摂取制限である．長時間の絶食が最も確実な方法であり，最低でもFDG静注前に12時間以上（できれば18時間以上）の絶食を行うことが望ましいと推奨されている[3]．低炭水化物食（食事内の炭水化物が5 g未満）を組み合わせることで生理的集積の抑制効果が上がると考えられている．理論上は絶食時間が長いほど心臓の生理的集積を抑制できると考えられるが，あまり長時間になると患者への負担が増し，低血糖症状をきたすこともあるためFDG投与前に血糖値の確認や低血糖症状の有無を評価することが重要である．

そのほかにも，高脂肪食，検査前の未分画ヘパリン静注などのさまざまな方法や，それぞれを組み合わせた方法が試されている．いずれの方法も，心筋の糖代謝を抑制させる目的で行われている．未分画ヘパリン静注は，血中の遊離脂肪酸を上昇させることで心筋での糖代謝を抑制すると考えられているが[4]，その有用性の有無については議論があり，検査手技が煩雑になることもあり，現在は使用されていない施設も多い．

❸ 検査の実際

前述のように目的に合わせた状態でFDGを185 MBq（体重あたり約3 MBq/kg程度）安静時に静脈投与し，60分安静状態を保った後，PETで心臓領域（必要に応じて全身＋心臓領域）を撮像する．検査前の準備として，種々の薬剤を制限することが必要となる．

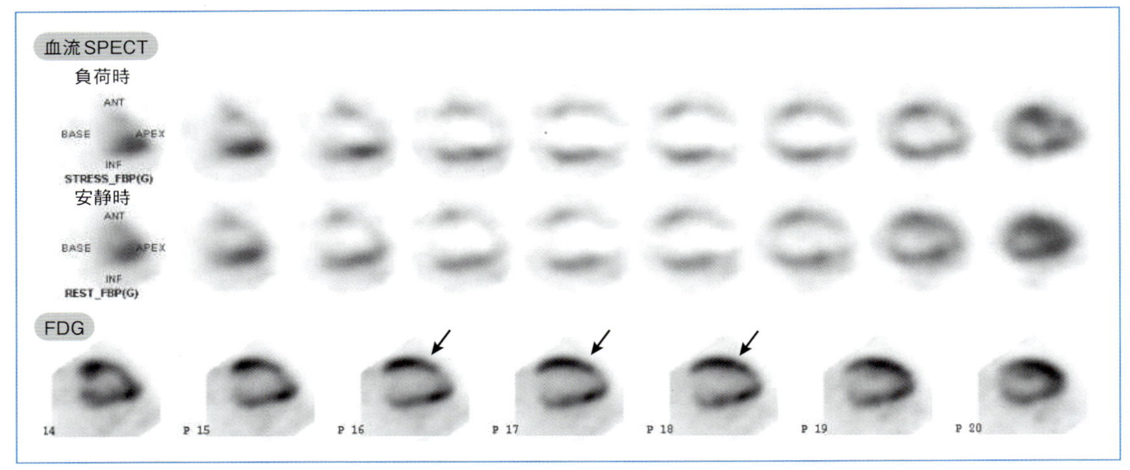

図III-D-3 心筋梗塞の負荷時・安静時心筋血流 SPECT および FDG PET の長軸面垂直断層像（虚血心筋あり）
SPECT では前壁から心尖部にかけて広範囲の血流低下があり，負荷から安静時にかけての分布の改善は明らかでなく，虚血を同定できない．他方，FDG は心尖部では同様に集積低下しているものの，前壁に FDG の残存集積があり（矢印），同部の虚血心筋の存在が示唆される．

❹ 検査の適応

心疾患に対する FDG PET の適応は，虚血性心疾患患者の心筋バイアビリティ（生存能）の判定である．特に心機能が低下した心不全例で，かつ通常の心筋血流シンチグラフィで虚血の存在が判定しにくい症例がその対象となる．なぜならば，心筋バイアビリティ評価でよく利用される心筋血流シンチグラフィで虚血の判定ができれば，あえて FDG PET を利用する必要がない．実際には心不全があり，血行再建術のリスクの高い症例で，かつ通常の検査で判定不能の症例こそ，FDG PET が効果を発揮する．特に心不全例での心筋バイアビリティ判定は，その後の血行再建術の適応を的確に決め，予後判定にも重要な役割を演じることが報告されている[5)]．

近年，心血管の活動性病変の描出，同定の意義が高まっている．FDGは大血管の炎症性疾患も陽性描出できる（「X　炎症」参照）．他方，心臓サルコイドーシスへの応用は，わが国での先駆的な臨床検討の報告が高く評価され，2012 年に保険適用され，臨床の現場で利用されるようになっている[3,6)]．一般にサルコイドーシスは予後良好とされるが，心臓サルコイドーシスの合併は致死性不整脈や突然死につながる予後不良の疾患である．その的確な診断が求められている．

画像の読み方

❶ 心筋バイアビリティの判定

虚血性心疾患症例では，血行再建術の適応を決める際に，狭窄病変だけでなく，その機能的な異常の程度を判定することが大切とされている．特に狭窄部の末梢が虚血にさらされているかの判定が重要となる．虚血心筋を同定する判定としては，多くの場合，心筋血流シンチグラフィが有効であるが，判定が難しい場合に，FDG PET 検査所見が役立つことが多い．正常心筋や虚血心筋と梗塞心筋とを鑑別する心筋バイアビリティの判定には，多くの場合，心筋血流画像と対比して判断する．虚血心筋は，血流低下を認めていても糖代謝が保たれている．他方，生存性のない瘢痕化した心筋は，血流，糖代謝ともに低下する．心筋血流所見がなくても，FDGのみの画像で判定することもできる．その場合には，FDGの相対的集積が50％以下の領域を梗塞心筋（バイアビリティなし）と判定している．

通常の負荷心筋血流シンチグラフィで判定の困難であった 2 例の長軸面垂直断層像を**図III-D-3, 4** に示す．どちらも前壁に大きな血流低下があり，負荷と安静時で明らかな分布の改善（fill-in）がなく，虚血の有無の判定は困難である．しかし

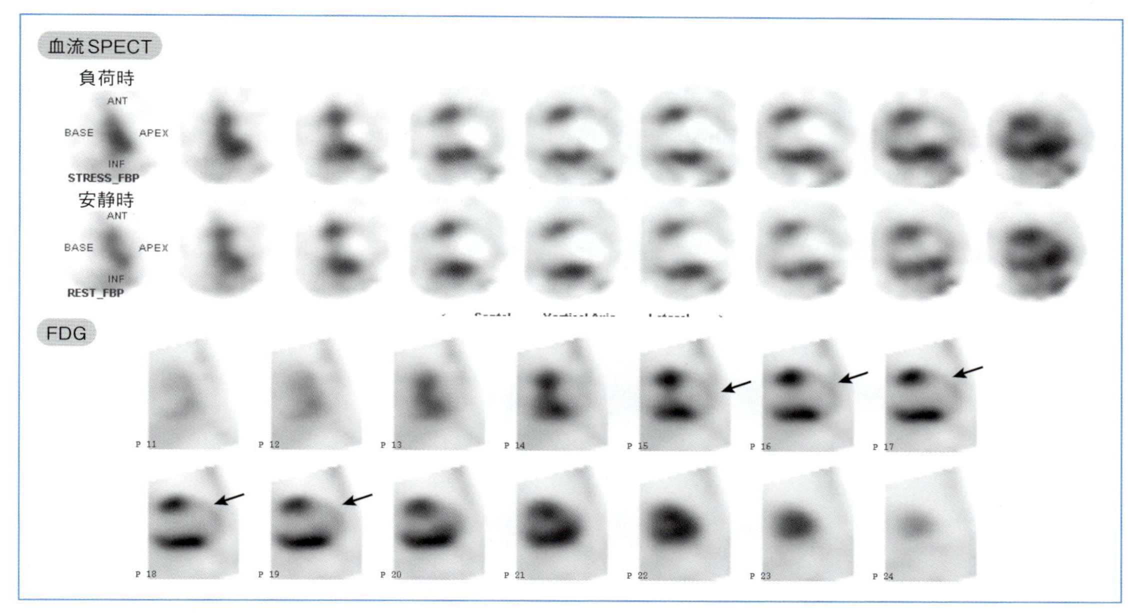

図Ⅲ-D-4 心筋梗塞の負荷時・安静時心筋血流 SPECT および FDG PET の長軸面垂直断層像(生存心筋なし)
SPECT では心尖部を中心に広範囲の血流低下があり，負荷から安静時にかけての分布の改善はみられず，虚血を同定できない．FDG でも同部の集積は著明に低下しており(矢印)，梗塞心筋と考えられ，生存心筋の残存は確認できない．

図Ⅲ-D-3 の例では前壁の一部に強い FDG の残存集積があり，虚血心筋ありと判定される．他方，図Ⅲ-D-4 の例では前壁から心尖部の血流低下部位には FDG の集積も低下しており，生存心筋なしと判定される．

❷ 心臓サルコイドーシス

FDG が活性型のマクロファージなどの炎症性細胞に集積することが知られ，活動性病変の検出に応用される．サルコイドーシスの症例を図Ⅲ-D-5 に示す．肺門部，肺野への強い FDG 集積に加えて，心臓にも局所的な集積があり，心臓サルコイドーシスが疑われる．病変の判断には，FDG の集積パターンの評価が重要である．特に巣状(focal)な FDG 集積を示す場合には心臓サルコイドーシスにおいて特徴的な所見である．一方で，基部側や側壁側の連続性のある集積や，びまん性の FDG 集積の場合には生理的な集積である可能性が高い[3,6]．

全身のサルコイドーシス病変の評価も必要である．特にリンパ節病変（縦隔・肺門）は頻度が高い．そのほかにも，肝臓や脾臓，皮膚，筋肉などへの FDG 集積の有無を確認する必要がある（図

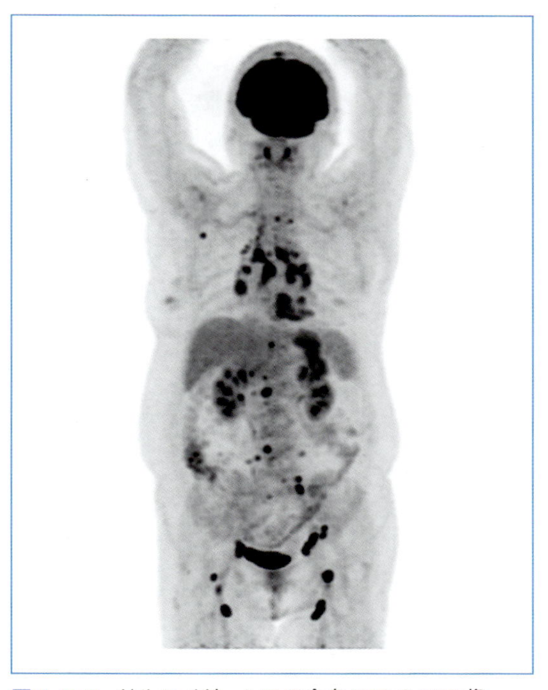

図Ⅲ-D-5 サルコイドーシスの全身 PET の MIP 像
60 歳代女性．全身にサルコイドーシス病変を認める．頭頂骨，全身のリンパ節，心筋に異常集積を認め，いずれもサルコイドーシス病変と考えられた．

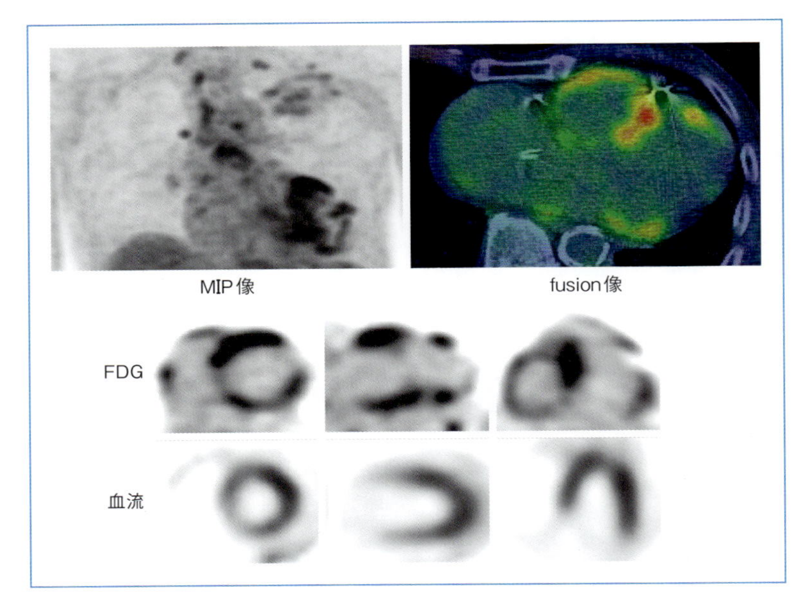

図Ⅲ-D-6 心臓サルコイドーシスのFDG PETのMIP像とPET/CTの融合画像(上段)およびFDG PETと心筋血流SPECTのほぼ同じ断面
80歳代男性．完全房室ブロック，心室頻拍を契機に精査され，組織学的にサルコイドーシスと診断された．FDG PET/CT施行前に18時間以上の絶食，FDG投与の15分前にヘパリン静注(50単位/kg)を行った．左室心筋，右室心筋に不均一な集積亢進を認め，いずれも心臓サルコイドーシス病変の活動性のある炎症を示している．血流像では，一部でFDGの集積亢進と一致して血流低下を認め，活動性病変とともに心筋線維化が進んでいることが示唆される．

Ⅲ-D-5)．心臓に孤発するサルコイドーシスはまれであるため，心臓のみにFDG集積を認める場合には慎重な判断が必要である．また，臨床的な診断基準を満たすかどうかも必ず確認するべきである．心筋血流シンチグラフィの併用が，心臓サルコイドーシス病変の判断に有用である．サルコイドーシス病変の炎症と炎症後の瘢痕はしばしば混在するため，FDGの集積亢進に一致して血流低下を認めることが多い（図Ⅲ-D-6）．両者の併用により診断精度は高まる．さらには両者を併用することで，心臓サルコイドーシス疑いの症例の生命予後を推定することができるとも報告されている[7]．また，ステロイドなどによる治療効果判定にも役立つ（図Ⅲ-D-7）．特にFDGが集積するのは活動性病変であり，その多くはステロイド治療により改善がみられる．他方，造影MRIも心臓サルコイドーシスの診断に役立ち，最近では種々の画像診断を用いて予後不良の心臓サルコイドーシスを的確に診断し，治療に繋げようとされている．

❸ 感染性心内膜炎

現在この目的でのFDG PETは保険適用とはされていない．

感染性心内膜炎は，血流により細菌が弁を含む心内膜に付着することにより生じる感染症であり，倦怠感，易疲労感，発熱，体重減少といった全身臨床症状が引き起こされる．血管塞栓により，脳血管障害，心筋梗塞，末梢動脈の閉塞，腹痛，血尿などの症状が出現することもある．不明熱の代表的な疾患でもあり，診断は必ずしも容易ではない．2000年に一部改訂されたDuke診断基準が広く用いられているが，人工弁置換術後やペースメーカー埋め込み後の症例ではエコーでの評価が難しいことから，診断感度が低下する[8]．

人工弁置換術後の感染性心内膜炎例に対してのFDG PET/CTの有用性が報告され，欧州心臓病学会European Society of Cardiology（ESC）のガイドラインではエコーでの評価が難しい場合に，FDG PET/CTや白血球標識シンチグラフィが診断の選択肢として取り上げられている[9]．活性化されたマクロファージ，好中球，リンパ球などの炎症性細胞が高密度に分布することによりFDGが集積すると考えられる．心筋への生理的集積により評価が困難になることがあるため，体調が許せば検査前準備は心臓サルコイドーシスの方法に準じる．

FDG PET/CTは全身を評価することで，感染性心内膜炎に併発するOsler結節（指趾先端の有痛性紅斑），不明熱の原因になるような他病変がないか，炎症に伴う骨髄，脾臓機能の賦活化を反映した集積亢進などを評価することが可能である[10]（図Ⅲ-D-8）．人工弁やペースメーカーのリードによるアーチファクトが偽陽性の要因とな

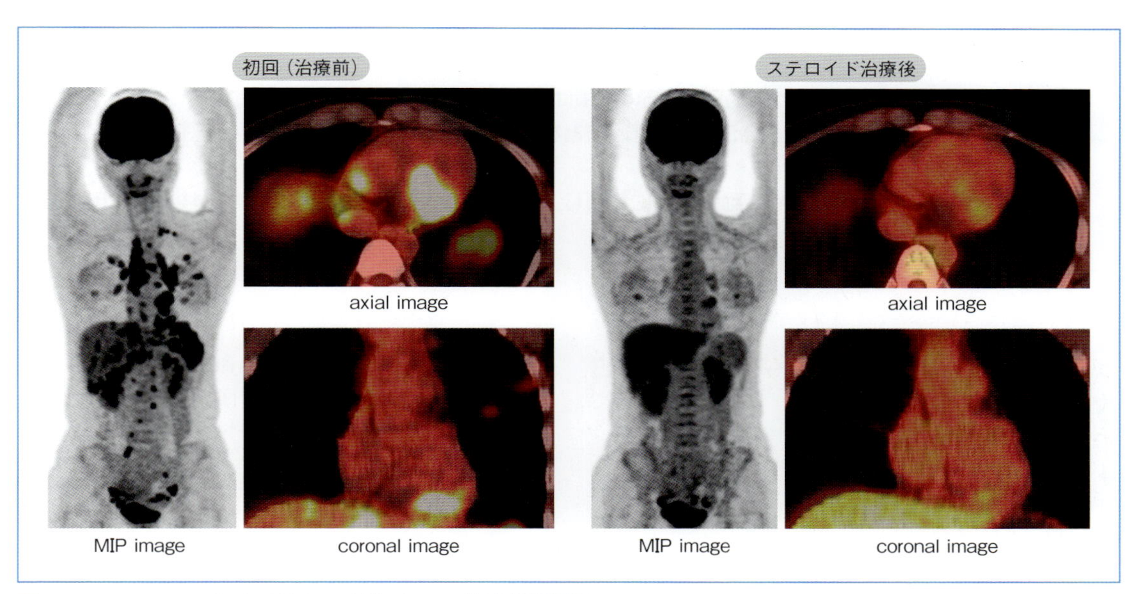

図Ⅲ-D-7　FDG PETによるサルコイドーシスの治療前後評価
初回検査では全身のリンパ節，脾臓，肝臓のほか，心筋に集積が認められる．1ヵ月のステロイド治療後は左室心筋にわずかに集積が残存しているものの，そのほかの集積は消失している．

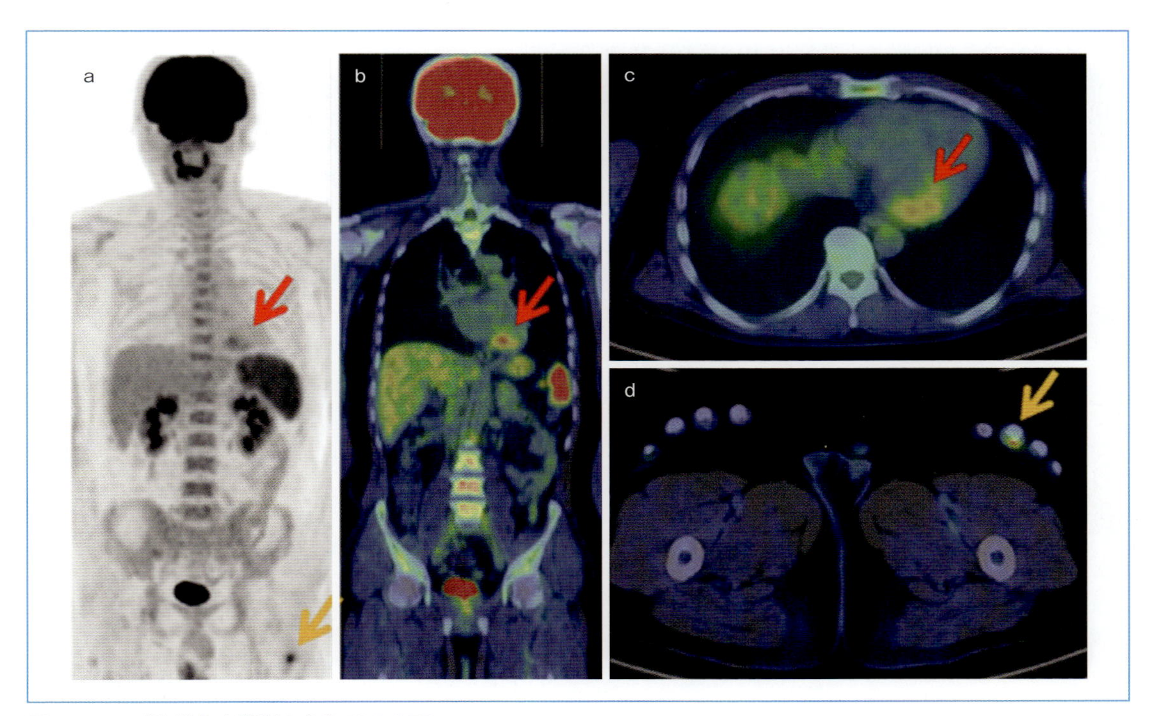

図Ⅲ-D-8　感染性心内膜炎の全身FDG PET
僧帽弁の疣贅への集積（赤矢印）だけでなく，左第3指のOsler結節（黄矢印）にも集積亢進あり．体幹骨骨髄や脾臓へのびまん性集積亢進あり，感染に伴う反応性の機能賦活化が疑われる．

（文献9）より）

要点

- 正常心筋は絶食と糖負荷の状態で正常心筋の集積は大きく左右される.
- 糖負荷後のFDG PETにより虚血心筋と梗塞心筋とを鑑別でき，心筋バイアビリティの評価に利用できる.
- 絶食下ではFDGは虚血心筋や活動性炎症に集積し，特に心臓サルコイドーシス病変の検出に有用である.

りうるため，吸収補正前の画像も確認することが大事である.

◆ 文献

1) 日本心臓核医学会：地域別教育研修会テキスト，p51，2011
2) Bacharach, SL et al：PET myocardial glucose metabolism and perfusion imaging：Part 1-Guidelines for data acquisition and patient preparation. J Nucl Cardiol 10：543-556, 2003
3) Ishida, Y et al：Recommendations for ^{18}F-fluorodeoxyglucose positron emission tomography imaging for cardiac sarcoidosis：Japanese Society of Nuclear Cardiology recommendations. Ann Nucl Med 28：393-403, 2014
4) Manabe, O et al：The effects of 18-h fasting with low-carbohydrate diet preparation on suppressed physiological myocardial ^{18}F-fluorodeoxyglucose (FDG) uptake and possible minimal effects of unfractionated heparin use in patients with suspected cardiac involvement sarcoidosis. J Nucl Cardiol 23：244-252, 2016
5) Allman, KC et al：Myocardial viability testing and impact of revascularization on prognosis in patients with coronary artery disease and left ventricular dysfunction：a meta-analysis. J Am Coll Cardiol 39：1151-1158, 2002
6) Ishimaru, S et al：Focal uptake on ^{18}F-fluoro-2-deoxyglucose positron emission tomography images indicates cardiac involvement of sarcoidosis. Eur Heart J 26：1538-1543, 2005
7) Blankstein, R et al：Cardiac positron emission tomography enhances prognostic assessment of patients with suspected cardiac sarcoidosis. J Am Coll Cardiol 63：329-336, 2014
8) 日本循環器学会：感染性心内膜炎の予防と治療に関するガイドライン(2017年改訂版). https://www.j-circ.or.jp/cms/wp-content/uploads/2017/07/JCS2017_nakatani_h.pdf(2021年3月閲覧)
9) Murphy, DJ et al：Guidelines in review：Comparison of ESC and AHA guidance for the diagnosis and management of infective endocarditis in adults. J Nucl Cardiol 26：303-308, 2019
10) Masuda, A et al：Whole body assessment by ^{18}F-FDG PET in a patient with infective endocarditis. J Nucl Cardiol 20：641-643, 2013

Note

糖尿病症例での心筋FDG投与法

糖尿病などの耐糖能の異常のある症例では，絶食時の血糖値を詳細にモニターしておく．空腹時血糖値が100 mg/dL以下であれば，通常症例と同様に糖負荷を行う．他方，空腹時血糖が120～160 mg/dLであれば，糖負荷をせずにそのままFDGを投与してよい．糖尿病のある患者はインスリン分泌が絶対的あるいは相対的に少ない状態であり，ブドウ糖を投与した後にインスリン投与を行う方法や，インスリンクランプを行う方法がある[1]．逆に血糖値が300 mL/dL以上になると，内因性のブドウ糖とFDGとの集積が競合するため，FDGが心筋に集積しなくなることもある．いずれにせよ，外因性のFDGが正常心筋に十分摂取されるように，血糖値を最適な状態に維持したうえで，FDGを投与することが求められる.

E ピロリン酸イメージング

病態生理─心アミロイドーシス

アミロイドーシスとは，アミロイドと呼ばれる線維状の異常蛋白質が臓器や組織に沈着し，機能障害・臨床症状をきたす疾患の総称である．アミロイドがさまざまな臓器に沈着する全身性アミロイドーシスと，特定の臓器に限局して沈着する限局性アミロイドーシスに分類され，原因となるアミロイド前駆蛋白は現在までに30種類以上が報告されている．アミロイドーシスにより生じる臨床症状は，アミロイドの沈着とそれに基づく組織の障害によるもので，それぞれの病型でも異なる．

心アミロイドーシスは主に，全身性アミロイドーシスである免疫グロブリン軽鎖の沈着によるアミロイドーシス（amyloid light-chain（AL）アミロイドーシス）および肝臓で産生されるトランスサイレチン transthyretin（TTR）の沈着を原因とするTTRアミロイドーシス（ATTRアミロイドーシス）の一部の病態として生じる．ATTRアミロイドーシスには，遺伝子変異を伴う異型TTRが原因となる遺伝性ATTRアミロイドーシス hereditary ATTR amyloidosis（ATTRv）と野生型TTRが沈着する野生型ATTRアミロイドーシス wild-type ATTR amyloidosis（ATTRwt）が存在する．

心アミロイドーシスでは心臓の間質にアミロイドが沈着し，機能障害・臨床症状をきたす．高齢化に伴い発見される患者が増えてきていること，また，画像診断や治療法の発展があり，近年注目を浴びている疾患である．全身性アミロイドーシスの一部として発症するため，浮腫，倦怠感，起立性低血圧，巨舌，肝腫大，貧血，消化器障害，腎障害，手根管症候群による手足のしびれなど，心臓由来以外のさまざまな症状を随伴する[1]．

検査の進め方

❶ ^{99m}Tc標識ピロリン酸（^{99m}Tc-PYP）

ピロリン酸を含むリン酸化合物はカルシウムに親和性を有する．^{99m}Tc-PYPシンチグラフィは古くから急性期の心筋梗塞の描出に用いられてきた．急性心筋梗塞病変への集積機序として，梗塞心筋細胞内のカルシウム過負荷（Ca^{2+}濃度の上昇）が関連すると考えられている．一方，心アミロイドーシス病変への集積機序はいまだ不明な点が多いが，急性心筋梗塞の場合と同様に，心筋障害部位におけるカルシウム濃度の上昇が関与していると推察されている．北米や欧州を中心としてエビデンスの蓄積がなされ，ATTR型心アミロイドーシスの診療で重要視されている．

❷ 検査の実際

特に絶食などの検査前の事前準備は必要ない．370～740 MBqの^{99m}Tc-PYPを静脈投与し，1時間後もしくは3時間後に前面像でのplanar像を撮像する．1時間後の撮像の場合，血液プールのアクティビティが高いことがあり，その場合は3時間後の画像を評価する．左前斜位像，左側面像，SPECT像などを追加撮像することで，心筋への集積を，骨への集積や血液プールと区別するのに役立つ．SPECT/CTがある施設では積極的に利用するのがよい．

^{99m}Tc-デオキシピリジノリン deoxypyridinoline（DPD），^{99m}Tc-hydroxymethylene diphosphonate（HMDP）を用いたシンチグラフィでもATTR型心アミロイドーシスに集積が認められ，癌患者を対象に行った骨シンチグラフィで偶発的に心筋に集積がみつかり心アミロイドーシスを疑うことも少なくない．

❸ 検査の適応

2020年10月末に心アミロイドーシス，急性心

表Ⅲ-E-1 視覚的評価

Grade	心臓への集積	判定
Grade 0	ない	陰性
Grade 1	軽度集積(肋骨よりも弱い)	陰性
Grade 2	中等度集積(肋骨と同程度)	陽性
Grade 3	高度集積(肋骨よりも強い)	陽性

筋梗塞など，心シンチグラムによる診断が有用な症例において ^{99m}Tc-PYP シンチグラフィが保険適用となった．臨床症状や他検査により心アミロイドーシスもしくは急性期心筋梗塞が疑われた患者に適用する[2~4]．

画像の読み方

心筋への ^{99m}Tc-PYP 集積の有無は視覚的および前面像での planar 像での半定量的評価で行う．視覚的評価では3時間後の画像を用いて，Grade 0~4 に分類する（表Ⅲ-E-1）．心臓への集積が中等度以上の場合（Grade 2 および Grade 3）を陽性と判定する（図Ⅲ-E-1）．半定量評価方法では心臓に相当する部位およびその対側の胸部に同じ大きさの関心領域を置き，その比（heart-to-contralateral ratio（H/CL 比））を計算する（図Ⅲ-E-2）．1時間後の像では1.5倍よりも高い場合，3時間後の撮像では1.3倍よりも高い場合を陽性とする．

結果の解釈

Castano ら[6] の多施設研究では，^{99m}Tc-PYP シンチグラフィを用いることで感度91%，特異度92%と高い診断能で ATTR 型心アミロイドーシスの診断ができると報告されている．AL 型アミロイドーシスでも陽性となる患者がみられ，偽陽性となりうる．また，同じ論文で ATTR 型心アミロイドーシス患者で H/CL 比が 1.6 以上の患者では，それ以下の患者と比較し予後が悪いことも示されており，集積程度を評価するのも重要である．Gillmore ら[7] は心筋生検結果と比較すると，^{99m}Tc-PYP シンチグラフィでの視覚的評価で，ATTR型心アミロイドーシスと AL 型心アミロイドーシスを感度 87.1%，特異度 79.2%の診断能で鑑別できると報告している．

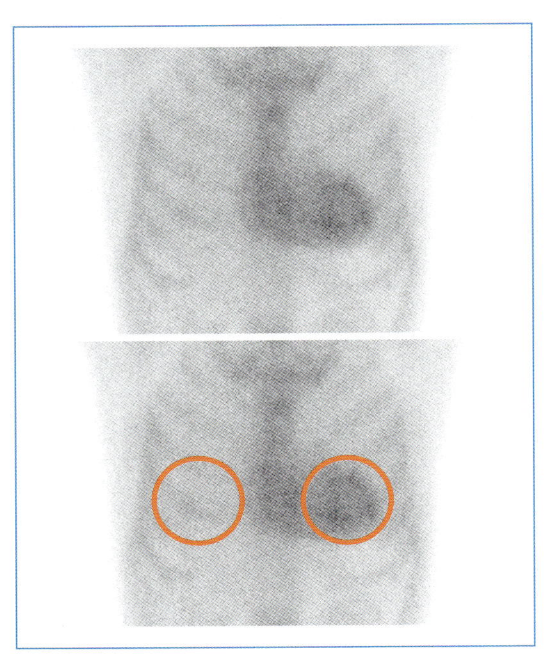

図Ⅲ-E-1 ATTR 型心アミロイドーシス

◆ 文献

1) 日本循環器学会：2020 年版心アミロイドーシス診療ガイドライン．https://www.j-circ.or.jp/cms/wp-content/uploads/2020/02/JCS2020_Kitaoka.pdf（2021 年 3 月閲覧）
2) Dorbala, S et al：ASNC/AHA/ASE/EANM/HFSA/ISA/SCMR/SNMMI expert consensus recommendations for multimodality imaging in cardiac amyloidosis：Part 1 of 2-evidence base and standardized methods of imaging. J Nucl Cardiol 26：2065-2123, 2019
3) Dorbala, S et al：ASNC/AHA/ASE/EANM/HFSA/ISA/SCMR/SNMMI expert consensus recommendations for multimodality imaging in cardiac amyloidosis：Part 2 of 2-Diagnostic criteria and appropriate utilization. J Nucl Cardiol 27：659-673, 2020
4) Brownrigg, J et al：Diagnostic performance of imaging investigations in detecting and differentiating cardiac amyloidosis：a systematic review and meta-analysis. ESC Heart Fail 6：1041-1051, 2019
5) Okuda, K et al：Limitation of infarct size with preconditioning and calcium antagonist (diltiazem)：difference in 99mTc-PYP uptake in the myocardium. Ann Nucl Med 10：201-209, 1996
6) Castano, A et al：Multicenter Study of Planar Technetium 99m Pyrophosphate Cardiac Imag-

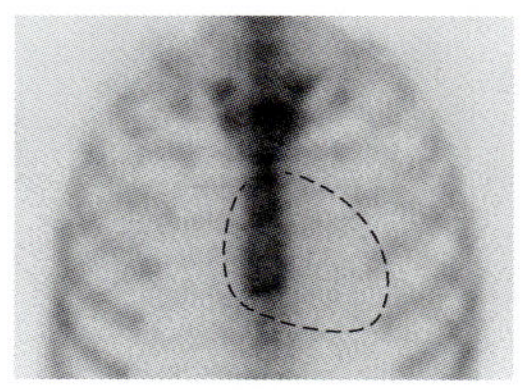

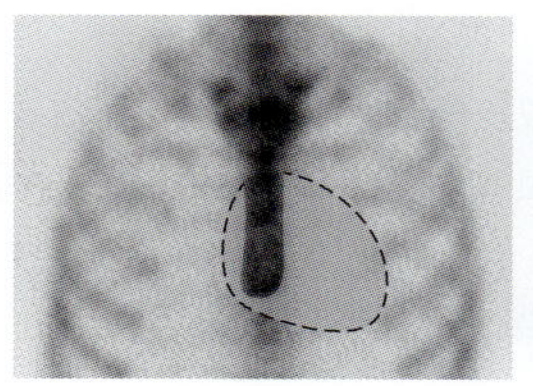

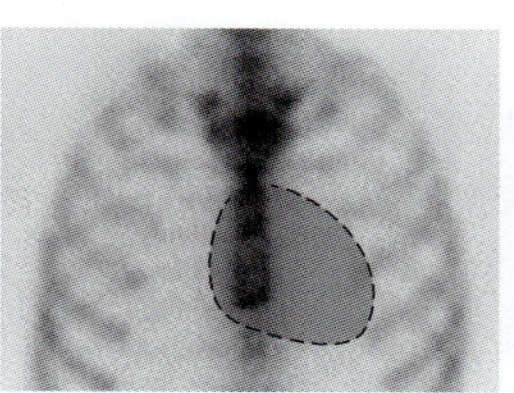

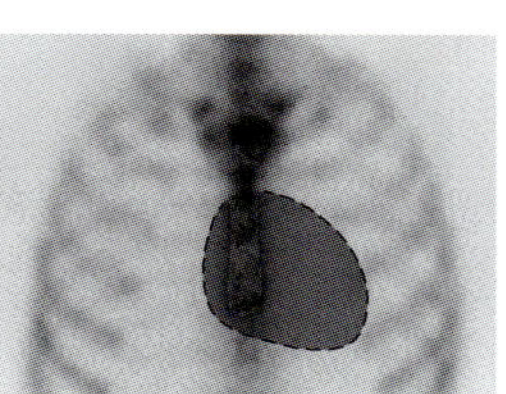

図Ⅲ-E-2 半定量評価

^{99m}Tc-PYP 投与３時間後の画像で，心筋に明瞭な集積を認める．肋骨よりも強い集積であり，視覚的評価で Grade 3 と考えられる．半定量評価方法でも H/CL 比は 1.69 倍と，陽性と判定される．

ing：Predicting Survival for Patients With ATTR Cardiac Amyloidosis. JAMA Cardiol 1：880-889, 2016

7）Gillmore, JD et al：Nonbiopsy Diagnosis of Cardiac Transthyretin Amyloidosis. Circulation 133：2404-12, 2016

Note 1

●急性期心筋梗塞に対する ^{99m}Tc-PYP シンチグラフィ

^{99m}Tc-PYP により壊死心筋を描出することが可能である（図）．急性心筋梗塞における集積は，発症 12 時間後から認められ，48〜72 時間でピークになり，1〜2 週間程度で陰性化する[5]．心電図や採血所見から診断が困難であった心筋梗塞疑い患者などに用いられていたが，簡便な血清マーカーや他画像診断の進歩により，その適応は減少してきている．

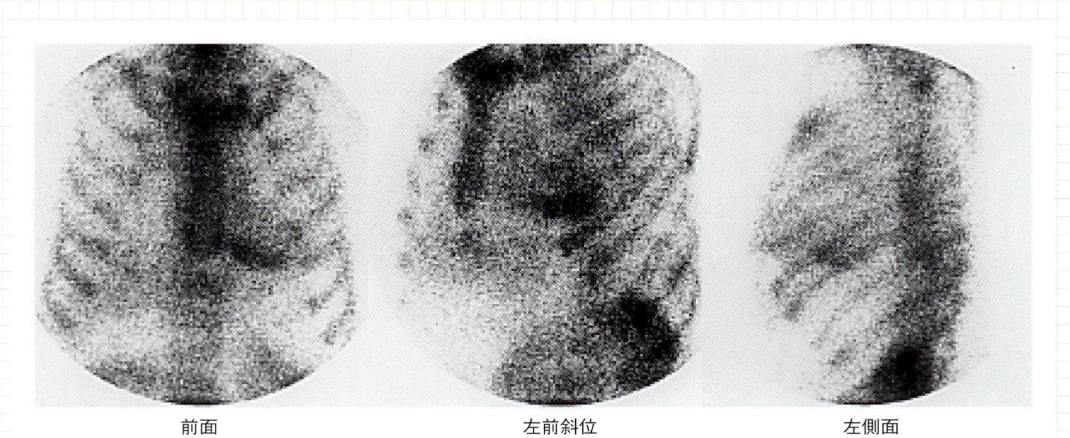

図 右冠動脈領域の急性期心筋梗塞

下壁の広い範囲に明瞭な集積亢進が認められる．

要点

- 心アミロイドーシスでは全身性アミロイドーシスの一部として発症する．
- 心筋への集積の有無は視覚的および前面像での planar 像での半定量評価で行う．
- ATTR 型心アミロイドーシスで集積が陽性となる．
- 心臓への集積が肋骨と同程度もしくはそれ以上の場合を陽性と判定する．

Note 2

アミロイド PET の有用性について

^{18}F-sodium fluoride (NaF) や ^{18}F-florbetapir，^{18}F-florbetaben，^{18}F-flutemetamol，^{11}C-labeled Pittsburg compound-B (PiB) などのアミロイド PET を用いた心臓アミロイドーシスの評価についての臨床研究が行われており，今後診断に寄与することが期待される (図)．

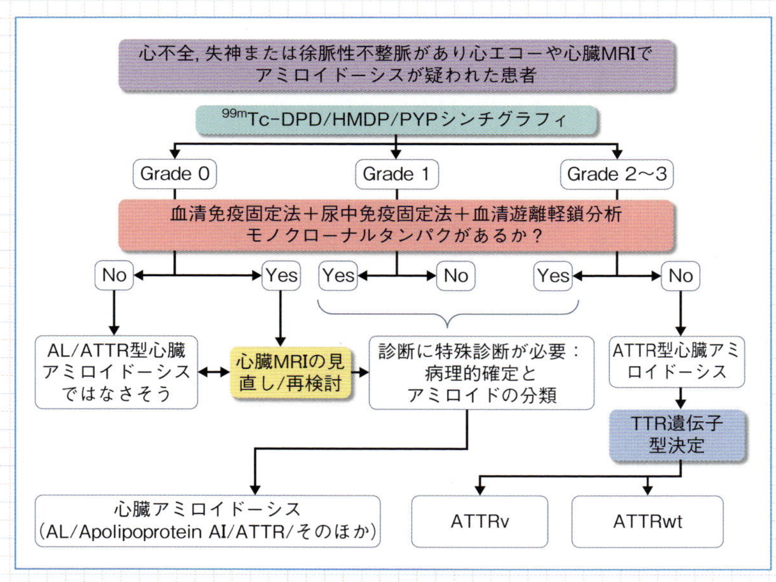

図　心臓アミロイドーシスの非侵襲性診断アルゴリズム

心臓アミロイドーシスが疑われた患者で ^{99m}Tc-DPD/HMDP/PYP シンチグラフィで Grade 2 または 3 の集積があり，モノクローナルタンパクがない場合は心内膜心筋生検をしなくても，高い特異性を持って心臓 ATTR と診断できる．

F 心プールシンチグラフィ

病態生理

血液の循環は，全身からの静脈血が右心房へ入り，右心室，肺，左心房，左心室を通過し，再び酸素化された血液を動脈血として全身へ送り出す．心臓は絶え間なく収縮，拡張を繰り返しており，血液を全身に送り出すポンプの役割を果たす．血液を送り出すポンプとして最も重要な役割をするのが左心室である．左室機能の指標として，左室拡張末期容量 left ventricular end-diastolic volume（LVEDV），左室収縮末期容量 left ventricular end-systolic volume（LVESV），左室駆出率 left ventricular ejection fraction（LVEF）が臨床的に最も頻用される．LVEF は，それぞれ LVEDV, LVESV から算出される（式1）．LVEF の正常値は50～55％以上とされていることが多い．

LVEF＝(LVEDV－LVESV)/LVEDV（％）（式1）

また，一回拍出量 stroke volume（SV）は EDV と ESV で算出され，正常値は80～100 mL 程度である．1 分間の心拍出量 cardiac output（CO）は SV と心拍数の積によって算出され，さらに CO を体表面積で除したものが心係数 cardiac index（CI）である．

左心機能のパラメータの計測は投与した放射性薬剤の γ 線のカウントによって得られる．LVEDV, LVESV の代わりとして，左室内の拡張末期カウント end-diastolic count（EDC），収縮末期カウント end-systolic count（ESC）を用いる．

検査の進め方

❶ 製剤の種類

使用するトレーサは，^{99m}Tc 標識ヒト血清アルブミン human serum albumin（HSA）が主に用いられる．血管内に停滞するトレーサであり，静注後 15～20 分で平衡に達する．心内腔のラジオアイソトープ radioisotope（RI）を画像化するため，

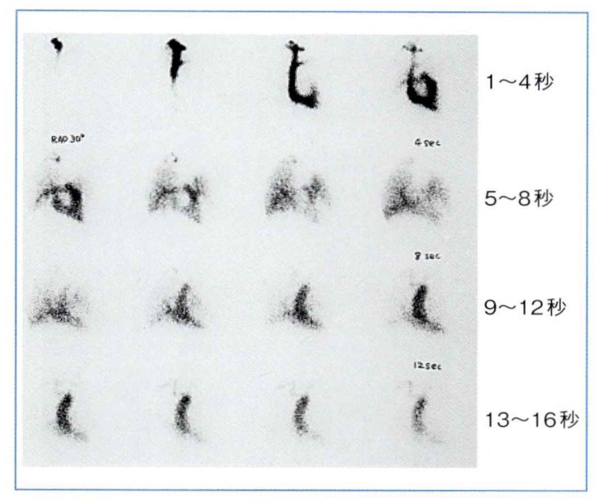

図Ⅲ-F-1　ファーストパス法で得られた動態画像
外頸静脈から急速静注した直後より右前斜位（RAO）から撮影された 1 秒ごとの動態画像．これらより通過状態，シャントの有無などを総合的に評価することができる．

正確な心機能評価が可能である．

❷ 検査の適応

心プールシンチグラフィは，左心機能評価のほかに，右心機能評価，左-右シャント率の測定や，弁膜症の逆流量の測定も可能である．

本検査の特徴は左室機能の高い定量性である．

❸ 撮像方法

a．初回循環時法

初回循環時法 first-pass radionuclide angiography（FPRNA）は，放射性薬剤投与後にダイナミック撮像を行う方法である（図Ⅲ-F-1）．この方法では，右室駆出率および心内シャント（左右シャント）の定量評価を行うことができる．

b．平衡時法

平衡時法 equibilium radionuclide angiography（ERNA）は，放射性薬剤投与後，血管内の RI が平衡に達した後に心機能評価を行う方法である．左心機能評価において最もスタンダードな方法であるが，LVEF だけでなく，SPECT 撮像を行うことで局所の壁運動評価，局所の駆出分画率

要点

- 心プールシンチグラフィによる心機能評価は再現性に優れ，精度も高い検査である．
- 位相解析により，左室の同期不全の評価が可能である．

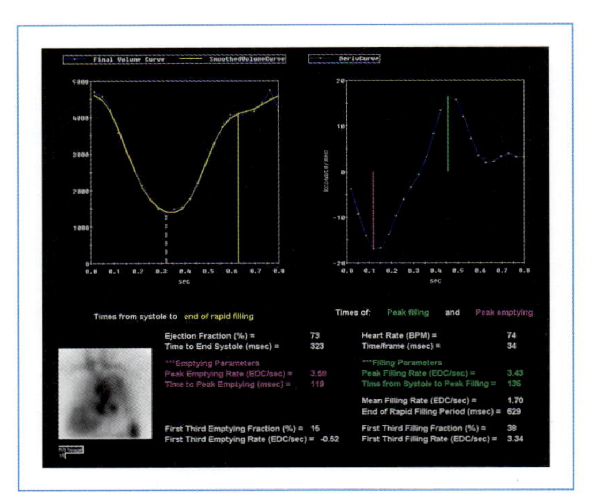

図Ⅲ-F-2　左心室の TAC から得られる左心機能の指標
左心室の time activity rate（TAC）（上段左），TAC から得た微分曲線（上段右）．微分曲線から各種の収縮機能，拡張機能を得ることができる（下段）．

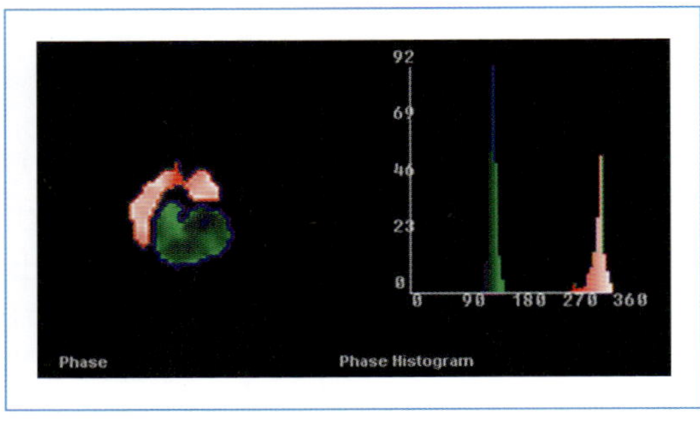

図Ⅲ-F-3　位相解析
心室と心房のそれぞれの収縮の位相を解析したものである．緑が心室，ピンクが心房の収縮の位相を示している．心収縮の位相は，健常人では左室と右室の収縮は同時である．

ejection fraction（EF）の測定が可能である．左心機能の指標は，左心室の血液プールに設定した関心領域 region of interest（ROI）から得た time activity curve（TAC）と，その微分曲線から算出する（図Ⅲ-F-2）．

画像の読み方

心プールシンチグラフィにより得られる左室機能指標において，収縮機能の指標として LVEF が最も汎用される．本検査での LVEF の正常値は，50%以上である[1]．また，peak emptying rate（PER），time to PER（TPER）も収縮能の指標として用いることができる．PER は最大収縮速度，TPER は最大収縮速度に達するまでの時間である．拡張機能の指標として，peak filling rate（PFR），time to PFR（TPFR）が用いられる．PFR は最大充満速度，TPFR は最大充満速度に達するまでの時間である．それぞれ，PFR は 1.60/秒以上，TPFR は 100 ミリ秒以上程度が正常の目安だが，年齢により変動する[1]（図Ⅲ-F-2）．

また位相解析を行うことで，左室収縮の同期不全 dyssynchrony の評価を行うことも可能である（図Ⅲ-F-3）．同期不全の評価は，心室再同期療法の適応判断に有用であると考えられる[2]．

心筋血流検査の場合には心電図同期 SPECT を併用することが多く，左室機能を同時に解析することができる．心毒性のある薬剤使用時の心機能モニターには再現性の高い心プールシンチグラフィが活用されてきている．また右心系の機能解析にも最適である．最近では位相解析を用いた収縮の位相の解析（不均一性など）が注目されてきており，その定量的解析にも利用されてきている[2]．

他方，近年では MRI による心機能解析や，心エコーによる 3 次元定量評価法も登場している．

◆ 文献

1）Nakajima, K：Normal values for nuclear cardiology：Japanese databases for myocardial perfusion, fatty acid and sympathetic imaging and left ventricular function. Ann Nucl Med 24：125-135, 2010
2）Singh, H et al：Comparison of left ventricular systolic function and mechanical dyssynchrony using equilibrium radionuclide angiography in patients with right ventricular outflow tract versus right ventricular apical pacing：A prospective single-center study. J Nucl Cardiol 22：903-911, 2015

Ⅳ

呼 吸 器

Ⅳ 呼吸器

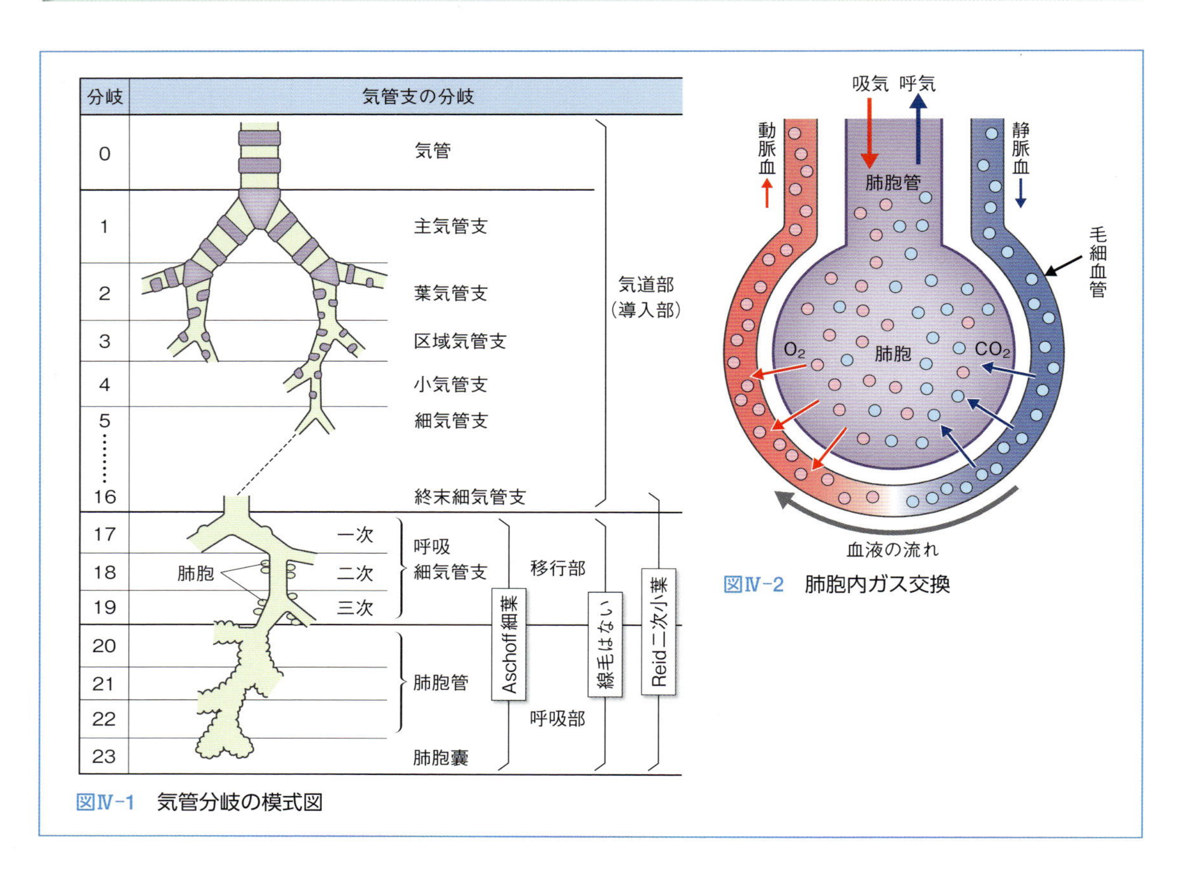

図Ⅳ-1 気管分岐の模式図

図Ⅳ-2 肺胞内ガス交換

病態生理

肺は横隔膜上の胸腔内に存在する一対の臓器で，その主要な機能はガス交換である．肺は呼吸器系として，1）肺というガス交換器官と，2）肺を換気するポンプ機能から成り立つ．前者は気道と肺循環に大別され，後者は呼吸筋，呼吸筋を制御する中枢神経，脳と呼吸筋を結ぶ神経系から成る．安静時には，健康人は毎分12～15回の呼吸運動を行い，1回の呼吸ごとに500 mL，毎分6～8 Lの空気を呼吸する．吸い込まれた空気は肺胞内のガスと混合し，単純拡散により，O_2は肺の毛細管内の血液中に入り，CO_2は血液から肺胞内に出る．このような外呼吸により毎分250 mLのO_2が体内に入り，200 mLのCO_2が外界に排出される．

吸気は気管から気管支・細気管支・呼吸気管支・肺胞管・肺胞まで23回分岐する経路をたどる（図Ⅳ-1）．気道の最初の16分岐までは外界とガスをやり取りする導入部で，気管支・細気管支・終末細気管支である．後半の7分岐はガス交換の行われる移行・呼吸部で，呼吸細気管支，肺胞管，肺胞嚢であり，肺胞に至る．通常，肺区域は右肺で10，左肺で8（上葉は2区域S1＋2とS3．S7はない）である（図Ⅳ-7参照）．区域気管支はさらに細気管支へと分岐を繰り返し，小葉を支配する径約1 mmの小葉支配気管支に到達する．小葉支配気管支は小葉内で3～5本の終末細気管支を順に分岐し，この終末細気管支（径約0.5 mm）の支配領域が細葉で，大きさは5～6 mmである．これらの多くの分岐によって気道の全断面積は気管の2.5 cm^2から肺胞の11,800 cm^2へと非常に増大する．

左右の肺には肺動脈を介して血液が供給され，肺毛細血管床を通る．ここで血液は酸素を与えられて，肺静脈を経て左心房へと戻る（図Ⅳ-2）．肺では肺動脈と気管支が対となり同時に分岐して並行して走行する．細葉のいくつかの集合体である二次小葉の中心には細気管支の末端である小葉支配気管支と肺動脈が位置し，小葉間隔壁には肺静脈が走行する．気管支動脈は大動脈から分枝し，気管支や肺の支持組織，臓側胸膜へ栄養を運ぶ．気管支毛細血管と肺毛細血管との間には非常に多くの吻合がある．

重力は肺循環に影響を及ぼす．立位や座位では肺動脈には肺尖部から肺底部に向かって比較的大きい圧勾配が存在し，肺尖部から肺底部にかけて肺血流量は増加する．換気にも不均等分布が存在し，胸腔内圧の部位による差異と肺の弾性特徴によると考えられている．換気量は灌流量と同様に立位では直線的に肺尖部から肺底部へと増加する．肺にはこのように換気，血流ともに不均一性があるため，正常肺の各部で換気（V）/血流（Q）比にかなりの差が生じる．これは換気の上下方向の増加率よりも血流の上下方向の増加率が大きいためであり，健常人の座位または立位では V/Q 比は肺尖部により高く，肺底部により低くなる（図Ⅳ-3）[1]．

生理学的呼吸機能検査で最も基本的な検査はスパイロメトリーであるが（図Ⅳ-4），この検査は全肺のガス交換能検査であり，左右別や局所肺機能異常の検出や程度を知ることはできない．肺換気と同様，肺血流の分布異常を局所性に，非侵襲性に評価できる定まった検査法は核医学検査のみである．しかしながら近年 dual energy CT

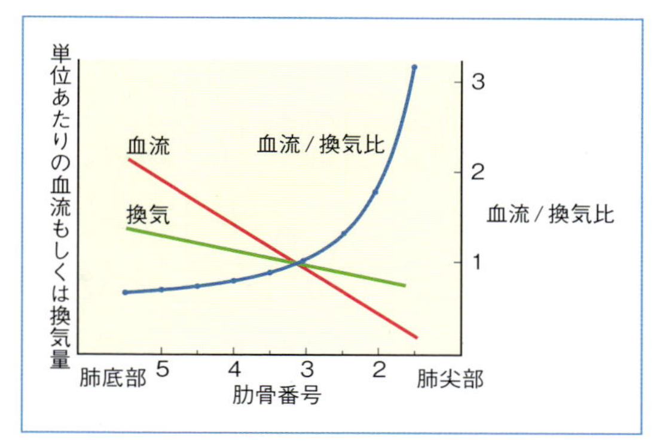

図Ⅳ-3　換気/血流比の垂直分布（健常者座位）
（文献 1）より一部改変）

（DECT）の開発・普及とともに，CT による肺血流量の評価が可能となり，肺血栓塞栓症の診断などにも応用・臨床研究されている．また非放射性キセノンガスを吸入させて，CT により換気分布をみる方法や造影/非造影 MRI による肺動脈の血流分布をみる方法も考案されているがまだ一般的ではない．

肺核医学検査は，血流検査と換気検査に大別される．前者の放射性医薬品は，^{99m}Tc-大凝集ヒト血清アルブミン ^{99m}Tc-macroaggregated human serum albumin（^{99m}Tc-MAA）に代表されるが，5 w/v%ブドウ糖注射液などの非電解質注射液で溶出された ^{81m}Kr でも血流検査が可能である．肺換気検査に使用される放射性医薬品には ^{81m}Kr ガス，^{99m}Tc-ヒト血清アルブミン human serum albumin（HSA）や ^{99m}Tc-ジエチレントリアミン五酢酸 diethylenetriaminepentaacetic acid（DTPA）を用いるエアロゾル肺吸入シンチグラフィ，およびガスとエアロゾルの中間的性質のテクネガスが使用されるが，SPECT/CT 画像には

Note 1

● 二次小葉

Miller と Reid の二つの定義がある．Miller の二次小葉は線維性の小葉間隔壁に囲まれた，肉眼的に可視可能な大きさを持つ単位で通常 0.5〜3 cm の大きさである．3〜24 個の細葉が含まれる．現在では小葉とは Miller の二次小葉を指すことが多い．Reid の二次小葉は気管支の分岐パターンを基礎にしている．気管から細気管支までの分岐は cm 単位の間隔で分岐するのに対し，分岐単位が mm となる終末細気管支が支配する領域を二次小葉とした．3〜5 個の終末細気管支（3〜5 個の細葉）が合流した細気管支（小葉支配細気管支）に支配される領域で，大きさが均一で約 1 cm である．Miller の二次小葉の最小は Reid の二次小葉に相当する．通常，Miller の二次小葉内には複数の Reid の二次小葉が含まれる．健常者の高分解能 CT 画像で描出できるのは，一次呼吸細気管支に伴走する 0.2 mm から二次小葉中心の 0.5 mm 程度の肺動脈である．小葉辺縁を走行する肺静脈は径約 0.5 mm で描出できるが，小葉間隔壁は 0.1 mm 程度であり，通常，同定できない．

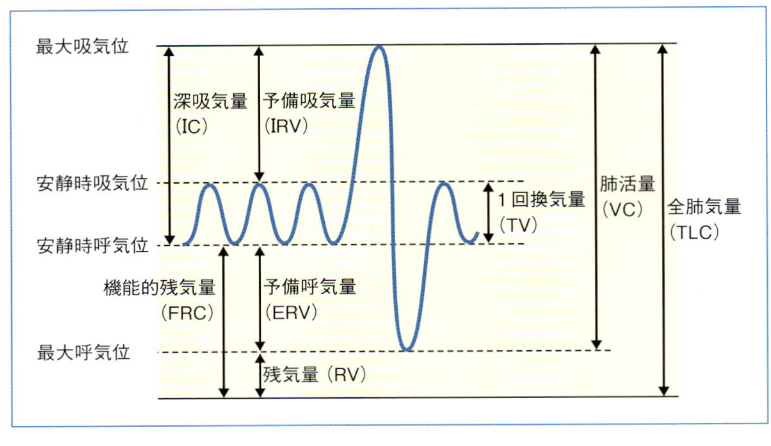

図Ⅳ-4　スパイロメーターによる肺気量分画

TV : tidal volume（1 回換気量）
ERV : expiratory reserve volume（予備呼気量）
IRV : inspiratory reserve volume（予備吸気量）
VC : vital capacity（肺活量）
FRC : functional residual capacity（機能的残気量（窒素やヘリウムを用いたガス希釈法により測定される））
RV : residual volume（残気量（FRC－ERV））
TLC : total lung capacity（全肺気量（VC＋RV））

表Ⅳ-1　肺シンチグラフィに使用される放射性核種

核種	半減期	放射線の種類	主要なγ線のエネルギー（keV）	投与量（MBq）		前処置
^{99m}Tc	6 時間	γ線	140	肺血流	40～200/成人 0.5～2.0/kg/小児	なし
				テクネガス	370/0.1 mL/成人	なし
				エアロゾル吸入	40/成人	なし
^{81m}Kr	13 秒	γ線	190		185～370/成人	なし

テクネガスが有利である．^{133}Xe は 2016 年販売中止された．検査時には患者への検査説明と感染症の有無の確認や汚染管理が重要である．**表Ⅳ-1** に使用放射性核種の特徴を示した．

検査の進め方

❶ 肺血流シンチグラフィ

^{99m}Tc-MAA

^{99m}Tc-MAA は粒子径 10～60 μm で肺動脈末梢の前毛細血管床（径 12～15 μm 前後）を塞栓する．この微小塞栓は通常，投与量では肺毛細血管床の 0.2～0.3％程度であり，数時間で分解され網内系により血液から排除され，尿中へ排泄されるので危険性はないと考えられている．右左シャントがある患者や肺高血圧症患者でも投与粒子数を考慮すれば禁忌ではない．肺内分布はその領域の肺動脈血流量に比例し，血流欠損部には ^{99m}Tc-MAA は集積しないので，ガンマカメラで体外から撮像することにより肺血流分布異常を画像化できる．^{99m}Tc-MAA はヒト血液製剤であり，使用記録を帳簿に残さなければならない．

肺血流シンチグラフィでは ^{99m}Tc-MAA の静注の際，肺血流分布は体位の影響を強く受ける．通常は仰臥位安静状態での静注が選択される．血管確保後，咳と数回の深呼吸をさせてから，3～5 回の呼吸の間にゆっくりと静注する．^{99m}Tc-MAA は右室でほぼ完全に混和され肺動脈流に沿って肺内に分布する．また ^{99m}Tc-MAA の凝集塊を防ぐために，血液を混和しないこと，なるべく新たな静脈注射ラインを確保し既存のライン使用は避けることが重要である．さらに投与時，細い注射針使用で粒子径が小さくなり肝への取り込みがみられることがあるので，21 G 以上の注射針を使用することが推奨されている．静注後，直ちに撮像を開始できる．座位もしくは立位での撮像が推奨されている．胸腔容積が増加し横隔膜の影響を小さくできるからである．前後面，両側面，両側の前後斜位の 8 方向を撮像するが，前後面と両側後斜位像が最も重視される．必要に応じて SPECT を行う．右左シャントの可能性がある時は全身像を撮像し，シャント率を求める．肺血栓塞栓症の原因として下肢深部静脈血栓症が疑われる時は，両

図Ⅳ-5 正常肺血流シンチグラム (^{99m}Tc-MAA)

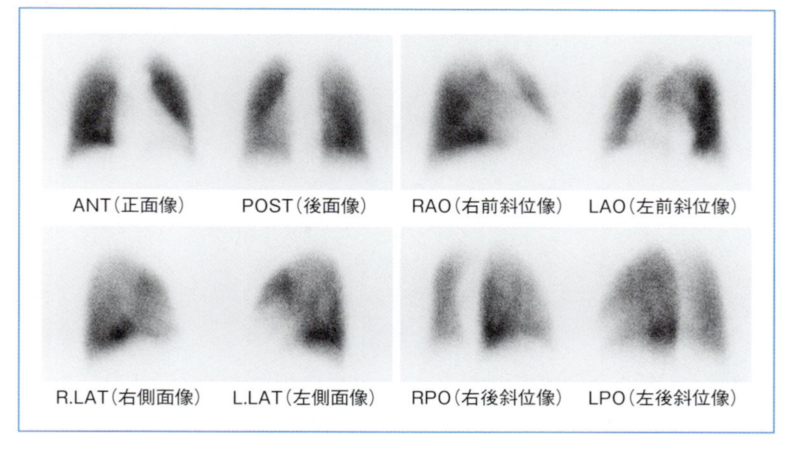

側足首で適度に駆血し，足背静脈から ^{99m}Tc-MAA を投与する．下腿/大腿部/骨盤部/腹部と順に検査テーブルを移動させながら撮像すると深部静脈の欠損像や側副血行路を検出できる．その後肺シンチグラフィを行う．テクネガスや ^{81m}Kr ガスなどとの同日検査施行は可能であるが，通常，換気シンチグラフィを先行する．

❷ 放射性ガスによる肺換気シンチグラフィ

a．^{81m}Kr ガス

^{81m}Kr ガスは，^{81}Rb-^{81m}Kr ジェネレーターに加湿した空気または酸素を送り，溶出した ^{81m}Kr を持続的に吸入させながら撮像する．半減期が 13 秒と短いため多方向撮像や繰り返し検査が可能である．呼出された ^{81m}Kr は扇風機などで拡散させ，画質への影響をさける．閉鎖回路は不必要であり，患者への負担が少なく，小児や呼吸状態のよくない患者の検査に適している．

b．テクネガス

テクネガスは，実際はガスではなく，炭素の微粒子に $^{99m}TcO_4^-$ を標識したエアロゾルである．しかし粒径が非常に小さく，ほとんどが終末細気管支以下の肺胞に沈着するため肺内分布が変化せず，多方向撮像や SPECT 撮像が可能である．テクネガス発生装置の炭素るつぼ内に $^{99m}TcO_4^-$ を入れ，るつぼを 15 秒間 2,500℃で昇華することにより微細炭素粒子を生成，これに $^{99m}TcO_4^-$ が標識される．生成されたガスは 10 分以内に使用する．鼻栓をして，マウスピースからゆっくり最大呼気から最大吸気位まで呼吸し，最大吸気位で 10 秒間息止めを行う．これを 1～3 回繰り返すか，安静呼吸状態を繰り返してガスを吸入する．深呼吸時の吸入では下肺野背側への沈着が増加し，SPECT 画像では背側集積が高くなる．正常では肺野に均一に分布するが，気道閉塞があると hot spot を形成する．

画像の読み方

❶ 正常像

読影に当たっては直近の胸部 X 線写真や CT 画像も参照する．他検査と時間的ずれがある場合は胸水の有無にも注意を払う．図Ⅳ-5 に ^{99m}Tc-MAA 検査の正常像，図Ⅳ-6 にテクネガスによる換気シンチグラムの正常像を示した．図Ⅳ-7 に平面像での肺区域図を示したが，読影に当たっては，常に欠損部が区域性か，どの区域に相当するかを判断することが重要である．また SPECT/CT 画像では axial や coronal 時には，sagittal 画像を含めた解剖学的知識が必要となる．

肺循環は重力の影響を受けているため，まず ^{99m}Tc-MAA 静注時の体位を確認する．仰臥位での投与であれば，重力方向の背側部に血流が増加し，SPECT 検査では，背側肺での ^{99m}Tc-MAA 分布が高くなる．座位での撮像では血流および換気ともに重力の影響を受け，血流でよりその影響が大きく，V/Q の不均等分布が起きる．換気血流比は健常者では，肺尖部でおおよそ 2 に対し肺底部では 0.5 となるが，仰臥位ではその影響はゆるやかとなる（図Ⅳ-3）．

肺血流画像に欠損がみられ，肺換気画像では欠

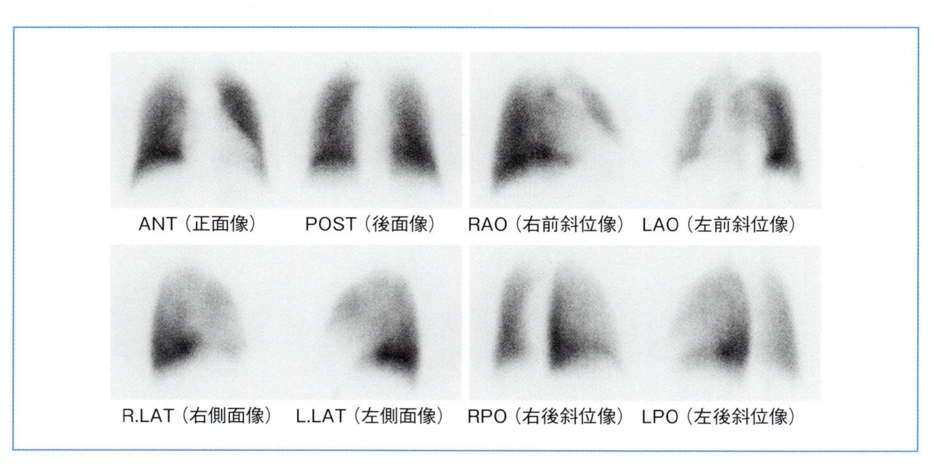

図Ⅳ-6　正常肺換気シンチグラム（テクネガス）

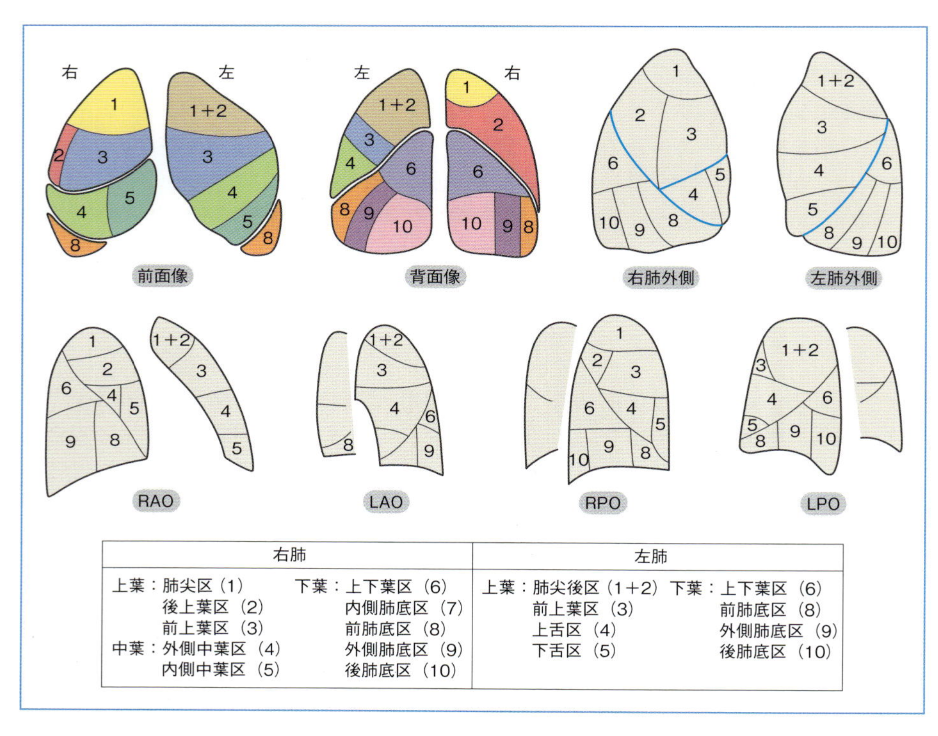

右肺		左肺	
上葉：肺尖区（1）	下葉：上下葉区（6）	上葉：肺尖後区（1+2）	下葉：上下葉区（6）
後上葉区（2）	内側肺底区（7）	前上葉区（3）	前肺底区（8）
前上葉区（3）	前肺底区（8）	上舌区（4）	外側肺底区（9）
中葉：外側中葉区（4）	外側肺底区（9）	下舌区（5）	後肺底区（10）
内側中葉区（5）	後肺底区（10）		

図Ⅳ-7　肺区域図

損のないのがV/Qミスマッチで，代表疾患が肺血栓塞栓症であり，大動脈炎症候群，肺血管奇形，肺門部肺癌などでもみられる．気道性病変では通常，換気と血流の両者が低下し，V/Qがマッチする．気管内異物では，局所の換気障害が生じ肺胞内低酸素となると，そこに灌流する肺血流を減少させてV/Q比を保つように調節される．完全閉塞の場合は閉塞直後より血流欠損となる．慢性閉塞性肺疾患では局所の換気障害から不均等換気が生じ血流障害が起きた結果，血流画像でも不均等な集積となる．

fissure signは^{99m}Tc-MAAシンチグラフィでみられる，葉間裂に沿った帯状の集積低下や欠損のことである．胸水がある場合に最もみられるが，仰臥位の撮像では胸水の分布が変わることによる．慢性閉塞性肺疾患では，胸膜側の毛細血管を圧排するのでfissure signの原因となり，胸膜肥厚では，葉が離れ，末梢のコンプライアンスも低下し低血流となる．うっ血性心不全や肺水腫，微小塞栓でもみられることがある．fissure signが区域間にまで進展すると，segmental contour signになる．すなわち，segmental contour signとは，葉および区域間あるいは亜区域間に相当するように血流が低下もしくは欠損し，張り巡らされた水路状にみえる所見である．癌性リンパ管症，びまん性肺動脈炎，多発微小塞栓（悪性腫瘍塞栓，脂肪塞栓，敗血症性塞栓など），肺静脈閉塞症などでもみられる．stripe signは，^{99m}Tc-MAAシンチグラムで血流減少もしくは欠損を示す領域の末梢/辺縁，胸膜側に縁取りのようにみられる集積を指す．肺辺縁部の血流が保たれる肺気腫症例に多いとされ，肺高血圧症でもみられる．stripe signがみられれば肺血栓塞栓症の可能性は低いとされるが，治癒過程の肺血栓塞栓症では陽性を示すことがある．

❷ 急性肺血栓塞栓症

急性肺血栓塞栓症は欧米に多い疾患であるが，その発生頻度は近年わが国でも確実に増加し，また原因不明死の主因ともいわれている．わが国では女性に多く，60～70歳代に発症のピークがある．急性肺血栓塞栓症の塞栓源の90%以上は下肢もしくは骨盤内静脈であるが，その主要な危険因子として，1）血流のうっ滞，2）血管内皮障害，3）血液凝固能の亢進が挙げられる．先天性危険因子としてはプロテインC欠乏症やアンチトロンビン欠乏症など，後天性としては，長期臥床や肥満，妊娠，手術，外傷や骨折，中心静脈カテーテル，抗リン脂質抗体症候群，薬剤（エストロゲンや経口避妊薬），タクシーや長距離トラックドライバーにも発症する．長距離旅行が原因となるものではエコノミークラス症候群と呼ばれるがビジネスクラスでも生じ，自動車や列車また，災害後の避難生活でも発症することが知られる．

主症状は呼吸困難と胸痛である．さらに冷汗・失神・動悸・咳嗽・血痰などが挙げられる．胸部X線写真では，knuckle sign（塞栓部中枢の肺動脈が拡大して急激に細くなるサイン）やWestermark sign(塞栓部末梢側の肺野の血管影が消失して透過性が亢進するサイン)，横隔膜挙上，心拡大所見など，肺梗塞を伴えば肺炎様陰影やHampton's hump（塞栓部を頂点，胸膜を底辺とした楔形陰影），胸水などがみられる．画像検査では多列検出器CT multi detector CT（MDCT）を用いた造影CTによる塞栓検出，肺換気血流シンチグラフィや血管造影検査などが挙げられる．

2017年改訂版による「肺血栓塞栓症および深部静脈血栓症の診断，治療，予防に関するガイドライン」では，MDCTによる造影剤CT angiographyが最も有用性が高いとされている．2006年に報告されたprospective investigation of pulmonary embolism diagnosis Ⅱ（PIOPED Ⅱ）では感度83%，特異度96%であり，下肢静脈も同時に評価した場合それぞれ90%，95%とされる．肺血流シンチグラフィはMDCTやMRIなどの発展や技術革新によりその役割は変化している．しかしながら非侵襲的検査で安全性が高く，造影剤を使用しないため腎機能や心機能低下例，造影剤アレルギー例，呼吸状態不良例に有用で，また被曝量も少ないことから治療後の経過観察には最も適している．また造影CTでの肺動脈血栓子と末梢肺野の血流状態に乖離のある症例も少なくない．肺血流シンチグラフィは急性肺血栓塞栓症のスクリーニング，特に否定には有用である．典型例では胸部X線写真が正常，肺換気血流シンチグラムでは，多発区域性の血流欠損と同部位の正常換気シンチグラムの，V/Qミスマッチ所見がみられる（**図Ⅳ-8**）．肺血流シンチグラフィで典型的な所見を示せば急性肺血栓塞栓症の診断は容易であり，正常所見であれば否定できるが，それ以外では判定が難しい症例が多い．今後は呼吸同期や画像再構成の工夫，またSPECT/CTの導入によりさらなる診断精度の上昇が期待される．

❸ 慢性肺血栓塞栓症

慢性肺血栓塞栓症は，肺動脈内の器質化血栓により肺動脈が狭窄，閉塞した疾患で，3～6ヵ月以上にわたって肺血流分布ならびに肺循環動態の異常が大きく変化しない病態である．多くの肺動脈病変があり肺高血圧症を伴うと慢性血栓塞栓性肺高血圧症chronic thromboembolic pulmonary hypertension（CTEPH）と呼ばれる．急性の血栓塞栓発作を反復する症例や急性肺血栓塞栓症後に移行する症例のほか，自覚症状に乏しいまま進行し，CTEPHを発症する症例も多い．CTEPHは原発性肺高血圧症やほかの二次性肺高血圧症と異なり，内科的治療や肺動脈内膜摘除術pulmonary endarterectomy（PEA），バルーン肺動脈形成術

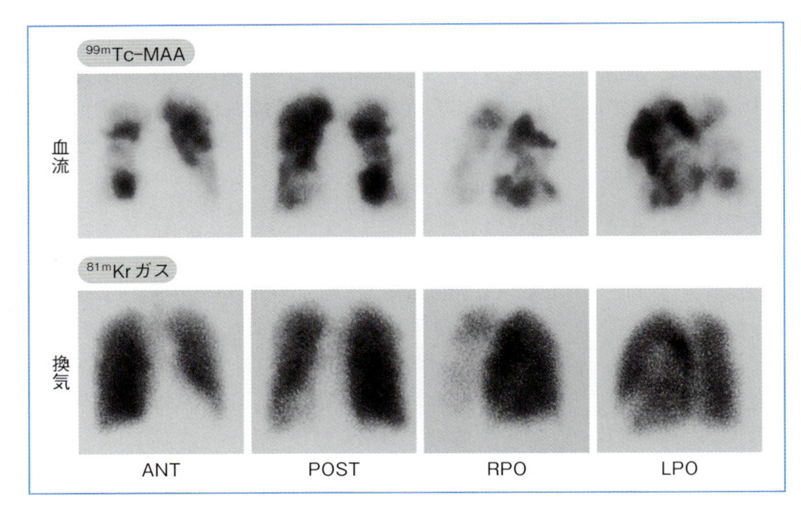

図Ⅳ-8　急性肺血栓塞栓症
60歳代女性．上段では右肺優位に多発血流欠損像が示されているが，下段の換気シンチグラムでは，欠損像はみられず，換気(V)/血流(Q)ミスマッチである．

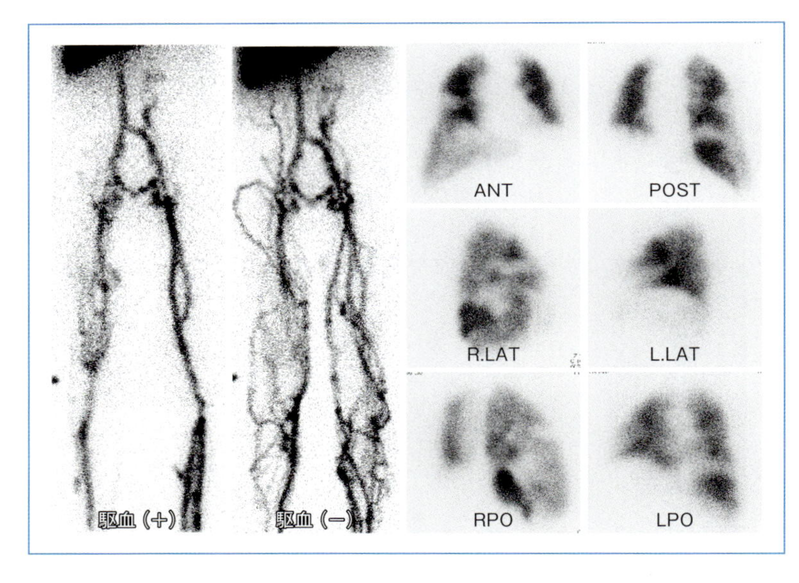

図Ⅳ-9　慢性肺血栓塞栓症
60歳代男性．深部静脈血栓症を繰り返している．^{99m}Tc-MAAを足背静脈から投与，ベノグラフィ施行後に肺を撮像した．足首を適度に駆血して，ガンマカメラを移動させながら撮像(左画像)，次に駆血解除後，同様に撮像した(右画像)．右大腿深部静脈の描出が不良で，多彩な側副血行路が描出されている．肝描出は門脈系への側副路の存在が示唆される．肺シンチグラムでは右に多発欠損像，左では舌区に血流低下がみられる．

balloon pulmonary angioplasty（BPA）などが可能であり，鑑別が重要となる．

肺換気・血流シンチグラフィは，低侵襲で被曝線量も低く，繰り返し検査が可能であり，スクリーニング検査として必須とされる．慢性肺血栓塞栓症では，肺区域枝以上のV/Qミスマッチ欠損が単発または多発してみられる（図Ⅳ-9）．肺血流シンチグラフィが正常であれば除外される．

❹ 肺高血圧症

肺高血圧症 pulmonary hypertension（PH）とはさまざまな原因により肺動脈圧が異常上昇した病態で，肺動脈平均圧が25 mmHg以上と定義されている．安静時，健常人の肺動脈平均圧は約15 mmHg，正常上限圧は20 mmHgとされる．

現在，PHの臨床分類にはニース分類が世界的に用いられ，表Ⅳ-2の5群に分類される．第1群には，特発性，遺伝性，薬剤性のほかに，結合組織病，HIV感染症，門脈肺高血圧症，先天性心疾患などが分類される．第2群は成因より左室の収縮機能障害，拡張機能障害，弁膜症，先天性/後天性の左心流入路/流出路閉塞などに分けられる．肺高血圧症の原因で最も多い．第3群には慢性閉塞性肺疾患や間質性肺疾患，睡眠呼吸障害などが入る．第4群は，③慢性肺血栓塞栓症に詳述．第5群には全身疾患のサルコイドーシスや肺

表Ⅳ-2　ニース分類(2013年)

第1群：	肺動脈性肺高血圧症(PAH)
第2群：	左心室心疾患に伴う肺高血圧症
第3群：	肺疾患および/または低酸素血症に伴う肺高血圧症
第4群：	慢性血栓塞栓性肺高血圧症(CTEPH)
第5群：	詳細不明な多因子のメカニズムに伴う肺高血圧症

Langerhans細胞組織球症，リンパ脈管筋腫症，血液疾患や糖原病などの代謝性疾患，腫瘍塞栓や線維性縦隔炎，慢性腎不全などが分類される．

肺血流シンチグラフィは特に第1群の肺動脈性肺高血圧症 pulmonary arterial hypertension (PAH) と第4群のCTEPHの鑑別に極めて有用である．PAHの肺血流シンチグラムではほぼ正常または肺野の一部に粗大な低灌流域を示す所見や小斑状不均一分布 (mottled pattern) を示す (図Ⅳ-10) のに対し，第4群のCTEPHでは，多発性楔状欠損を示す (図Ⅳ-9)．肺血流シンチグラム所見はPAHの診断基準の一つである．また，原因不明の肺高血圧症ではV/Qシンチグラフィが鑑別に有用とされる．Vがほぼ正常で血流に正常もしくは斑状血流欠損がみられればPAH，ミスマッチ欠損がみられればCTEPHやそのほかの肺血管疾患，Vに異常を伴う血流欠損があれば，換気障害型肺疾患に伴うPHが疑われる．

なお，肺静脈閉塞性疾患 pulmonary veno-occlusive disease (PVOD) および/または肺毛細血管腫症 pulmonary capillary hemangiomatosis (PCH) は，肺静脈や毛細血管の異常に伴って肺高血圧症を呈する疾患であり，肺動脈性高血圧症に準じるものとして第1′群 (第1群の亜形) に分類される．V/Qシンチグラフィでは，肺動脈造影で動脈閉塞がないにもかかわらず区域/亜区域性多発ミスマッチ欠損または正常所見を示す．

❺ 大動脈炎症候群 (高安病)，肺動脈疾患，Swyer-James 症候群

大動脈炎症候群は大動脈とその主要分岐および肺動脈，冠動脈に狭窄，閉塞または拡張病変をきたす原因不明の非特異性炎症性疾患で，若い女性に好発する (図Ⅳ-11)．また肺動脈欠損症 (図Ⅳ-12) は比較的まれな先天性疾患であるが，Fallot四徴症や無脾症候群に合併して認められることが多い．これらの疾患の肺シンチグラフィでは，通常，V/Qミスマッチ欠損を示す．Swyer-James症候群は，一側性もしくは一葉の透過性亢進をきたす疾患で，小児期の繰り返す呼吸器感染による閉塞性細気管支炎とされる．V/Qマッチした欠損が知られている．

❻ 右左シャント疾患の評価 (先天性心疾患，肺動静脈瘻，肝肺症候群など)

肺血流シンチグラフィは，全身撮像により，肺内や心臓右左シャントの存在診断と定量評価を行う非侵襲的な優れた検査法である．

右左シャント率の測定は，右心系へ流入した血液が肺を通過せず直接左心系へシャントするため，流出した大循環系への分布を測定すれば短絡率を算出できる．全身カウント (A)，肺カウント (B) とすればシャント率＝(A－B)/A×100である．肺には生理的肺内シャントがあり正常でも4～6%のシャント率となるが，投与直後の ^{99m}Tc-MAA肺血流シンチグラムでは肺外集積はみられない．視覚的にはシャント率15%以上で腎・甲状腺・脳・肝臓・脾臓・唾液腺などの肺外集積がみられる．なお，通常ではシャントがあっても描出されない胃の描出や，甲状腺が強く描出された場合は，標識不良によってMAAから ^{99m}Tc (単体なら肺毛細血管を容易に通過する) が分離した可能性が高いので，誤って右左シャントの評価をしないよう注意が必要である．

右左シャントを生じる疾患としては先天性心疾患のFallot四徴症，完全大血管転位症，総肺静脈灌流異常症や三尖弁閉鎖症などにみられ，先天性疾患に合併することも多い．左右シャントのある先天性心疾患に肺高血圧症が合併し，右左シャントの増加によるチアノーゼが生じた状態をEisenmenger症候群という．心室中隔欠損，心房中隔欠損，動脈管開存，心内膜床欠損，完全大血管転位，Down症候群や多脾症でみられる (図Ⅳ-10)．

毛細血管を介さず動静脈が直接交通する動静脈瘻や，nidusを介して複数の動静脈が短絡する動静脈奇形では，右左シャントの存在診断と治療効果を含めて定量評価できる肺血流シンチグラフィ全身撮像は有用である．また胸部のSPECTやSPECT/CT撮像により，肺内の血流低下部位の

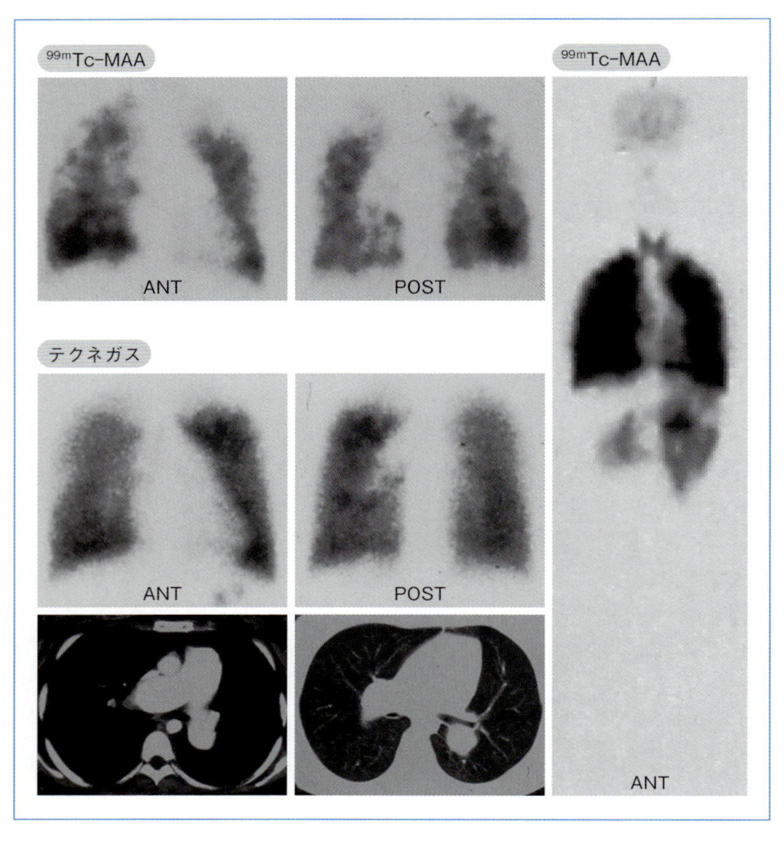

図Ⅳ-10　心房中隔欠損症(ASD)による肺高血圧症

20歳代女性．上段の肺血流画像ではびまん性に不均一な集積を示す，いわゆるmottled appearanceである．中段の換気像では比較的均一な分布であるが，左側でhot spotsがみられ，拡張した肺動脈による気管支圧排が疑われる．下段CT画像では著明に拡大した肺動脈幹と末梢側肺動脈の狭小化および肺野全体の透過性の亢進がみられる．

全身血流像では，脳・甲状腺・腎臓・脾臓の描出があり，右左シャントが証明される．シャント率は37.3%であった．

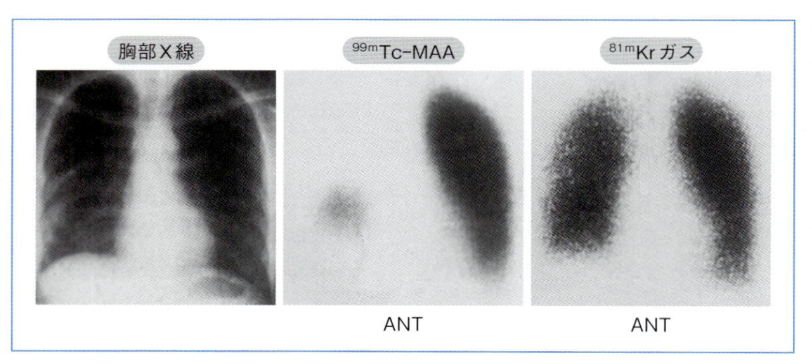

図Ⅳ-11　大動脈炎症候群

20歳代女性．肺血流シンチグラムでは右肺はほぼ血流欠損であるが，換気シンチグラムでは明らかな左右差はみられない．換気(V)/血流(Q)ミスマッチである．

(セントラルCIクリニック 塚本江利子先生のご厚意による)

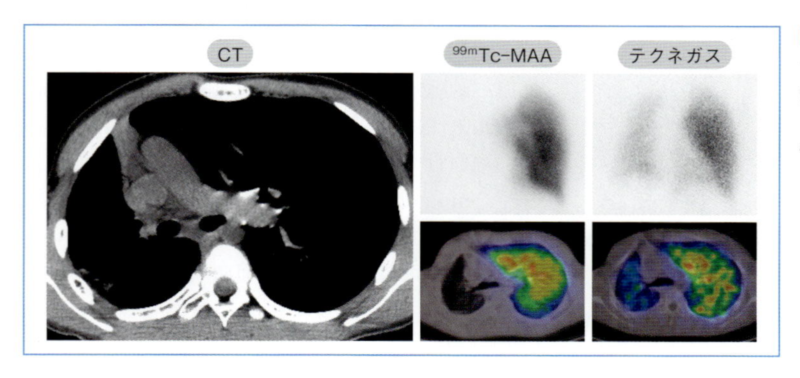

図Ⅳ-12　右肺動脈欠損

10歳代男性．CT画像で右肺動脈は同定されない．右上段の肺血流正面像では右肺の欠損像，換気画像ではびまん性に集積減少した右肺が描出されている．下段はSPECT/CT画像である．

同定に役立つ．肺動静脈瘻の 1/3 は多発性であり，常染色体優性を示す遺伝性疾患で，繰り返す鼻出血，皮膚や粘膜の毛細血管の拡張，肺・脳・肝臓・脊髄・消化管の動静脈瘻（動静脈奇形），家族内発生を特徴とする遺伝性出血性毛細血管拡張症（Osler-Weber-Rendu 病）が知られている．

肝肺症候群は，肝機能異常・肺内血管の拡張・低酸素血症を三徴とする疾患である．肝硬変患者の 5～20％にみられるといわれ，シャント路の発達，血管拡張因子の産生増加や不活性化の減退，血管収縮因子の反応性低下などにより，著しいびまん性または限局性の肺毛細血管拡張が生じる．正常肺の毛細血管径は 5～10 μm 程度だが，肝肺症候群では毛細血管～前毛細血管は 15～500 μm にまで拡張するため，粒子径 10～60 μm の ^{99m}Tc-MAA は容易に通過する．肺高血圧症の第 1 群に分類される門脈肺高血圧症 portopulmonary hypertension（PoPH）は，門脈圧亢進症の 2～6％に合併するといわれるが，動静脈シャント形成はなく，肺シンチグラフィは肺動脈性高血圧症に準じる．

❼ 肺びまん性疾患

a．慢性閉塞性肺疾患

慢性閉塞性肺疾患 chronic obstructive pulmonary disease（COPD）は肺気腫と慢性気管支炎の疾患概念を統一した疾患で，タバコ煙を主とする有害物質の長期吸引曝露による肺の炎症性疾患であり，中高年に発症する．わが国における患者数は約 530 万人，40 歳以上の人口の 8.6％の罹患率と推定されている．大多数が未治療で男性死因の第 8 位（2019 年）である．

COPD では肺胞系の破壊（気腫優位型）・末梢気道（内径 2 mm 未満の小気管支，細気管支）・中枢気道（気道病変優位型）に及ぶ全ての病変を含み，換気が障害されるため，肺換気と血流シンチグラフィでは非区域性，末梢性の低下を示すが（マッチした低下や欠損），死腔様所見やシャント様効果所見を呈することもある（図Ⅳ-13）．肺換気と血流シンチグラフィはラジオアイソトープ radioisotope（RI）の集積低下や欠損の程度によって COPD 重症度評価に用いられるほか，COPD 急性増悪と肺血栓塞栓症の合併との鑑別や COPD と肺動脈性肺高血圧症の鑑別にも有用である．

b．気管支喘息

気管支喘息は閉塞型の肺疾患であるが，アトピー型と非アトピー型に分類される．いずれも通常は可逆的で，若年発症と成人発症がみられる点で，COPD とは異なる病態である．シンチグラム所見は喘息発作時には換気欠損がみられるが，血流欠損は換気分布欠損よりも小さい（逆ミスマッチ）のが特徴である．発作寛解期では，正常の V/Q シンチグラム所見を示すこともあるが，罹患歴が長いと無症状でも V/Q のマッチした欠損がみられることが多い．吸入ステロイド剤の継続投与により，罹患歴が長い症例でも換気シンチグラム所見は改善することが知られている．

c．間質性肺炎

間質性肺炎では，肺胞壁など間質組織の肥厚や線維化により毛細血管と肺胞でのガス交換効率が低下し，酸素の拡散が妨げられる．気道の閉塞性病変は小さいので換気障害は比較的少ないが，間質組織の肥厚による血管障害が大きいため，シンチグラム所見では換気の低下に比較して大きな血流低下がみられる．このような換気・血流の不一致が低酸素血症の原因となる．

d．びまん性汎細気管支炎

びまん性汎細気管支炎 diffuse panbronchiolitis

Note 2

● 低酸素性肺血管収縮反応 hypoxic pulmonary vasoconstriction（HPV）

大循環では動脈圧が変化しても血流量はほぼ一定に保たれ，組織が低酸素状態に陥れば血管拡張をきたす末梢血管調節機能が働く．しかしながら，肺循環では肺胞酸素分圧が低下すれば，局所での換気血流比を維持するために，肺胞近傍の肺最小動脈が収縮する．これを低酸素性肺血管収縮反応といい，換気効率の悪い肺胞の血流を少なくし，肺内シャント効果を減少させ，血流の効率的再分配が生じ，低酸素血症を抑制する合目的反応である．しかしながら慢性閉塞性肺疾患 chronic obstructive pulmonary disease（COPD）などで肺の広範囲に低酸素状態が生じると肺血管抵抗が上昇し，肺高血圧症，右心不全を引き起こす原因の一つとなる．

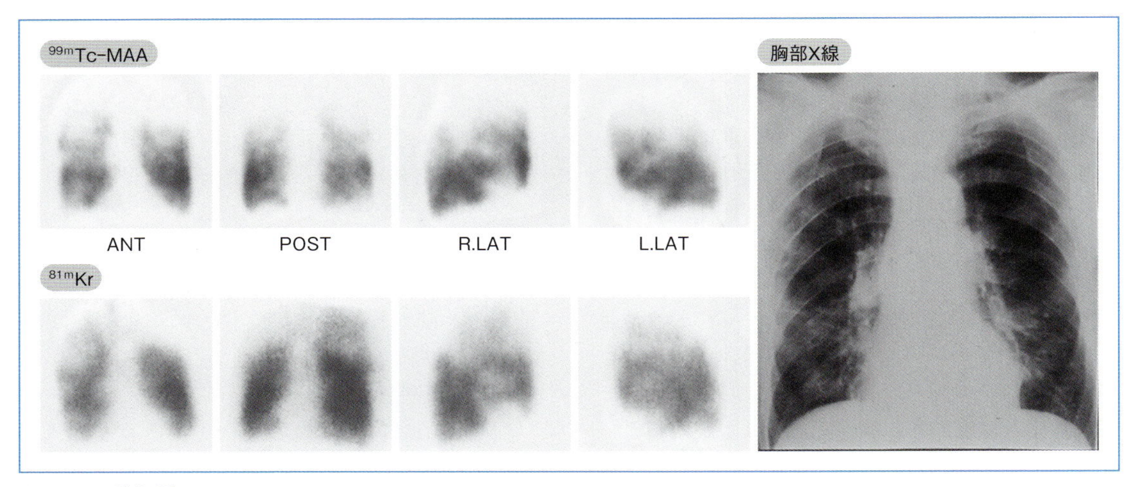

図Ⅳ-13 肺気腫

70歳代男性．肺血流（上段）と肺換気検査（下段）ではほぼ集積のマッチした画像であるが，右上肺野の ^{99m}Tc-MAA欠損部位には軽度であるが ^{81m}Krの分布がみられる．

（DPB）は終末細気管支と呼吸細気管支に原因不明の炎症を生じる慢性炎症性気道疾患で，東アジアに多い．40～50歳の発症で80%以上に慢性副鼻腔炎の合併がみられる．細気管支炎により細気管支が閉塞・狭窄し，閉塞性換気障害をきたす．胸部X線写真では，過膨張や両肺野びまん性散布性粒状影，CTではびまん性小葉中心性粒状影（tree-in-budappearance），気管支拡張や気管支壁肥厚などがみられる．エアロゾル肺吸入シンチグラフィでは高度のびまん性不均等分布とhot spotの混在パターンや，肺野型hot spotの分布パターンが多いといわれている（図Ⅳ-14）．

e．気管支拡張症

気管支拡張症は気管支拡張が不可逆的に進行する病態である．先天性の原因として，原発性線毛機能不全症による気管支拡張（内臓逆位，副鼻腔炎を伴うとKartagener症候群），嚢胞性線維症などが挙げられるが，後者はわが国ではまれで，肺変化はびまん性であるが上葉優位である．後天的原因としては，幼小児期の肺炎，繰り返す感染，肺*Mycobacterium avium* complex（MAC）症，アレルギー性気管支肺アスペルギルス症，免疫不全，COPDや膠原病などが報告されている．気管支拡張症ではシンチグラムで換気欠損がみられるが，低酸素性肺血管収縮反応による同部位の血流欠損も示す（図Ⅳ-15）．

❽ 気道閉塞（腫瘍，異物，喀痰など）

換気欠損部位は気道閉塞領域を示す．完全葉閉塞では無気肺となり，換気欠損および著明な血流減少や血流欠損がみられる．しかしながら，側副換気により無気肺を免れれば，血流障害は一致しない．

Note 3

急性肺血栓塞栓症の臨床的疾患可能性評価

Wells score（簡易版）（日本静脈学会評価指標）

- DVTの臨床所見　＋1
- PE以外の可能性が低い　＋1
- 心拍数＞100/分　＋1
- 最近の手術もしくは長期臥床　＋1
- DVTもしくはPEの既往　＋1
- 血痰　＋1
- 癌　＋1

DTV：深部静脈血栓症，PE：肺塞栓

0～1：低リスク，2以上：高リスクと判断する．

◆ 文献

1）West, JB：Ventilation/blood flow and gas exchange, 3rd ed, Blackwell Scientific, New Jersey, 1977

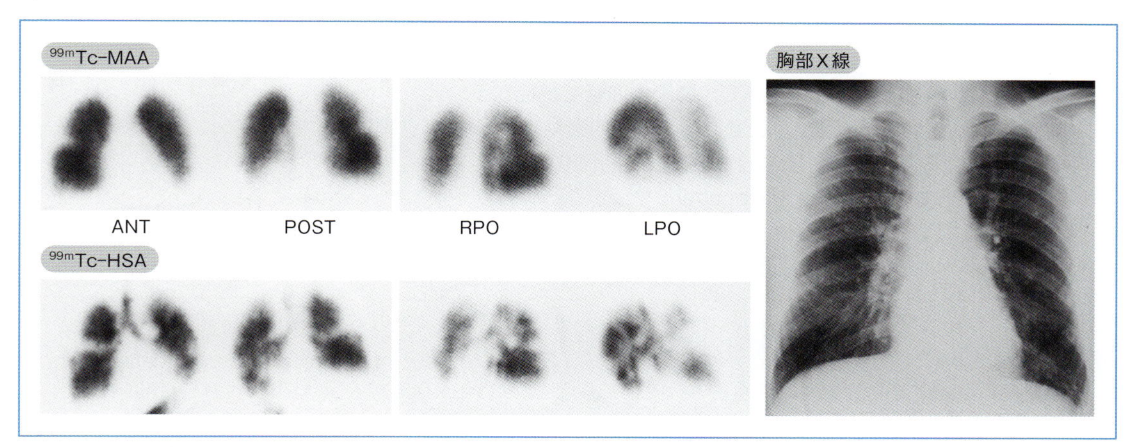

図Ⅳ-14　慢性びまん性汎細気管支炎

30歳代男性．上段は血流像，中段は ^{99m}Tc-human serum albmin（^{99m}Tc-HSA）エアロゾル吸入シンチグラムである．血流像に比し，多数の不均等分布や欠損像がみられる．

図Ⅳ-15　嚢胞状気管支拡張症

50歳代男性．血流と換気はほぼマッチした欠損であるが，左上下葉ではやや血流障害が大きい．

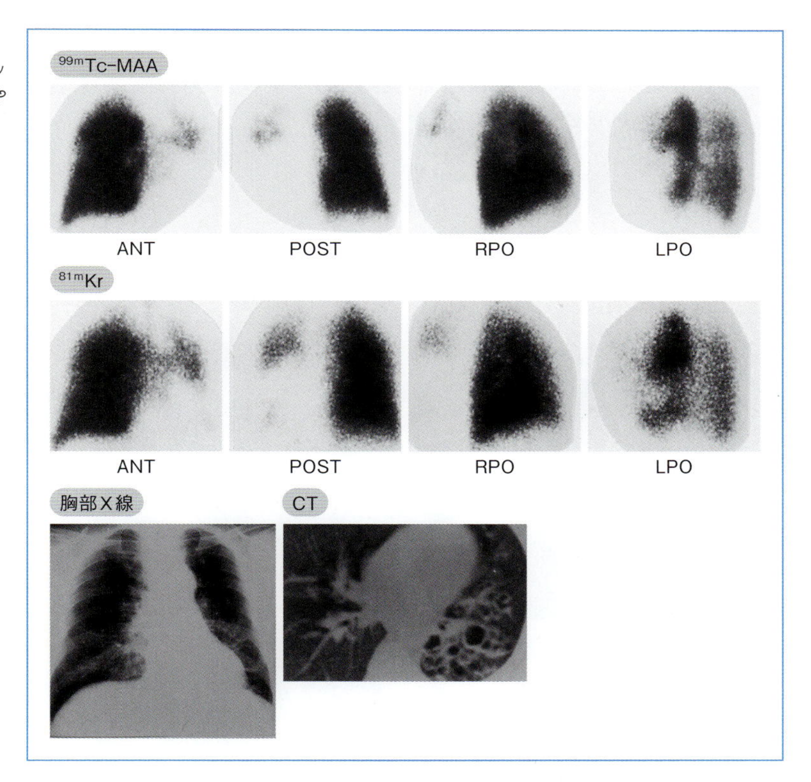

◆ 参考文献

1）Ganong, WF：医科生理学展望 原書17版，星　猛ほか訳，丸善，東京，1996
2）本田憲業ほか：呼吸器，最新臨床核医学，改訂第3版，利波紀久ほか編，金原出版，東京，288-325，1999
3）Parker, JA et al：SNM practice guideline for lung scintigraphy 4.0. J Nucl Med Technol 40：57-65, 2012
4）Kusmirek, J et al：Current Applications for Nuclear Medicine Imaging in Pulmonary Disease. Curr Pulmonol Rep 22：1-14, 2020
5）Pelletier-Galarneau, M et al：Referral Patterns and Diagnostic Yield of Lung Scintigraphy in the Diagnosis of Acute Pulmonary Embolism. Thrombosis 2017：1623868, 2017. https://www.hindawi.com/journals/thrombosis/2017/1623868（2021年3月閲欄）

要点

- ^{99m}Tc-MAA は粒子径 10〜60 μm で，肺毛細血管を塞栓する．
- 肺血栓塞栓症は V/Q ミスマッチである．気管内異物では V/Q マッチした欠損となる．
- stripe sign がみられれば，肺血栓塞栓症の可能性は低い．
- 肺動脈性肺高血圧症では mottled pattern を示すことがある．
- ^{99m}Tc-MAA 検査で右左シャントがあれば，腎・甲状腺・脳・肝臓・脾臓などが描出される．
- 肝肺症候群では著明な肺毛細血管拡張がみられ，脳，腎，肝臓などが描出される．

6) 日本循環器学会：肺血栓塞栓症および深部静脈血栓症の診断，治療，予防に関するガイドライン(2017年改訂版)，https://www.j-circ.or.jp/cms/wp-content/uploads/2017/09/JCS2017_ito_h.pdf(2021年9月閲覧)
7) 日本循環器学会：肺高血圧症治療ガイドライン(2017年改訂版)，https://www.j-circ.or.jp/cms/wp-content/uploads/2020/02/JCS2017_fukuda_h.pdf(2021年9月閲覧)
8) Sostman, HD et al：Sensitivity and specificity of perfusion scintigraphy combined with chest radiography for acute pulmonary embolism in PIOPED Ⅱ. J Nucl Med 49：1741-1748, 2008
9) Bajc, M et al：EANM guideline for ventilation/perfusion single-photon emission computed tomography(SPECT) for diagnosis of pulmonary embolism and beyond. Eur J Nucl Med Mol Imaging 46：2429-2451, 2019
10) Nishiyama, KH et al：Chronic pulmonary embolism：diagnosis. Cardiovasc Diagn Ther 8：253-271, 2018

読影の鍵　急性肺血栓塞栓症の診断手順

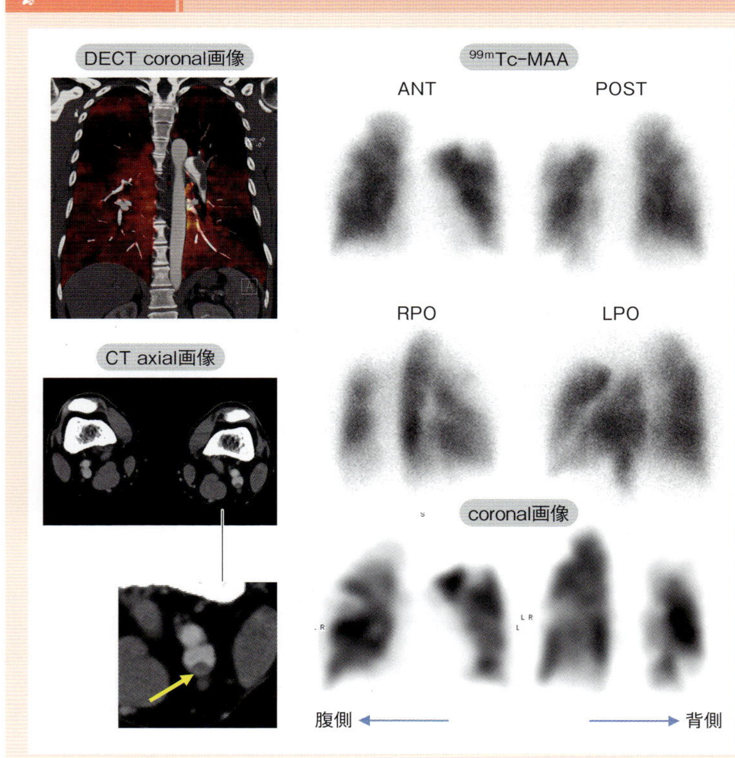

臨床症状・基礎疾患や危険因子・Wells score などから塞栓症を疑えば，まず D-dimer の測定と心エコーによるスクリーニング，次いで造影 CT，さらに必要であれば，もしくは造影剤アレルギーや腎機能低下症例では肺換気血流シンチグラフィが施行される傾向にある．

症例は 40 歳代男性．左下腿の痛みと腫脹，息苦しさを主訴に受診した．D-dimer 高値，心拍数 100 bpm．受診当日の DECT angiography と肺血流量の coronal 画像では肺動脈塞栓と多発血流欠損が描出されている．左膝窩静脈に血栓がみられる．5 日後の ^{99m}Tc MAA 肺血流シンチグラムでは区域性，亜区域性の多発病変がみられ，最下段 SPECT 画像でより明瞭である．

V

内分泌

A 甲状腺

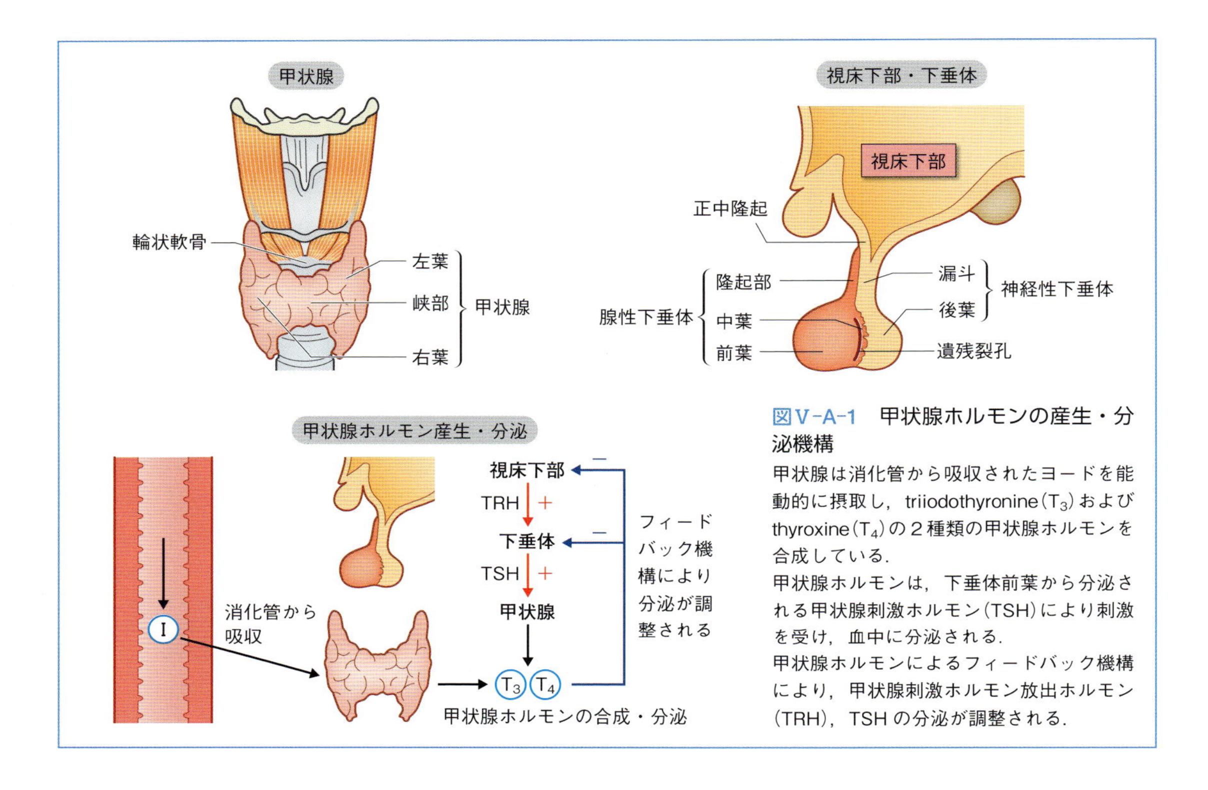

図V-A-1 甲状腺ホルモンの産生・分泌機構
甲状腺は消化管から吸収されたヨードを能動的に摂取し，triiodothyronine (T_3) および thyroxine (T_4) の２種類の甲状腺ホルモンを合成している．
甲状腺ホルモンは，下垂体前葉から分泌される甲状腺刺激ホルモン (TSH) により刺激を受け，血中に分泌される．
甲状腺ホルモンによるフィードバック機構により，甲状腺刺激ホルモン放出ホルモン (TRH)，TSH の分泌が調整される．

病態生理

甲状腺は前頸部正中に存在する内分泌臓器であり，消化管から吸収され血中に取り込まれたヨードを能動的に摂取し，トリヨードサイロニン triiodothyronine（T_3）およびサイロキシン thyroxine（T_4）の２種類の甲状腺ホルモンを合成している．成人では通常 15～20 g，上下方向に 3～5 cm，幅 2 cm 程の大きさであり，右葉と左葉が峡部につながれ，蝶型を呈する．甲状腺はヨードを多量に取り込んでいるため，通常，CT では高吸収な臓器として描出される．胎生期に舌根部から前頸部正中を下降するが，その経路に甲状腺組織が残存することがあり，異所性甲状腺腫と呼ばれる．

ヨードイオンは甲状腺濾胞細胞内でペルオキシダーゼにより有機化されチロシンと結合し，モノヨードチロシン monoiodotyrosine（MIT）およびジヨードチロシン diiodotyrosine（DIT）が合成される．DIT と DIT のカップリングにより T_4 が，MIT と DIT のカップリングにより T_3 が形成される．合成された甲状腺ホルモンは，サイログロブリンと縮合しコロイドとして濾胞内に貯蔵される．血中での半減期は T_4 が７日，T_3 が１日程度であり，T_3 の大部分は末梢組織で T_4 が脱ヨード化することにより生成されている．甲状腺ホルモンは，下垂体前葉から分泌される甲状腺刺激ホルモン thyroid stimulating hormone（TSH）により刺激を受け，血中に分泌される．フィードバック機構により，視床下部からの甲状腺刺激ホルモン放出ホルモン thyrotropin releasing hormone（TRH），下垂体前葉からの TSH の分泌が調整されている（図V-A-1）．

甲状腺ホルモンの作用は熱産生による基礎代謝の向上，心臓βアドレナリン受容体数を増加する

表V-A-1 甲状腺シンチグラフィに使用される放射性核種

	半減期	放射線の種類	主なγ線のエネルギー(keV)	投与量(MBq)	前処置	ホルモン合成能の評価
^{123}I	13時間	γ線	159	3.7	ヨード制限	可
$^{99m}TcO_4^-$	6時間	γ線	140	74～185	特になし	不可

ことによる心筋収縮時間の短縮・収縮力の増強，タンパク質・糖・脂質・水・電解質の代謝など，多岐にわたる．一般に甲状腺ホルモンが過剰になると頻脈，動悸，発汗，暑がり，息切れ，下痢などの症状が，不足になると全身倦怠感，徐脈，寒がり，皮膚の乾燥，発汗減少，便秘，むくみなどの症状が生じる．

検査の進め方

甲状腺シンチグラフィに使用される放射性核種は ^{123}I，^{99m}Tc-pertechnetate（$^{99m}TcO_4^-$）であるが，それぞれの特徴を表V-A-1に示す．

^{123}I を用いる検査では検査前2週間程のヨード制限が必要であり，特にCT検査でヨード造影剤を用いた後には，少なくとも1ヵ月は間隔を空ける必要がある．分化型甲状腺癌で甲状腺全摘または準全摘術を施行された患者に対して，血清サイログロブリン試験の併用またはサイログロブリン試験単独による診断の補助に用いられるシンチグラフィを行う場合には，ヨード制限の代わりに遺伝子組み換えヒト型TSH recombinant human thyrotropin（rhTSH）を用いることも可能である．$^{99m}TcO_4^-$ と比較し，^{123}I は甲状腺への集積率が高く，バックグラウンドの少ないイメージが得られ，取り込み機能だけでなく，ホルモン合成機能も評価することができるというメリットがある．3.7 MBq（100 μCi）のカプセルを経口投与し，3時間後および24時間後に撮像する．描出された甲状腺像の外周を囲いカウントを測定し，バックグラウンドのカウントを差し引くことで，甲状腺摂取率を算出する．正常では，摂取率は3時間後5～15%，24時間後10～40%程度である．

$^{99m}TcO_4^-$ を用いた甲状腺検査は，ヨード制限が不要であること，^{99}Mo-^{99m}Tc ジェネレータにより合成できることから簡便に検査を行うことができる．74～185 MBqを静脈注射し，約20分後に撮像し，描出された甲状腺像の外周を囲いカウントを測定し，バックグラウンドのカウントを差し引き，甲状腺摂取率を算出する（図V-A-2）．唾液中にも $^{99m}TcO_4^-$ が分泌するため，食道に沿って集積がみられることがあるが，その場合，飲水後に再撮像すると消失する．甲状腺の取り込み率は正常で約0.5～4%と，^{123}I より低く，甲状腺機能低下症と健常者の値が重なることがある．半減期が短いこともあり，投与量が ^{123}I よりも多いため画質は保たれる．甲状腺にはイオントラッピングにより取り込まれるが，ホルモン合成や分泌能の評価はできない．唾液腺にも生理的に集積するため異所性甲状腺の描出が困難なこともある．

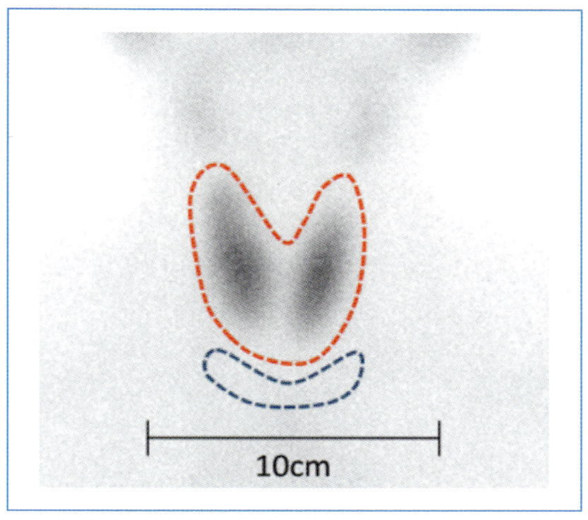

図V-A-2 甲状腺摂取率の測定
甲状腺（赤点線）および，バックグラウンド（青点線）にregion of interest（ROI）を置き，カウントを測定し，差し引くことで甲状腺摂取率を測定する．

画像の読み方

甲状腺の機能低下は大きく甲状腺自体の機能異常，その上位の障害の中枢性甲状腺機能低下に分類される（表V-A-2）．甲状腺疾患では，特徴的な症状に乏しい症例も多いため，甲状腺シンチグラフィによる診断・病態の把握は重要である．

慢性甲状腺炎（橋本病）では，病態の早期では

表V-A-2 甲状腺機能異常の代表的な疾患

	代表的な疾患
甲状腺機能低下症	慢性甲状腺炎(橋本病) 先天性甲状腺機能低下症(クレチン症) 異所性甲状腺腫 中枢性甲状腺機能低下症
甲状腺機能亢進症	Basedow 病(Graves 病) 破壊性甲状腺炎 Plummer 病 中枢性甲状腺機能亢進症

ネガティブフィードバックによりTSH分泌が亢進し，甲状腺ホルモン値は正常範囲内にとどまることが多いが，甲状腺の組織破壊が進むと組織中の甲状腺ホルモンが血中に放出されるため，フィードバックによりTSHの分泌が抑制され，シンチグラフィでは取り込みが低下する．さらに病状が進み，甲状腺の組織が広範囲に破壊されると，血中TSHが増加していても，シンチグラフィでは甲状腺の変形がみられ，取り込みは低下する（図V-A-3）．

先天性甲状腺機能低下症（クレチン症）はわが国では3,000～4,000人に1人の確率で発症するといわれている．多くは新生児スクリーニングにて発見されるが，原因としては無甲状腺症，甲状腺低形成，異所性甲状腺，甲状腺ホルモン産生障害が挙げられる．無甲状腺症，甲状腺低形成ではシンチグラフィで甲状腺が描出されない，もしくは集積が低下する．また，異所性甲状腺ではその名の通り，通常の部位以外に集積が認められるが，多くは舌根部から前頸部正中にみられる（図V-A-4）．

そのほかには，アイソトープ治療後，ヨード過剰・欠乏，中枢性の甲状腺機能低下症（TSHやTRH不足），甲状腺ホルモン受容体遺伝子の変異による甲状腺ホルモン不応症などでも甲状腺機能低下症がみられる．一過性のものとしては産後一過性甲状腺機能低下症，破壊性甲状腺炎の回復期が挙げられる．

甲状腺の機能亢進は，血中のTSH増加または自律的な甲状腺機能亢進が原因で甲状腺ホルモンの合成と分泌が亢進した結果生じる．甲状腺炎による甲状腺組織の破壊により甲状腺ホルモンが過剰に放出されても引き起こされるが，この場合は通常，合成は亢進していない．

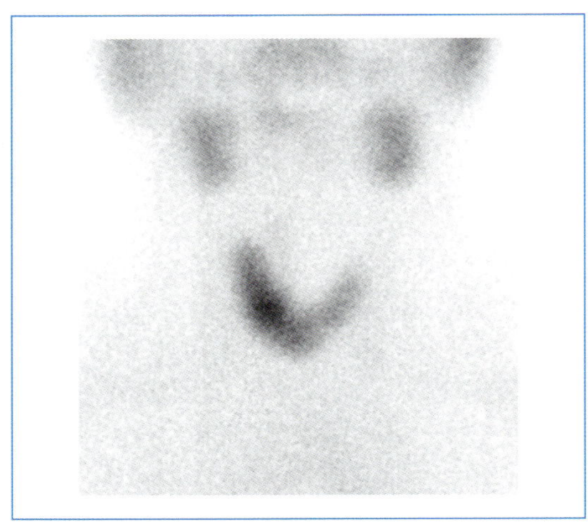

図V-A-3 慢性甲状腺炎(橋本病)

甲状腺は変形しており，左葉優位に萎縮が認められる．集積は全体的に軽度低下している．

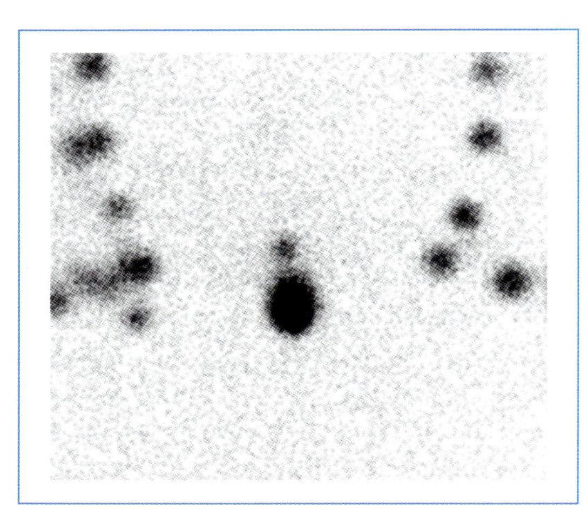

図V-A-4 異所性甲状腺

先天性甲状腺機能低下症の診断で，超音波検査を行うも甲状腺組織を確認できず．$^{99m}TcO4^-$シンチグラフィでは通常，甲状腺が認められる部位より頭側に，頭尾側方向に連続する二つの集積を認める．異所性甲状腺の所見と考えられる(体輪郭がわかるように周囲に少量の^{99m}Tcでマーキングを行っている)．

Basedow病は甲状腺機能亢進症の最も一般的な原因疾患であり，甲状腺腫・眼球突出・前脛骨粘液水腫などの症状を伴うことがある．甲状腺TSH受容体に対する自己刺激抗体が原因で，甲状腺ホルモンが過剰に合成，分泌される．シンチグラフィでは甲状腺は両葉とも腫大し，集積はほ

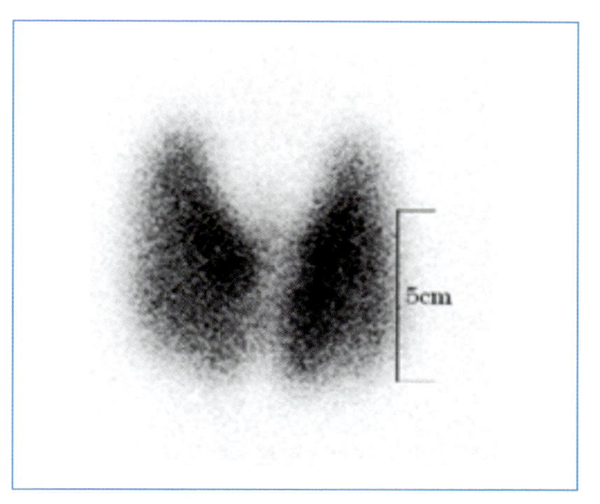

図V-A-5 Basedow 病
^{123}I カプセル 3.7 MBq 経口 24 時間後の画像．甲状腺は両葉とも著明に腫大，ほぼ均一な集積亢進を呈している．摂取率は 84.2(%)と著明に高値を示している．

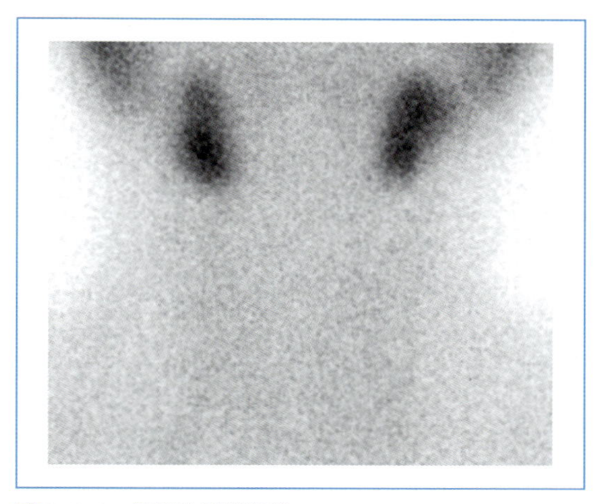

図V-A-6 破壊性甲状腺炎
甲状腺機能亢進症鑑別目的に ^{99m}TcO4$^-$シンチグラフィを施行．甲状腺への集積は両葉とも著明に低下しており，指摘は困難．

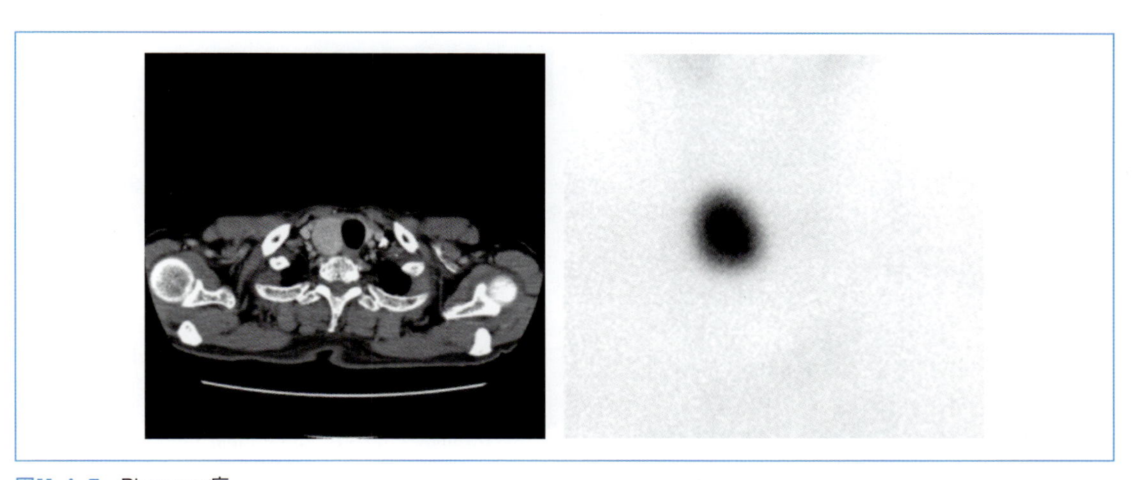

図V-A-7 Plummer 病
甲状腺機能亢進症状鑑別目的に施行された ^{99m}TcO4$^-$シンチグラフィで甲状腺右葉の結節に境界明瞭な集積亢進病変が認められる．また周囲および対側甲状腺の集積は低下している．CT では一致する部位に結節が認められる．

ぼびまん性に亢進する（図V-A-5）．時に錐体葉の描出も認められる．

炎症性甲状腺疾患による甲状腺組織の破壊により，貯蔵ホルモンが放出され，甲状腺機能亢進症状をきたすことがある．亜急性甲状腺炎，無痛性甲状腺炎，急性化膿性甲状腺炎，橋本病の急性増悪などで生じ，破壊性甲状腺炎といわれる．破壊性甲状腺炎では破壊の程度や撮像時期にもよるが典型的には甲状腺はほとんど描出されない（図V-A-6）．

Plummer 病（過機能結節）は，TSH 非依存性に甲状腺ホルモンを自律性に産生する結節性病変により，甲状腺機能亢進症状をきたす．自律機能性甲状腺結節 autonomously functioning thyroid nodule（AFTN）とも呼ばれる．甲状腺シンチグラフィでは結節に一致する hot nodule がみられ，フィードバックにより TSH が抑制されているため周囲の正常甲状腺組織への集積は低下する（図V-A-7）．

まれではあるが，下垂体腺腫による TSH 分泌異常により，甲状腺ホルモンが過剰に合成，分泌され中枢性に甲状腺機能亢進症をきたすことがあ

要点

- 甲状腺ホルモンの合成・分泌は視床下部・下垂体・甲状腺を介したフィードバック機構により調整されている．
- ^{123}I シンチグラフィでは，ホルモン合成機能の評価が可能である．
- $^{99m}TcO_4^-$シンチグラフィでは，ヨード制限が不要で緊急検査も可能である．
- 視覚的に集積の形態や程度，大きさを評価し，甲状腺摂取率も参考にする．
- 当たり前ながら臨床症状・経過を踏まえ画像の解釈を行う．

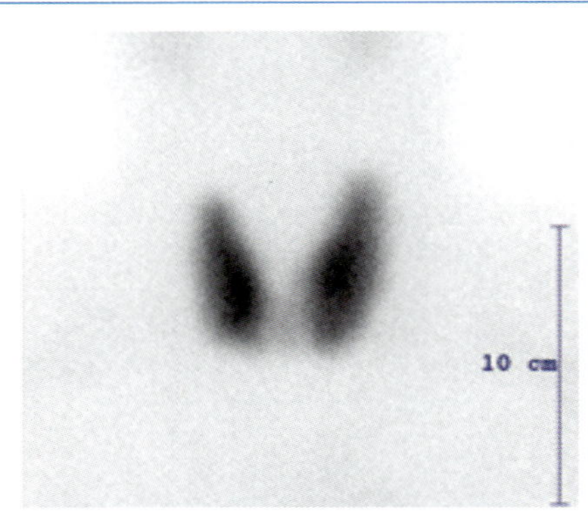

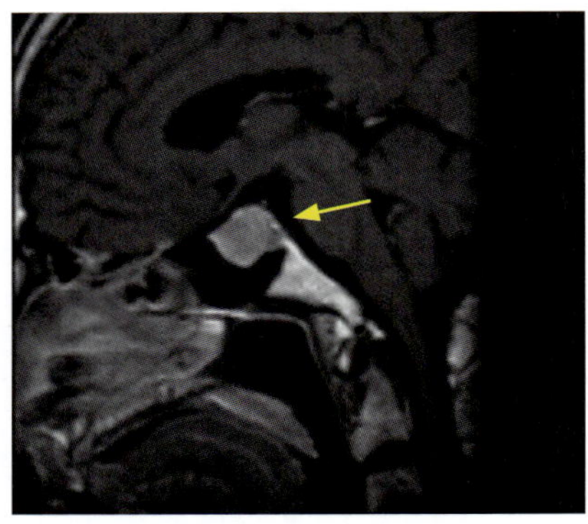

図V-A-8 下垂体腺腫に伴う甲状腺機能亢進症
甲状腺への集積はびまん性に亢進．甲状腺の大きさは正常上限程度．唾液腺への集積は相対的に低下している．下垂体腺腫からの甲状腺刺激ホルモン（TSH）分泌亢進に伴う甲状腺機能亢進症の所見．

る．シンチグラフィでは甲状腺への集積はびまん性に亢進する（図V-A-8）．

甲状腺機能亢進を呈するそのほかの状態として，TSH 産生腫瘍，妊娠甲状腺中毒症，リチウムなどによる薬剤性甲状腺機能亢進症，卵巣甲状腺腫などが挙げられる．

◆ 参考文献
1）Meller, J et al：The continuing importance of thyroid scintigraphy in the era of high-resolution ultrasound. Eur J Nucl Med Mol Imaging 29(Suppl 2)：S425-S438, 2002
2）Intenzo, C et al：Subclinical hyperthyroidism：current concepts and scintigraphic imaging. Clin Nucl Med 36：e107-e113, 2011

Note

● T_3 抑制試験

甲状腺へのヨード摂取が甲状腺刺激ホルモン（TSH）依存性かどうかを調べる方法として T_3 抑制試験がある．T_3 を経口投与することにより，下垂体からの TSH 分泌を抑制することで，甲状腺への摂取が低下するかどうかを確認する．T_3 投与前後での摂取率を測定し，通常，摂取率が 1/2 以下になれば反応があると判断する．Plummer 病では自立的に甲状腺ホルモンを産生しているため，摂取率が低下しない．また，Basedow 病では甲状腺刺激抗体 thyroid stimulating antibody（TSAb）により刺激されているため，T_3 を投与しても摂取率が低下しない．Basedow 病に対する抗甲状腺剤療法の治療効果判定に用いられることがある．

● シンチグラフィによる甲状腺腫瘍の評価

甲状腺分化癌の転移の検索や治療効果判定に ^{201}Tl シンチグラフィを，未分化癌や甲状腺悪性リンパ腫の患者の病期診断などに ^{67}Ga シンチグラフィが用いられることがある．甲状腺腫瘍への集積の有無で良悪鑑別はできないことに注意する．

B 副甲状腺

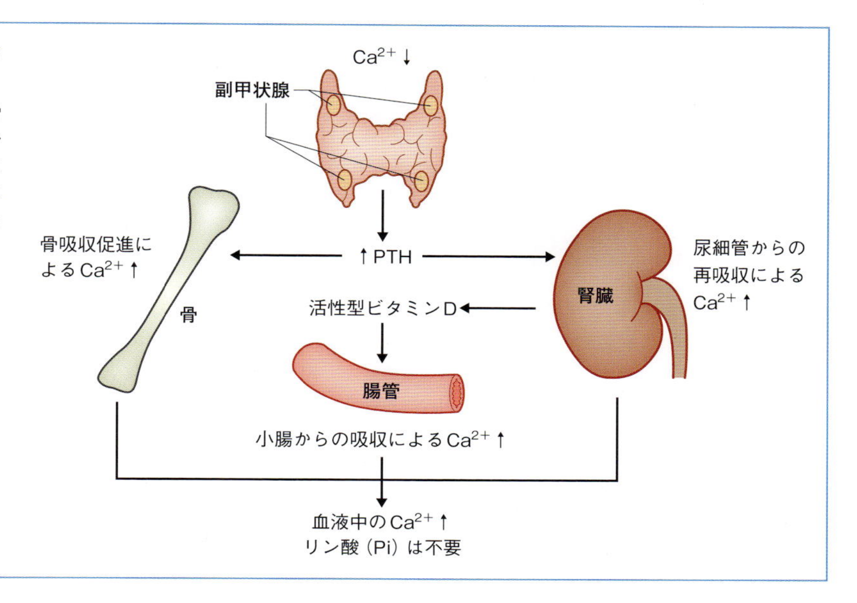

図V-B-1 血中カルシウム濃度の調節機構
副甲状腺ホルモン(PTH)は骨での骨吸収促進，腎でのカルシウム再吸収促進，小腸によるカルシウム吸収促進などにより，血中カルシウム濃度を調節している．

病態生理

副甲状腺は通常，左右2対，合計四つ存在し，甲状腺の後ろに隣接する．それぞれ大きさは数ミリ程度で，1個の重さは30～40 mg程度であり，副甲状腺ホルモン parathyroid hormone（PTH）を産生，分泌する．副甲状腺が5腺以上ある人は少なくなく，また本来の位置と異なる部位に存在することもあり，異所性副甲状腺と呼ばれる．PTHは骨での骨吸収促進，腎でのカルシウム再吸収促進，小腸によるカルシウム吸収促進などにより，血中カルシウム濃度を調節している（図V-B-1）．PTHが過多となると副甲状腺機能亢進症，過少になると副甲状腺機能低下症となるが，血中カルシウムの代謝異常に応じて症状が生じる．血中カルシウム濃度高値が続くと，膵炎，胆石，消化性潰瘍などの症状がみられることがある．またカルシウムの尿中排泄が促進され，腎臓や尿管，膀胱に結石が生じる．骨吸収が長期間促進されると，骨脆弱性が増し，病的骨折を生じることもある．副甲状腺機能亢進症は外科的治療の対象となりうるが，これはさらに原発性副甲状腺機能亢進症と二次性副甲状腺機能亢進症に分類される．原発性副甲状腺機能亢進症は副甲状腺自体に原因があり，副甲状腺ホルモンが過多となる．原因は，遺伝性の一部を除いて不明である．原発性副甲状腺機能亢進症の大部分は，一つの副甲状腺からPTHが過剰産生される腺腫が原因だが，そのほかに，複数の副甲状腺が腫大する過形成や，癌腫からPTHが産生されて生じることもある．過形成は多発性内分泌腫瘍症が原因のことがある．二次性副甲状腺機能亢進症は，くる病やビタミンD欠乏症，腎不全など副甲状腺以外が原因で副甲状腺が過機能となり，PTHが過剰に分泌され，症状が生じる．

検査の進め方

^{99m}Tc-メトキシイソブルイソニトリル methoxy isobutyl isonitril（MIBI）が2010年に保険適用となり，従来の^{201}TlClおよび$^{99m}TcO_4^-$を用いた検査に置き換わった．通常，370～740 MBqを静注しおよそ15分後に早期像を，2～3時間後に後期

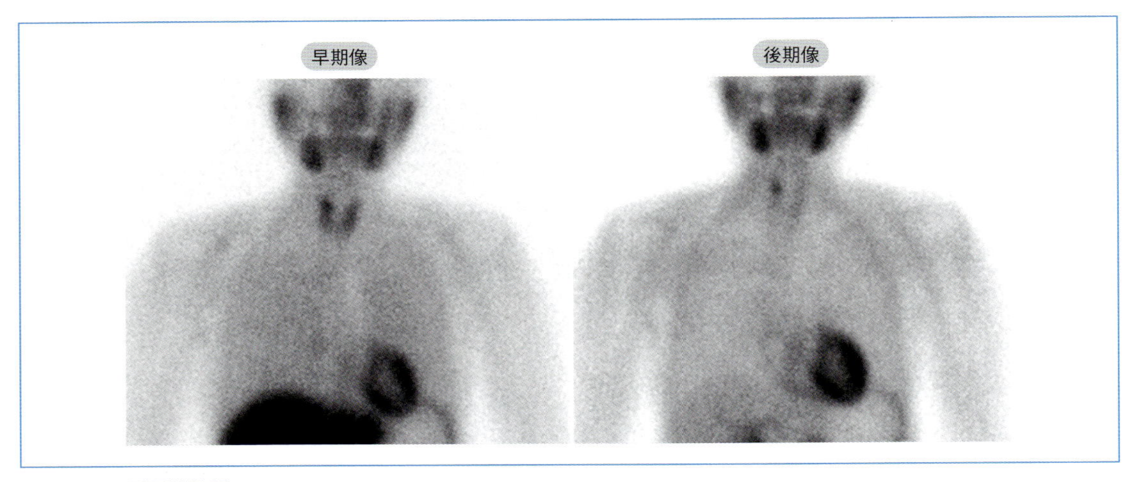

図V-B-2　副甲状腺腫
早期像で甲状腺両葉に集積亢進を認める．後期像では甲状腺からの洗い出しが認められ，甲状腺右葉の上極側に副甲状腺腫が明瞭化している．

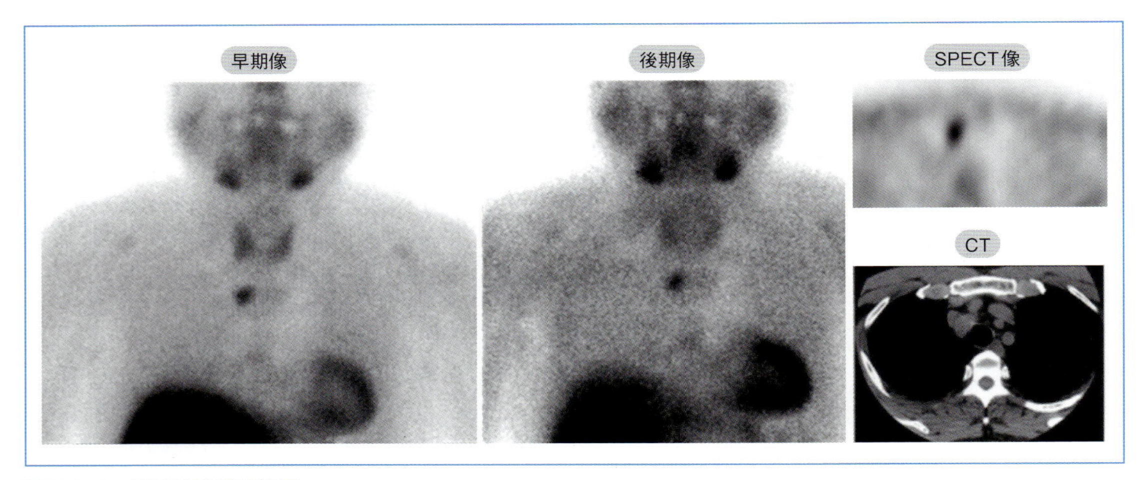

図V-B-3　異所性副甲状腺腫
早期像，後期像ともに甲状腺より尾側に限局性集積亢進部位が認められる．SPECT像では上部気管傍部に集積亢進が認められ，CTで軟部組織結節が認められ，異所性副甲状腺腫の所見と考えられる．

像を撮像する．静注後，金属臭のような苦味を感じることがあるが，数分で消失する．正常の副甲状腺は描出されないが，副甲状腺腫の細胞にはミトコンドリアが豊富なため，細胞膜の電位勾配によりラジオアイソトープ radioisotope（RI）が取り込まれる．甲状腺にも集積するが，甲状腺組織に比べ，副甲状腺腫からの洗い出しが遅いため，早期像と後期像あわせて評価を行う．異所性副甲状腺腫も考慮し，頸部～胸部の planar 像と SPECT 像を撮像する．

副甲状腺腫のサイズが小さい場合や深部に存在する場合には偽陰性になることがある．また，甲状腺腫瘍やリンパ節転移，サルコイドーシスなどで偽陽性になることがあり，注意が必要である．

画像の読み方

^{99m}Tc-MIBI は甲状腺にも集積するが，甲状腺組織に比べ，副甲状腺腫からの洗い出しが遅いため，副甲状腺腫は後期像で明瞭となる（図V-B-2）．^{99m}Tc-MIBI の生理的集積は甲状腺のほか，唾液腺，鼻粘膜，口腔内，心筋，肝臓，消化管に

要点

- ^{99m}Tc-MIBI 静注により苦味を感じることがあるので事前に患者に伝える.
- 早期像・後期像あわせて評価を行い，後期像で明瞭となる集積を指摘する.
- 異所性副甲状腺腫を見逃さないため，胸部までの撮像，SPECT 像の撮像を行う.

認められるが，異所性副甲状腺腫を見逃さないように，そのほかの領域に異常集積がみられないかをしっかりチェックする（図V-B-3）.

◆ 参考文献

1) Shaha, AR et al : Sestamibi scan for preoperative localization in primary hyperparathyroidism. Head Neck 19 : 87-91, 1997
2) Mariani, G et al : Preoperative localization and radioguided parathyroid surgery. J Nucl Med 44 : 1443-1458, 2003
3) Schalin-Jäntti, C et al : Planar scintigraphy with ^{123}I/^{99m}Tc-sestamibi, ^{99m}Tc-sestamibi SPECT/CT, ^{11}C-methionine PET/CT, or selective venous sampling before reoperation of primary hyperparathyroidism?　J Nucl Med 54 : 739-747, 2013

Note

● サブトラクション法による副甲状腺腫の評価

^{99m}Tc-MIBI が保険適用になるまでは，^{201}TlCl と^{99m}TcO$_4^-$を用いたサブトラクション法にて過機能性副甲状腺結節の検出を行っていた．1 価の陽イオンである^{201}TlCl は K と同様の挙動を呈するため，Na-K ATPase 活性により，甲状腺と副甲状腺に集積する．ヨウ化アナログである^{99m}TcO$_4^-$は甲状腺組織に集積するので，それらのサブトラクション画像を作成し病変の有無を確認するという方法である.

● 多発性内分泌腫瘍 multiple endocrine neoplasm (MEN)

二つ以上の内分泌臓器に過形成もしくは腫瘍が発生する疾患で，組み合わせにより 1 型と 2 型に分類される．2 型はさらに 2A 型，2B 型，家族性甲状腺髄様癌に分かれる．それぞれ遺伝子変異が同定されており，多くは常染色体優性遺伝である．MEN 1 型では副甲状腺機能亢進症，下垂体腺腫，膵消化管内分泌腫瘍のうち少なくとも二つが存在し，副腎，皮膚，胸腺などにも腫瘍が発生することがある．MEN 2A 型では甲状腺髄様癌，副腎褐色細胞腫，副甲状腺機能亢進症を発症，MEN 2B 型では甲状腺髄様癌，褐色細胞腫のほか，Marfan 様症状や眼瞼，口唇，舌などに粘膜神経腫を合併することがある（表）.

いずれの型もそれぞれの腫瘍が同時期に発症するとは限らず，合併頻度もさまざまであることから，単独にこれらの腫瘍を認めた場合には，本症の存在を念頭に置き，家族歴の聴取や内分泌学的検査を進めることが重要である.

表　多発性内分泌腫瘍の型

型	MEN1 型（Wermer 症候群）	MEN2 型	
		2A 型（Sipple 症候群）	2B 型
原因遺伝子	MEN1 遺伝子	RET 遺伝子	
発生部位	下垂体腫瘍 副甲状腺腫・過形成 膵内分泌腫瘍	甲状腺髄様癌 褐色細胞腫 副甲状腺腫・過形成	甲状腺髄様癌 褐色細胞腫 多発性神経腫

C 副腎

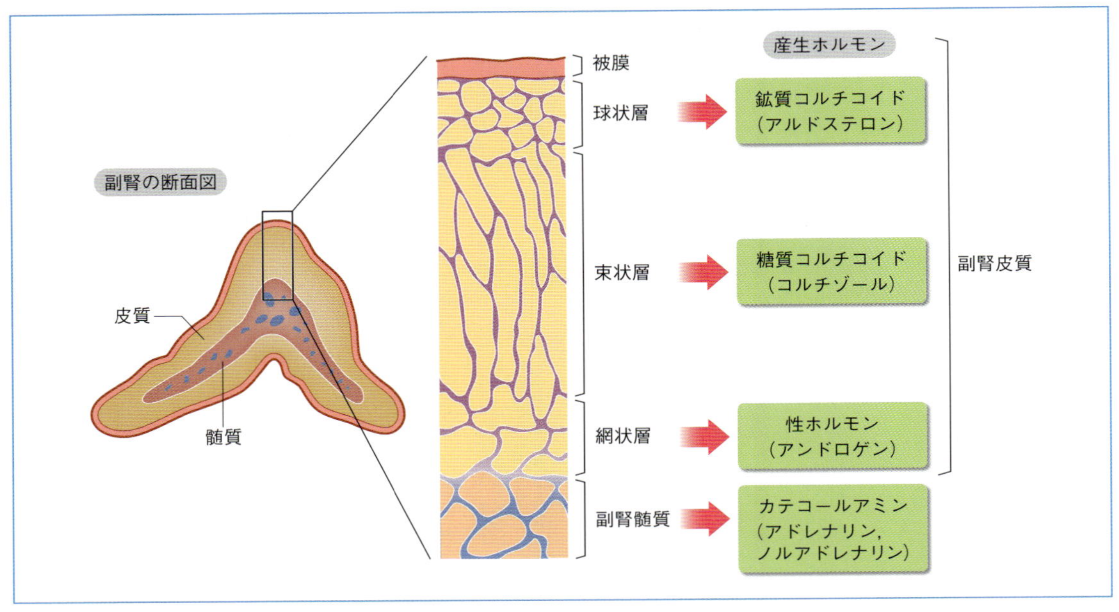

図V-C-1　副腎の組織構造
副腎は外層の皮質と，内層の髄質から成り，副腎ホルモンを合成・分泌する．副腎皮質は，球状層，束状層，網状層の三層から成るが，それぞれから鉱質コルチコイド(主にアルドステロン)，糖質コルチコイド(主にコルチゾール)，性ホルモン(主にアンドロゲン)の合成が行われる．副腎髄質からはカテコールアミン(アドレナリン，ノルアドレナリン)が産生される．

病態生理

副腎は後腹膜腔に存在し，右副腎は肝臓，腎臓，下大静脈に，左副腎は脾臓，膵臓，腎臓，腹部大動脈に囲まれている．外層の皮質と，内層の髄質から成り，副腎ホルモンを合成・分泌する．副腎皮質は，球状層，束状層，網状層の3層から成るが，それぞれから鉱質コルチコイド（主にアルドステロン），糖質コルチコイド（主にコルチゾール），性ホルモン（主にアンドロゲン）の合成が行われる．副腎髄質からはカテコールアミン（アドレナリン，ノルアドレナリン）が産生される（図V-C-1）．

アルドステロン分泌はレニン-アンジオテンシン系，血漿K濃度，副腎皮質刺激ホルモン adrenocorticotropic hormone（ACTH）などによって調節されている．腎の遠位尿細管で Na^+，OH^- の再吸収と K^+，H^+ の排泄を行う（図V-C-2）．分泌過剰により，細胞外液中の K^+ の低下，HCO_3^- の増加と軽度の Na^+ の増加に伴う高血圧，低K血症，代謝性アルカローシスが生じる．逆に分泌低下は低血圧，高K血症，代謝性アシドーシスを生じる．

コルチゾールの分泌は，視床下部-下垂体-副腎皮質系のネガティブフィードバック機構により調節されている（図V-C-3）．グリコーゲン合成，タンパク質の異化，糖新生，脂肪分解などの代謝調節作用のほか，血管収縮，水利尿などを行う．過剰により，筋力低下，高血圧，骨粗鬆症，耐糖能障害などを引き起こす．分泌低下により，易疲労感，低血糖，食欲不振，悪心・嘔吐，体重減少，嗜眠などの症状が生じる．

アンドロゲンはタンパク同化作用，体毛の維持に寄与する．分泌過剰により，男性化，多毛などの症状をきたす．分泌低下により無月経，脱毛，

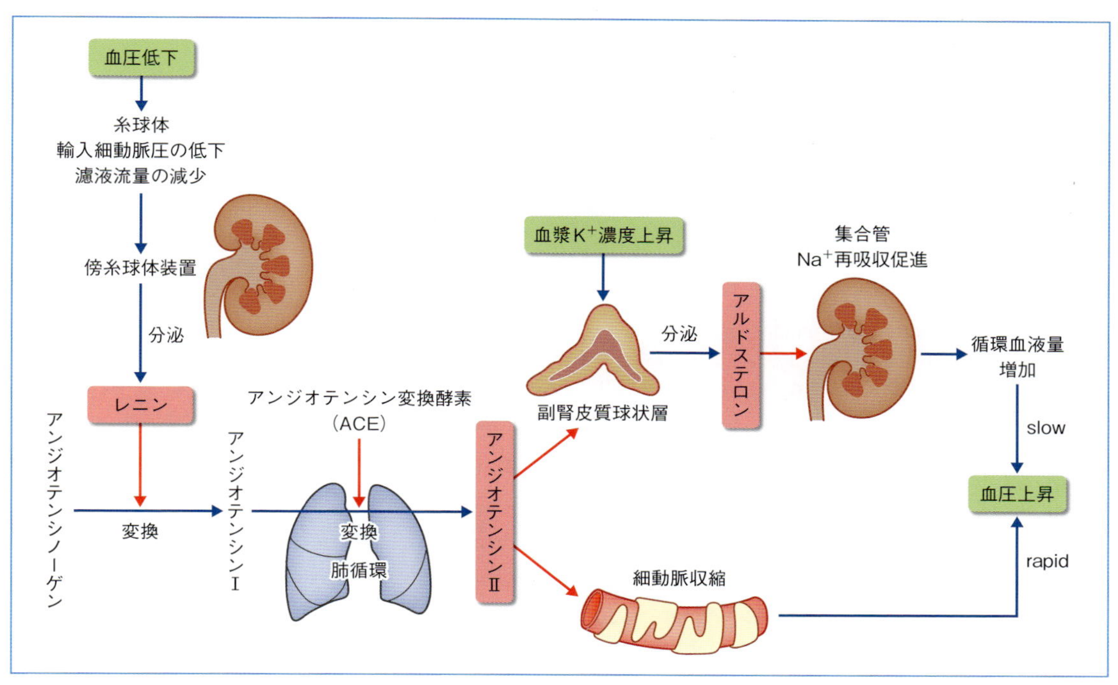

図V-C-2 コルチコイドの分泌機序

性欲低下などの症状が生じる．

カテコールアミンは血管収縮，心収縮力増強，気管支拡張，糖代謝，脂質代謝などに寄与し，分泌過剰により高血圧，発汗，頻脈などを引き起こす．

検査の進め方

^{131}I-アドステロール（アドステロール®-I131）は，ステロイドホルモンの合成素材として皮質に集積する．ACTHにより刺激を受けると取り込みが亢進する．エタノールが含まれているため，生理食塩液または注射用蒸留水を加えて2倍以上に希釈し，約18.5 MBqを30秒以上かけてゆっくり静注する．エタノールにより一過性の顔面紅潮，動悸，気分不良などの症状を呈する場合があるため，注意深く観察しながら投与する．肝臓にも生理的に集積するが，経時的に減少し，相対的に副腎の描出が明瞭となる．よって，静注7日目以降に撮像する．遊離^{131}Iが甲状腺に集積するのを防止するため，ヨウ素製剤（Lugol液など）で甲状腺ブロックを行う（3日前から検査終了まで100～200 mg/日程度）．

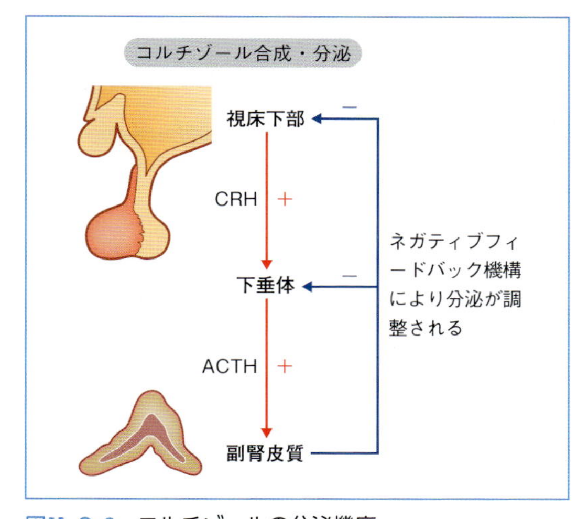

図V-C-3 コルチゾールの分泌機序
コルチゾールの分泌は，視床下部-下垂体-副腎皮質系のネガティブフィードバック機構により調節されている．
CRH：副腎皮質刺激ホルモン放出ホルモン，ACTH：副腎皮質刺激ホルモン

原発性アルドステロン症の鑑別診断にデキサメタゾン抑制副腎皮質シンチグラフィが行われる．通常では，アルドステロンはACTHを抑制しないため，副腎腺腫だけでなく，健側の副腎にも正常の集積がみられる．デキサメタゾンを投与する

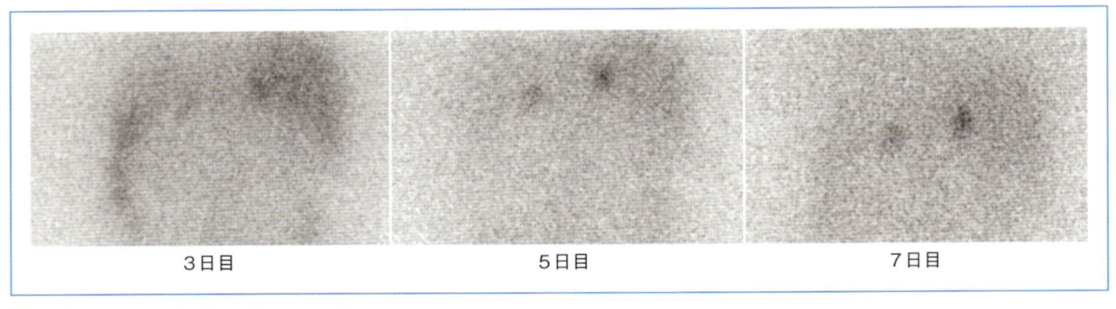

図V-C-4　normal adrenal asymmetry
背面から撮像した^{131}I-アドステロールシンチグラフィの正常像．3日目では肝臓の描出が目立つが，経時的に副腎の描出が明瞭化している．右副腎の方が濃く描出されているが，正常範囲内の所見．

ことでACTH分泌が抑制され，健側の集積が低下し，左右差が明瞭になる．デキサメタゾンの投与量は3〜7日前から検査終了まで2.0〜4.0 mg/日と施設により一定ではない．

^{123}I-メタヨードベンジルグアニジン meta-iodobenzylguanidine（MIBG）はノルエピネフリン類似物質であり，副腎髄質のクロム親和性貯蔵顆粒に取り込まれ集積する．褐色細胞腫，傍神経節腫瘍，神経芽腫，甲状腺髄様癌，カルチノイドなど副腎髄質や交感神経から発生した腫瘍の診断に用いられる．111〜185 MBqを静注し，通常24時間後に撮像する．

画像の読み方

背面から撮像した^{131}I-アドステロールシンチグラフィでは，肝臓への集積は経時的に減弱し，副腎の描出が明瞭化していく．右副腎は肝臓と重なること，左副腎よりも背側に位置する（検出器に近い）こと，左腎がγ線吸収体となることなどが原因で正常でも右副腎の方が濃く描出されることがある（図V-C-4）．

Cushing症候群は，コルチゾールの過剰分泌により高コルチゾール血症を呈する疾患の総称である．満月様顔貌，水牛様脂肪沈着 buffalo hump，中心性肥満，皮膚線条が有名であるが，そのほかにも高血圧，耐糖能異常，骨粗鬆症，精神症状などの症状を引き起こす．特徴的な身体所見は欠如しているものの，内分泌学的検査はCushing症候群類似の自律的糖質コルチコイド産生を示す場合はsubclinical Cushing症候群と呼ばれる．ACTH依存性である下垂体性腺腫によるACTH過剰分泌（Cushing病）やACTHもしくは副腎皮質刺激ホルモン放出ホルモン corticotropin-releasing hormone（CRH）産生腫瘍であれば，両側副腎が過形成となるため，両側副腎の集積が増加する．副腎皮質腺腫が原因であれば，腺腫のみに集積が増加し，対側副腎は描出されない（図V-C-5）．結節性副腎過形成 ACTH-independent bilateral adrenocortical macronodular hyperplasia（AIMAH）の場合は，非対称性に両側副腎に集積亢進が認められる（図V-C-6）．副腎皮質癌はまれであるが，不均一な集積を示すことがある．

副腎皮質病変により，アルドステロンの自律的過剰分泌が生じた病態は原発性アルドステロン症と呼ばれる．主な原因は副腎皮質腫瘍によるが，腺腫の場合，比較的小さいことが多く，集積が低く診断が難しい場合はデキサメタゾンを用いて正常副腎皮質への集積を抑制させると診断可能なことがある（図V-C-7）．

^{123}I-MIBGシンチグラフィでは生理的に唾液腺，鼻腔，甲状腺，肝臓，心臓，膀胱の描出が認められる．副腎の生理的描出は半数程度で認められる．特にSPECT像では指摘可能である（図V-C-8）．

褐色細胞腫は副腎髄質や傍神経節から発生する腫瘍でカテコールアミンの過剰分泌を起こす．高血圧 hypertension，代謝亢進 hypermetabolism，高血糖 hyperglycemia，頭痛 headache，発汗過多 hyperhydrosis などの症状をきたす．多くは良性腫瘍であるが，約10％は悪性であり，転移をきたす．^{123}I-MIBGシンチグラフィでは腫瘍に集積亢進が認められ，対側副腎への集積は抑制される．左室心筋の集積が抑制されることがあり，カ

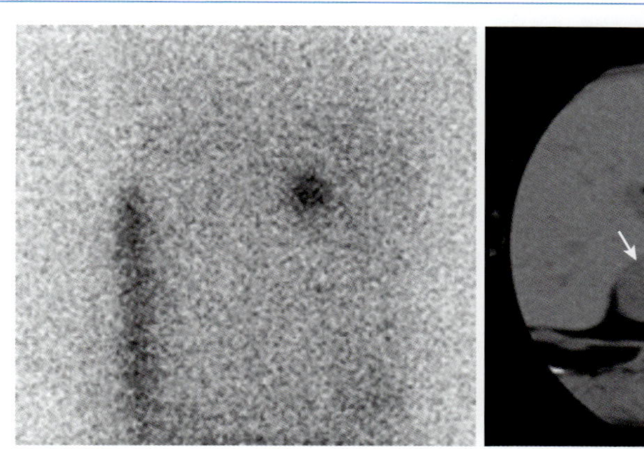
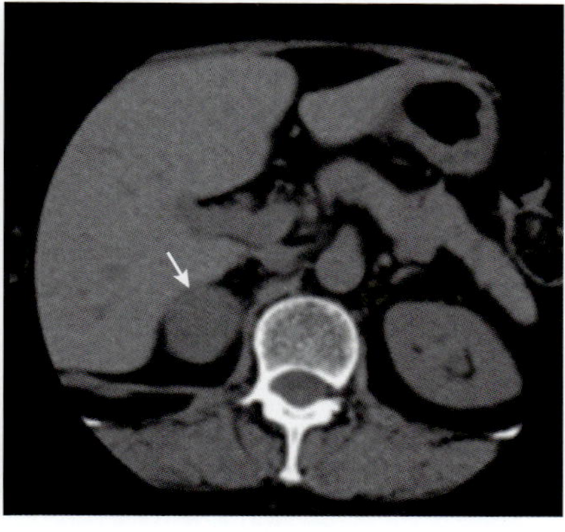

図V-C-5 副腎腺腫による Cushing 症候群

^{131}I-アドステロールシンチグラフィでは右副腎腫瘤に一致する集積亢進が認められ，対側副腎への集積は抑制されている.

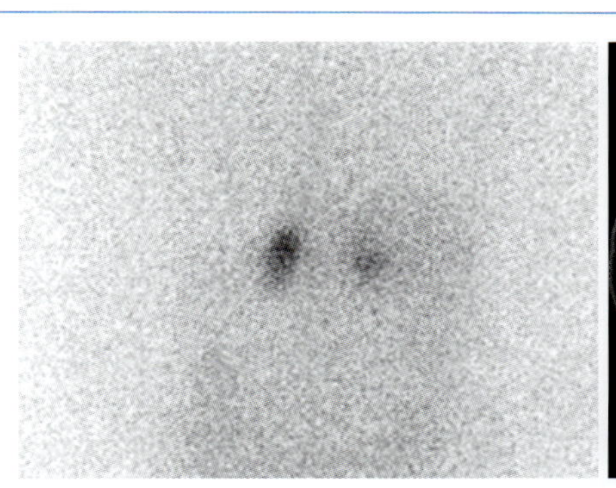
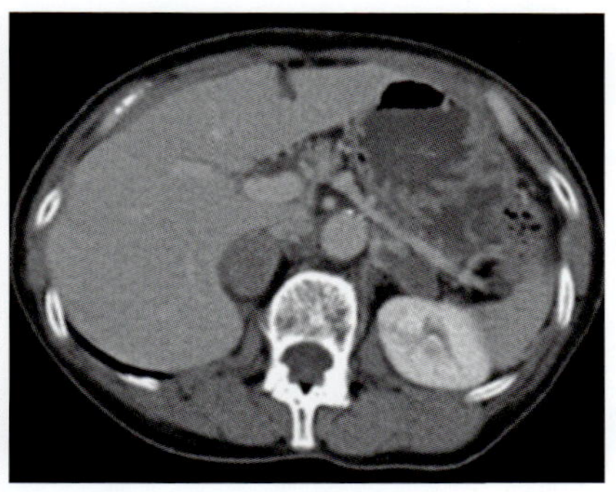

図V-C-6 結節性副腎過形成(AIMAH)

採血でコルチゾール高値，副腎皮質刺激ホルモン(ACTH)の低下および日内変動の消失が認められ，デキサメタゾン負荷にてコルチゾールの抑制が認められなかった．両側副腎腫瘍に^{131}I-アドステロールの集積が認められ，AIMAH の所見と考えられる.

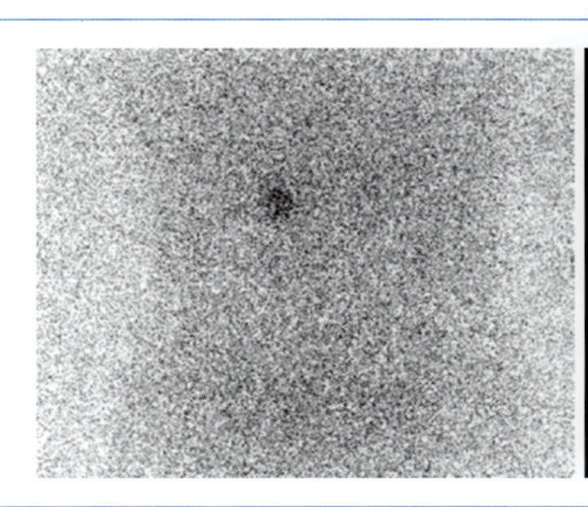
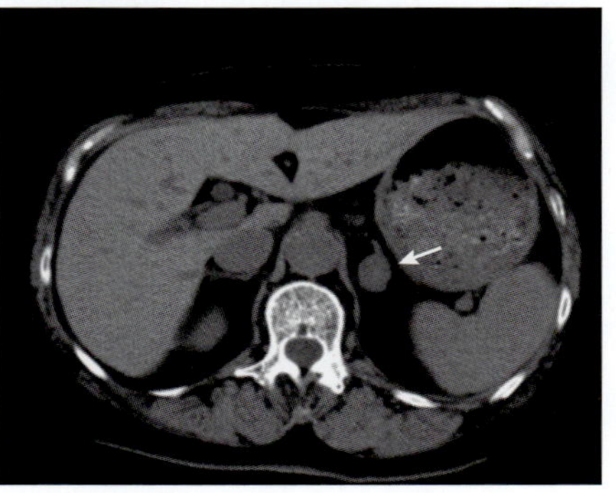

図V-C-7 デキサメタゾンを用いた副腎皮質腫瘍の評価

左副腎腫瘍に明瞭な集積亢進が認められる．デキサメタゾンにより対側副腎の集積はしっかり抑制されており，左副腎の機能性腺腫が明瞭に捉えられる.

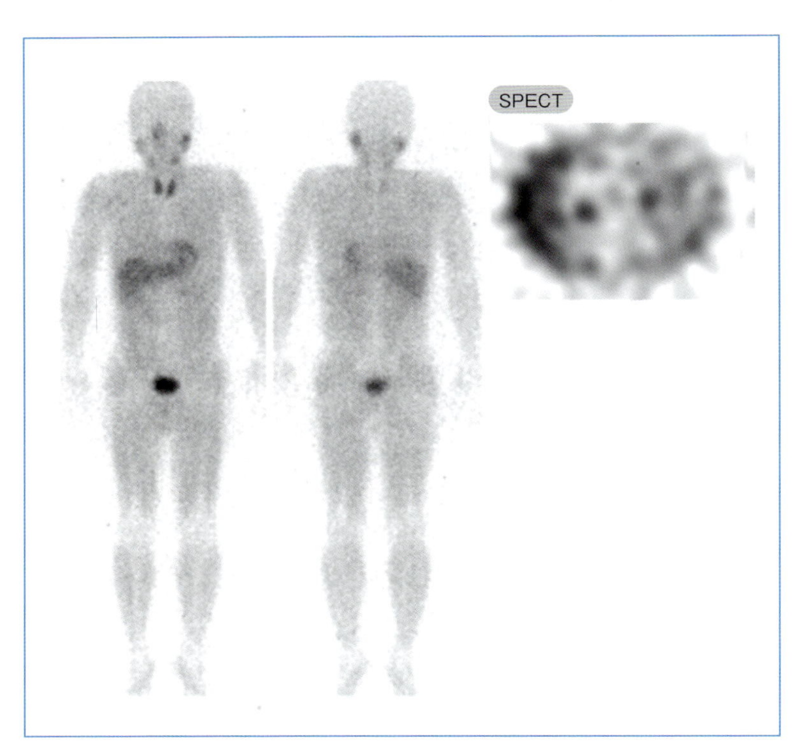

図V-C-8　^{123}I-MIBG シンチグラフィの正常分布

唾液腺，鼻腔，甲状腺，心臓，肝臓，膀胱が描出されている．SPECT 像では両側副腎への集積が確認できる．

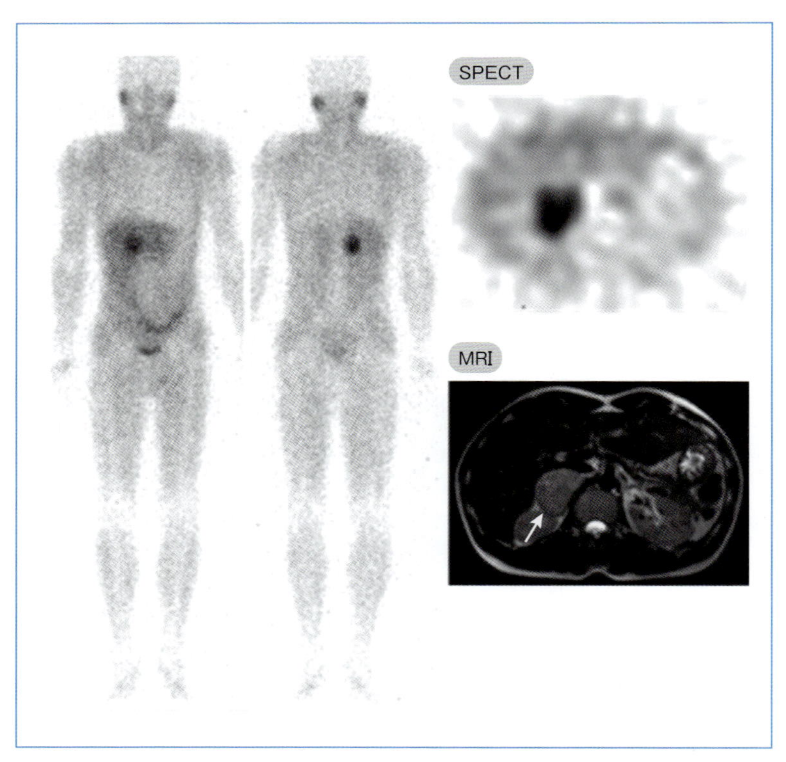

図V-C-9　褐色細胞腫

^{123}I-MIBG では MRI でみられる右副腎腫瘤に一致する集積亢進が認められ，対側副腎への集積は抑制されている．左室心筋の集積も低下しており，カテコールアミン高値に伴う副次的所見と考える．

要点

- ^{131}I-アドステロールは希釈してから，ゆっくり静注する．
- normal adrenal asymmetry に注意する．
- Cushing 症候群を診断する際にはネガティブフィードバック機構を考えながら読影を行う．
- アルドステロン症が疑われる場合は，デキサメタゾン負荷も考慮する．
- 褐色細胞腫の 10％程は副腎外にも発生するため，全身の正常分布を頭に入れて読影する．

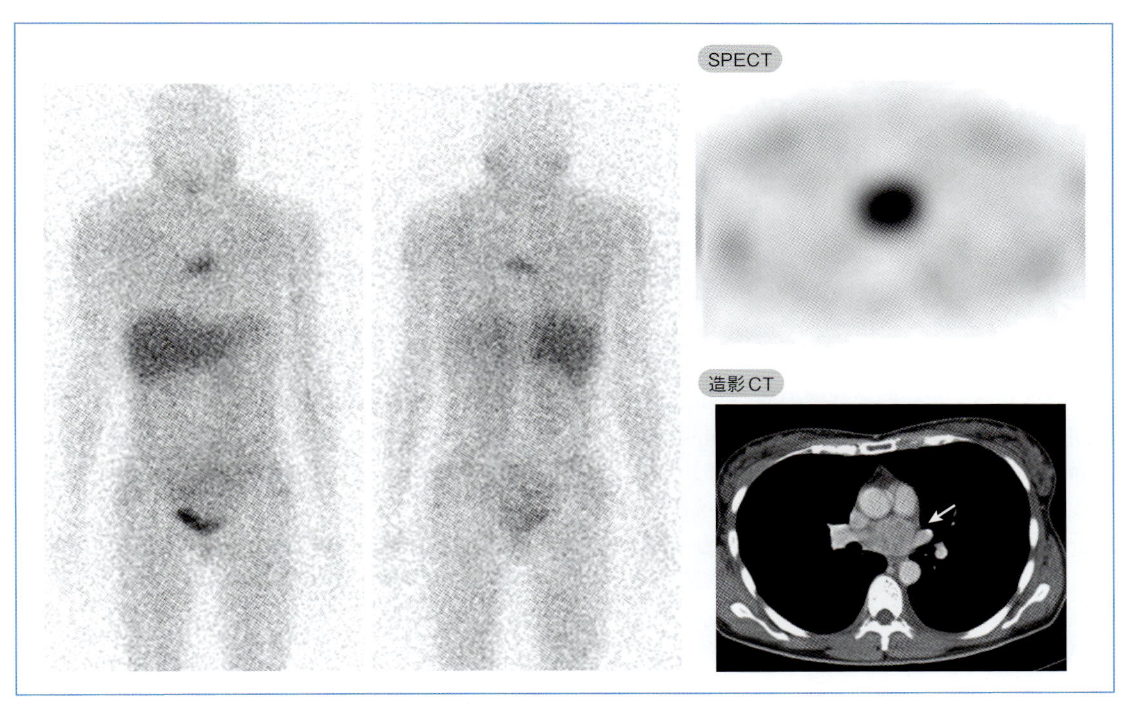

図V-C-10　異所性褐色細胞腫(傍神経節腫)
中縦隔に限局性の集積亢進部位を認める．胸部 CT で左房に接する腫瘤性病変が認められ，異所性褐色細胞腫と考えられる．心筋の集積も低下しており，カテコールアミン高値に伴う副次的所見と考える．

テコールアミン高値に伴う副次的所見と考えられている（図V-C-9）．約 10％は副腎外に発生することもあり，異所性褐色細胞腫（傍神経節腫）といわれる（図V-C-10）．

◆ 参考文献

1）Jacobson, AF et al：^{123}I-meta-iodobenzylguanidine scintigraphy for the detection of neuroblastoma and pheochromocytoma：results of a meta-analysis. J Clin Endocrinol Metab 95：2596-2606, 2010
2）Kurtaran, A et al：Scintigraphic imaging of the adrenal glands. Eur J Radiol 41：123-130, 2002
3）Avram, AM et al：Adrenal gland scintigraphy. Semin Nucl Med 36：212-227, 2006

神経内分泌腫瘍

病態生理

神経内分泌腫瘍 neuroendocrine tumor（NET）とは，神経内分泌細胞から発生する腫瘍の総称である．神経内分泌細胞は膵臓，副腎，甲状腺，下垂体，胸腺，卵巣，精巣などの内分泌腺のほか，消化管や，気道，気管支および肺を含む呼吸器系などにも存在する．消化器に発生した神経内分泌腫瘍はもともとほかの癌よりも増殖が緩徐であることが多く，癌と区別するためカルチノイドと名づけられていた．その後，悪性化・転移することがあるという認識が広がり，neuroendocrine tumor（NET）と呼ばれるようになった．

分化度が高く比較的悪性度の低い NET と分化度が低く悪性度の高い神経内分泌癌 neuroendocrine carcinoma（NEC）に分けられる．NET と NEC を合わせて神経内分泌腫瘍 neuroendocrine neoplasm（NEN）と総称されることもある．また，NET は内分泌症状を示す機能性 NET，内分泌症状を示さない非機能性 NET に分けられる（図V-D-1）．

機能性 NET は腫瘍から産生されるホルモンにより，インスリノーマ（インスリン産生），ガストリノーマ（ガストリン産生）などと呼ばれる（表V-D-1）．

ほとんどの NET は遺伝性ではないが，遺伝性腫瘍である多発性内分泌腫瘍症 multiple endocrine neoplasia（MEN）に合併して発生することがある．

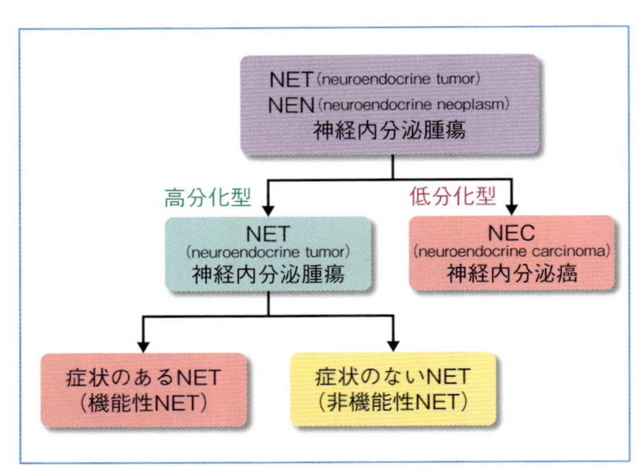

図V-D-1　神経内分泌腫瘍

NET の潜在的な悪性度の評価として世界保健機関 World Health Organization（WHO）2010 年分類が提唱され，2017 年に改定されたものが用いられている（表V-D-2）．

検査の進め方

^{111}In で標識されたペンテトレオチド（オクトレオスキャン®）111 MBq を静脈内投与し，4～6 時間後および 24 時間後に撮像する．必要に応じて，48 時間後に追加撮像する．SPECT 像を追加するとより評価がしやすい．ソマトスタチン類似体であるため，ソマトスタチン受容体 somatosta-

表V-D-1　機能性 NET

名称	産生ホルモン	症状
インスリノーマ	インスリン	低血糖症状（冷汗，動悸，意識障害，眠気，記憶力低下など）
ガストリノーマ	ガストリン	再発性消化性潰瘍，逆流性食道炎，腹痛，下痢など
グルカゴノーマ	グルカゴン	遊走性紅斑，糖尿病，体重減少，貧血など
VIP オーマ	VIP	水様性下痢，低カリウム血症など
セロトニン産生腫瘍	セロトニン，アミン	皮膚潮紅，腹痛，下痢，喘息様発作，心疾患など
ソマトスタチノーマ	ソマトスタチン	糖尿病，胆石，下痢・脂肪便，体重減少など

VIP：vasoactive intestinal polypeptide（血管作動性腸管ペプチド）

表V-D-2 WHO 2017 分類

分類/グレード	Ki-67 index	核分裂数(/10 HPF)
well differentiated NET G1 高分化型神経内分泌腫瘍	<3%	<2
well differentiated NET G2 高分化型神経内分泌腫瘍	3〜20%	2〜20
well differentiated NET G3 低分化型神経内分泌腫瘍	>20%	>20
poorly differentiated NEC G3 低分化型神経内分泌癌		
small cell type 小細胞癌型		
large cell type 大細胞癌型		
mixed neuroendocrine non-neuroendocrine neoplasm(MiNEN)複合型腺神経内分泌癌		

HPF：high power field

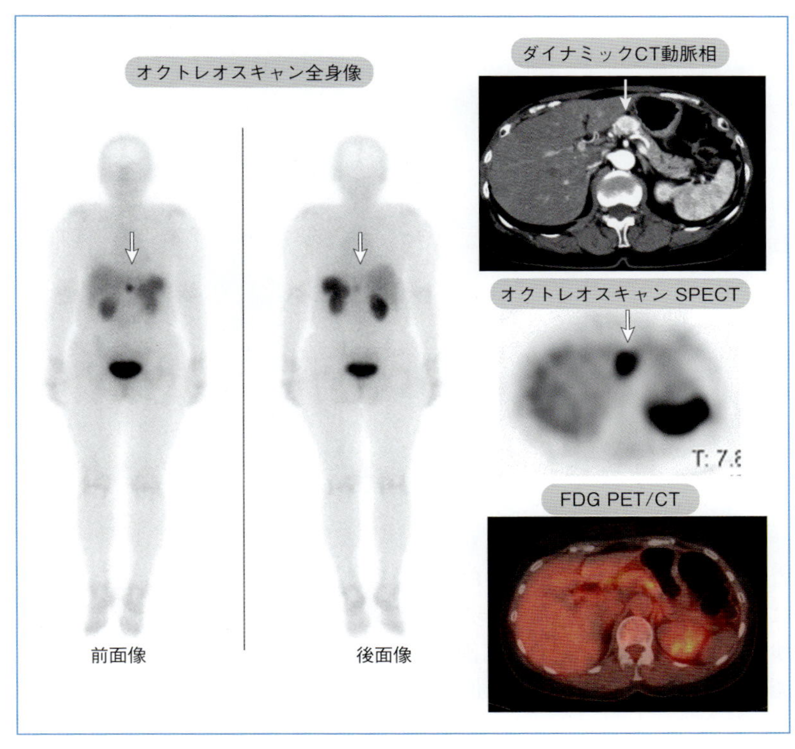

図V-D-2 オクトレオスキャン陽性例
検診の腹部エコー検査で膵腫瘤を指摘されたため，精査が行われた．造影 CT では膵体部に早期濃染を示す腫瘤性病変が認められる．同病変はオクトレオスキャンでは明瞭な集積を認めるが，FDG PET/CT では有意な集積は認められなかった．術後病理で NET G2 と診断された．

tin receptor (SSTR) を発現している病変に結合し，その分布が画像化される．

画像の読み方

主な排泄経路は尿路であるが，肝胆道系からも排泄されることから，腎臓，膀胱，肝臓，胆嚢，脾臓，消化管が生理的集積部位として描出される（図V-D-2）．下垂体，甲状腺，副腎や，妊娠可能年齢の女性であれば乳腺も生理的に描出されることがある．

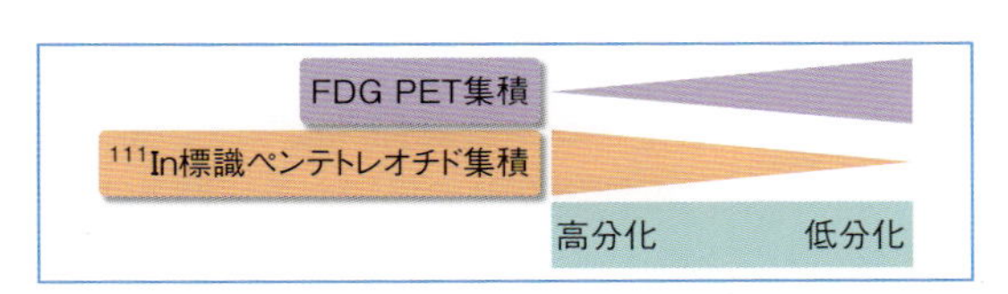

図V-D-3 ^{111}In 標識ペンテトレオチド集積と FDG PET の集積との関係

一般的に高分化病変に関しては感度が高く，低分化病変に関しては感度が低い傾向にあり，FDG PET と逆相関を示す（図V-D-3）．

神経内分泌腫瘍であっても SSTR を発現してい

要点

- ^{111}In で標識されたペンテトレオチドにより，ソマトスタチン受容体を発現している病変が画像化できる．
- 高分化神経内分泌腫瘍は感度が高く，低分化神経内分泌腫瘍は感度が低い傾向にある．
- インスリノーマはソマトスタチン受容体の発現が少なく，偽陰性になることがある．

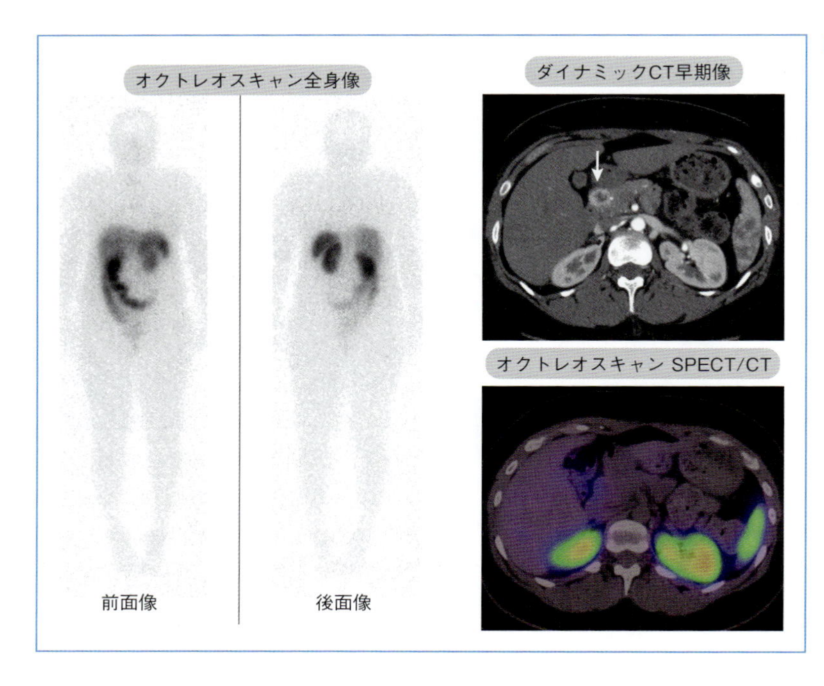

図V-D-4 オクトレオスキャン陰性例
低血糖を主訴に検査が行われ，造影CTでは膵頭部に腫瘤性病変が認められる．同病変はオクトレオスキャンでは明瞭な集積は認められなかった．術後病理でインスリノーマ(NET G1)と診断された．

ない場合は検出されない．特に，インスリノーマについてはSSTRの発現がほかのNETに比べて少ないことが知られている（図V-D-4）．原発巣だけでなく，リンパ節転移や他臓器転移の評価も重要である．

髄膜腫，パラガングリオーマ，下垂体腺腫，肺小細胞癌，甲状腺癌，悪性リンパ腫などの悪性腫瘍や，サルコイドーシス，関節リウマチ，肺炎，放射線治療後，術創部などで集積がみられることが報告されている．

◆ 参考文献

1) Bombardieri, E et al：111In-pentetreotide scintigraphy：procedure guidelines for tumour imaging. Eur J Nucl Med Mol Imaging 37：1441-1448, 2010
2) Deroose, CM et al：Molecular Imaging of Gastroenteropancreatic Neuroendocrine Tumors：Current Status and Future Directions. J Nucl Med 57：1949-1956, 2016
3) Squires, MH 3rd et al：Octreoscan Versus FDG-PET for Neuroendocrine Tumor Staging：A Biological Approach. Ann Surg Oncol 22：2295-2301, 2015
4) Lu, SJ et al：Single photon emission computed tomography/computed tomography in the evaluation of neuroendocrine tumours：a review of the literature. Nucl Med Commun 34：98-107, 2013
5) Kwekkeboom, DJ et al：ENETS Consensus Guidelines for the Standards of Care in Neuroendocrine Tumors：somatostatin receptor imaging with (111) In-pentetreotide. Neuroendocrinology 90：184-189, 2009
6) 日本神経内分泌腫瘍研究会(JNETS)膵・消化管神経内分泌腫瘍診療ガイドライン第2版作成委員会 編：膵・消化管神経内分泌腫瘍(NEN)診療ガイドライン 2019年【第2版】，金原出版，東京，2019

Ⅵ

骨

VI 骨

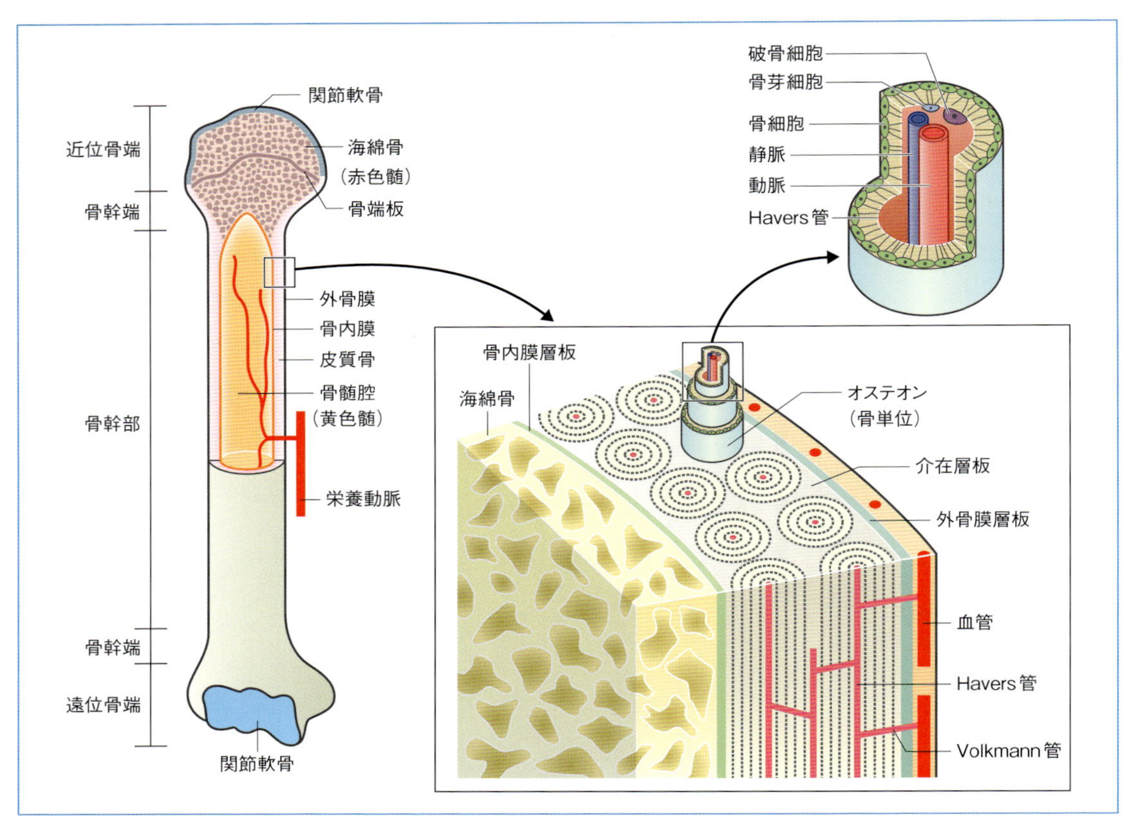

図VI-1　骨の構造

病態生理

骨格は軟骨と骨から成り，206 個の骨から形成されている．骨は成人体重の約 15～18%を占める極めて硬い特殊化した結合組織で，骨格の大部分を構成する．また骨は生きた組織であり，血管が豊富で全血流量は成人で 200～400 mL/分に及ぶ．軟骨は多くの膠原線維，弾性線維を含む柔軟性に富んだ組織で，軟骨内小腔の軟骨細胞は細胞外液から酸素や栄養物を拡散により得ている．

❶ 骨の発生と解剖

骨はすべて間充織（胎生期の幼弱な結合組織）から形成されるが，その過程には膜性骨化と軟骨性骨化の 2 通りがある．膜性骨化で，前頭骨，頭頂骨，後頭骨，側頭骨，上顎骨，下顎骨，鎖骨などが形成される．軟骨性骨化で，体軸骨格と四肢骨のほとんどが形成される．長管骨の骨化は，一次骨化中心形成を経て骨幹 diaphysis が形成され，出生後に二次骨化中心が骨幹部の近位と遠位に出現し骨端 epiphysis となる．骨幹部の骨端に近い部位が骨幹端 metaphysis である．骨端と骨幹端の間には軟骨性の骨端板 epiphysis plate が存在し，骨軸の端に新しい骨組織を付加していく．思春期から成人に至る間に骨は骨端板で徐々に癒合（骨端閉鎖 epiphyseal closure）し成長は止まる．骨の厚みの成長は骨膜で起こる．

❷ 骨の構造

骨は骨質，骨膜，骨髄，神経，血管などから構成される（図Ⅵ-1）．

a．骨質

骨質は骨細胞と骨基質で構成され，骨の表面を形成する皮質骨（緻密骨）と，内部が網目状構造を示し骨梁と呼ばれる骨片で不均一に仕切られた海綿骨に分けられる．長管骨では骨幹部は強固な皮質骨から成り，骨端では薄い表層のみが皮質骨で内部は海綿骨で形成されている．

b．骨膜

骨膜は外骨膜と骨内膜で構成され，外骨膜は骨の表面に癒着して覆う骨膜で血管や神経に富んだ結合組織である．骨内膜は皮質骨の内側を覆う骨膜である．骨膜は線維層（外層）と骨形成層（内層）から構成され，後者には骨原生細胞が存在し，成長期には骨芽細胞に分化して，骨の太さの成長をつかさどる．

c．骨髄

海綿骨の骨梁間の小腔と長管骨の髄腔を満たしている細網組織である．造血機能を有する赤色骨髄は赤血球や顆粒白血球，血小板が作られ，造血能を失った骨髄は脂肪化し黄色骨髄と呼ばれる．成人では頭蓋骨，脊椎骨体部，肋骨，腸骨や胸骨などの扁平骨，四肢骨近位の骨端，いわゆる中心骨髄には赤色骨髄が存在するが，四肢骨の骨幹部などは5歳以降成長とともに黄色骨髄に変化する．

❸ 骨組織像

骨組織（骨質）は骨細胞と細胞間質から成り，前者は骨原生細胞 osteogenic cell，osteoprogenitor cell，骨芽細胞 osteoblast，骨細胞 osteocyte，破骨細胞 osteoclast に分類され，骨組織の保持や細胞間質での無機質代謝をつかさどる．後者は骨基質ともいわれ大量のカルシウム塩や膠原線維などから成り，骨質特有の硬さを保つ．

a．骨原生細胞

骨髄の間葉系幹細胞から分化誘導された前骨芽細胞で，未分化状態に保たれ高い分裂増殖能力を持ち，骨芽細胞に分化していく．骨膜に分布する．

b．骨芽細胞

骨原生細胞から分化，骨表面に分布し，コラーゲン，オステオカルシンなどの骨基質タンパク質を産生する．これらの骨基質タンパク質から類骨 osteoid が形成される．類骨は骨芽細胞と石灰化した新生骨との間の未石灰化部分を指す．成熟骨芽細胞によりリン酸カルシウム結晶が形成され，周囲のコラーゲン線維に沈着，石灰化が進行し骨が形成される．骨芽細胞の骨基質産生能が低下してくると類骨内に入り，前骨細胞となる．さらに石灰化した骨へと移動し基質産生能を失う．骨芽細胞の 60～90％はアポトーシスにより死滅し，10～40％が骨細胞へ移行する．

エストロゲンは破骨細胞産生を抑制しアポトーシスを促進，骨芽細胞や骨細胞のアポトーシスを抑制する作用がある．また糖質コルチコイドはカルシウム代謝や成長ホルモンなどに影響を与えるほか，直接的に骨芽細胞や骨細胞のアポトーシスを誘導し，破骨細胞の分化，活性化を促進する．

c．骨細胞

骨細胞は骨芽細胞から変化した骨組織の基本細胞である．骨細胞は骨小腔の中に個別で存在し，細胞突起は骨細管の中に存在する．細胞突起は，互いに連結して構成した細胞性ネットワーク（骨細胞・骨細管系）を介して骨基質の物質輸送や骨代謝回転調整，力学的負荷感知などを行う．

d．破骨細胞

血球幹細胞由来の単球・マクロファージ系前駆細胞が，巨大多核を持つ破骨細胞へと分化する．破骨細胞は酸やタンパク分解酵素を分泌して，骨を破壊・吸収し無機質を血液中に放出する．破骨細胞の欠損により骨吸収が低下し，骨量が増加し大理石骨病 osteopetrosis が引き起こされる．また骨 Paget 病では破骨細胞の過度な活性化による骨融解が異常に亢進し，骨芽細胞の修復も極度に活性化し未熟な骨を作るので骨が厚く，もろくなる．

e．細胞間質（骨基質）

皮質骨はオステオンまたは Havers 系と呼ばれる骨単位から構成される．縦方向に栄養血管やリンパ管，神経線維が通る Havers 管は，骨細胞の突起が走行する骨細管と連絡し合い，骨基質全体のネットワークを作っている．Havers 管と直角方向に走行する Volkmann 管は互いに吻合し，骨膜や髄腔を繋いでいる．海綿骨の骨梁は，三日月型の小さな区域 packet により構成される．

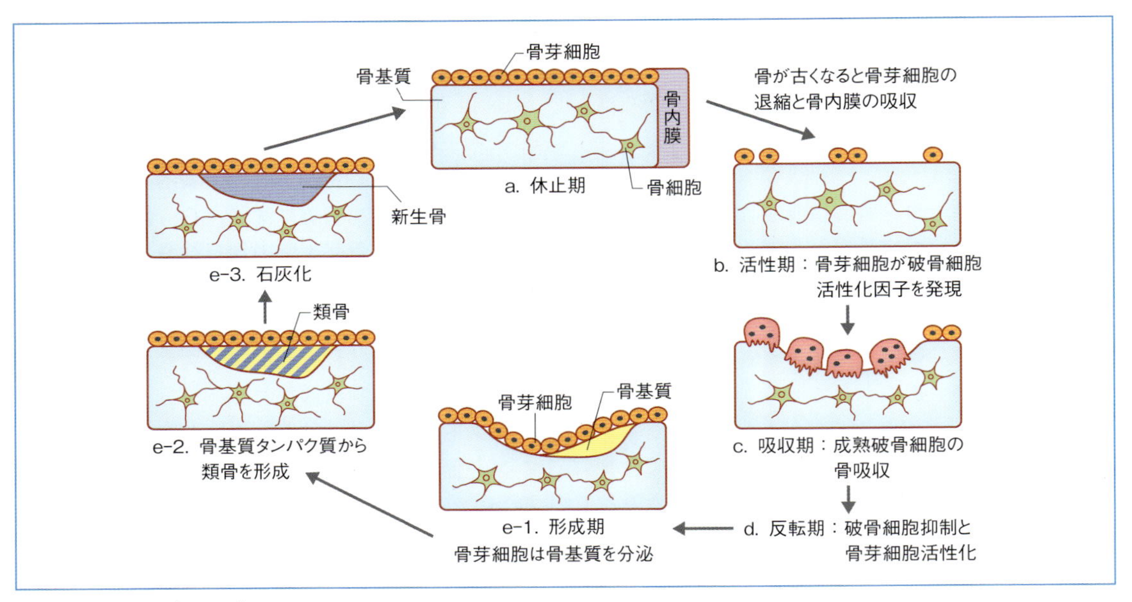

図VI-2　骨リモデリング

（文献 1）より改変）

❹ 骨の化学成分

骨の構成成分はおよそ 25%の水分と 25～30%の膠原を含む有機質，45～50%の無機質から成る．無機質はリン酸カルシウムが主体で，そのカルシウム量は体重 60 kg であれば約 1 kg に相当し，体内総量の 99%が骨と歯にある．身体で使われるカルシウムは骨に貯蔵され，血中カルシウム濃度は常に一定に保たれている．リン酸カルシウムは水酸化カルシウムとの複合体，水酸化リン酸カルシウム（ハイドロキシアパタイト hydroxyapatite）を形成し，主にコラーゲンから成る骨基質に沈着して正常な骨構造を維持する．

❺ 骨リモデリング（図VI-2）[1)]

成人すると骨の大きさはほとんど変化しないが，骨形成と骨破壊・吸収作用により骨は常に生まれ変わっている．骨のカルシウムは幼児では 1 年ごとに 100%，成人では 18%の率で交代している．また成人では骨実質の 5%はいつも作り変えられ，1 年ごとの骨更新率は皮質骨で 4%，海綿骨で約 20%といわれている．このような大人になってからの骨の変化を「骨のリモデリング」といい，破骨細胞が古くなった骨を破壊することから開始され，骨芽細胞によって骨が新生される．

これらの一連の経過は骨細胞・骨細管系ネットワークによる骨表面の骨芽細胞や破骨細胞との連携により成され，骨の恒常性が保たれている．

❻ カルシウム調節

体で使われるカルシウムは骨に貯蔵され，ホルモンなどにより骨形成と骨吸収のバランスが調節されることで，血中カルシウム濃度は常に一定に保たれている．糖質コルチコイド，成長ホルモン，エストロゲンや種々の成長因子もカルシウム代謝に影響を及ぼすが，主には以下の三つのホルモンが関与している．

a．1,25-ジヒドロキシコレカルシフェロール

肝臓と腎臓でビタミン D が数度続いて水酸化され生成されたステロイドホルモンの一種であり，腸管からのカルシウム吸収を促進する．ビタミン D 不足では骨密度の減少がみられ，ビタミン D 欠乏や 1,25-ジヒドロキシコレカルシフェロール 1,25-dihydroxycholecalciferol 産生障害では低リン血症と低カルシウム血症により類骨は石灰化できず，くる病や骨軟化症となる．

b．副甲状腺ホルモン parathyroid hormone

破骨細胞を活性化させ骨吸収を促進させる．また骨芽細胞によるカルシウムイオンの細胞外液輸送を促進して，血中カルシウムイオンを増やす．

c．カルシトニン calcitonin

甲状腺の傍濾胞細胞（C 細胞）から分泌される．破骨細胞の働きを抑制して骨吸収を低下させ，血中カルシウム濃度を下げる．

検査の進め方

骨病変を評価する核医学検査としては，^{67}Ga, ^{201}Tl, ^{99m}Tc-methoxy isobutyl isonitrile（MIBI）や ^{123}I-meta-iodobenzylguanidine（MIBG）シンチグラフィなどがあるが，最も重要な検査法は ^{99m}Tc 標識リン酸化合物によるシンチグラフィである．通常，骨シンチグラフィといえば，^{99m}Tc 標識リン酸化合物によるシンチグラフィをさし，本項ではこの ^{99m}Tc 標識リン酸化合物シンチグラフィについて述べる．

現在，臨床で使われる薬剤は ^{99m}Tc-methylene diphosphonate（MDP）および ^{99m}Tc-hydroxymethylene diphosphonate（HMDP）である．^{99m}Tc 標識ピロリン酸 ^{99m}Tc-pyrophosphate も骨シンチグラフィ用剤であるが，最近では主に心プールシンチグラフィ，急性心筋梗塞巣描出や心アミロイドーシス検出に利用されている．

検査直前には，リン酸化合物製剤の骨への集積が不良となる MRI 造影剤 gadolinium diethylene-triaminepentaacetic acid（Gd-DTPA）やビスホスホネート注射剤投与は避ける．成人においては ^{99m}Tc-MDP/HMDP 370～740 MBq を静注する．乳幼児では投与量を 50～100 MBq とし，小児では体重により投与量を決める．投与された放射性医薬品は 2～4 時間後に 30～40％が骨に集積し，50％以上は腎から排泄される．血中クリアランスを早めるために検査待ち時間にコップ 1～2 杯の水分を摂取させ，排尿を促進させる．また投与 2～3 時間後に撮像するが，開始直前に排尿させ膀胱の影響を最小限にする．ガンマカメラには低エネルギー用高分解能コリメータを装着し，できるだけ被検者に近づけ，仰臥位にて前後面全身像を撮像する．必要に応じて局所のスポット像や斜位像を追加する．CT や MRI との比較，頭頸部病変や，脊椎移植骨の骨生存の評価など，詳細な解剖学的情報と集積状態の検討には SPECT 検査を併用することで病変描出能が向上する．ストレス骨折や骨髄炎，反射性交感神経性ジストロフィー reflex sympathetic dystrophy（RSD）の評価には血流像と 5～10 分後撮像の血液プール像を追加した 3 相骨シンチグラフィを行う．前 2 相には高感度コリメータ，3 相では高分解能コリメータ使用が望ましい．

画像の読み方

^{99m}Tc 標識リン酸化合物は，骨の構成成分である無機質の水酸化リン酸カルシウム（ハイドロキシアパタイト）に化学吸着することにより，陽性描画される．すなわち，骨シンチグラフィは全身の骨代謝や骨のリモデリングを反映した機能画像である．このように骨シンチグラフィは骨吸収と骨形成代謝のバランスの変化を画像化するため，病変描出感度が非常に高い（X 線検査では 30～50％の脱灰が所見認識に必要）．しかし，その画像に疾患特異性はなく，単純 X 線写真や CT，MRI といった形態画像検査を相補的に総合的に利用することにより，質的診断にアプローチできる．さらに臨床的に薬剤の骨集積を規定するのは血流であるため，骨代謝が低く血流の乏しい骨皮質の描出は少なく，骨膜や海綿骨の多い骨幹端がよく描出される．骨シンチグラフィの特徴は，全身検査が容易であり病変検出感度が高いことであり，X 線検査で異常がはっきりしない病変の検索や悪性腫瘍の転移巣検索，再発病変の経過観察や治療効果判定に関して有用である．

Note 1

● ^{99m}Tc 標識リン酸化合物の高感度性

投与された ^{99m}Tc 標識リン酸化合物は骨のハイドロキシアパタイトに化学的に吸着するが，吸着は水素イオン濃度（pH）により影響を受ける．中性付近で最も低く，酸性もしくはアルカリ性にシフトするとその吸着は増大，特に pH が低下すると吸着は急激に増大する．すなわち酸性溶液中では非常に吸着しやすくなる．骨吸収時には破骨細胞周囲が酸性化，また腫瘍の pH は正常組織と比較して酸性であることは，骨シンチグラフィでの転移性病変検出に優位に働くと考えられる．

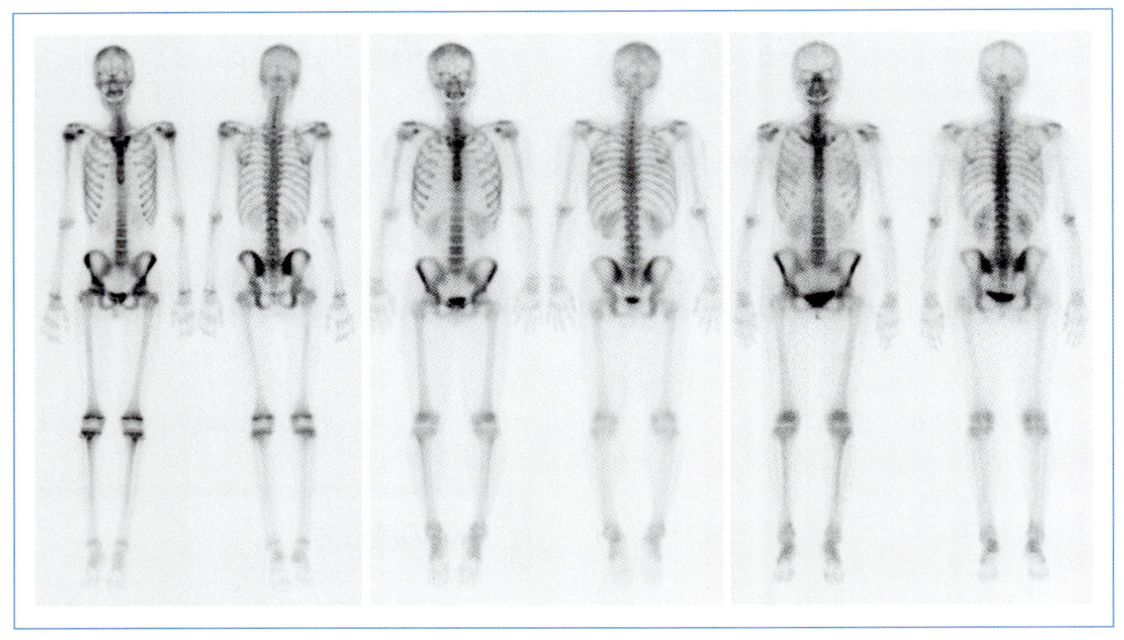

図Ⅵ-3　正常像
左より 16 歳男性，36 歳男性，41 歳女性の骨シンチグラム．16 歳男性では骨端板の描出が明瞭である．

❶ 正常像

骨シンチグラフィ用剤は正常骨に集積し，その分布は年齢により変わる（図Ⅵ-3）．成長中の小児では骨-軟部組織の集積比が高く明瞭な画像であり，特に骨端板に強く集積する．骨端線が左右非対称の時は骨髄炎や神経芽細胞腫などの転移性病変を考える．また通常は頭蓋骨縫合線や肋骨/肋軟骨接合部にも生理的な集積がみられる．15～16 歳を過ぎるころから骨端線閉鎖に伴い徐々に集積低下し，成人パターンへ移行していく．成人では基本的には左右対称に集積を認め，肩峰，烏口突起，胸鎖/胸肋関節，胸骨角，肩甲骨下角，仙腸関節，股関節，甲状軟骨，舌骨，上腕骨近位（三角筋粗面），脛骨近位（脛骨粗面）などで集積が高い．また肋軟骨石灰化部位，頭蓋骨縫合部，剣状突起，利き腕側の肩関節周囲，膝蓋骨などにも集積増加を示すことがある．女性では前頭蓋骨のびまん性集積や出産後の恥骨結合集積，胸壁乳腺領域の描出がみられることがある．

読影に当たり，患者の左右対称性，注射漏れ，腎杯/腎盂/傍腎盂嚢胞の尿貯留と肋骨集積の重なり，尿汚染，ベルトやネックレスなどの装着による欠損像，乳癌術後や豊胸術後の集積の左右差，う歯や副鼻腔炎による集積，放射線治療後 2～3 ヵ月以降の照射野に一致した集積低下などに注意する．

❷ 骨腫瘍

a．原発性骨腫瘍

原発性骨腫瘍例の骨シンチグラフィでは，骨肉腫や軟骨肉腫，Ewing 肉腫，悪性線維性組織球腫，巨細胞腫，類骨骨腫，内軟骨腫などに集積を示すが，病変が単発性であればその集積は非特異的であることから，直接的な診断に有効とはいえない．しかしながら治療前の全身検索として，多発病変や転移巣の検出，また活動性の評価や治療後の経過観察には有効である（図Ⅵ-4）．

b．転移性骨腫瘍

骨シンチグラフィの検査目的で最も頻度の高い適応が転移性骨腫瘍の描画である．骨転移しやすい前立腺癌，乳癌，肺癌，腎癌などの病期診断や進行癌での骨転移の有無や分布の検索，また治療効果や経過観察に利用されている．

骨転移は骨髄に転移した腫瘍が増殖する過程で骨組織を破壊するのではなく，骨転移した癌細胞

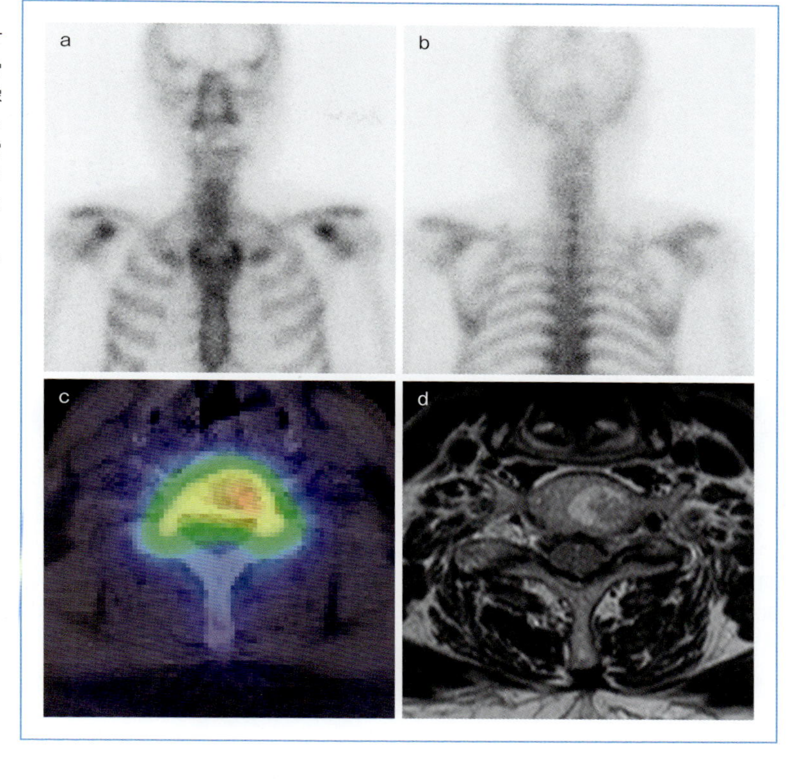

図Ⅵ-4 頸椎血管腫
70歳代男性．頸部痛で受診した．CT検査では特に異常所見は指摘できず骨シンチグラフィが施行された．全身像では異常集積はみられない．しかしSPECT/CTでは第6頸椎左側に異常集積がみられ，MRIで血管腫が確認された．局所所見がある症例ではSPECT画像の追加撮像は重要である．
a：骨シンチグラム 前面像，b：骨シンチグラム 後面像，c：SPECT/CT，d：MRI（T2WI）．

が副甲状腺ホルモン関連タンパク parathyroid hormone-related protein（PTHrP），プロスタグランジン，インターロイキンなどを出し，骨芽細胞を刺激する．刺激された骨芽細胞に receptor activator of nuclear factor kappa B ligand（RANKL）が発現し，さらにRANKLと結合するRANKが前破骨細胞に発現する．RANKにより前破骨細胞は活性化され破骨細胞へと分化し骨を破壊する．骨溶解過程で骨基質中の成長因子 transforming growth factor β（TGFβ）やインスリン様成長因子 insulin-like growth factor（IGF）が放出され癌細胞の増殖を促し，さらに破骨細胞が活性化される悪循環が生じ，転移を成立させて進行する．骨転移病変が「造骨型」と「溶骨型」に再形成されるメカニズムは完全には解明されていない．最近の研究では，マイクロRNA（miRNA）がエクソソームを介して細胞間や体液中を移動し細胞間の伝達情報に使われ，また骨細胞分化の制御にも関与していることが実証されている．癌細胞が分泌するmiRNAは腫瘍の微小環境の変化に重要であり，前立腺癌では癌細胞から分泌されたmiRNAの一種が増骨型病変を誘導したと報告されている．

骨転移の転移経路として，直接浸潤，血行性転移，脳腫瘍の脊髄腔播種からの骨転移が考えられる．直接浸潤型では肺癌や食道癌などの原発巣の直接浸潤や肺癌縦隔リンパ節や子宮頸癌傍大動脈リンパ節転移の脊椎骨浸潤などがある．最も多い血行性骨転移は動脈系と静脈系があり，前者では肺癌や肺転移巣から大循環系を介して骨栄養血管へ入り赤色骨髄の毛細血管でトラップされ増殖する．後者では硬膜外脊椎静脈のBatson静脈叢を介した転移が知られている．原発性脳腫瘍である髄芽腫，（退形成性）上衣腫，松果体芽腫や中枢神経原発リンパ腫など髄液播種しやすい脳腫瘍では頭蓋骨や脊椎骨転移が生じうる．

骨転移の病理分類として造骨型 osteoplastic, osteosclerotic，溶骨型 osteolytic，骨梁間型 inter-trabecular，混合型 mixed の4型に分類される．造骨型転移は前立腺癌が最も多く，そのほか乳癌，胃未分化癌やカルチノイドで多い．溶骨型は肺癌，乳癌に多く，腎癌，甲状腺癌，胃未分化癌，肝細胞癌，神経芽細胞腫，多発性骨髄腫など．骨梁間型では骨形成や骨破壊が生じず，骨髄

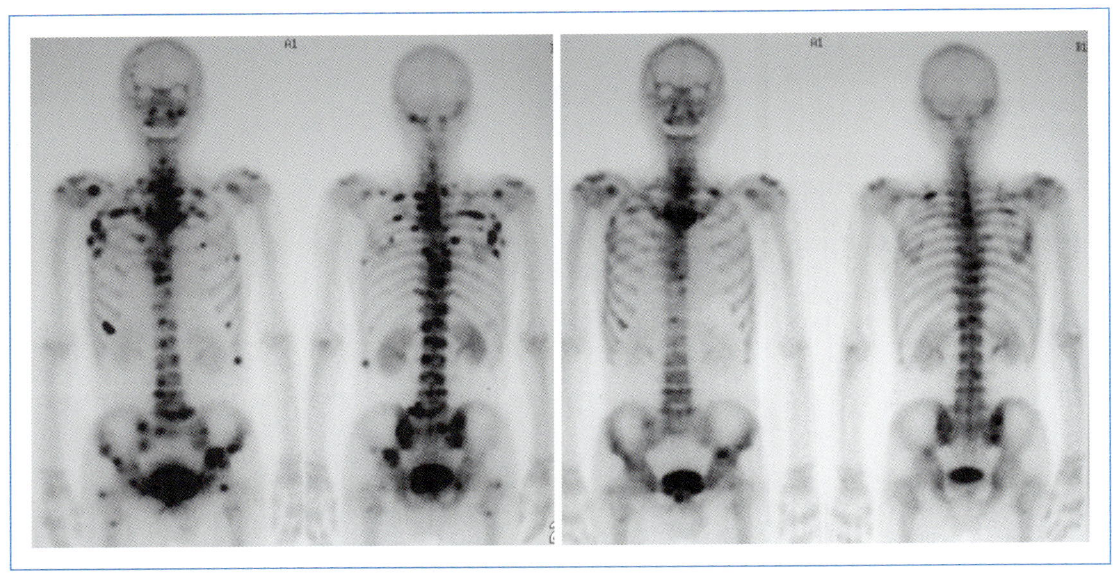

図Ⅵ-5　肺腺癌
60歳代男性．初診時，多発骨転移，多発脳転移，肝転移があり分子標的薬ゲフィチニブ（イレッサ®）が投与された．初診時（左）および4ヵ月後（右）の骨シンチグラムである．

が癌細胞で置換されていく．臨床的に発見されにくく，^{18}F-フルオロデオキシグルコース fluorodeoxyglucose（FDG）PET/CT や MRI のみで陽性描画されることが多い．乳癌，肺小細胞癌，肝癌，腎癌，膵癌などの転移初期や肺小細胞癌，胃未分化癌の進行期などでみられ，画像上は super bone scan を呈することがあり，臨床上は播種性血管内凝固 disseminated intravascular coagration（DIC）を引き起こすことがある．混合型は乳癌や肺癌，胃癌，大腸癌などでみられる．

骨転移の頻度の高い腫瘍は，乳癌，前立腺癌，甲状腺癌，肺癌，膀胱癌，腎癌，多発性骨髄腫や消化器癌で，小児では神経芽細胞腫，骨肉腫，Ewing肉腫，若年ではHodgkinリンパ腫などが挙げられる．通常は多発性転移（図Ⅵ-5）であるが，腎癌や甲状腺癌では単発性転移のこともある（図Ⅵ-6）．

骨転移の発生部位や分布は赤色骨髄の分布に一致し，脊椎骨，骨盤骨，肋骨，頭蓋骨，四肢骨近位に多い．脊椎骨，特に下部胸椎から腰椎にかけては加齢とともに変性変化の好発部位と重なる．変性変化では椎間板変性に伴う椎体上下終板に沿った線状集積や椎体間で外側にはねる骨棘集積，椎間関節変性辷り症に伴う椎体背側両側の集積などがよくみられる．椎間関節集積は椎弓領域転移との鑑別を要し，また椎体終板変性のModic type Ⅲでは高集積がみられるため，必ずCTやX線などで確認する．圧迫骨折では帯状集積がみら

Note 2

Batson 静脈叢

骨転移は原発巣に近い骨に多いとされ，脊椎骨，骨盤骨，肋骨，頭蓋骨，四肢骨近位に多い．脊椎骨の経動脈性転移では椎体後半から椎弓根移行部転移が多い．経静脈性の骨転移では腫瘍レベルの脊椎静脈に沿って分布しやすいが，硬膜外の内椎骨静脈叢と椎体周囲の外椎骨静脈叢から成るBatson静脈叢が重要な役割を果たす．Batson静脈叢には弁構造がなく壁が薄く，血流は遅く停滞しやすく，腹圧・胸腔内圧などの生理的変化で静脈灌流が容易に逆転する．また本静脈叢は骨盤内静脈，胸腹腔内静脈や門脈，乳腺静脈，大静脈とも吻合するため，骨転移の重要な経路となる．前立腺癌ではその静脈叢が直接脊椎静脈叢と交通しているため，広範囲な転移を生じやすい．

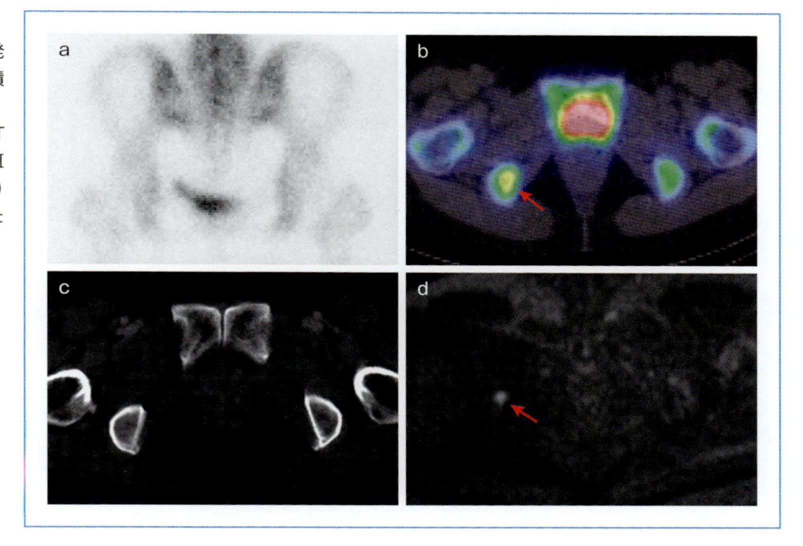

図Ⅵ-6　腟癌
60歳代女性．術前PET検査で原発巣，傍大動脈リンパ節，右坐骨に集積が示唆された．全身骨シンチグラム，CTでは指摘は難しい．SPECT/CTで，陽性描画されている（矢印）．MRIではdiffusion weighted image（DWI）画像を提示した．単発骨転移であった（矢印）．
a：骨シンチグラム，b：SPECT/CT，c：CT，d：MRI（DWI）．

れ，原因が転移かどうかの鑑別はできない．単発か多発か，荷重椎体か否かなど，他所見も参考にする．肋骨病変は，長軸に垂直な連続する複数の集積であれば外傷性変化の可能性が高いが，単発であれば外傷性集積との鑑別はできない．CTがあれば，骨条件を含めてよく比較するのが重要である．また転移性病変が進行すれば長軸に沿った集積変化となる．骨盤骨では仙骨集積が問題となる症例がある．外傷性と転移性の鑑別では，前者では横線状集積や，不全骨折でみられるH型集積が比較的特徴となる．頭蓋骨転移では中年以降の女性にしばしばみられる前頭骨内板肥厚症hyperostosis frontalis interna（HFI）に注意を要する．通常は生理的集積であるが転移性骨病変が重なることがあり，シンチグラム条件を変えて確認する（図Ⅵ-7）．

骨への栄養血管から到達した癌細胞は通常，血液量の豊富な赤色骨髄で増殖するが，皮質骨に転移することがまれにある．骨シンチグラフィでは陽性描画できるが，単発病変の場合はMRIにて確認する必要がある．四肢末梢骨への転移はまれにみられ，肺癌で多く，子宮癌や食道癌，腎癌での報告がある．手では指尖部，足部では踵骨に頻度が高い．膝蓋骨転移もまれであるが，前述の悪性腫瘍のほかに頭頸部癌や悪性黒色腫の報告がある．

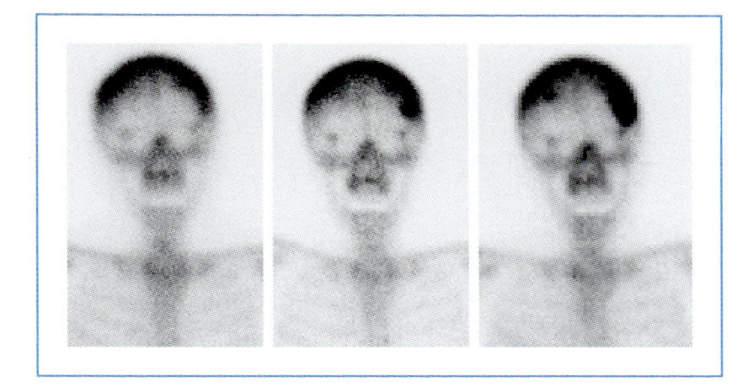

図Ⅵ-7　乳癌
70歳代女性．Stage Ⅰで温存治療．左より術前，術後2年および3年後の骨シンチグラムである．3年後では右前頭骨にも病変が出現している．

Note 3

● 前頭骨内板肥厚症 hyperostosis frontalis interna

頭蓋骨内板の肥厚で更年期を過ぎた中高年齢女性に高頻度にみられる．肥満や糖尿病を伴うことも多い．両側対称性の前頭骨肥厚であるが，頭頂骨まで肥厚することもある．正中部には進展しない．結節性もしくは均一な肥厚を示し，組織学的には海綿骨の肥厚で骨膜や皮質骨は影響を受けない．通常，病的意義はなく，原因は頭蓋骨成長にかかわるホルモンの影響が考えられているが詳細は不明である．本症と肥満，男性化の合併は，Morgagni症候群と呼ばれる．鑑別診断として線維性骨異形成症，硬化性骨転移，Paget病，髄膜腫やアクロメガリーが挙げられる．

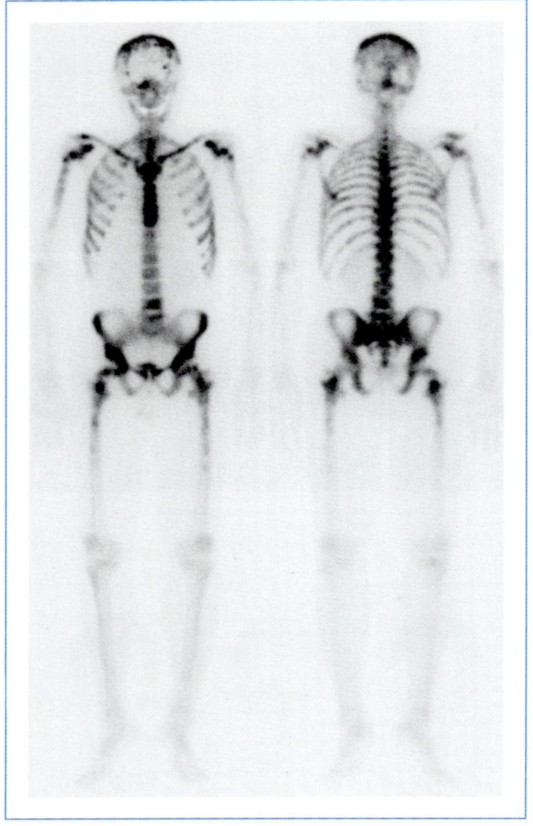

図VI-8　前立腺癌の多発骨転移（super bone scan）
50 歳代男性．初診時にびまん性骨転移があり，ホルモン治療としてリュープロレリン酢酸塩（リュープリン®）皮下注射を継続．腰痛に対して外照射された．2 年後の骨シンチグラム．alkaline phosphatase（ALP）は 1,000 IU/L 以上，prostate specific antigen（PSA）2,000 ng/dL 以上．

赤色骨髄のほぼ全域に対称性，びまん性転移を示した症例で，腎描出がなく（absent kidney sign），四肢骨遠位の集積も低下したシンチグラムを super bone scan, beautiful bone scan といい Batson 静脈叢を介した前立腺癌骨転移で頻度が高い（図VI-8）．しかし腎が描出される症例や比較的軽微な集積例もあり，シンチグラム条件の調節や MRI との比較が有効である（図VI-9）．腎癌や甲状腺分化癌，多発性骨髄腫などの転移病変はいわゆる cold lesion，すなわち集積の低下や欠損を示すことが知られている．溶骨性転移で中心部は腫瘍組織に置換され集積欠損を示すが，辺縁に集積亢進がみられる（rim sign）ことが多い（図VI-10）．ただし，骨栄養血管の腫瘍塞栓や閉塞により血流障害が生じると，骨描出は同様に欠損となるので注意する必要がある（図VI-11）．

化学療法や内分泌療法の治療効果判定としては，造骨性転移では徐々に集積が低下することが特徴的である．しかし溶骨性転移では，通常治療後 3 ヵ月以内で，腫瘍の縮小や骨代謝マーカーの改善がみられるのにもかかわらず，治療前より集積が亢進する症例がある．フレア現象 flare phenomenon と呼ばれ，骨組織の修復機転を反映する．腎癌や乳癌では初発治療から 10〜15 年後に転移することがあるので注意する．

❸ 代謝性骨疾患

健常成人の骨リモデリングでは骨形成と骨吸収のバランスは保たれているが，このバランスを調節するホルモンや成長因子の異常により引き起こされる骨疾患を代謝性骨疾患という．シンチグラム所見としては，脊椎骨や長管骨，頭蓋骨，顎骨，胸骨の集積増加や肋軟骨接合部での対称性数珠状集積，関節近傍の集積増加，腎描出の低下などが挙げられる．

a．骨粗鬆症

エストロゲンは破骨細胞産生を抑制しアポトーシスを促進，骨芽細胞や骨細胞のアポトーシスを抑制する作用がある．また糖質コルチコイドは直接的に骨芽細胞や骨細胞のアポトーシスを誘導し，破骨細胞の分化，活性化を促進する．

原発性骨粗鬆症 osteoporosis としてはエストロゲン欠乏により骨吸収が促進される閉経後骨粗鬆症が高頻度でみられ，主として海綿骨が減少するため，椎体骨や橈骨遠位における骨折が多い．また骨芽細胞の減少と機能低下による老人性骨粗鬆症では海綿骨と皮質骨での骨形成が不十分となり椎体骨や大腿骨頸部に骨折が起こる．続発性の原因としては，ステロイド剤の長期使用や Cushing 症候群，副甲状腺機能亢進症，甲状腺機能亢進症，性腺機能低下症などがある．これらの疾患での骨シンチグラフィの有用性として，より感度よく骨折病変を検出できることが挙げられる．

b．骨軟化症

骨形成過程で無機質の不足や骨芽細胞機能不全があると類骨は石灰化できず蓄積される．この骨石灰化障害状態が，骨端板閉鎖前の小児ではくる病 rachitis であり，閉鎖後の成人では骨軟化症 osteomalacia となる．通常，低リン血症，高アル

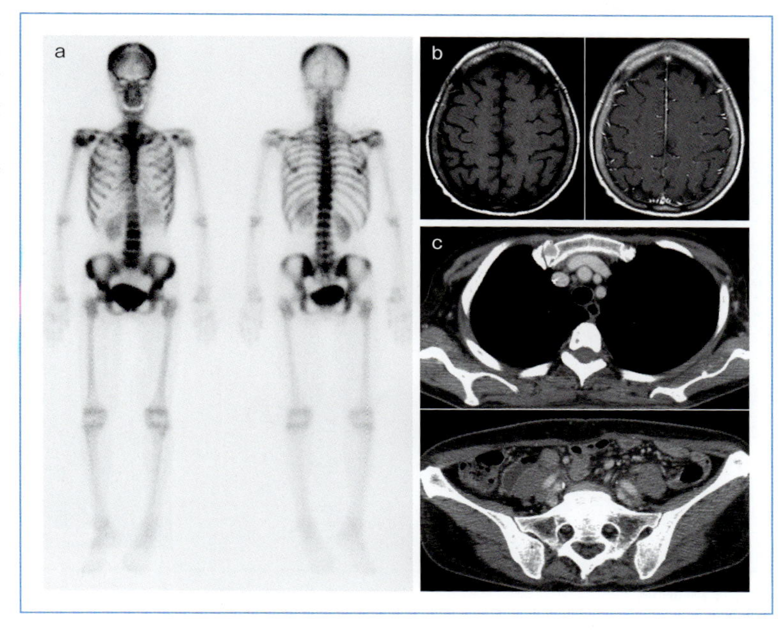

図Ⅵ-9　胃癌のびまん性骨転移
60歳代女性．腹膜播種，副腎転移，多発リンパ節転移を伴った進行胃癌症例．MRI 検査では脳内転移病変の有無のほかに骨髄の造影に関しても注意を払う．また胸腹部 CT では 60 歳代女性にしては骨 density が高いことに気づく．
a：骨シンチグラム，b：MRI（左：T1WI，右：造影），c：造影 CT．

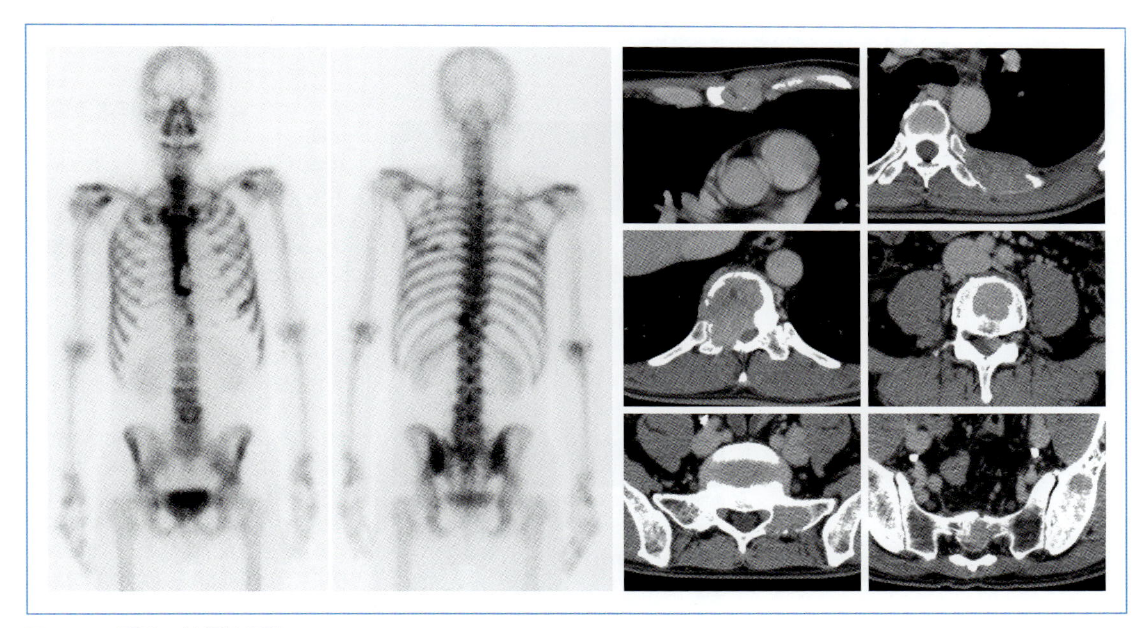

図Ⅵ-10　腎癌の溶骨性転移
50 歳代男性．初診時の骨シンチグラムだが，何ヵ所の骨病変を指摘できるか．胸骨，左第 6 肋骨，T11，L4 までは可能であろう．S2 ではピンホール様にみえるが，S1，左腸骨病変は指摘が困難である．SPECT/CT を追加すべき症例であろう．
左：骨シンチグラフィ，右：CT．

カリホスファターゼ血症を示す．原因としては低リン血症ではビタミン D 欠乏・抗てんかん薬ジフェニルヒダントイン・遺伝性疾患，Fanconi 症候群・腎尿細管性アシドーシス・バルプロ酸ナトリウムなどの薬剤による腎尿細管異常，リン摂取不足・腸管吸収障害によるリン欠乏である．さらに低カルシウム血症はビタミン D 欠乏の一種や遺伝性疾患で引き起こされ，アルミニウム，エチドロン酸二ナトリウム（エチドロネート）（ビスホスホネート製剤）などによる薬剤性石灰化障害

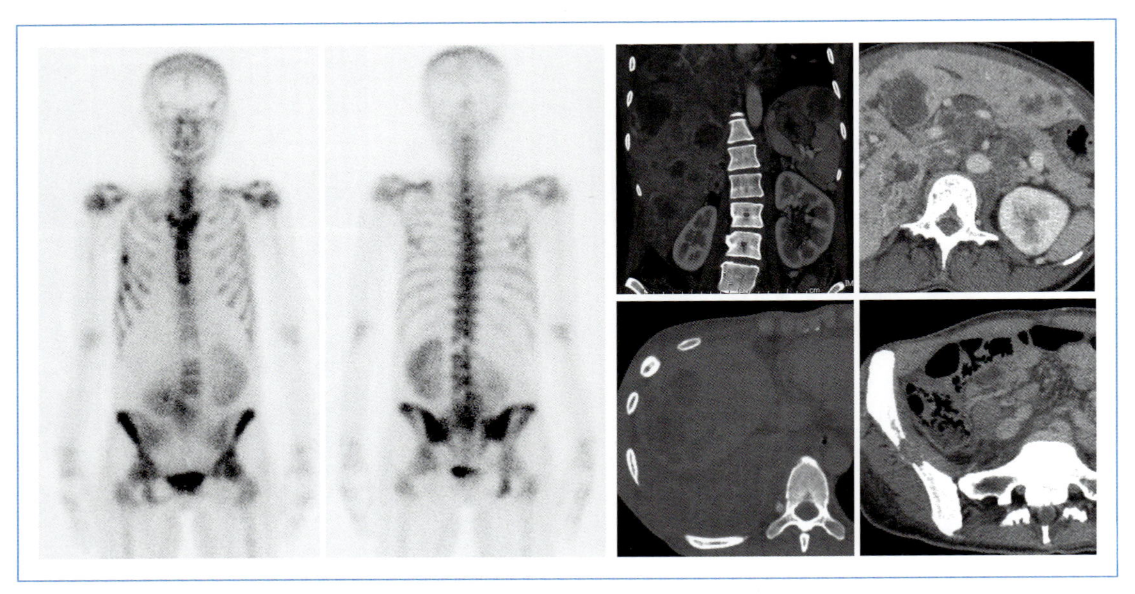

図Ⅵ-11　肺癌

40 歳代女性．L1 と L4 に集積欠損がみられる．ここで溶骨性転移とレポート記載を早まってはならない．CT では腰椎に転移がみられず，傍大動脈から椎体辺縁まで腫瘍病変がみられ骨栄養血管閉塞が示唆される．右肋骨集積は造骨性転移であるが，右腸骨の溶骨性転移の指摘は全身骨シンチグラムでは困難である．左：骨シンチグラム，右：造影 CT．

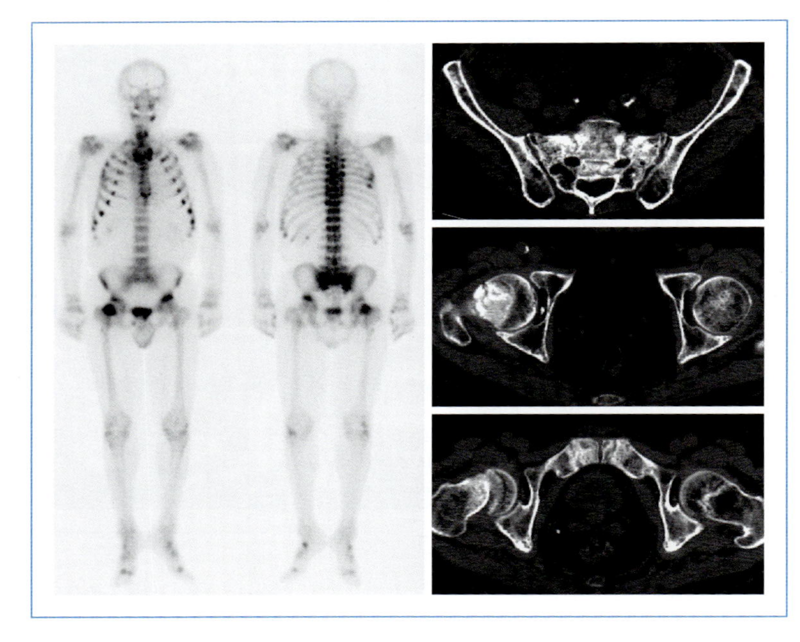

図Ⅵ-12　低リン血症による骨軟化症

70 歳代男性．1 年半前から右股関節痛あり，徐々に増悪のため受診．骨密度の低下，低リン血症と高アルカリホスファターゼ血症がみられた．尿細管リン再吸収率の低下がみられ，副甲状腺ホルモン値は正常で，尿細管アシドーシスと診断された．B 型慢性肝炎治療薬アデホビルピボキシル（DNA アナログで逆転写酵素阻害薬）の副作用と診断された．

骨シンチグラムでは肋軟骨部での数珠状集積，骨盤骨で H 型集積，左側優位な両側臼蓋，右大腿骨頸部，両側恥骨結合，右第 5-6-7 肋骨の集積亢進は多発不全骨折所見である．また胸腰椎にびまん性高集積，両側胸鎖関節にも集積亢進がみられる．両側膝関節や足部に軽度の集積がみられる．

左：骨シンチグラム，右：CT．

も原因となる．

骨軟化症の骨シンチグラム所見は肋軟骨部での数珠状集積や，肋骨や骨盤骨などに多発する不全骨折（単純 X 線での Looser's zone）への集積が典型であるが（図Ⅵ-12），全身骨への集積亢進も報告されている．

c．副甲状腺機能亢進症

原発性副甲状腺機能亢進症 hyperparathyroidism は副甲状腺（上皮小体）の腺腫，過形成，癌などによって PTH が増加し，それにより破骨細胞が活性化されることで骨吸収が促進され，また骨芽細胞によるカルシウムイオンの細胞外液輸送が促進されることで，血中カルシウムイオンは増加する．続発性副甲状腺機能亢進症はほとんどが腎不全に伴って生じる．単純X線写真では，頭蓋骨の salt and pepper appearance，rugger jersey vertebrae，手指骨の骨膜下レース様骨吸収（示指，中指中節骨の橈骨側に多い），歯槽硬線 lamina dura の消失，brown tumor（褐色腫；囊胞様骨融解像），骨粗鬆症などがみられる．骨シンチグラムでは骨代謝回転の亢進により骨全体の集積が亢進し，特に頭蓋骨，上顎骨，下顎骨の集積亢進がめだつ．椎体骨や長管骨，胸骨集積の増加もしばしばみられる（図Ⅵ-13）．brown tumor にも集積する．しかしながら最近では検診などで高カルシウム血症が早期発見される機会が増え，このような典型症状や画像所見がないことが多い．

d．甲状腺機能亢進症

甲状腺機能亢進 hyperthyroidism では高代謝回転型の骨代謝異常を示す．甲状腺ホルモンは骨芽細胞の増殖や骨基質産生を促すが，同時に骨芽細胞は破骨細胞を活発化させる．すなわち骨形成と骨吸収の両者が活発となるが，全体としては骨吸収優位に働くため骨量が減少する．骨の崩壊に伴い血液中のカルシウムは上昇し，尿からのカルシウム排泄の増加/血中ビタミンD活性の低下，小腸ではカルシウムの吸収が減少し，骨粗鬆症の原因となる．

骨シンチグラフィでは，super bone scan 所見や両側脛骨や膝関節・足関節周囲の対称性集積亢進が報告されている（図Ⅵ-14）．

e．慢性腎臓病に伴う骨ミネラル代謝異常

慢性腎臓病に伴う骨ミネラル代謝異常 chronic kidney disease-mineral and bone disorder（CKD-MBD）は慢性腎臓病におけるカルシウム・リン代謝異常，血管石灰化や弁膜石灰化などの幅広い全身性疾患の総称であり，検査値の異常，骨の異常，石灰化の異常で構成される．腎性骨異栄養症 renal osteodystrophy（ROD）はその中の骨病変のみに限定使用される．近年では骨生検による骨組織分類として TMV（turnover, mineralization, volume）分類が提唱されている．古典的には，骨病変は①線維性骨炎型：T（high）M（normal～abnormal）V（high～low）．二次性副甲状腺機能亢進症に起因し，骨吸収が促進され，その空間に線維化が起こる，②骨軟化症型：T（low）M（abnormal）V（low）．活性型ビタミンDの欠乏やアルミニウムの排泄障害が生じることにより，透析液中のアルミニウムが骨組織のカルシウム沈着部位に沈着し石灰化が障害され類骨量が増加する，③無形成骨型：T（low）M（normal）V（low）．破骨細胞活性も骨芽細胞活性も低下する，④混在型，⑤軽度変化型に分類されてきた．

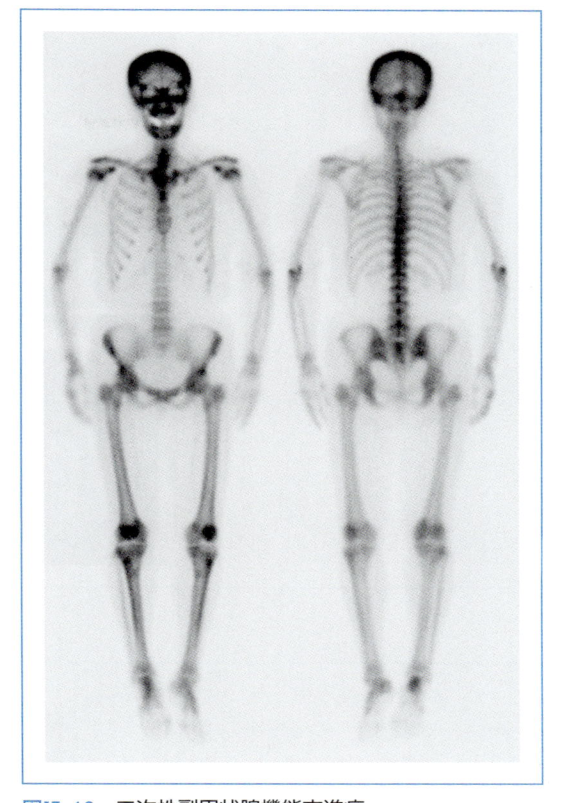

図Ⅵ-13　二次性副甲状腺機能亢進症
50歳代女性．慢性腎不全にて23年間血液透析を受けている．アルカリホスファターゼ 1,317 IU/L（78～362 IU/L），副甲状腺ホルモン値　i-PTH 97 pg/mL（<60 pg/mL）がみられた．

ROD の骨シンチグラム所見は，その主体となる骨組織像により種々の集積パターンを示す．線維性骨炎型では high turnover の副甲状腺機能亢進症パターン（図Ⅵ-13），骨軟化型では骨軟化症パターンとともにアルミニウム沈着により骨全体の集積が低く background が高い low turnover パターンおよび肺や胃などへの骨外集積を示すパターン（図Ⅵ-15）が知られている．近年，治療による過度な PTH 低下による骨回転の抑制，また高齢者の生理的骨回転の低下などと相まって無

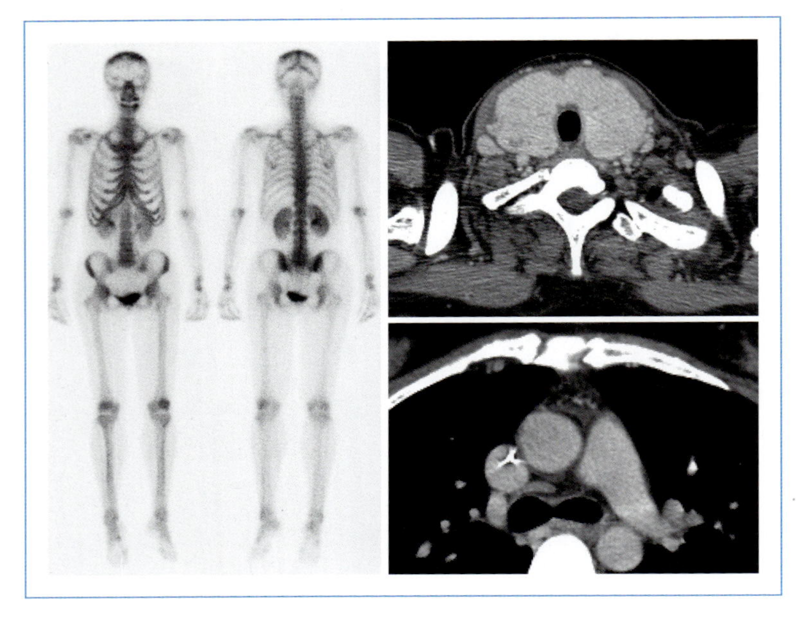

図Ⅵ-14　甲状腺機能亢進症

30歳代女性．6年前から^{131}I治療を3度繰り返している．経過観察中に乳癌が発見され骨シンチグラフィを施行した．TSH<0.03 μU/mL（0.54～4.27 μU/mL），free T_3 8.64 pg/mL（2.39～4.06 pg/mL），free T_4 2.16 ng/dL（0.76～1.65 ng/dL）．全身骨の描出亢進と両側肋軟骨仮骨化が目立っている．CTでは両側甲状腺腫大と胸腺過形成がみられる．
左：骨シンチグラム，右：造影CT．

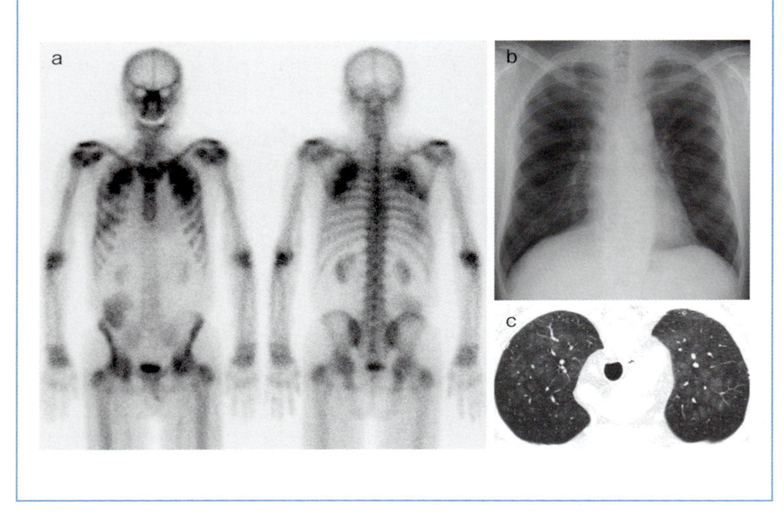

図Ⅵ-15　CKD-MBD

60歳代男性．献腎移植後3年．自己腎腫瘍を指摘され，骨シンチグラフィを施行した．両側上肺野に著明なびまん性集積がみられる．中下肺野にも軽度の集積がみられる．両側肩関節や股関節描出が目立つがCTでは股関節周囲にアミロイド沈着が疑われる．両側大腿動脈が描出され，CTでは石灰化がみられる．萎縮した両側自己腎と移植腎が描出されている．転移性骨病変はみられない．血清カルシウム，リンは正常値．血清クレアチニン1.2 mg/dL（0.61～1.04 mg/dL），副甲状腺ホルモン値は未測定．同時期の胸部CTで，小葉中心性の淡いすりガラス状densityがみられる．
a：骨シンチグラム，b：胸部X線，c：CT．

形成骨型が増加している．無形成骨型ではカルシウムやリンが骨代謝に利用されないため異所性石灰化が生じ骨外集積を示す．骨シンチグラフィではX線検査法より早期に骨変化を診断でき，また治療として副甲状腺亜全摘や腎移植が行われると，術後1～3ヵ月から異所性石灰化の消長や頭蓋骨・上顎骨・下顎骨などの集積低下を認める．

RODには分類されないが，10年以上の長期透析患者に高率に発症する透析アミロイドーシスは骨関節障害としてCKDに関連する疾患であり，この項に記載する．β_2ミクログロブリンβ_2 microglobulin（β_2m）を前駆タンパク質とするアミロイドが長期透析患者の骨や軟骨，滑膜などの骨関節組織に沈着し，手根管症候群，弾発指，破壊性脊椎関節症や骨囊胞などを生じる．進行すると動脈のほか，全身の内臓組織にも沈着する．骨シンチグラムでは肩関節や股関節，手関節などに集積亢進がみられる（図Ⅵ-16）．

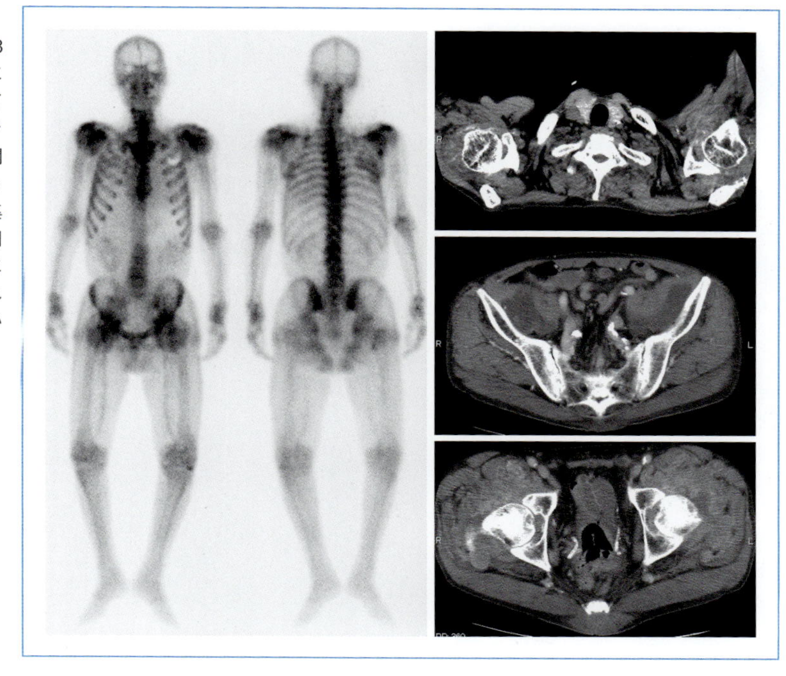

図Ⅵ-16　透析アミロイドーシス
60歳代男性．慢性糸球体腎炎にて33年前に血液透析導入された．7年前に肩や手関節アミロイド除去術を受けている．両側腎癌の診断で骨シンチグラフィが施行された．両側肩関節と股関節に著明な不均一びまん性集積がみられる．両側腸骨窩やほかの関節にも集積がみられる．CTでは両側肩関節周囲，両側腸腰筋下，両側股関節周囲に石灰化を伴う軟部腫瘤形成がみられた．両側大腿動脈描出も目立っている．
左：骨シンチグラム，右：造影CT．

❹ 骨シンチグラフィが有用な非腫瘍性骨疾患

a．線維性骨異形成症 fibrous dysplasia

正常の骨髄腔が，幼弱な骨形成を含む線維性組織の異常増殖により置換される疾患である．単骨型 monostotic，多骨型 polyostotic に分類され，前者が8割，後者が2割である．多骨型では通常，病変部は同半身に偏在する．幼児から若年者にみられ，遺伝性はない．思春期に増生が停止する．骨幹端から骨幹に生じ，骨端を侵さないのが Paget 病との鑑別となる．肋骨，大腿骨，頭蓋骨，顎骨に好発する．X線所見では嚢胞様透亮像を示す．すりガラス状の透亮像をみることもある．頭蓋骨では内板は侵されない．多骨型に片側性に生じる皮膚色素沈着 café au lait spots，内分泌異常（松果体腫瘍に伴う思春期早発>下垂体腺腫に伴う末端肥大症や巨人症など）を伴うと，McCune-Albright 症候群と呼ばれる．骨シンチグラフィでは病変部に境界明瞭な高集積がみられ，全身検索に適している（図Ⅵ-17）．

b．進行性骨化性線維異形成症 fibrodysplasia ossificans progressiva（FOP）

後天的に筋肉や腱，靱帯などの結合組織が骨組織に変化するまれな常染色体優性遺伝疾患であり，母趾奇形を伴う．4，5歳で発症することが多く，骨シンチグラフィは骨化の分布と活動性の全身検索に適している．

c．肺性肥厚性骨関節症 pulmonary hypertrophic osteoarthropathy

肺癌に多く合併する腫瘍随伴症候群の一つで，長管骨の骨膜下骨新生・関節炎・ばち状指を主徴とする．肺癌では腺癌が多く，そのほか転移性肺腫瘍，気管支拡張症，肺線維症，肝硬変，胃癌などでも報告されている．原因は不明である．骨シンチグラフィの感度が最も高く早期に骨膜下の骨新生を反映する．長管骨の骨幹端から骨幹部の皮質や膝・肘関節などに対称性の高集積を示す（図Ⅵ-18）．

d．骨 Paget 病 Paget's disease of the bone

骨局所領域で骨リモデリング活性が異常亢進した疾患である．破骨細胞は巨大化し通常の3倍以上の多核となり，骨芽細胞は増加し骨形成は正常の6〜7倍となる．正常の骨構造は保てず，骨の肥大と変形，および脆弱化がみられる．中高年に発症することが多い．

単骨性と多骨性があり，前者では腸骨が7割を占め，次いで脊椎骨，大腿骨，頭蓋骨，脛骨，上

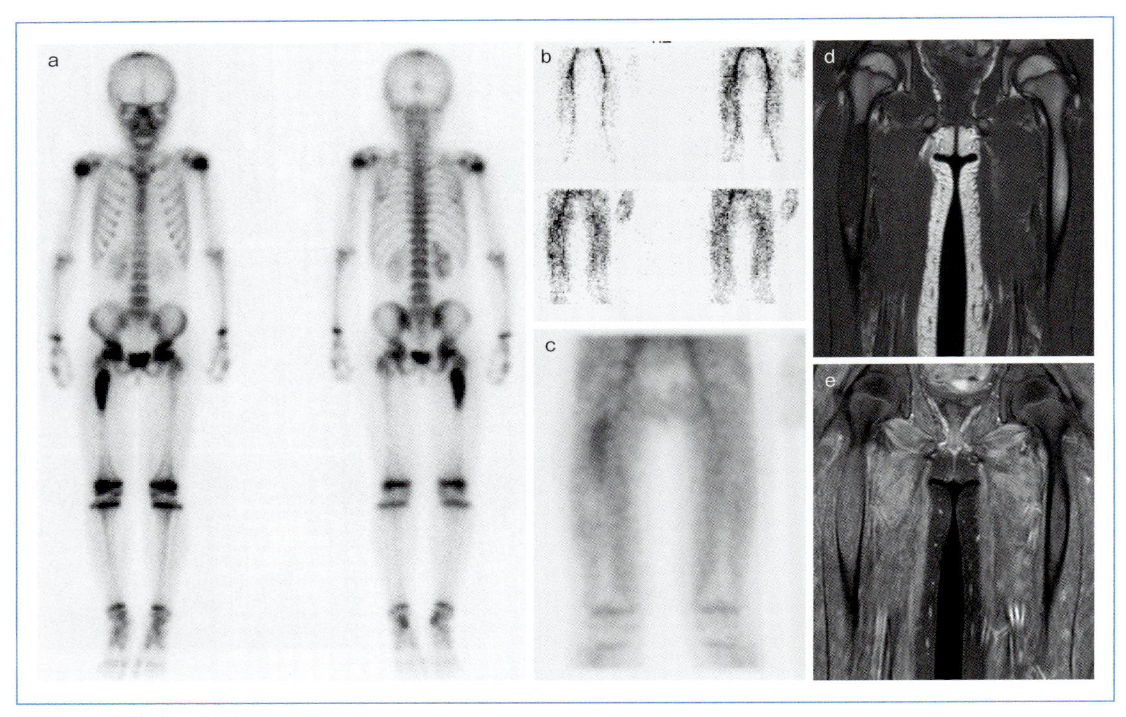

図Ⅵ-17　線維性骨異形成症

7 歳女児．皮膚筋炎の検査過程で右大腿骨腫瘍が指摘され，骨シンチグラフィ(a)が施行された．RI angiogram(b)では左右差はないが，pool image(c)では右大腿骨近位に集積亢進がみられる．同時期の MRI 検査，T1WI(d)と脂肪抑制造影像(e)である．骨病巣と大腿筋群に造影効果がみられる．

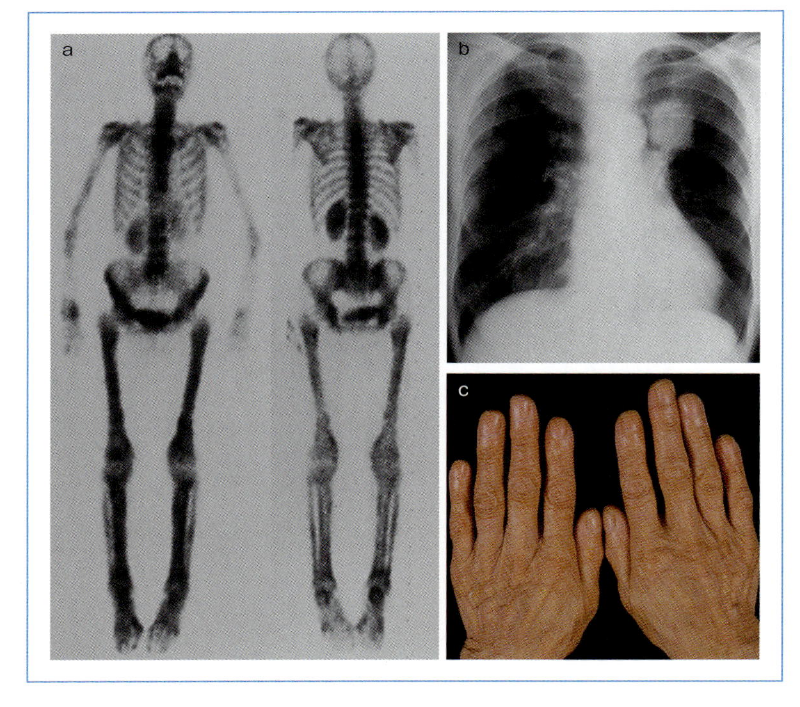

図Ⅵ-18　肺性肥厚性骨関節症

80 歳代女性．両側下腿腫脹にて内科受診し，左上肺野異常影を指摘された．両側指趾にばち状指(趾)がみられた．

a：骨シンチグラム，b：胸部 X 線，c：ばち状指所見．

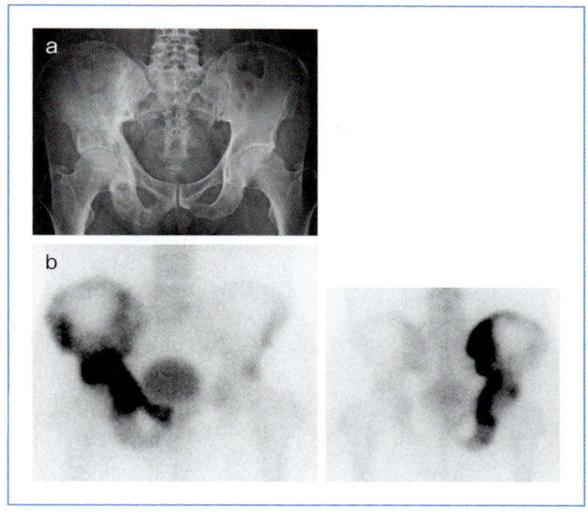

図Ⅵ-19　骨 Paget 病(単骨性)
60 歳代男性．左腰痛で受診，右股関節運動制限がみられた．alkaline phosphatase(ALP)655 IU/L(104〜338 IU/L).
a：骨盤部 X 線，b：骨シンチグラム
(釧路孝仁会記念病院放射線科 秀毛範至先生のご厚意による)

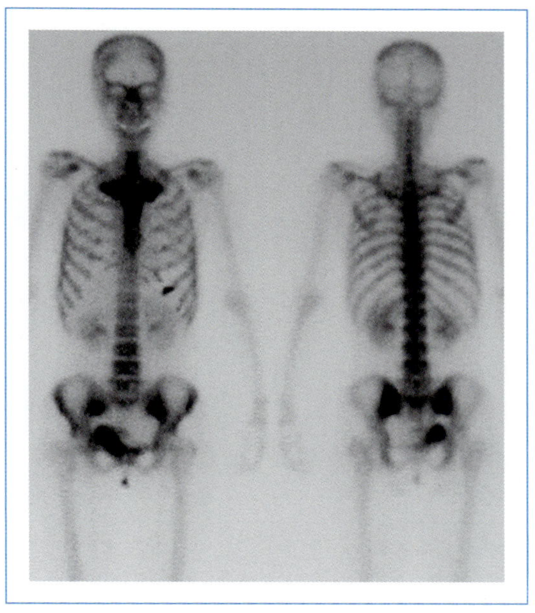

図Ⅵ-20　SAPHO 症候群
50 歳代女性．10 年前に掌蹠膿疱症と診断，5 年前より前胸部と腰部に痛みがある．胸肋鎖関節部と仙腸関節に対称性の集積亢進がみられる．

腕骨に多い．osteolytic phase，mixed phase，sclerotic phase に分けられ，前 2 相で骨シンチグラムでは著明な集積亢進を示す（図Ⅵ-19）．通常は海綿骨の骨端もしくは骨幹端から始まる．高アルカリホスファターゼ血症を示す．X 線写真では，mixed phase での頭蓋骨 cotton wool appearance が特徴だが，全身の病態把握に骨シンチグラフィが最も適している．

e．SAPHO 症候群

1987 年に提唱された原因不明の集簇性ざ瘡，掌蹠膿疱症，乾癬などの皮膚疾患に伴って骨関節炎を生じる一連の疾患群の総称である．滑膜炎 synovitis，ざ瘡 acne，膿疱症 pustulosis，骨化症 hyperostosis，骨炎 osteitis の頭文字をとった症候群で，骨関節の炎症と無菌性皮膚炎症性疾患の合併が基本である．リウマトイド因子や抗環状シトルリン化ペプチド cyclic citrullinated peptide（CCP）抗体陰性でヒト白血球抗原 human leukocyte antigen（HLA）-B27 陽性率の高い血清反応陰性脊椎関節症 seronegative spondyloarthropathy（SNSA）の概念は，強直性脊椎炎や乾癬性関節炎，反応性関節炎，腸炎関連関節炎（炎症性腸疾患である Crohn 病や潰瘍性大腸炎）を含み，本疾患も類似する．SAPHO 症候群には胸肋鎖骨間異常骨化症，掌蹠膿疱症性骨関節炎が含まれる．

骨関節病変では前胸壁（胸鎖・胸肋関節）が最多で，疼痛・腫脹や膨隆がみられる．次いで仙腸関節，脊椎骨，下顎骨，恥骨結合などに生じる．X 線写真や CT では骨肥厚や骨化がみられる．骨シンチグラムでは対称性の集積亢進像を示す（図Ⅵ-20）．

❺ 骨折

a．外傷性骨折

日常診療で骨折が疑われた場合はまず単純 X 線写真を撮るが，X 線写真ではっきりしない潜在性骨折 occult fracture は，脛骨近位関節面，骨盤骨，足関節，手関節で見逃されることが多く，最近では MRI 検査が有用である．骨シンチグラフィはいち早く陽性所見を示し，SPECT/CT の追加で解剖学的部位の同定にも役立つが，臨床的に用いられる頻度は低い．

b．ストレス骨折

ストレス骨折は疲労骨折と不全骨折を含めた名称である．

疲労骨折は繰り返し同一部位に外力が加わり生じる骨折で，原因となるストレス（スポーツなど）により発症部位は異なる．組織学的には破骨

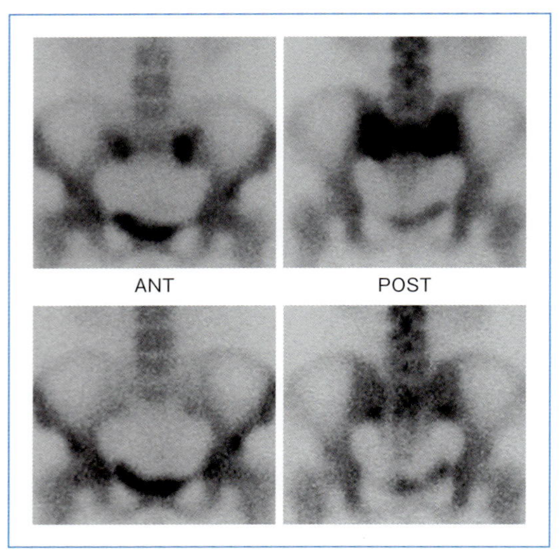

図Ⅵ-21　不全骨折
50 歳代女性．乳癌の経過中に仙骨部に異常集積が出現した．骨転移との鑑別が問題となるが H 型集積であるため不全骨折と考えた（上段）．8 ヵ月後のシンチグラムではほぼ正常像となった（下段）．

細胞の活性化から始まり，その後，微細骨折が生じて骨髄浮腫を伴った時点で MRI 描出が可能となる．三相骨シンチグラフィによる受傷後早期では，血流と血液プールの増加がみられ，遅延相で局所の集積亢進がみられることより早期診断に有用である．ランナーに多い shin splints は脛骨過労性骨膜炎 medial tibial stress syndrome（MTSS）ともいい，脛骨 shinbone 中央部から尾側の内側に痛みが生じる．腓腹筋およびヒラメ筋と脛骨の Sharpey 線維断裂が原因とされる．三相骨シンチグラフィでは，早期二相は正常所見を呈し，遅延相では病変部に沿った線状の異常集積がみられる．この時，側面像の撮像もしくは SPECT/CT が重要であり，病変部が背側にあることを確認する．MRI とともにストレス骨折との鑑別に有用である．

不全骨折は，骨密度の低下した高齢女性，放射線治療や化学療法後，慢性腎不全やステロイド治療などによる脆弱な骨において，健常骨では問題のない骨の耐久度以下の外力であるにもかかわらず生じる骨折である．骨が完全には連続性を失わない亀裂骨折や骨膜下骨折では X 線写真による早期描出は困難で，骨シンチグラフィや MRI が有用である．椎体骨や仙骨，大腿骨頸部，大腿骨近位，恥骨や胸骨，脛骨，腓骨，踵骨などにみられることが多い．骨シンチグラムでの仙骨部集積は H 字状で H sign や Honda sign といわれている（図Ⅵ-21）．

❻ 骨髄炎

急性骨髄炎の三相骨シンチグラフィは 90％以上の正確度 accuracy といわれ，血流の増加，うっ血，局所集積亢進を示す．しかしながら腫瘍や骨折でも同様の所見を呈することから特異度 specificity に欠ける．MRI では T1WI で低信号，T2WI で高信号，造影検査で増強効果を示す．慢性骨髄炎においては治癒過程でも集積するため骨シンチグラフィのみでの診断は難しい．

❼ 複合性局所疼痛症候群

複合性局所疼痛症候群 complex regional pain syndrome（CRPS）は type Ⅰと type Ⅱに分けられ，前者は明確な神経損傷がない組織損傷の場合で反射性交感神経性ジストロフィー reflex sympathetic dystrophy（RSD；同義語：Sudeck's bone atrophy）に，後者は肉眼的または電気生理学的に神経損傷を有する場合で，カウザルギー causalgia に相当する．臨床診断の助けとしてサーモグラムや三相骨シンチグラフィが役立つ．発症早期では患側肢に高血流と充血が高率にみられ，遅延相でもびまん性の均一な高集積を大部分の症例で示す．しかしながら，手や膝にのみ限局集積を示す例や集積低下例もみられる．

❽ 無菌性骨壊死

Perthes 病は 5～8 歳の男子の股関節に発症し，Kienböck 病は手関節内の月状骨に生じる無菌性骨壊死 aseptic necrosis，avascular necrosis である．成人では外傷性や特発性，アルコール性，ステロイド使用，糖尿病などによる骨壊死が，大腿骨頭や膝関節，上腕骨頭などに生じる．少なくとも 12 時間の動脈性や静脈性血流障害による酸素供給停止が骨壊死の原因となり，骨シンチグラムでは患部は集積欠損として描画される．その後の血流再開通と骨修復により集積増加を示す．SPECT/CT の追加で，より解剖学的情報が得られる．しかしながら近年では MRI 検査の感度が優れ，推奨されている．

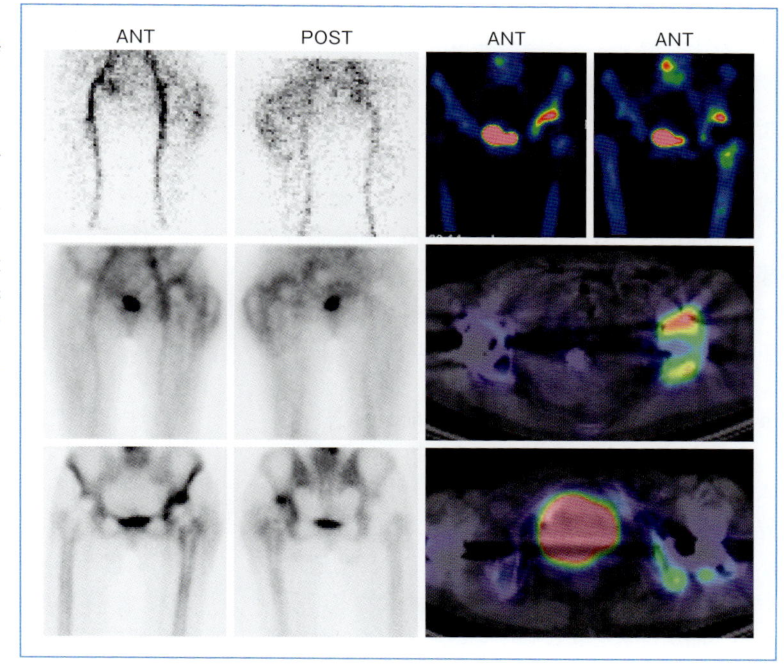

図Ⅵ-22　両側股関節置換術後
70 歳代女性．15 年前に左股関節置換術，13 年前に右置換術が施行されている．3ヵ月前に左臀筋内膿瘍があり排膿した．人工関節にも膿瘍が波及していた．その後，再度発熱と C-reactive protein（CRP）上昇があり，骨シンチグラムでは血流相（上段）とプール像（中段）で軟部組織に集積増加がみられる．遅延相（下段）では臼蓋骨に集積亢進がみられる．SPECT/CT で大腿骨近位にも集積亢進がみられる．感染の波及や人工骨頭による影響が考えられ左人工関節は抜去された．右股関節は正常集積である．

❾ 骨関節疾患

変形性関節症，関節リウマチ，化膿性関節炎，顎関節症などではいずれも炎症の活動性に従って高集積がみられる．しかしながら，局所疾患の評価には MRI 検査が有用である．

❿ 骨手術関連

a．人工関節のゆるみ

人工関節置換術後の最も多い合併症が荷重や摩耗によるゆるみ loosening である．骨シンチグラムでは人工関節置換部位に集積亢進を示すが徐々に低下し，1 年後以降には通常は正常集積となる．しかし 1 年以降に痛みなどで検査を施行し，集積亢進がみられれば，ゆるみや感染の可能性が高くなる．三相骨シンチグラフィでの血流やうっ血評価に加え，SPECT/CT では解剖学的情報も CT の金属アーチファクト画像にかかわらず有用である（図Ⅵ-22）．

b．nonunion と delayed union

nonunion では骨折部の骨癒合が起こらず，治癒機転が停止し，骨端部は線維性結合織で覆われた状態が偽関節である．delayed union（遷延治癒）は骨癒合が遅れ，仮骨化が遅延した状態である．前者では手術の際には骨折部の生物学的活性が重要であり，骨折部に連続性の集積があれば外科的固定術の，集積低下領域がみられれば自家骨移植を含めた固定術の目安となる．また骨シンチグラム集積所見は電気的刺激や体外衝撃波の効果を予見する重要な指標となる．骨シンチグラフィは三相検査に側面像や斜位像の追加，拡大像や SPECT/CT も加えて詳細に検討する．

c．骨移植

血管柄付移植骨の血管開存性と骨の viability の確認のために，通常，移植から 1 週間以内に骨シンチグラフィが施行されている．三相骨シンチグラフィの血流相では栄養血管の開存を，血管プール像にて微細血管の血流を，遅延相に SPECT/CT を加えればより精度の高い骨代謝の評価が可能である．集積の低下や欠損があれば，予後不良の可能性がある．骨移植 1 週間以降では，移植骨の骨壊死後，骨表面に血流の再開通による新生骨形成（creeping substitution）がある症例では，陽性集積となり，栄養血管開存の評価が難しくなる．しかしながら三相検査や SPECT/CT が鑑別に寄与する可能性がある．また遊離骨移植を含めて，移植骨の血流や代謝活性の評価，follow up に有用である．

⑪ 骨外集積

骨シンチグラム用剤の骨外集積は日常検査で時折遭遇する所見であり，その頻度は3.2%程度とされる．また良性および悪性疾患の両者に伴って骨外集積がみられるが，悪性疾患でより頻度が高い．Zuckierら[2)]は，泌尿器系の集積を除いた骨外集積を，1）metastatic calcification，2）dystrophic calcification，3）metabolic uptake，4）compartmental sequestration，5）artifactsの5型に分類している．

a．転移性石灰化 metastatic calcification

1）高カルシウム血症時に正常組織にカルシウムが沈着する．血清カルシウムやリンの急激な上昇によって石灰沈着が引き起こされる．副甲状腺ホルモンの増加，転移性骨破壊，V-D関連疾患（サルコイドーシス含む），腎機能不全などでみられる．石灰沈着を起こしやすい臓器としてはアルカリ性の環境にある肺胞壁（図VI-15），胃粘膜，腎尿細管などに頻度が高く，甲状腺，心臓，血管，脾臓，骨格筋などにもみられる．肺沈着は上葉に多くみられるが，下肺野と比較して高換気/血流比のため高酸素，低二酸化炭素となり，よりpHが高いためと説明される．2）肩や股関節，肘関節，大腿筋群への粗大な石灰化は，慢性のsubclinicalな外傷との関連が示唆されている．またtumoral calcinosis（lipocalcinogranulomatosis）は常染色体優性のまれな疾患で，進行性に股関節>肘関節>肩関節などの大関節周囲に石灰化を伴った軟部腫瘤を形成する．3）系統的動脈や肺静脈も石灰化しやすい．大腿動脈の石灰化は高齢者の骨シンチグラムで比較的よくみられる．4）肺胞微石症 alveolar microlithiasisは血清カルシウム，血清リンは正常値で，1 mm以下の石灰化が両側肺野にびまん性に分布する原因不明のまれな疾患であり，骨スキャンで著明な集積を示す．5）精巣微石症 testicular microlithiasis（TM）は組織学的には輸精管内の石灰化であり，精巣腫瘍との関連が高い．

b．異栄養性石灰化，変性性石灰化 dystrophic calcification

血清カルシウム，血清リンは正常値．外傷，虚血，細胞壊死，脂肪変性壊死など傷害を受けた組織にみられる石灰化である．心筋梗塞（図VI-23），脳梗塞，子宮筋腫の石灰化（図VI-24），sickle cell anemiaの脾梗塞，深部静脈血栓，静脈結石，陳旧性注射部位，瘢痕部，多発性筋炎や横紋筋融解症（図VI-25）などの軟部組織疾患でみられる．肺癌の治療部位，術後gossypiboma（ガーゼなどの遺残物）などでも報告されている．

c．代謝性集積，腫瘍性集積，腫瘍性骨形成 metabolic uptake

甲状軟骨では石灰化を繰り返し，生理的集積を示す．乳腺組織への生理的集積は対称性で，思春期後の若い女性に多くみられる．転移性骨肉腫や骨化性筋炎ではosteoid matrixを産生し^{99m}Tc-MDPと結合する．ムチン産生腫瘍は石灰化軟骨に似たglycoproteinを有し，カルシウム塩と結合する．代表例としてムチン産生腺癌（肺癌，乳癌，消化器癌）や肝転移病巣に集積する（図VI-26）．そのほか神経芽細胞腫，脳腫瘍（神経膠芽腫，悪性リンパ腫），食道小細胞癌のリンパ節転移，乳癌，卵巣癌の石灰化した肝転移や腸管漿膜転移巣，乳癌の石灰化した心嚢膜転移巣，消化管間質性腫瘍，小児肝細胞癌と肝芽細胞腫，胆管癌，Wilms腫瘍の脳転移巣など多数みられる．乳癌の肺転移，肺小細胞癌への集積や精巣腫瘍seminomaの描出も経験している．アミロイドへの^{99m}Tc-MDP集積の機序はまだ不明である（図VI-27）．

d．分画分離，区画分離 compartmental sequestration

局所の毛細管透過性亢進や静脈もしくはリンパ管閉塞性/狭窄の機序などがあり，細胞外液腔への流入が早く，また洗い出される程度がほかの区画部より遅ければタイミングにより撮像される．胸水や腹水では悪性が示唆される（図VI-28）．そのほか原発性腸管リンパ管拡張症，蛋白漏出性胃腸症での腸管描出および腸管出血などで集積が報告されている．

e．アーチファクト

標識不良による，^{99m}Tc-pertechnetate（TcO_4^-）は，甲状腺，胃粘膜，唾液腺や脈絡叢が描出される．過度のジェネレーター溶出液内アルミニウムの摂取によって，^{99m}Tc-MDPはコロイドを形成し肝や脾が描出される．注射部位での用剤停留は皮下溢出からリンパ流に入り腋窩リンパ節が描出されることがある．標識された尿が病的もしくは医原性に，もしくは患者による摂取により，腎臓

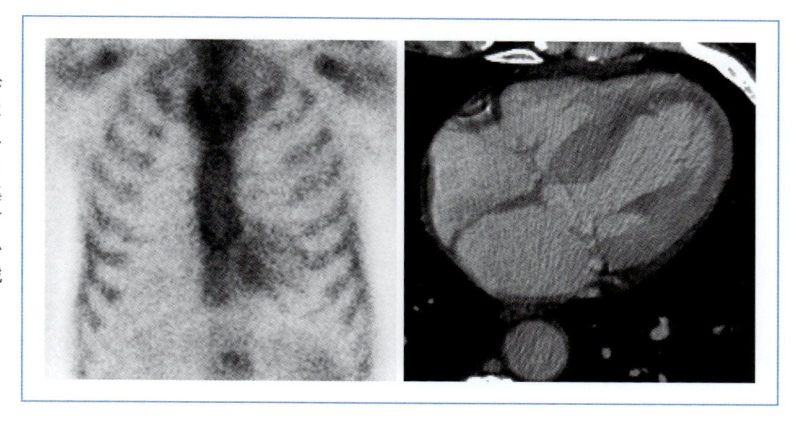

図Ⅵ-23 急性心筋梗塞
70 歳代男性．急性心筋梗塞で入院．胸部X線で異常影がみられ，肺癌の診断となった．骨シンチグラム(左)では左前胸部に不均一な集積亢進がみられる．中隔から前壁で局所性集積がみられ，心筋梗塞巣と考えた．さらに低集積が心筋領域に広範囲にみられ内膜下梗塞と考えた．造影 CT(右)では，心筋内心尖部から中隔側に低吸収値領域がみられる．

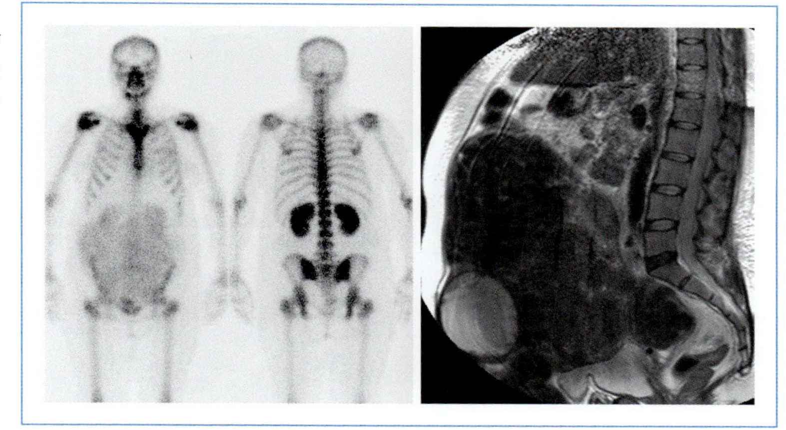

図Ⅵ-24 子宮筋腫
50 歳代女性．乳癌により骨シンチグラフィ(左)が施行された．腹部にびまん性集積がみられ，腹水にもみえるが，巨大な子宮筋腫への集積である．右側は MRI/T2WI 矢状断である．

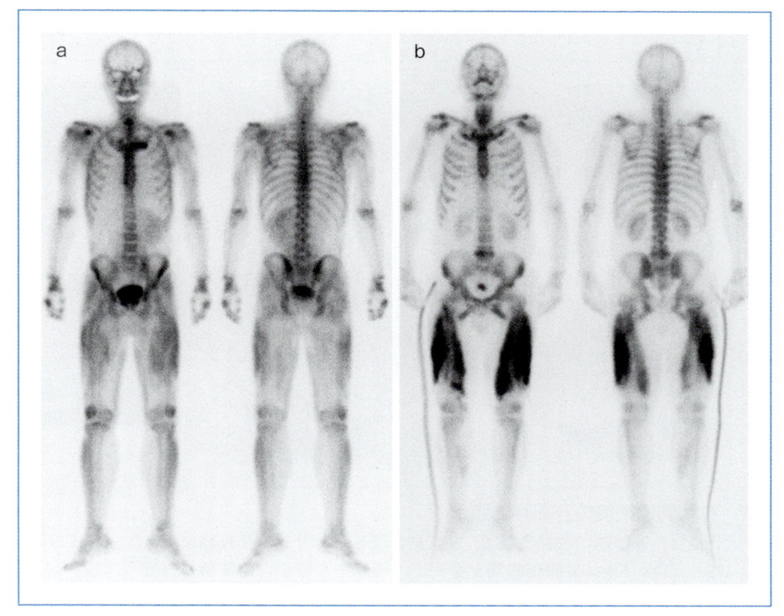

図Ⅵ-25 多発筋炎と横紋筋融解症
a：多発筋炎．50 歳代男性．4 ヵ月前より四肢の痛み，腫脹，脱力が出現し徐々に進行，入院となった．入院時クレアチンキナーゼ(CK) 12,341 U/L (35～164 U/L)．入院後約 2 週間の骨シンチグラフィ検査時 CK 8,921 U/L．骨シンチグラムでは両側大腿部，下腿部の軟部組織にびまん性集積亢進．上腕部や肩周囲，腰背部，臀部にも集積がみられる．
b：横紋筋融解症．70 歳代男性．背景に長期にわたるアルコール飲酒がある．入院時 CK 55,900 U/L．6 日後の骨シンチグラム(CK 1,159 U/L)．両側大腿軟部組織に高集積．広筋群で著明．両側短内転筋や下腿右内側で軽度集積がみられる．

や膀胱，消化管が描出されることもある．経皮的胆管ドレナージ術後の骨シンチグラムで肝描出がみられ，医原性の肝出血が確認された症例が報告されている．

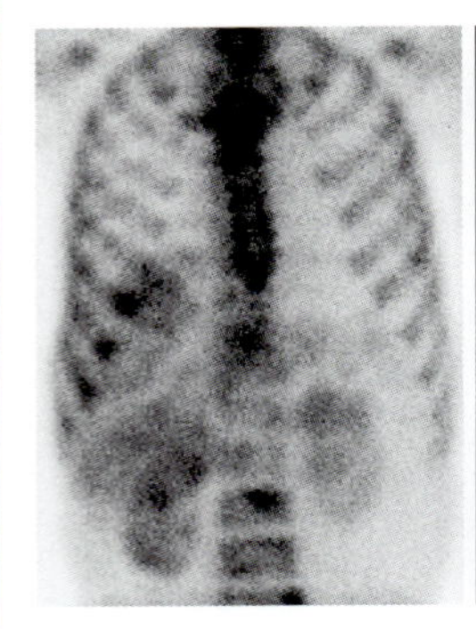
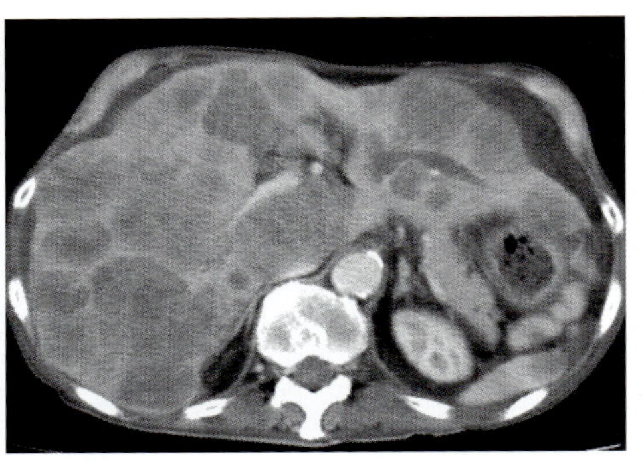

図VI-26　直腸癌多発肝転移

70歳代男性．左の骨シンチグラムでは腫大した肝描出がみられる(左)．びまん性骨転移も疑われる．CTでは肝内に無数の転移性腫瘍がみられる(右)．

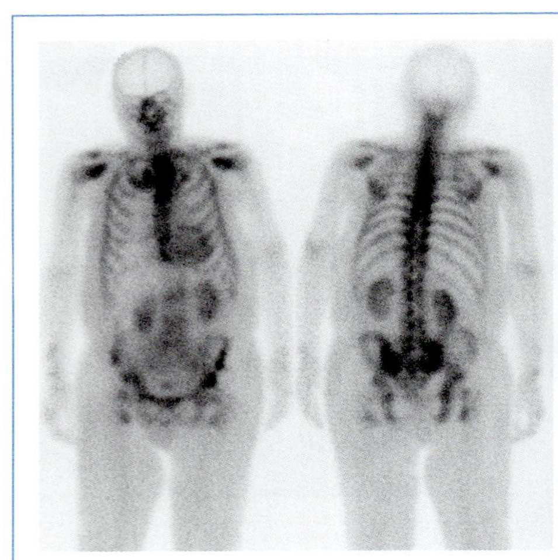
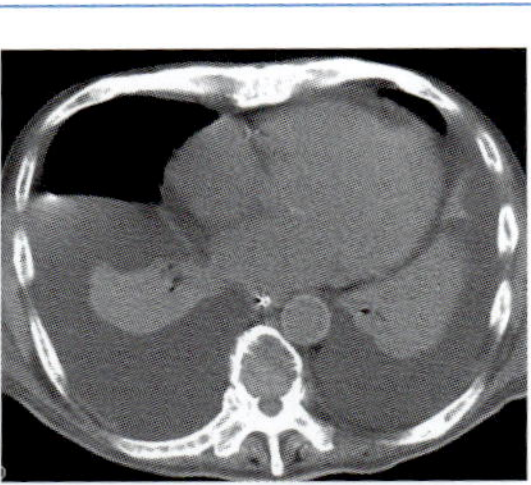
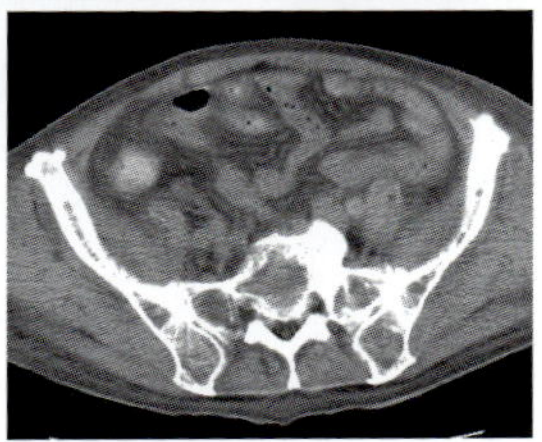

図VI-27　多発性骨髄腫に伴うアミロイドーシス

70歳代男性．1ヵ月前より全身浮腫と乏尿，数日前より労作時呼吸苦により入院となった．多発性骨髄腫の診断．骨シンチグラムでは，心臓描出が明らかで，胸腰椎・仙腸関節部で集積の不均一さが顕著．股関節領域の集積は不整．CTでは中等量の胸水，心拡大がみられた(右)．部検ではIgA多発性骨髄腫．心，消化管，膀胱，全身血管壁にアミロイド沈着がみられた．

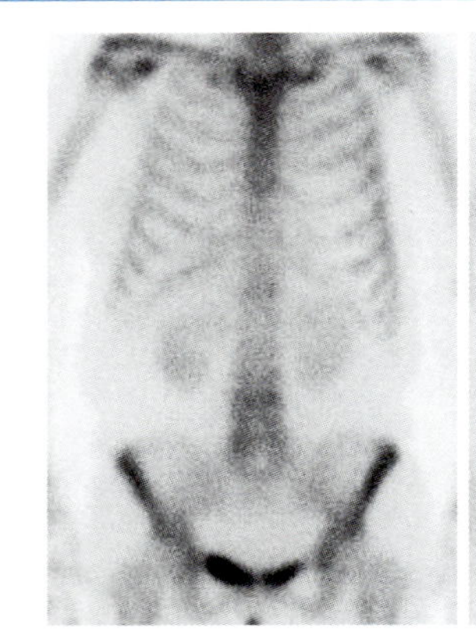
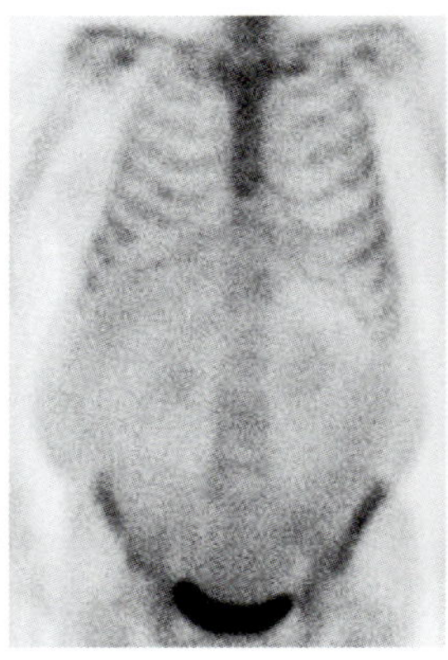
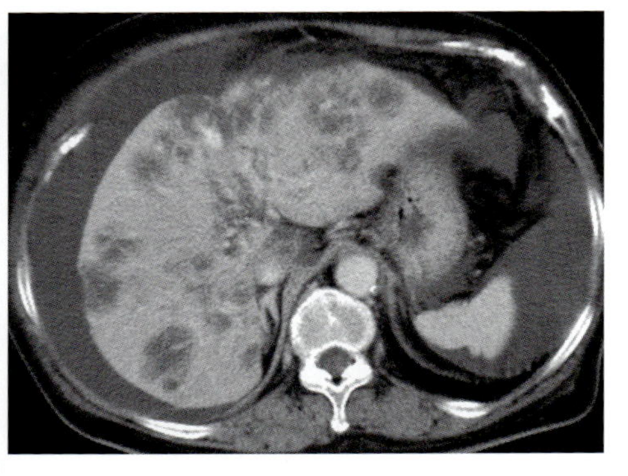

図VI-28　乳癌術後の肝転移と腹水

70歳代女性．7年前に左乳癌手術．2年前に肝転移，リンパ節転移出現．3ヵ月前の骨シンチグラムでは，明らかな異常はみられない(左)．3ヵ月後には腹部膨満が著明で，不均一なびまん性集積が腹部/骨盤部にみられる(中央)．悪性腹水への集積と思われる．造影CTでは肝転移の増悪と腹水の出現がみられた(右)．

◆ 文献

1) Kini, U et al : Physiology of Bone Formation, Remodeling, and Metabolism. Radionuclide and Hybrid Bone Imaging, Fogelman, I et al(eds),

Springer, Berlin, 45, 29-57, 2012
2) Zuckier, LS et al：Nonosseous, nonurologic uptake on bone scintigraphy：atlas and analysis. Semin Nucl Med 40：242-256, 2010

◆ 参考文献

1) Ganong, WF：カルシウム代謝の内分泌性制御と骨の生理学．医科生理学展望　原書 17 版，星　猛ほか訳，丸善，東京，385-398，1996
2) 滝　淳一ほか：[4]骨・関節．最新臨床核医学，改訂第 3 版，利波紀久ほか編，金原出版，東京，326-349，1999
3) Van den Wyngaert, V et al：The EANM practice guidelines for bone scintigraphy. Eur J Nucl Med Mol Imaging 43：1723-1738, 2016
4) 網塚憲生ほか：骨細胞・骨細管系の顕微解剖学．腎と骨代謝 21：183-190，2008
5) Hashimoto, K et al：Cancer-secreted has-miR-940 induces an osteoblastic phenotype in the bone metastatic microenvironment via targeting ARHGAP1 and FAM134A. Proc Natl Acad Sci USA 115：2204-2209, 2018
6) 田原英樹：臓器別のアプローチ--内分泌・代謝 6. 腎性骨異栄養症(ROD)．臨透析 24：193-194，2008
7) Kidney Disease：Improving Global Outcomes (KDIGO) CKD-MBD Work Group：KDIGO clinical practice guideline for the diagnosis, evaluation, prevention, and treatment of Chronic Kidney Disease-Mineral and Bone Disorder(CKD-MBD). Kidney Int 76(Suppl 113)：S1-S130, 2009

Note 4

● 自動診断ソフトウェアや骨 SUV について

骨シンチグラフィの読影は，以前から今日まで人間の眼による視覚的評価によって行われることは変わらない．経験のある読影医による診断が最も信頼されるが，読影者間でも所見が異なることがあり，再現性は必ずしも高くない．比較的最近になって，骨シンチグラフィの読影支援ソフトウェアとして BONENAVI®と VSBONE BSI が市販されるようになった．BONENAVI®の使用例を示す(図)．解析の流れとしては，1)骨シンチグラフィの DICOM 画像から骨を解剖学的領域に分け，2)高集積部分を検出して，3)高集積部分以外の濃度を統一(標準化)した後，4)高集積部分をニューラル・ネットワーク(AI)が骨転移であるか骨転移以外であるかに分類し，5)骨転移部分を足し合わせて骨全体の面積で除した bone scan index(BSI)を計算する．AI の教師データには，日本人の骨シンチグラフィ画像に経験のある読影医がラベル付けしたものが用いられている．注意点として，これらのソフトウェアはあくまで診断支援ツールであり，最終的には医師が自らの責任で診断しなければならない．実際に視覚的評価と AI 診断とが異なることは少なくない．また，BONENAVI®と VSBONE BSI は，骨シンチグラフィ目的に発売されている 2 種類の放射性薬剤にそれぞれ専用品として作成されたソフトウェアとなっていることにも気をつける必要がある(交叉使用は認められていない)．

また，骨シンチグラフィを SPECT 撮影し，投与量や体重など諸情報を与えれば，骨シンチグラフィ上で PET のように standardized uptake value(SUV)を測定できる．PET に比べて定量性の低い SPECT では SUV 算出には課題も多いが，SPECT 装置のみを有する施設も日本国内には多いため骨転移や骨髄炎の治療効果判定などに期待される．

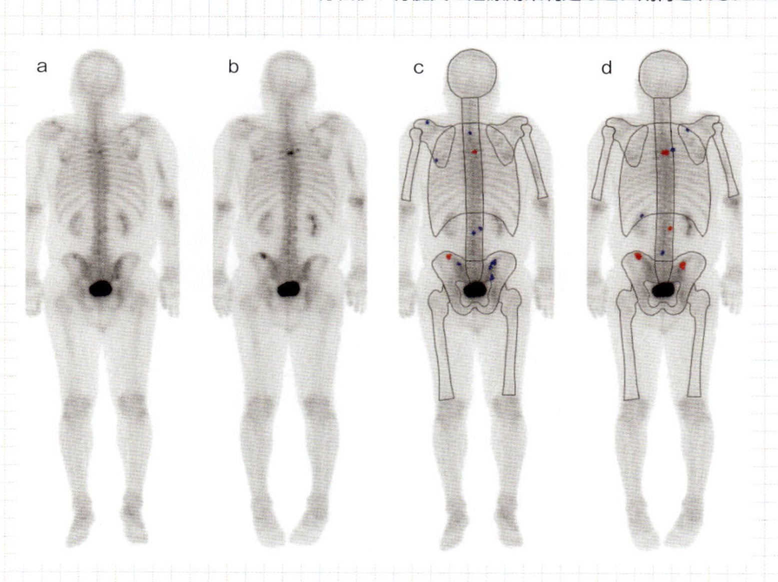

図　BONENAVI®による解析結果

60 歳代の前立腺癌多発骨転移の症例．3 ヵ月の間隔で 2 回の骨シンチグラフィが施行された(a が b の 3 ヵ月前)．a と b は BONENAVI®によって画像濃度を標準化したもの．病変部への集積が 3 ヵ月間に増加したことがわかり，骨転移の増悪と診断できる．a, b から hot spots を抽出し，AI により骨転移(赤)かそれ以外(青)かに分類したものが，それぞれ c, d．赤くマークされた骨転移の面積を全骨面積で除した BSI は 0.08 から 0.41 に上昇した．

要点

- 成長中の小児では骨-軟部組織の集積比が高く，特に骨端板に強く集積する.
- ^{99m}Tc 標識リン酸化合物は，骨の構成成分であるハイドロキシアパタイトに化学吸着する.
- ^{99m}Tc 標識リン酸化合物は 2〜4 時間後に 30〜40%が骨に集積し，50%以上は腎から排泄される.
- 椎体終板変性の modic typeⅢでは高集積がみられるので転移との鑑別に注意する.
- 肋骨病変は，長軸に垂直な連続する複数の集積であれば外傷性変化の可能性が高い.
- super bone scan では腎描出がないか低下する.
- 溶骨性転移では rim sign をみることが多い.
- 骨盤骨の不全骨折では H 型集積が比較的特徴となる.

読影の鍵　肋骨外傷と転移の鑑別

a

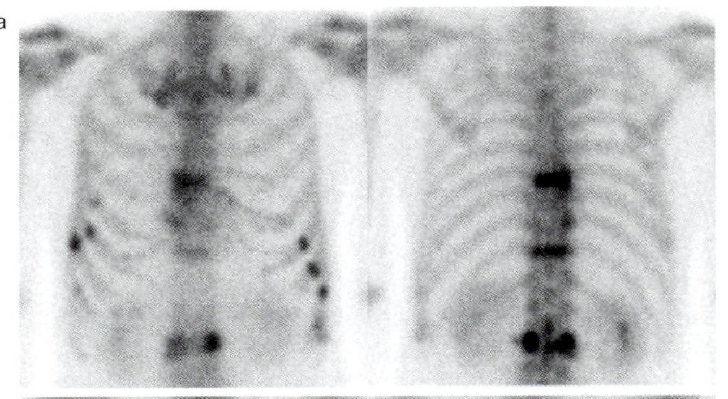

b

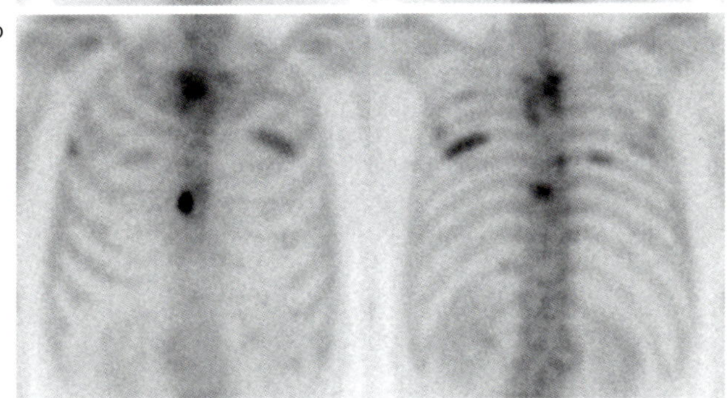

c

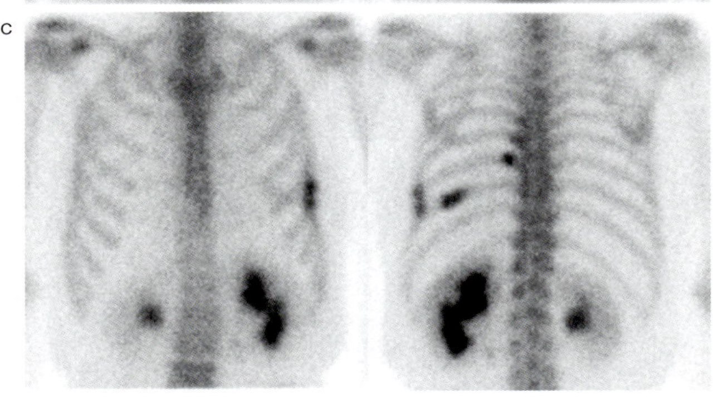

通常高齢者で発症する外傷は転倒を起因とする．受傷機転により骨折部位はさまざまであるが，肋骨骨折では受傷後もしばらく集積がみられ，転移との鑑別が問題となることがある.

通常外傷性集積では長軸に垂直な連続する複数の集積に対して，転移性集積は長軸に沿った集積となりやすい．単発集積であれば，骨シンチグラム上での鑑別は困難である.

a：60 歳代男性．トラック荷台から転落．両側多発肋骨骨折と多発椎体圧迫骨折.
b：80 歳代男性．前立腺癌．肋骨と椎体骨多発転移.
c：60 歳代女性．腎盂癌．肋骨転移と左外側肋骨に外傷性骨折.

Ⅶ

消化器

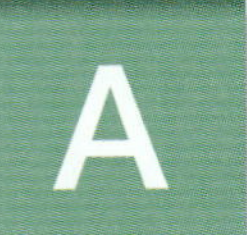

A 唾液腺

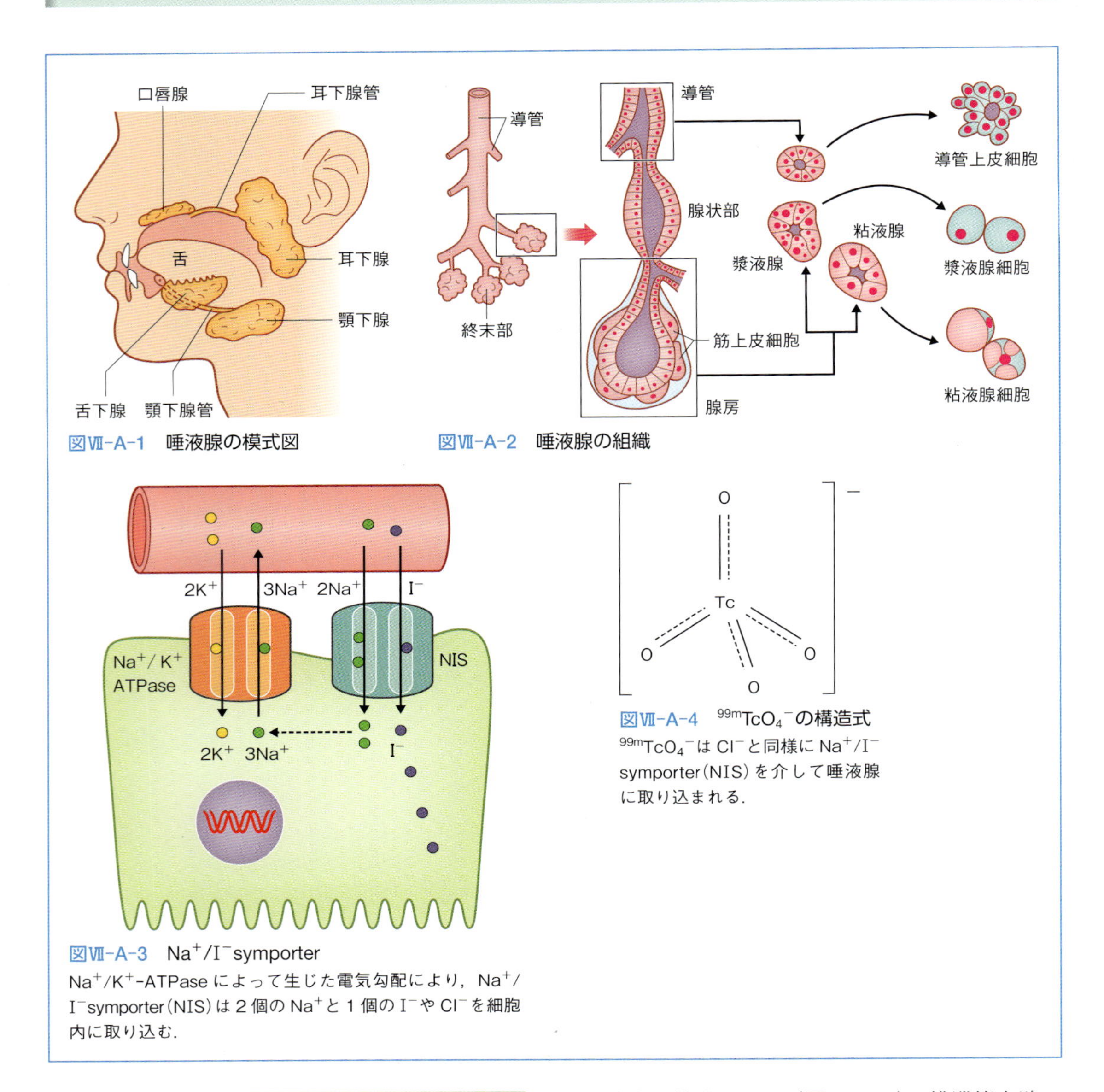

図Ⅶ-A-1　唾液腺の模式図

図Ⅶ-A-2　唾液腺の組織

図Ⅶ-A-3　Na^{+}/I^{-}symporter

Na^{+}/K^{+}-ATPaseによって生じた電気勾配により，Na^{+}/I^{-}symporter（NIS）は2個のNa^{+}と1個のI^{-}やCl^{-}を細胞内に取り込む．

図Ⅶ-A-4　$^{99m}TcO_4^{-}$の構造式

$^{99m}TcO_4^{-}$はCl^{-}と同様にNa^{+}/I^{-} symporter（NIS）を介して唾液腺に取り込まれる．

病態生理

唾液腺は唾液を分泌する腺組織であり，特に耳下腺，顎下腺，舌下腺は大唾液腺と呼ばれる（図Ⅶ-A-1）．唾液腺は漿液腺または粘液腺から成る腺房と介在部，腺状部，排泄管（導管）から成る．腺房細胞で唾液が産生され，排泄管を通って口腔内に排泄される（図Ⅶ-A-2）．排泄管内壁の上皮細胞にはNa^{+}/I^{-}symporter（NIS）が存在しており，Cl^{-}，I^{-}などの1価の陰イオンを摂取，濃縮する作用を持つ（図Ⅶ-A-3）．濃縮された陰イオンは唾液として分泌される．投与された$^{99m}TcO_4^{-}$（図Ⅶ-A-4）はNISを介してCl^{-}と同様に唾液腺に取り込まれるため，唾液腺の機能を非侵襲的に簡便に評価することができる．また良

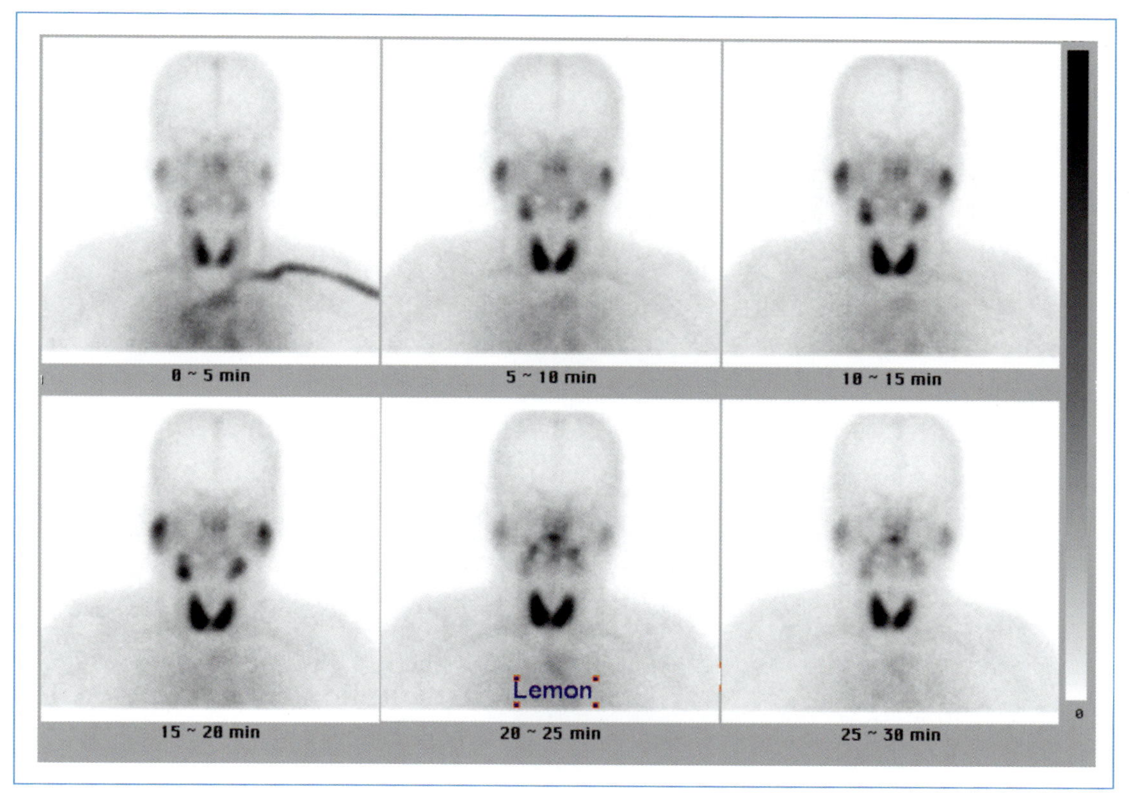

図Ⅶ-A-5 正常唾液腺の dynamic scan

性の唾液腺腫瘍である Warthin 腫瘍と膨大細胞腫 oncocytoma は $^{99m}TcO_4^-$ を取り込むため，唾液腺腫瘍の鑑別に有用である．

検査の進め方

食直後では唾液腺機能に影響があるため，検査前 1 時間は禁飲食が必要である．

唾液腺動態機能診断では，$^{99m}TcO_4^-$ 185～370 MBq を静注し 5 分ごとに 30 分間の dynamic scan（前面像）を行う．甲状腺も撮像範囲に含めることが望ましい．静注後 20 分でレモン汁やクエン酸などを口腔内に投与し，唾液分泌刺激を行う．両側耳下腺，顎下腺の計 4 腺と background に関心領域 region of interest（ROI）を設定し，時間放射能曲線を作成すれば，各唾液腺の機能を評価できる．

唾液腺腫瘍診断・唾液腺形態診断では，$^{99m}TcO_4^-$ 370～740 MBq を静注し，10～15 分後に正面像，側面像を撮像する．正常唾液腺への生理的集積により腫瘍の評価が難しい場合には唾液分泌刺激を行い，wash out させることが有用である．

画像の読み方

❶ 正常像

a．動態像と時間放射能曲線

静注後両側耳下腺，顎下腺への集積は経時的に増加する．耳下腺への集積は顎下腺と比較して同等～高くなる．原因は不明だが舌下腺は描出されない．唾液腺分泌刺激後，4 腺とも集積は急激に低下し，その後再上昇する（図Ⅶ-A-5）．各唾液腺の最大集積時の count と唾液分泌刺激後の最低 count から算出される wash out（%）は，正常唾液腺では 50%以上を示す（図Ⅶ-A-6）．

b．静止像

耳下腺，顎下腺は，正常甲状腺と同程度～低く描出され，鼻腔および口腔内に軽度の集積が認め

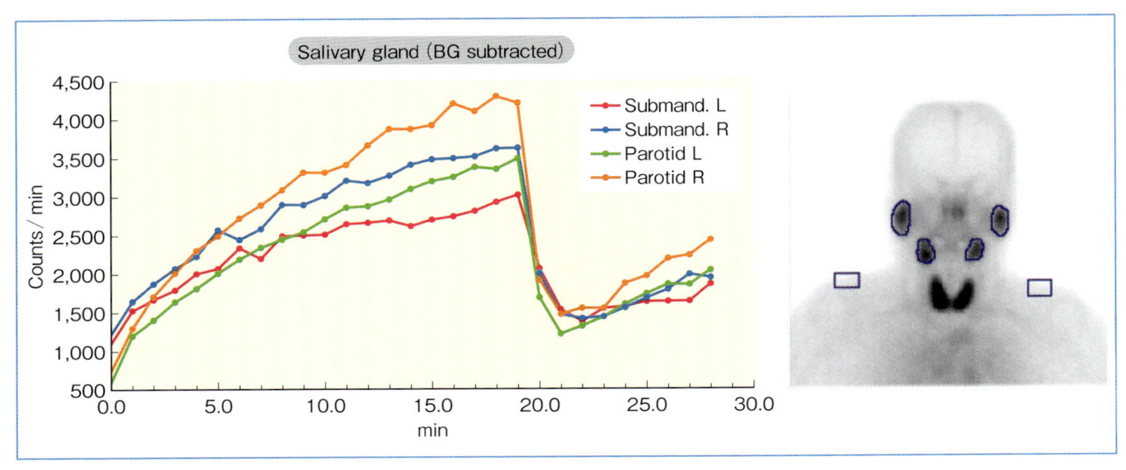

図Ⅶ-A-6　正常唾液腺の時間放射能曲線

投与後から経時的に顎下腺，耳下腺への集積は増加する．投与後20分の時点で唾液分泌刺激が行われており，唾液腺のcountは急激に低下している．その後，集積は再上昇を示す．

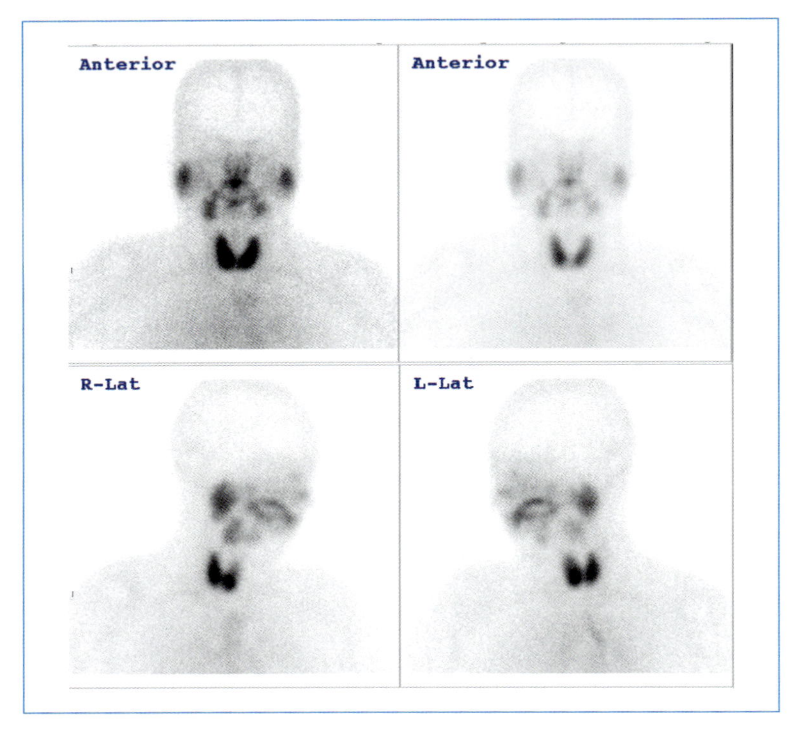

図Ⅶ-A-7　正常唾液腺の静止像

られる．側面像では耳下腺が明瞭に描出されるが，顎下腺は対側との重なりが生じる（図Ⅶ-A-7）．

❷ 唾液腺動態機能診断

適応疾患はSjögren症候群，急性・慢性唾液腺炎，顔面・舌咽神経麻痺などである．dynamic imageと時間放射能曲線から機能評価を行う．一般的に，慢性唾液腺炎では集積が低下，急性唾液腺炎では集積は増加する．唾液腺分泌刺激では，いずれも反応が低下あるいは無反応となる．Sjögren症候群の重症例では，唾液腺がほとんど描出されない（図Ⅶ-A-8，9）．唾液腺の機能評価を客観的に行えるため，1999年の厚生労働省によ

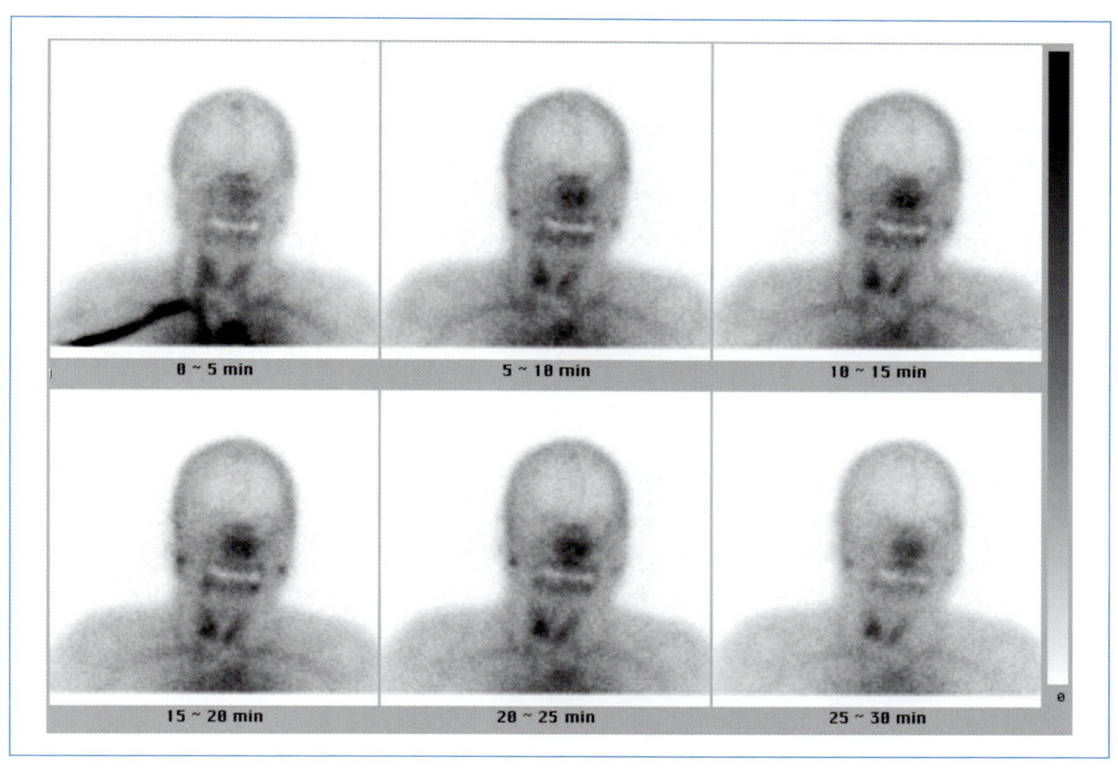

図Ⅶ-A-8　Sjögren 症候群
4 腺とも集積が著明に低下している．なお本症例では甲状腺右葉下極に focal uptake があり，超音波検査で腺腫様結節が確認された．甲状腺にも注意する必要がある．

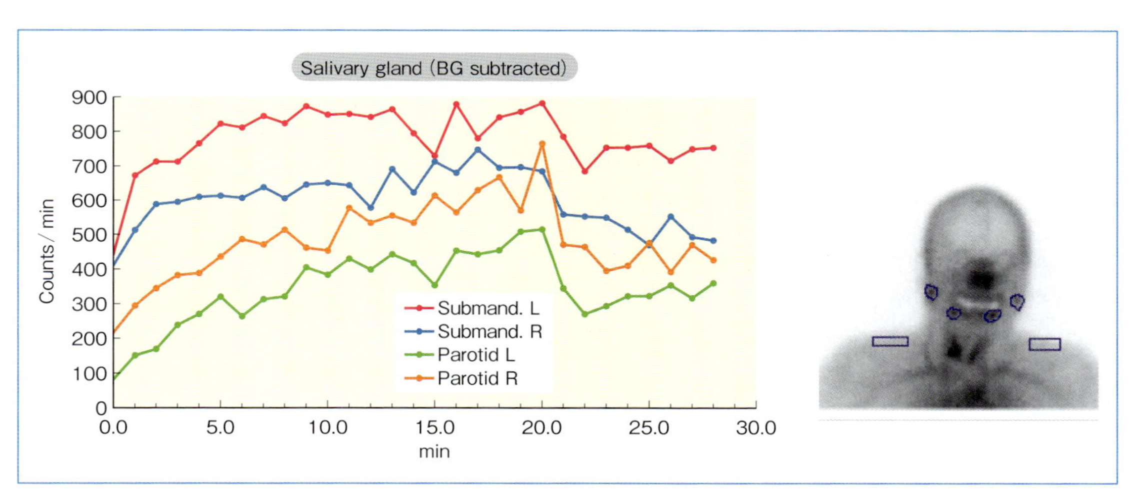

図Ⅶ-A-9　Sjögren 症候群
4 腺とも集積が乏しく，投与後 20 分の時点で唾液分泌刺激が行われているが反応は乏しい．

る Sjögren 症候群の診断基準に含まれる．Shizukuishi らは唾液腺分泌刺激後の wash out の低下の程度が Saxon テストの結果とよく相関し Sjögren 症候群の重症度をよく反映すると報告している[1]．

要点

- $^{99m}TcO_4^-$シンチグラフィでは唾液腺の機能評価，唾液腺腫瘍の鑑別診断が可能である．
- 機能評価は集積の視覚的評価，および時間放射能曲線で行う．各唾液腺機能の客観的な評価が可能である．

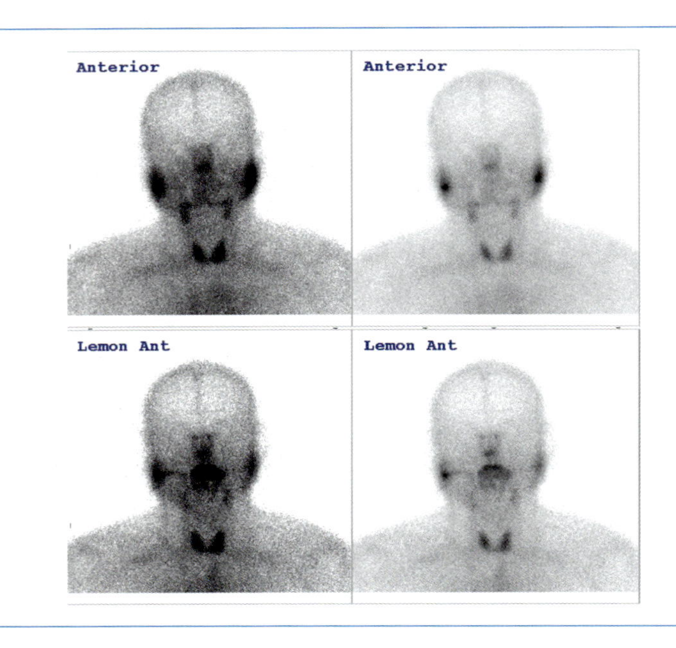

図Ⅶ-A-10 Warthin 腫瘍
通常の撮像（上）では耳下腺の集積に左右差はみられないが，唾液分泌刺激後（下）では右耳下腺腫瘍内にラジオアイソトープ（RI）の残存があり，Warthin 腫瘍と診断できる．本症例は嚢胞成分主体の病変であるため，$^{99m}TcO_4^-$の取り込みが少ない．

❸ 唾液腺腫瘍の診断

Warthin 腫瘍と oncocytoma は排泄管上皮由来で，排泄管との交通がないため，腫瘍の充実部分には $^{99m}TcO_4^-$が取り込まれ，唾液分泌刺激を行っても排泄されない．ただしWarthin 腫瘍で嚢胞成分が主体の場合は集積が乏しいことがある（図Ⅶ-A-10）．正診率は 90％程度であるが，Warthin 腫瘍と oncocytoma の区別はできない．また，Warthin 腫瘍の場合は両側性の頻度が 5～20％で，対側の耳下腺についても注意深く観察する必要がある．

◆ 文献

1）Shizukuishi, K et al：Scoring analysis of salivary gland scintigraphy in patients with Sjögren's syndrome. Ann Nucl Med 17：627-631, 2003

◆ 参考文献

1）Hashimoto, J et al：Absent myocardial accumulation of two different radioiodinated pentadecanoic acids. Ann Nucl Med 12：43-46, 1998
2）Akai, A et al：99mTcO4－ accumulation in scintigraphy and expression of Na＋/I－ symporter in salivary gland tumors. Auris Nasus Larynx 41：532-538, 2014

Note

● 検査施行時および唾液腺機能評価時の注意点

唾液腺分泌刺激では酸味のあるものを想像しただけで唾液分泌が促されるので，検査の説明については注意が必要である．

唾液腺分泌刺激前の count が低い場合は wash out（％）が過大評価されるので，dynamic image との視覚的評価とあわせて判断する必要がある．また関心領域 region of interest（ROI）の設定により dynamic curve が変化することがあるので，視覚的評価と dynamic curve が一致しない場合は ROI の設定に問題がないか確認する必要がある．

B 肝臓

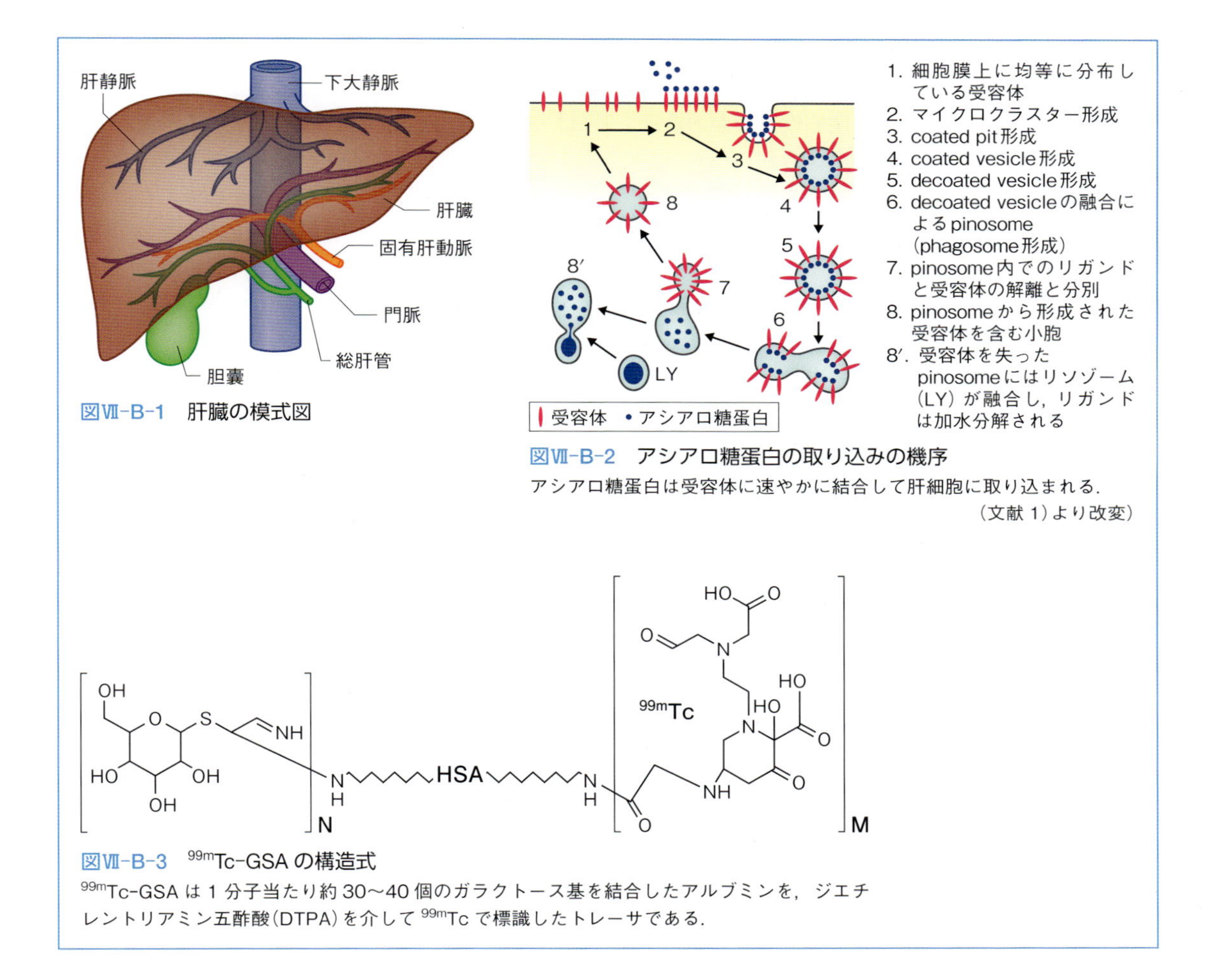

図Ⅶ-B-1 肝臓の模式図

図Ⅶ-B-2 アシアロ糖蛋白の取り込みの機序
アシアロ糖蛋白は受容体に速やかに結合して肝細胞に取り込まれる．
（文献 1）より改変）

図Ⅶ-B-3 ^{99m}Tc-GSA の構造式
^{99m}Tc-GSA は 1 分子当たり約 30～40 個のガラクトース基を結合したアルブミンを，ジエチレントリアミン五酢酸(DTPA)を介して ^{99m}Tc で標識したトレーサである．

病態生理

肝臓は腹腔内の右上部に位置し，1,000～1,500 g 程度の重量を持つ最大の臓器である（図Ⅶ-B-1）．糖質・脂質・タンパク質の代謝・栄養素の貯蔵，アルコールや有害物質などの解毒・排泄，胆汁の生成・分泌などの重要な役割を担っている．肝細胞膜にはアシアロ糖蛋白受容体が特異的に発現しており，タンパクの代謝に関与している．血清蛋白は糖蛋白の状態で存在し，合成されたばかりの糖蛋白の糖鎖の末端部分はシアル酸-ガラクトース-N-アセチルグルコサミン（Sia-Gal-Glc-NAc-）の順に配列した3糖構造を有している．これらの糖蛋白は老化すると末端のシアル酸が除去され（アシアロ化），その内側のガラクトース残基が末端基として露出する．このようにシアル酸が除去され，ガラクトース基が露出した糖蛋白をアシアロ糖蛋白と呼ぶ．アシアロ糖蛋白は肝細胞膜のアシアロ糖蛋白受容体に速やかに結合し，肝細胞内に取り込まれ分解される（図Ⅶ-B-2）[1]．

^{99m}Tc-galactosyl human serum albumin（^{99m}Tc-GSA）（図Ⅶ-B-3）は，アシアロ糖蛋白受容体と結合することにより肝へ集積するシンチグ

ラフィ製剤である．慢性肝炎や肝硬変などの障害肝ではアシアロ糖蛋白受容体数は減少するため，^{99m}Tc-GSAの集積度は肝予備能をよく反映する．^{99m}Tc-GSAシンチグラフィから得られる肝予備能の指標は，既存の肝機能の指標（antithrombin Ⅲ，bilirubin，prothrombin time，indocyanine green（ICG）clearance，Child-Pugh分類）とよく相関するが，^{99m}Tc-GSAは閉塞性黄疸がある場合でも肝予備能を評価できるという利点がある．

検査の進め方

肝血流増加の影響を避けるため，安静空腹時に^{99m}Tc-GSA 185 MBqを急速静注する．低エネルギー用高分解能コリメータを用いて，肝臓と心臓が視野に入るように前面に配置し，静注直後から30分後まで連続動態収集を行う．心プールおよび肝臓に関心領域region of interest（ROI）を設定し，血中からのGSAクリアランスの指標としてHH15（3分後に対する15分後の心プールのカウントの比．H15/H3）を，肝臓への集積の指標としてLHL15(15分後の心プールと肝臓のカウントの和に対する15分後の肝臓のカウントの比．L15/(H15+L15)）を算出する．したがってHH15は値が低いほど，LHL15は高いほど肝予備能は高いと判断できる．これら二つの指標は簡便でありながら肝予備能をよく反映するので，臨床的には最も用いられている．HH15の値は低いほどGSAクリアランスが良好で，過去の報告から目安として，0.50～0.57以下で正常，0.55～0.71で軽度低下，0.67～0.82で中等度低下，0.78～0.88で高度低下と考える．またLHL15の値は高いほど肝臓への集積が良好で，0.93～0.96以上で正常，0.87～0.95で軽度低下，0.78～0.91で中等度低下，0.59～0.82で高度低下と考える[2]．

画像の読み方

静注後，速やかに肝細胞に取り込まれるため，早期から心プールと肝臓が描出される．正常例では静注から3分後の時点で肝臓への集積が心プールよりも高くなり，15分後では心プールはほとんど描出されない．アシアロ糖蛋白受容体は肝細胞にのみ発現しているため，描出されるのは心プールおよび肝臓のみである（図Ⅶ-B-4）．慢性肝炎や肝硬変ではアシアロ糖蛋白受容体数が減少し，血中からの^{99m}Tc-GSAクリアランス，肝実質への集積は低下する（図Ⅶ-B-5，6）．

投与後3分，15分の画像からHH15，LHL15を算出する（図Ⅶ-B-7）．基準値は前述の通りであるが，施設ごとに設定することが望ましい．さらにdynamic imageで心プールからのクリアランスと肝臓への集積の程度に関する視覚的評価を行い，HH15，LHL15の計算値が矛盾しないか確認する．視覚的評価とHH15，LHL15の評価が乖離する場合は，ROIの設定が適切かを確認する．ROIの設定法に特別な基準はないが，心臓と肝臓のROIが近接している場合はHH15が高く算出されてしまうため注意が必要である．またLHL15はplanar imageの正面像のcountのみを用いるため，体内の肝臓の位置関係によってはLHL15が過小評価されることがある（図Ⅶ-B-8）．このため前面像と後面像のcountの相乗平均を用いた補正LHL15が用いられることもある．

ほとんどの肝占拠性病変は集積欠損領域として描出されるが（図Ⅶ-B-9），肝細胞の性質を有する一部の肝腫瘍（肝細胞腺腫，限局性結節性過形成，高分化型腺癌）には^{99m}Tc-GSAが集積することがあるため（図Ⅶ-B-10），肝腫瘍の鑑別を行うこともできるが，近年はMRI，CT，超音波検査の発達によりこの目的で撮像されることは少ない．

❶ HH15，LHL15を用いた評価

^{99m}Tc-GSAを用いた肝臓シンチグラフィでは，静注直後からの動態収集を20分程度行う．定量解析の方法としては，Patlak plot法やコンパートメントモデル解析を用いた方法もあるが，より簡便な方法としてHH15，LHL15による解析がある．動態収集した画像から，静注後3分の心臓部のカウント値（H3），15分後の心臓部および肝臓部のカウント値（H15およびL15）を用いて次の式にて算出する．

$$HH15 = H15/H3$$

$$LHL15 = L15/(H15 + L15)$$

正常値は，HH15が0.5～0.6，LHL15が0.91～0.96程度であり，HH15の上昇およびLHL15の低下は肝機能の悪化を意味する．

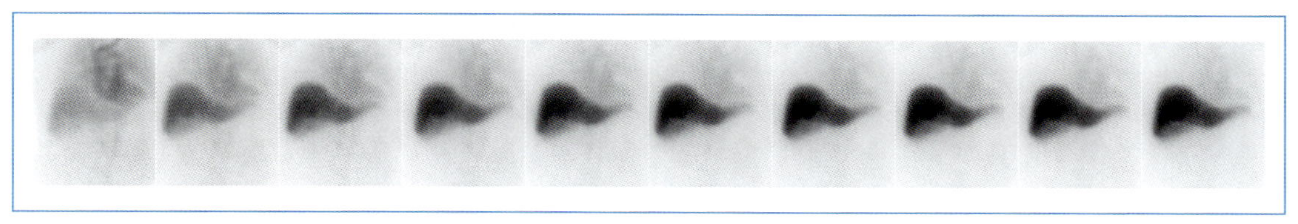

図Ⅶ-B-4 肝予備能正常例の dynamic scan

1 フレーム 3 分の図．投与された ^{99m}Tc-GSA は血中から速やかに消失し，肝に集積する．正常例では，投与後 3 分の時点で心プールの集積が肝臓よりも低く，15 分後の時点では心プールはわずかにみえる程度である．

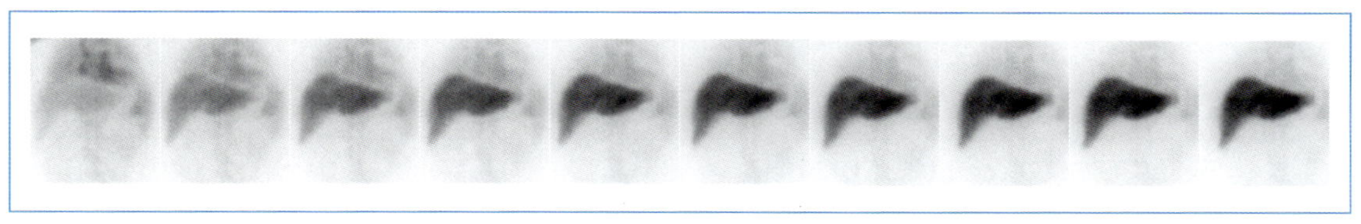

図Ⅶ-B-5 慢性肝炎

1 フレーム 3 分の図．^{99m}Tc-GSA の血液プールからのクリアランスがやや遅延している．

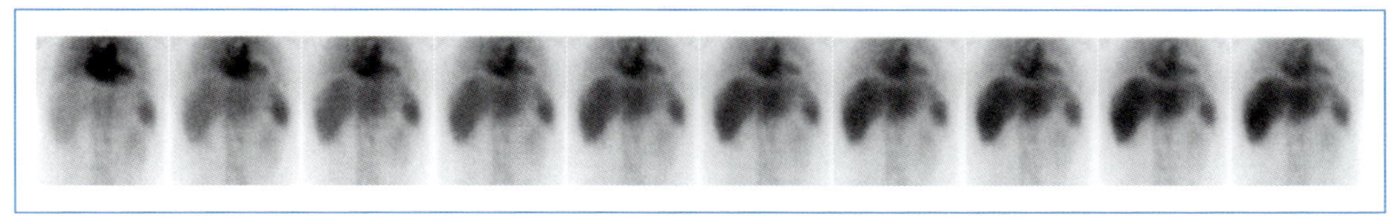

図Ⅶ-B-6 肝硬変

1 フレーム 3 分の図．重症になるほど，^{99m}Tc-GSA は血液プールに停滞し，肝臓への取り込みが低下する．重度の肝硬変では血中からの ^{99m}Tc-GSA クリアランスが遅延し，血液が豊富な脾臓や骨髄，腎臓が描出されることがある．脾臓への集積と肝左葉との集積は時にシンチグラフィでは分離不可能なことがあり，LHL15 は過大評価される．

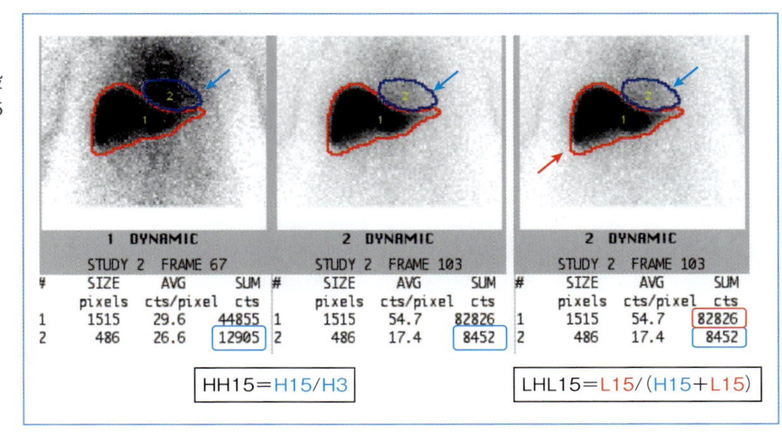

図Ⅶ-B-7 ^{99m}Tc-GSA 投与後 3 分，15 分の画像

心プールと肝臓に関心領域（ROI）を設定し，その count から HH15，LHL15 を算出する．

本法は操作者の ROI 設定により算出される値が変動する．したがって，できるだけ ROI 設定手技の統一を図るべきである．より精度の高い方法として，LU5，LU15 がある．この方法では，投与前後のシリンジのカウントから投与量に対する肝臓集積率を示すものである．

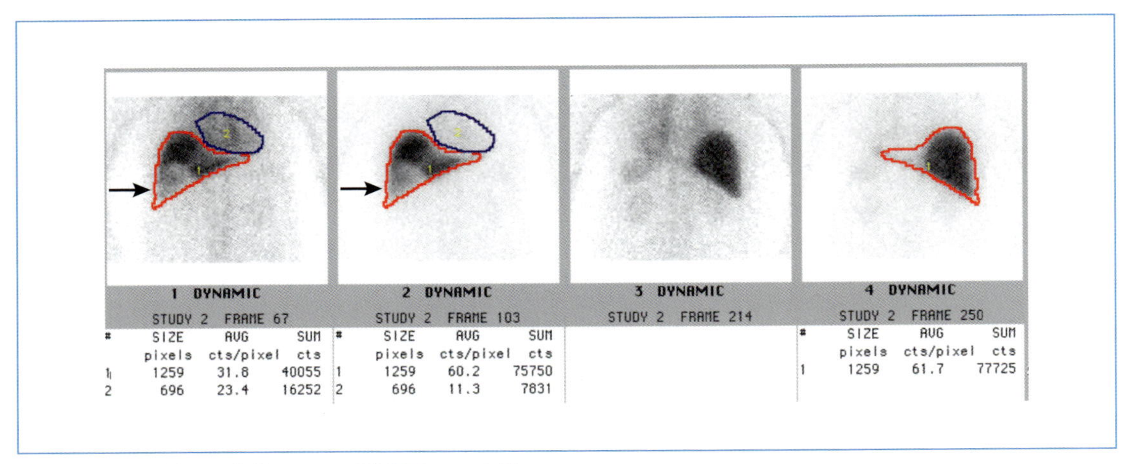

図Ⅶ-B-8　正面像で肝右葉の count が低下している例

この症例では肝右葉の尾側半分が腹腔内背側に位置しているため，正面像では減衰の影響を受け，肝臓の count が過小評価されている．

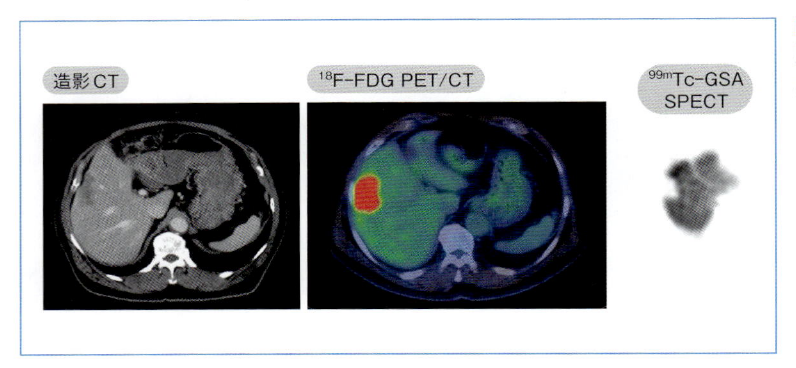

図Ⅶ-B-9　上行結腸癌の転移性肝腫瘍

腫瘍への GSA 集積は欠損している．

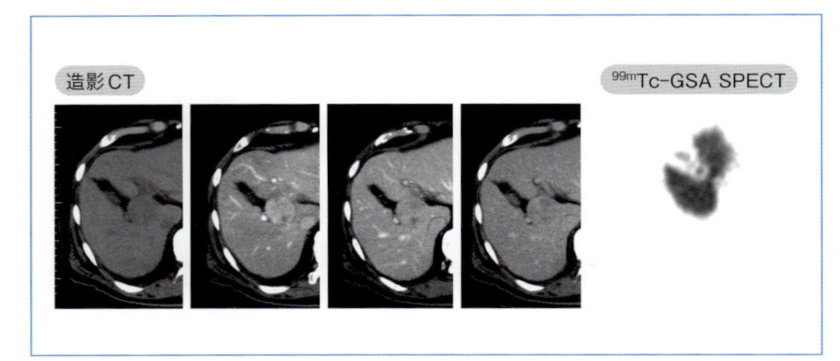

図Ⅶ-B-10　高分化型肝細胞癌

造影 CT（dynamic scan）では肝臓 S1r から突出する，早期濃染，平衡相で wash out を示す腫瘤がある．高分化型の肝細胞癌では，時にアシアロ糖蛋白受容体が発現するため，^{99m}Tc-GSA が集積することがある．中～低分化型肝細胞癌やほかの悪性腫瘍の場合は，^{99m}Tc-GSA 集積は欠損する．

Note

● 肝予備能の定量解析

動態解析，コンパートメントモデルが多数考案されているが，計算が煩雑であることや動脈採血を要するものもあり，手技的にも煩雑である．一般的には用いられてはいない．臨床的適応としては肝腫瘍の手術前に肝予備能を評価する目的で施行されることが多いが，最近では経皮経肝的門脈塞栓術後の治療効果判定や肝移植術後の機能評価に応用され，有用性が検討されている．

要点

- GSA は肝細胞にのみ集積するトレーサであり，肝予備能と集積の程度はよく相関する.
- 血中からのクリアランスと肝細胞への集積率によって肝予備能を評価する.

◆ 文献

1）田代　裕ほか：肝のアシアロ糖蛋白質の取込みとその異常．代謝 20：153-164，1983
2）鳥塚莞爾ほか：新しい肝機能イメージング剤 99mTc-GSA の第 3 相臨床試験—多施設による検討—．核医学 29：159-181，1992.

◆ 参考文献

1）Ashwell, G et al：The role of surface carbohydrates in the hepatic recognition and transport of circulating glycoproteins. Adv Enzymol Relat Areas Mol Biol 41：99-128, 1974
2）de Graaf, W et al：Nuclear imaging techniques for the assessment of hepatic function in liver surgery and transplantation. J Nucl Med 51：742-752, 2010
3）Koizumi, K et al：A new liver functional study using Tc-99m DTPA-galactosyl human serum albumin：evaluation of the validity of several functional parameters. Ann Nucl Med 6：83-87, 1992

C 胆道

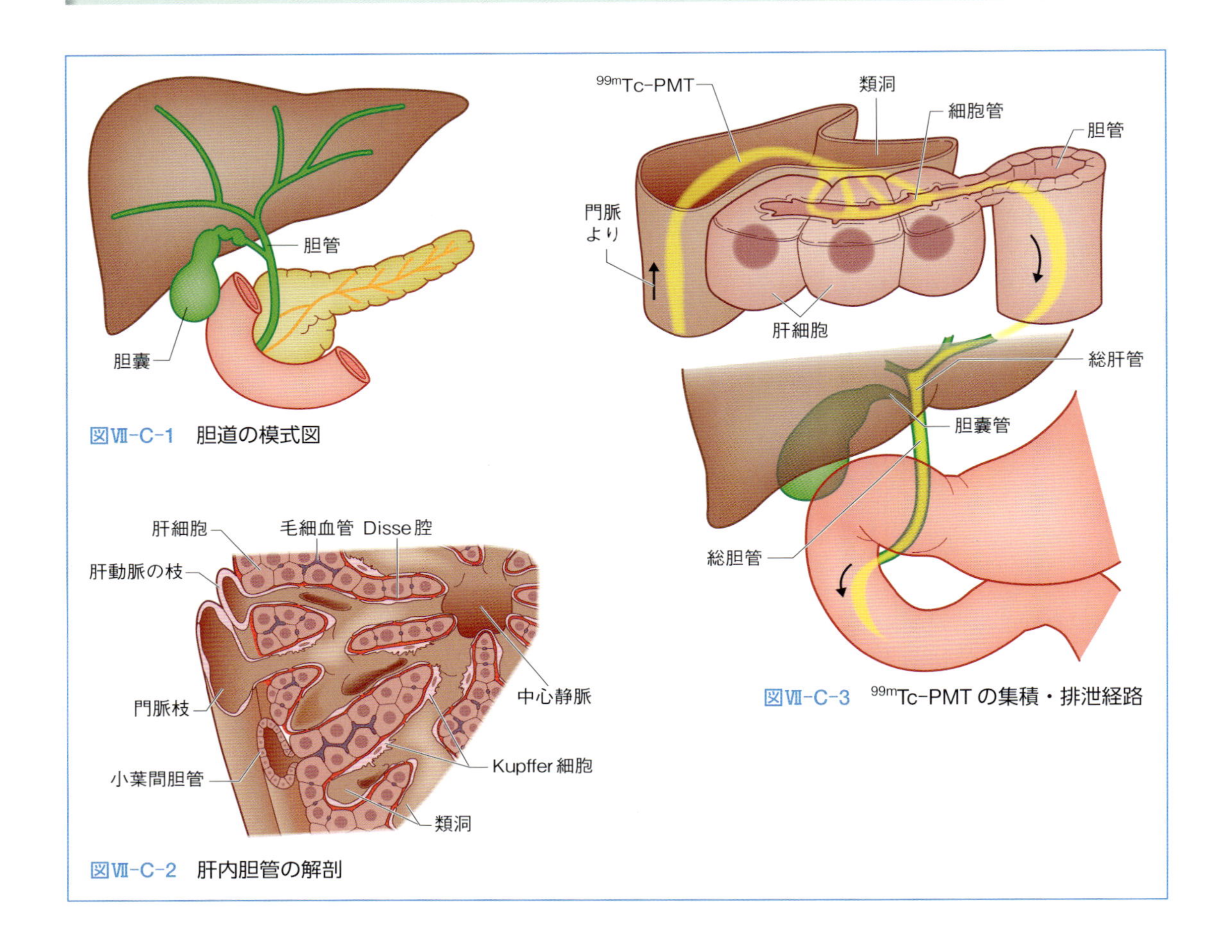

図Ⅶ-C-1　胆道の模式図

図Ⅶ-C-2　肝内胆管の解剖

図Ⅶ-C-3　^{99m}Tc-PMT の集積・排泄経路

病態生理

胆道系は肝臓の代謝産物の輸送や排泄の経路である（図Ⅶ-C-1）．肝細胞により代謝された物質は肝細胞間にある毛細胆管に流入，細胆管，小葉間胆管，肝内胆管を経て肝外へ輸送される（図Ⅶ-C-2）．胆汁は食物の脂肪を水溶性にし，腸管からの吸収を促進する機能を持ち，肝で生成され，肝内胆管を経て胆嚢内に流入し，濃縮される．食事摂取刺激により胆嚢は収縮し，胆汁は十二指腸内へ流出する．胆嚢は胆汁のリザーバーとしての機能のほかに胆管内圧の調整にも関与している．

^{99m}Tc-N-ピリドキシル-5-メチルトリプトファン N-pyridoxyl-5-methyl-tryptophan（PMT）は色素の一種で肝細胞に取り込まれた後，ビリルビンと同様に，グルクロン酸抱合を受けて，毛細胆管に排泄され，胆汁の一部となる（図Ⅶ-C-3）．よって静注後は血中より速やかに肝細胞に摂取され，細胆管，肝内胆管，胆嚢，総胆管を経て十二指腸へ排泄される．静注時から経時的に撮像することにより胆管の通過性を評価することができる．

現在では，乳児黄疸の鑑別，手術後の胆管閉塞や胆汁漏の有無の確認の目的で行われる．かつては急性胆嚢炎の診断，総胆管嚢腫の診断，限局性結節性過形成や高分化肝細胞癌の検出にも用いら

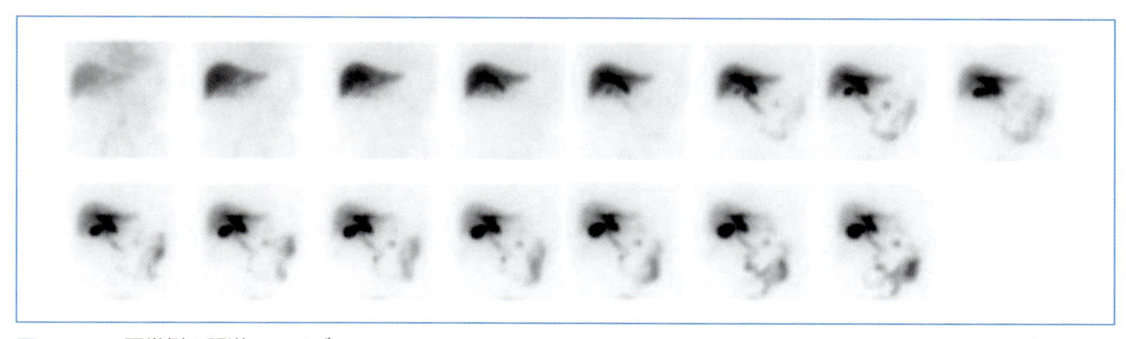

図Ⅶ-C-4 正常例の胆道シンチグラフィ
1 フレーム 5 分の図．10〜20 分：肝内〜肝外胆管への排泄．10〜30 分：胆嚢内への流入．10〜60 分：腸管への排泄．

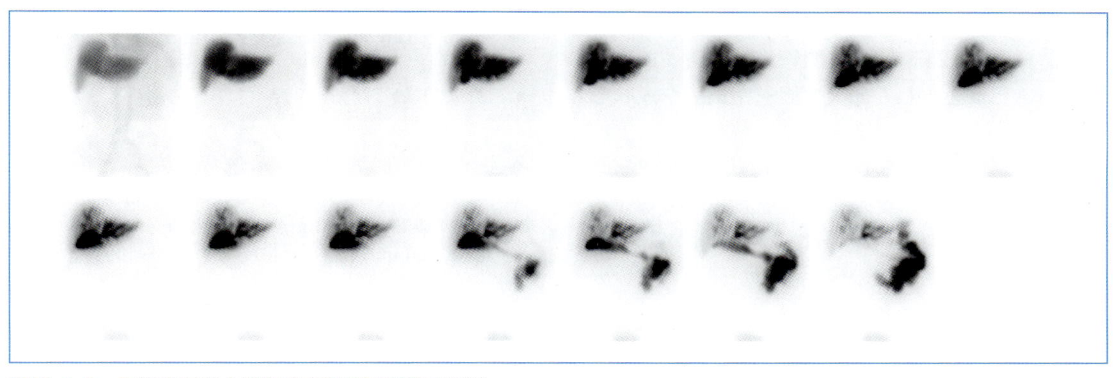

図Ⅶ-C-5 胆管空腸吻合部狭窄（肝門部胆管癌術後）
1 フレーム 5 分の図．左右とも肝内胆管が二次分枝移行まで描出され，実質から胆管への radio isotope（RI）排泄，胆管から空腸への RI 排泄が遅延し，胆管空腸の吻合部の狭窄を示す．特に左肝内胆管の描出が目立ち，狭窄がより高度であると考えられる．

れていたが，各種の画像診断の発達により，これらの目的で検査が行われることは少ない．

検査の進め方

胆嚢の描出率を高めるため，4〜6 時間以上の絶食とするが 24 時間以上の絶食は胆嚢内の胆汁の濃縮をきたし，胆嚢が描出されなくなることがある．

^{99m}Tc-PMT 74 MBq をボーラス静注し，直後から大口径ガンマカメラ，低エネルギー用高分解能コリメータを用いて，5 分/frame で 75 分間の dynamic 撮像を行う．さらに約 2，4，6 時間後に static image を得る．必要に応じて 24 時間後の撮像を追加する．

画像の読み方

正常例では静注後 5 分で心プールがみられなくなり，3〜5 分で肝臓，10〜30 分で胆嚢・総胆管，10〜60 分で腸管への排泄がみられる．静注後 60 分では肝臓への集積はほとんど認められない．正常例の胆道シンチグラフィでは左右肝管から下流の胆管が描出される．二次分枝以降の肝内胆管は描出されないことが多い（図Ⅶ-C-4）．

胆管術後の吻合部など何らかの理由で胆管狭窄が生じている場合は胆管，腸管の描出が遅延する．狭窄が高度の場合は肝内胆管の二次分枝より上流の胆管の描出や，肝実質から胆管へのラジオアイソトープ radio isotope（RI）移行の遅延がみられる（図Ⅶ-C-5）．

乳児黄疸をきたす原因としては，主に先天性胆道閉鎖症と乳児肝炎が挙げられる．乳児は体が小

要点

- ^{99m}Tc-PMT は肝細胞に取り込まれ，速やかに胆汁内へ排泄されるため，胆道の通過性を評価することができる．
- 主な臨床適応は，胆管手術後の狭窄の程度の評価，新生児黄疸の鑑別診断である．

さいため，CT や MRI，US でも形態画像から得られる情報が乏しいことがあり，両者の鑑別に胆道シンチグラフィが有用である．RI 投与後 24 時間までの間に胆管および腸管内に RI の移行があれば先天性胆道閉鎖症は除外できるが，重度の乳児肝炎では胆管，腸管内への排泄が認められないことがあるため，24 時間後に胆管，消化管が摘出されないことは必ずしも先天性胆道閉鎖症を意味しないことに注意する必要がある．診断精度を高めるために，検査前に胆汁排泄促進薬（ウルソデオキシコール酸やフェノバルビタール）を投与することがある．また胆管，腸管内への排泄が認められず，かつ胆道閉鎖症の確定診断が得られない場合は再検査が推奨される．

systematic review では，胆道シンチグラフィで RI 投与から 24 時間後に消化管の描出がみられないことを陽性（先天性胆道閉鎖症）とした場合，感度は 98.1～99.2%，特異度は 68.5～72.2% と報告されている[1]．

◆ 文献

1）Kianifar, HR et al：Accuracy of hepatobiliary scintigraphy for differentiation of neonatal hepatitis from biliary atresia：systematic review and meta-analysis of the literature. Pediatr Radiol 43：905-919, 2013

◆ 参考文献

1）Poddar, U et al：Ursodeoxycholic acid-augmented hepatobiliary scintigraphy in the evaluation of neonatal jaundice. J Nucl Med 45：1488-1492, 2004
2）Sevilla, A et al：Hepatobiliary scintigraphy with SPECT in infancy. Clin Nucl Med 32：16-23, 2007
3）Tulchinsky, M et al：SNM practice guideline for hepatobiliary scintigraphy 4.0. J Nucl Med Technol 38：210-218, 2010

体質性黄疸の鑑別診断

体質性黄疸（Dubin-Johnson 症候群，Rotor 症候群，Gilbert 症候群）の鑑別診断は ^{99m}Tc-PMT では難しい．同じく胆道シンチグラフィで用いられる ^{99m}Tc-イミノニ酢酸 iminodiacetic acid（IDA）は描出パターンが異なり適しているが，現在わが国では ^{99m}Tc-IDA の供給はない．

読影の鍵　乳児黄疸の鑑別

a

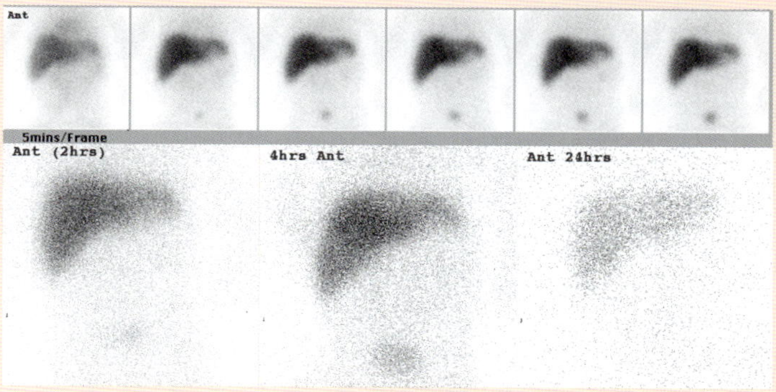

Ant

5mins/Frame

Ant (2hrs)　4hrs Ant　Ant 24hrs

b

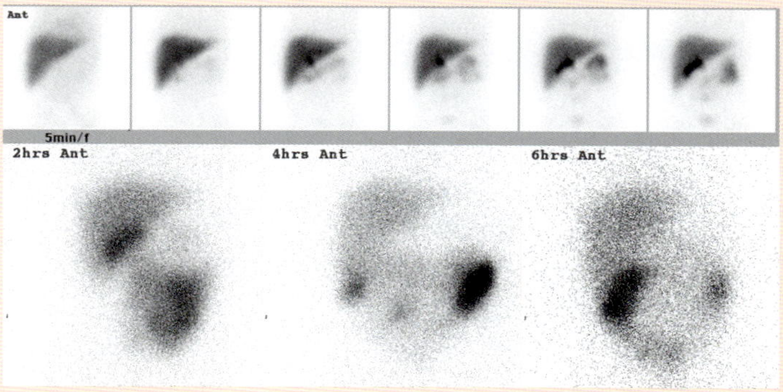

Ant

5min/f

2hrs Ant　4hrs Ant　6hrs Ant

a：先天性胆道閉鎖症
^{99m}Tc-PMT を静注し，直後から 5 分/frame での dynamic 撮像を行い，2，4，24 時間後に static image を追加撮像した．投与直後から肝臓にびまん性集積を認める．投与から 24 時間像まで，胆管や腸管内に明らかな RI の移行は認められない．先天性胆道閉鎖症を疑う．
b：乳児肝炎
^{99m}Tc-PMT を静注し，直後から 5 分/frame で dynamic 撮像を行い，2，4，6 時間後に static image を追加撮像した．投与直後から肝臓にびまん性集積を認める．肝臓からの排泄遅延あるが，胆管，腸管への RI の移行が確認でき，経時的に肝臓からの排泄が確認できる．先天性胆道閉鎖症は否定的であり，乳児肝炎を考える．なお，6 時間までに排泄が確認できているので，24 時間像の撮像は省略している．

新生児期・乳児期早期の黄疸では，胆道閉鎖症の鑑別が重要となる．胆道閉鎖症では胆汁うっ滞から肝硬変へと進行するため，早期に肝管腸吻合術または肝門部腸吻合術を行うことが望まれる．黄疸，灰白色便，肝脾腫などの症状で疑われた場合に胆道シンチグラフィが施行される．

レポートには血液プールから肝臓，肝内胆管，肝外胆管/胆嚢，腸管までのラジオアイソトープ radio isotope（RI）の移行について，経時的に記載する．腸管までに移行が確認できれば胆道閉鎖症は否定できる．24 時間像までに腸管までの RI の移行が確認できなくても，乳児肝炎は否定できないことに注意する．

D 消化管出血

病態生理

食道，胃，結腸の疾患に由来する消化管出血の原因は表Ⅶ-D-1 の通りであり，原因および部位診断は上部・下部消化管内視鏡が最も優れている．また内視鏡は診断と同時に止血を行うことができるので，特に多量の出血に対しては第一に選択される．小腸からの出血に関しては内視鏡での到達が困難であり，CT，血管造影，核医学検査が用いられる．

消化管出血の検出には，血管から組織へ分布しない放射性医薬品が適している．この特徴を有するものとして ^{99m}Tc 標識赤血球，^{99m}Tc-ヒト血清アルブミンジエチレントリアミン五酢酸 human serum albumin-diethylenetriaminepentaacetic acid（^{99m}Tc-HSA-D）が挙げられるが，現在はラジオアイソトープ radio isotope（RI）製剤として市販されている ^{99m}Tc-HSA-D が簡便で最も広く用いられている．^{99m}Tc-HSA-D は長時間血中に停滞するため，複数回の撮像により間欠的出血や微量の出血（0.01～0.1 mL/分）でも検出可能である．これに対し，CT，血管造影で検出可能な出血は 0.5～1.0 mL/分以上で，かつ検査時に出血している必要がある．

検査の進め方

^{99m}Tc-HSA-D を 740 MBq 静注後，2 分ごとに 30 分間撮像する．出血が確認できない場合は 3，6，24 時間後の撮像を追加する．また，出血により消化管内に移行した RI は消化管の蠕動運動により移動するため，一度出血が確認できた場合でも，その後に複数回の撮像を加えることで出血部位をある程度予測することができ，内視鏡や血管造影で精査する部位を限定することが可能である．

表Ⅶ-D-1　消化管出血をきたす疾患

消化管出血をきたす疾患
上部消化管
十二指腸潰瘍（20～30%）
胃または十二指腸のびらん（20～30%）
静脈瘤（15～20%）
胃潰瘍（10～20%）
Mallory-Weiss 裂傷（5～10%）
びらん性食道炎（5～10%）
血管腫（5～10%）
動静脈奇形（5%未満）
下部消化管（比率は標本集団の年齢によって異なる）
裂肛
血管形成異常（血管拡張症）
大腸炎：放射線，虚血性
大腸癌
大腸ポリープ
憩室疾患
炎症性腸疾患：潰瘍性直腸炎/大腸炎，Crohn 病，感染性大腸炎
内痔核
小腸（まれ）
血管腫
動静脈奇形
Meckel 憩室
腫瘍

画像の読み方

正常では血液プールが豊富な心臓・肝臓・脾臓・骨髄・血管が，排泄経路として，腎臓・尿路が描出される（図Ⅶ-D-1）．これら以外の部位に RI の分布がわずかでも認められる場合は，出血を疑う（図Ⅶ-D-2）．シネモードで観察すると評価しやすい．時に脾臓や尿路系への集積が出血と紛らわしい場合があり，複数回の撮像で蠕動による RI の移動の有無を確認する必要がある．また，24 時間後の時点で初めて出血が明らかになることがある（図Ⅶ-D-3）．

要点

- 血中に長時間とどまるトレーサを用いることにより，間欠的あるいはごく微量の出血でも検出可能である．一度消化管内へのラジオアイソトープ radio isotope (RI) 漏出が確認できた後も複数回撮像することによって出血部位をある程度限定することができる．

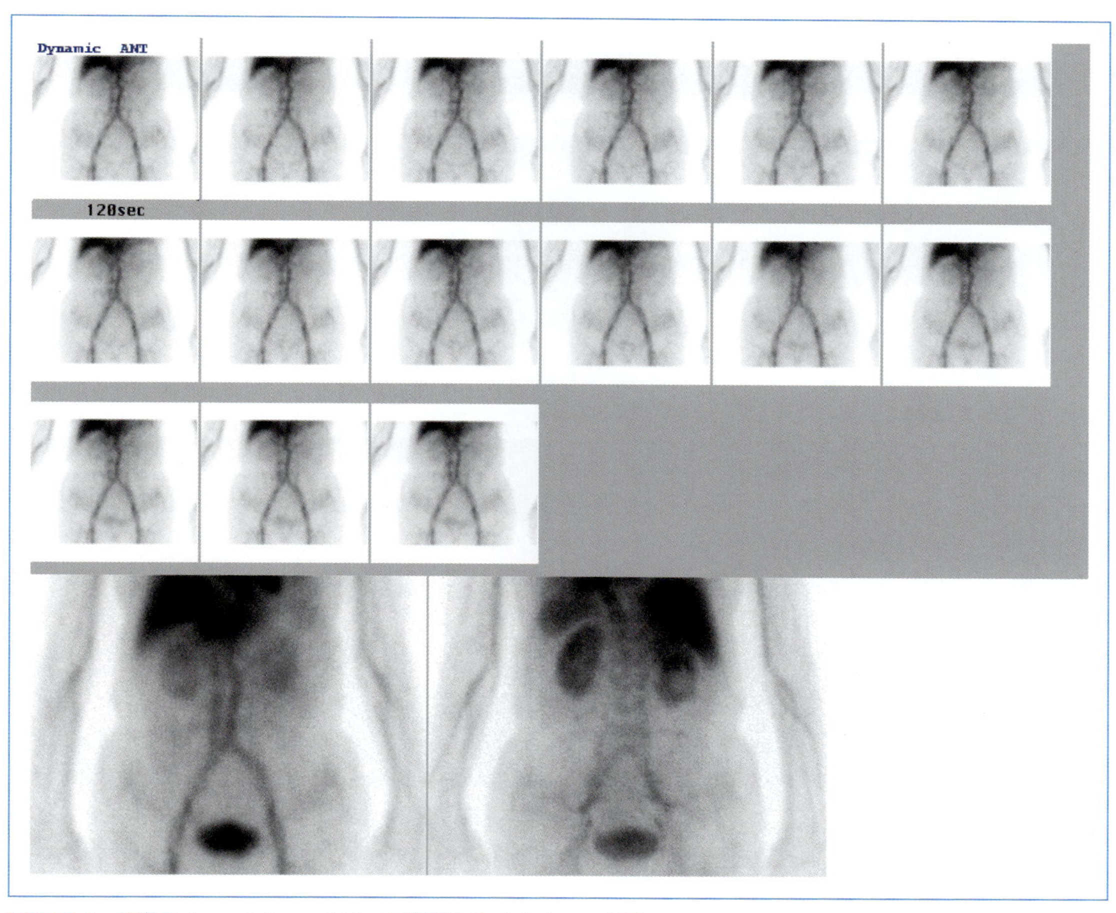

図Ⅶ-D-1　正常の dynamic image（上），3 時間後の static image（下）
血液プールが豊富な肝臓・脾臓・骨髄，排泄経路として腎臓・尿路が描出されている．

◆ 参考文献

1) Alavi, A : Detection of gastrointestinal bleeding with 99mTc-sulfur colloid. Semin Nucl Med 12 : 126-138, 1982
2) Alavi, A et al : Scintigraphic detection of acute gastrointestinal bleeding. Radiology 124 : 753-756, 1977
3) Mariani, G et al : Radionuclide evaluation of the lower gastrointestinal tract. J Nucl Med 49 : 776-787, 2008
4) Zuckier, LS : Acute gastrointestinal bleeding. Semin Nucl Med 33 : 297-311, 2003
5) Maurer, AH et al : Gastrointestinal bleeding : improved localization with cine scintigraphy. Radiology 185 : 187-192, 1992
6) Zettinig, G et al : The importance of delayed images in gastrointestinal bleeding scintigraphy. Nucl Med Commun 23 : 803-808, 2002

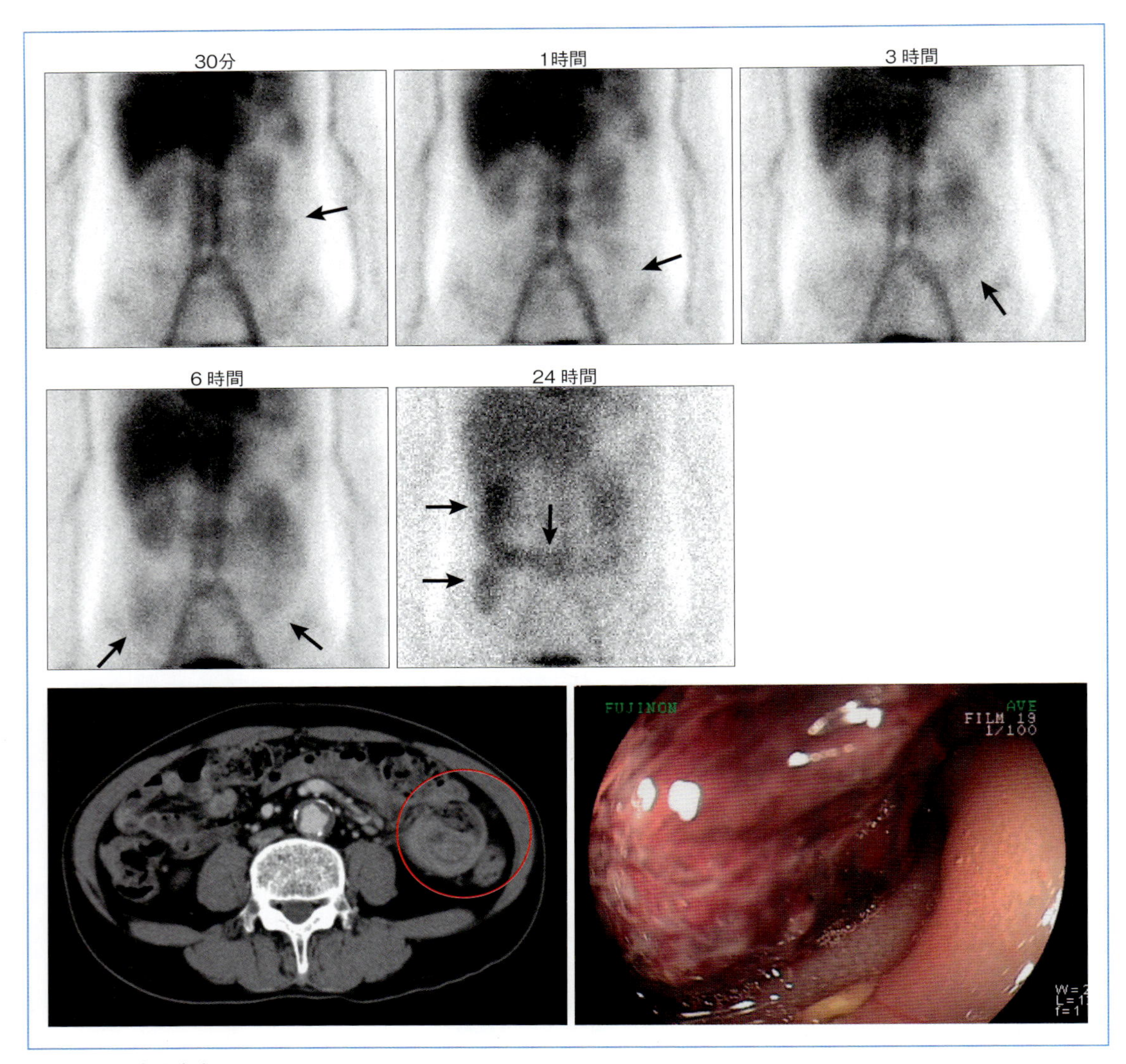

図Ⅶ-D-2　空腸出血

30分～6時間後にかけて左腹部から右下腹部に移動するごく淡い集積が認められる．このような軽微な集積も異常と判断する必要がある．24時間後では上行結腸～横行結腸にradio isotope（RI）が移動している．空腸からの出血と推測できる（上・中）．造影CTおよび小腸内視鏡で空腸悪性腫瘍が確認された（下）．

Note

蛋白漏出性胃腸症

アルブミンは蛋白漏出性胃腸症でも腸管内に移行するため，^{99m}Tc-HSA-Dを用いた消化管出血シンチグラフィでは消化管出血と蛋白漏出性胃腸症との鑑別はできない．ただし蛋白漏出性胃腸症に対する本検査の保険適用はない．

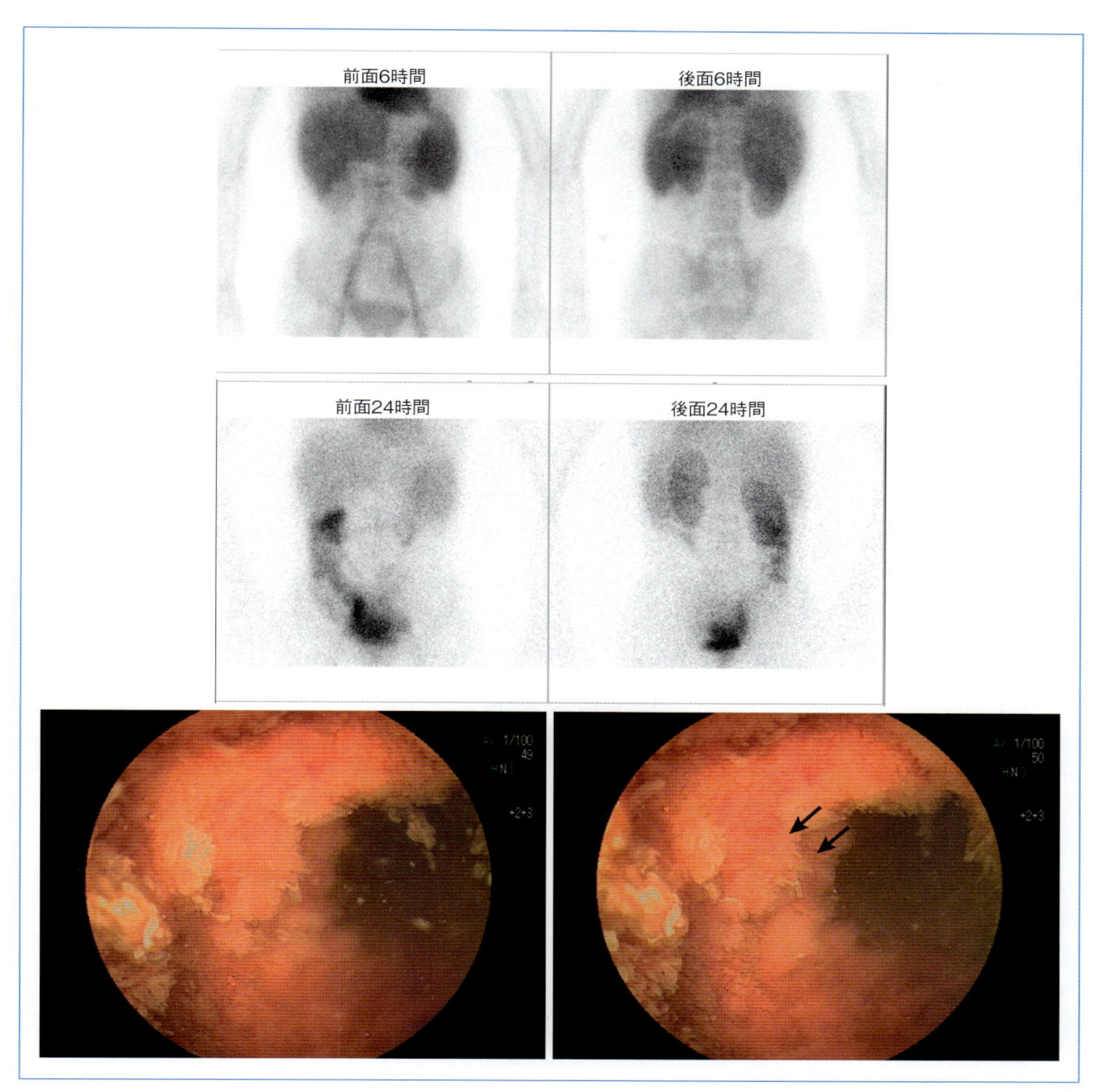

図Ⅶ-D-3 回腸出血

静注6時間後の時点では明らかな出血を認めないが，24時間後の画像では下腹部～右上腹部にかけて集積がみられる．下腹部で集積が目立つことから回腸からの出血と推測される（上・中）．小腸内視鏡で，回腸の潰瘍からの微量な出血（間欠的出血）が確認された（下）．

E Meckel 憩室

病態生理

Meckel 憩室は，本来ならば胎生期にだけ存在するはずの卵黄腸管の一部が閉塞せずに遺残した腸管奇形である．成人では回盲弁から 60～100 cm 口側の回腸の，腸間膜付着部の反対側に位置することが多い．1～3 cm ほどの真性憩室であり，腸管壁の全層を有する．通常は無症状であるが，出血，穿孔，腸重積，腸閉塞，憩室炎などの合併症が出現することがある．胃粘膜が存在することから，胃酸により突発的な出血や潰瘍，穿孔が生じることがある．人口の 0.3～2.9％の頻度で発症し，そのうちの 4～9％程で症状をきたす．症状をきたした患者のうち，24.2～71.0％で異所性胃粘膜病変を有し，特に小児では下血を認める場合，50％以上に異所性胃粘膜病変が認められる．投与された ^{99m}Tc-pertechnetate（$^{99m}TcO_4^-$）は一価の陰イオンとして胃酸の Cl^- と同様の動態を示し，胃粘膜の粘液産生上皮細胞に取り込まれた後，胃内腔に分泌される．異所性胃粘膜病変を有する Meckel 憩室にも胃粘膜と同様に取り込みがみられる．

検査の進め方

空腹状態で検査を行うため，午前中に検査を行う場合は朝食を，午後に検査を行う場合は昼食の摂取を控えてもらう．成人では 185～370 MBq の $^{99m}TcO_4^-$ を静注する．小児では体重に合わせて投与量を増減する．上腹部から骨盤部までを撮像範囲とし，投与直後から 30 分（～1 時間）後までダイナミック撮像を行い，その後 SPECT 像を追加撮像する．シメチジンやラニチジン塩酸塩（H2 ブロッカー）を前投与することで，胃内腔への分泌が抑えられるため，検出率が高くなるという報告がある．

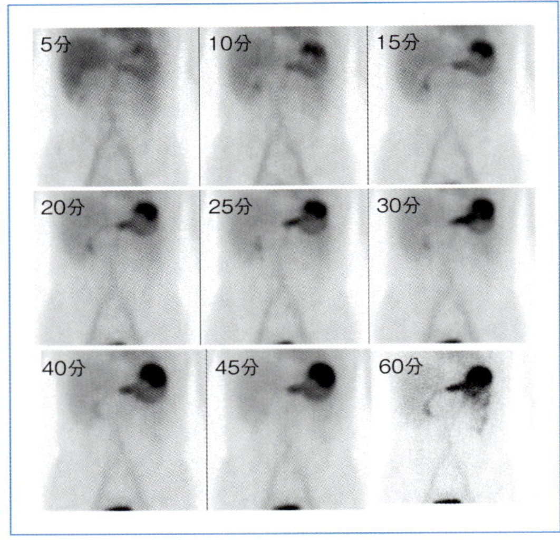

図Ⅶ-E-1　正常像

胃への集積は生理的．右上腹部，十二指腸に $^{99m}TcO_4^-$ 流出が認められるが，45 分には不明瞭化，60 分には小腸にも流出している．

画像の読み方

正常像（図Ⅶ-E-1）：経時的に胃への集積が亢進している．そのほか，血液プール，肝臓，尿路の描出が認められる．生理的に胃から十二指腸，小腸への流出が認められるが，経時的に変化が認められる．

Meckel 憩室（図Ⅶ-E-2）：回盲部から口側数 10 cm の部位に存在するため，右下腹部に限局性集積部位として描出されることが多い．胃から排泄されるラジオアイソトープ radio isotope（RI），尿路から排泄された RI が偽陽性の原因となりうるため，集積が疑わしい場合は，経時的変化を確認する．そのほか，血管腫，月経による子宮からの出血，Crohn 病，潰瘍性病変などが偽陽性となりうる．SPECT/CT を用いることで，病変部位の同定が容易になるが，撮像中に蠕動などによりずれが生じる場合があるため，注意が必要である．

Hosseinnezhad ら[1]の systematic review で

要点

- Meckel 憩室の 50% 以上に異所性胃粘膜病変が認められる.
- $^{99m}TcO_4^-$ は胃粘膜の粘液産生上皮細胞に取り込まれる.
- 胃から排泄される $^{99m}TcO_4^-$ が偽陽性の原因となりうるため，経時的変化を確認する.

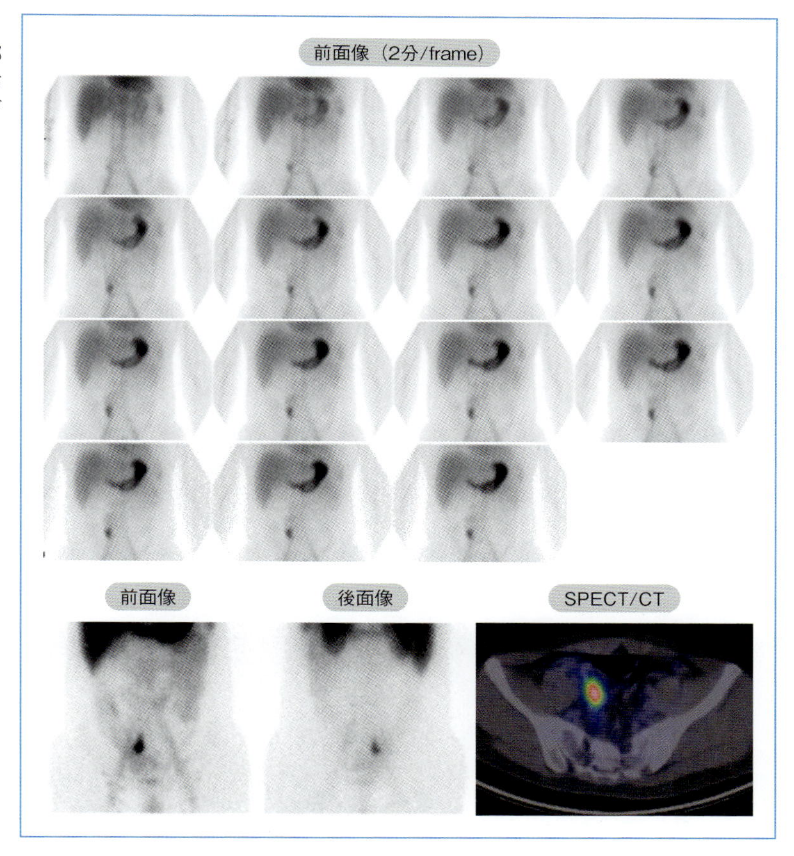

図Ⅶ-E-2 Meckel 憩室
投与後早期から右下腹部に集積亢進部位が認められる．SPECT/CT では右下腹部回腸に一致して集積亢進部位が認められる．

は $^{99m}TcO_4^-$ シンチグラフィの感度は 92.1%，特異度は 95.4% で，小児や出血症状があった患者で高い感度を示すと報告されている．

◆ 文献

1）Hosseinnezhad, T et al：99mTc-Pertechnetate imaging for detection of ectopic gastric mucosa：a systematic review and meta-analysis of the pertinent literature. Acta Gastroenterol Belg 77：318-327, 2014

◆ 参考文献

1）Hansen, CC et al：Systematic review of epidemiology, presentation, and management of Meckel's diverticulum in the 21st century. Medicine（Baltimore）97：e12154, 2018

Ⅷ

腎・泌尿器

Ⅷ 腎・泌尿器

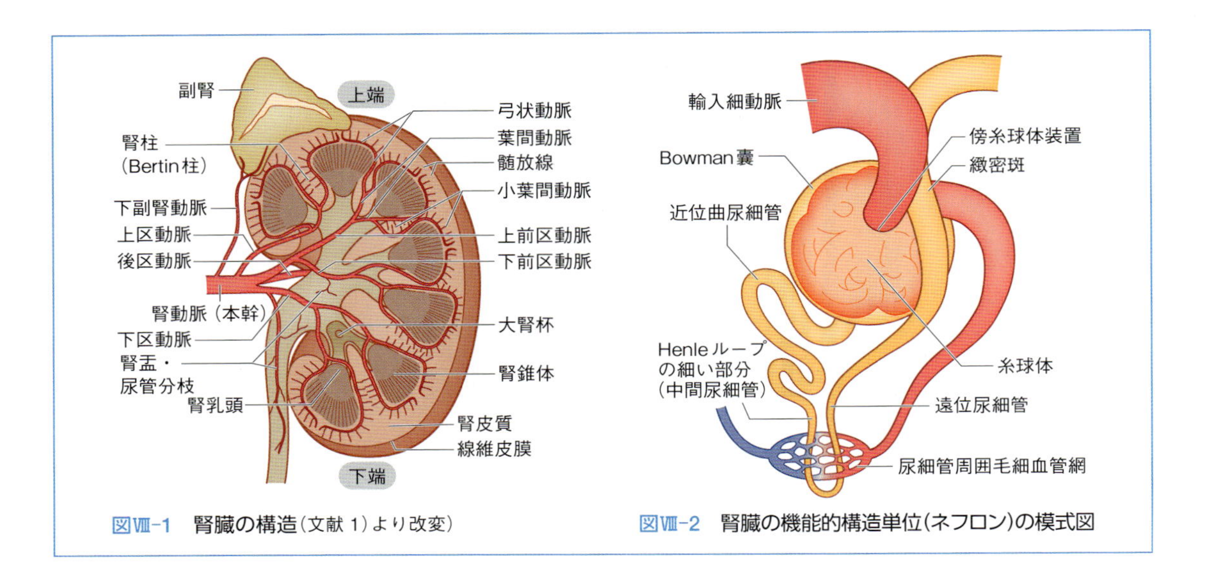

図Ⅷ-1　腎臓の構造(文献1)より改変)

図Ⅷ-2　腎臓の機能的構造単位(ネフロン)の模式図

病態生理

❶ 腎臓の解剖学的構造と機能

腎臓は後腹膜腔に左右対称性に2個存在し，成人では腎の上端は第12胸椎のレベルで，下端は第3腰椎レベルに位置する．右腎上方には肝臓が，左腎上方には脾臓が存在し，通常，右腎は左腎よりも下方に位置する．形はそら豆状で中央のくびれた部分（腎門部）には腎臓と腎臓外臓器とを連絡するあらゆる解剖学的構造（腎動脈，腎静脈，腎盂・尿管，神経およびリンパ管構造）が存在している（図Ⅷ-1）[1]．成人での重量は左右腎それぞれ100 g前後で，体重のおよそ0.3%（200 g/60 kg）とされている．

腎臓の最も重要な機能は，生体内の臓器組織および細胞で代謝された老廃物を尿として体外に排泄し，血液をきれいに保つ（血液浄化）ことである．浄化機能をつかさどる機能的構造単位はネフロンと呼ばれ，腎細動脈，糸球体，Bowman嚢，近位および遠位尿細管で構成されている（図Ⅷ-2）．腎血流量renal blood flow（RBF）はおよそ1,200 mL/分であり，心拍出量の約20%に当たる．各腎には約100万個のネフロンが存在し，およそ600 mL/分の血液が流入することになる．腎臓の血液浄化機能はこの豊富な腎血流量に支えられている．

糸球体は腎皮質（皮質糸球体）と皮質・髄質境界部（傍髄質糸球体）に分布する（図Ⅷ-3）．糸球体では輸入細動脈と輸出細動脈の圧差勾配により，血漿成分の約20%がエネルギー消費を伴わない限外濾過によりBowman嚢に排出される．Bowman嚢内に排出された原尿は，腎髄質に分布する尿細管内を通過する過程で再吸収と分泌を受け，最終的に1%前後が尿として腎臓外に排泄される．

尿細管での再吸収と分泌は，濃度勾配に従って行われる受動的再吸収（受動輸送）と濃度勾配に逆らって行われるエネルギー消費を伴う能動輸送がある．近位尿細管では尿細管上皮細胞→間質→毛細血管の順に，Na^+/Cl^-は70%，ブドウ糖およびアミノ酸はほぼ100%が再吸収される．Na^+が再吸収される際にはH^+が対向輸送として管腔に排泄され，糸球体で濾過されたHCO_3^-と結合しH_2CO_3に変化する．この物質は炭酸脱水素酵素の

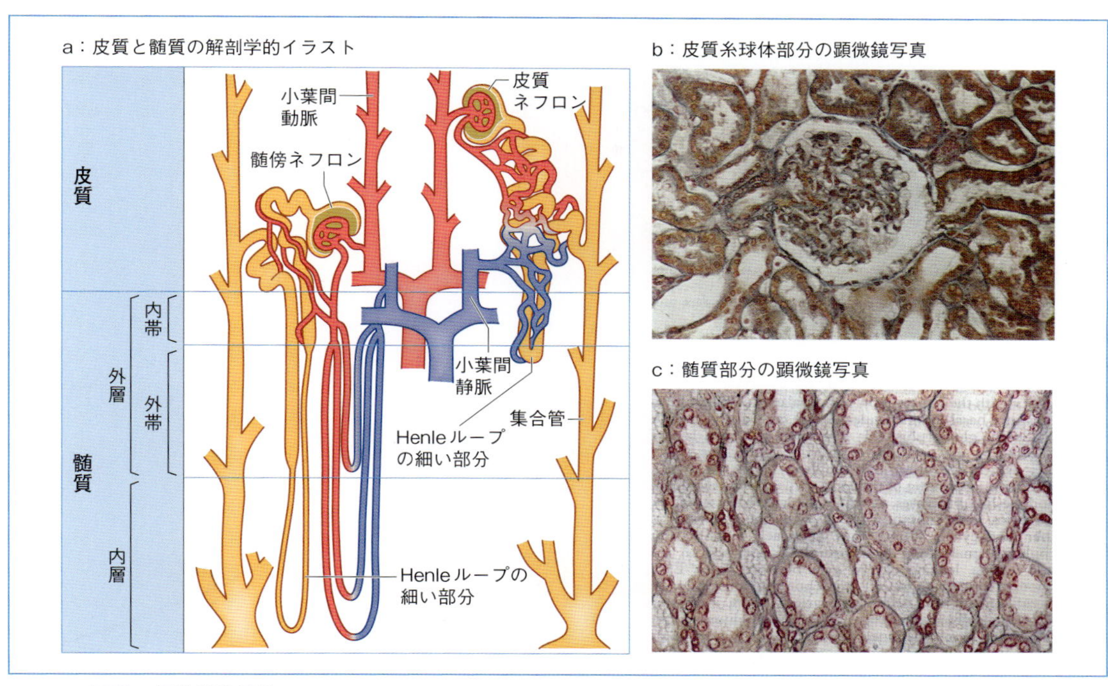

図Ⅷ-3　腎臓の組織学的構造

働きでCO_2とH_2Oに分解され尿細管上皮内に再吸収される．

Henle係蹄の下行脚→ループ→上行脚の通過の際，下行脚では水分の移動が自由に行われているが，上行脚は能動的にNa^+/Cl^-が再吸収され水分は吸収されない．Henle係蹄上行脚におけるNa^+の間質への移動とそれに伴う間質浸透圧の上昇の仕組みは「対向流増幅系」と呼ばれ，尿濃縮機序の最大のポイントとされている．ループ利尿薬であるフロセミド（ラシックス®）はこの部分のNa^+-K^+-Cl^-共輸送系を阻害することで強力な利尿作用を有する．遠位尿細管では糸球体で濾過された約7%のNa^+が再吸収される．アルドステロンは遠位尿細管細胞におけるNa^+の再吸収とK^+とH^+の分泌に作用し，体液量の増加と血圧上昇をもたらす．最終的な水の再吸収量および尿量・尿濃度の制御は集合管における抗利尿ホルモン antidiuretic hormone（ADH）に依存している．

❷ 放射性医薬品の種類と特性

現在臨床で使用されている腎シンチグラフィ用放射性医薬品は3種類（図Ⅷ-4）で，いずれも糸球体および近位尿細管の機能に関係している．

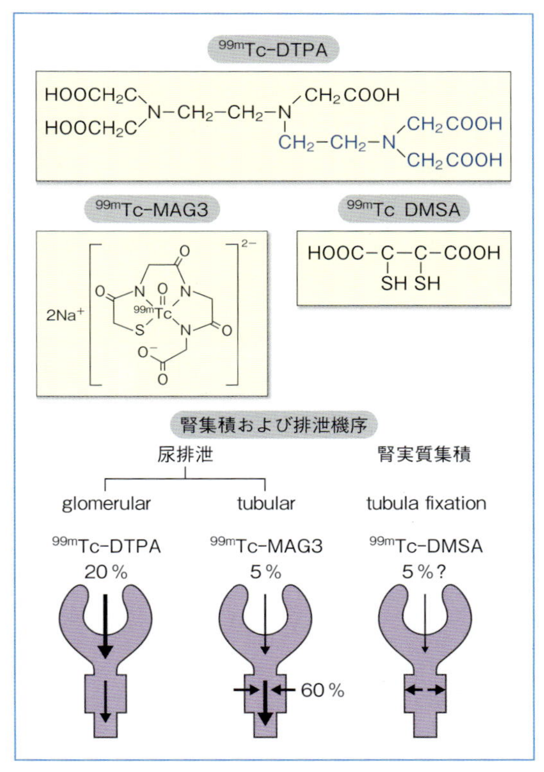

図Ⅷ-4　腎シンチグラフィ用放射性医薬品の化学構造式と腎集積および排泄機序

表Ⅷ-1　糸球体濾過物質の薬理学的特性

	クレアチニン	イヌリン	DTPA	EDTA	iothalamate	iohexol
分子量	113	5,200	393	292	614	821
血液消失半減時間(分)	200	70	110	120	120	90
血漿との結合率(%)	0	0	5	0	<5	<2
分布容積	全身の水分	ECS	ECS	ECS	ECS	ECS

ECS：extracellular space(細胞外液).　（文献 2）より）

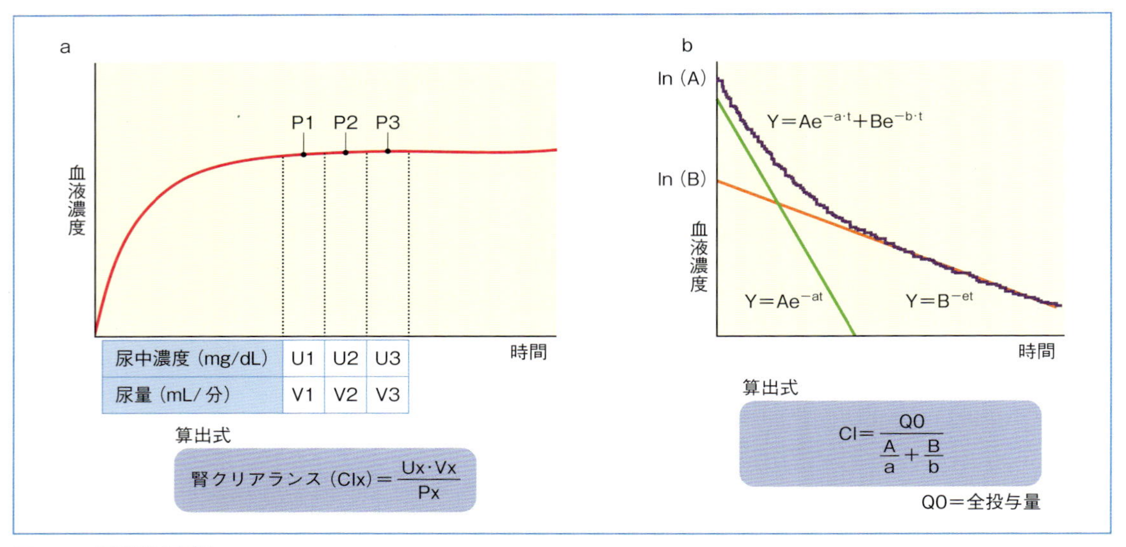

図Ⅷ-5　腎機能定量法

a：薬剤の持続点滴と採血・採尿による腎クリアランス計測法．物質 X がイヌリンの場合に糸球体濾過率として算出される．b：1 回静注後の薬剤の血液クリアランス曲線(2 コンパートメント解析法)．糸球体濾過物質の ^{99m}Tc-DTPA あるいは ^{51}Cr-EDTA を用いた場合の Cl は糸球体濾過率(GFR)を示す．この方法は最低 5 点採血が必要とされているが，簡便法として 120 分と 240 分の 2 点あるいは 180 分あるいは 240 分の 1 点採血法が日常臨床では利用されている．血液クリアランスの早い ^{99m}Tc-MAG3 の場合には 40 分前後の 1 点採血で血液クリアランスが算出される．

^{99m}Tc-diethylene-triamine-pentaacetic acid (DTPA) は糸球体で濾過され，尿細管での再吸収を受けない．したがって，腎臓からの尿中排泄および血液クリアランスは糸球体濾過率 glomerular filtration rate (GFR) を反映する．代表的な糸球体濾過物質の種類と性状を**表Ⅷ-1**[2]に示した．エチレンジアミン四酢酸 ethylenediaminetetraacetic acid (EDTA) は ^{51}Cr-EDTA の形でヨーロッパの国々で利用され，イオタラミン酸 iothalamate は ^{125}I-iothalamate として北米で使用されている．GFR 計測はイヌリン腎クリアランス（**図Ⅷ-5a**）が基準とされ，成人での GFR 正常値は 100～120 mL/分/1.73 m^{2}である．しかし，イヌリン腎クリアランス計測は手技が煩雑で，イヌリンの入手や計測法が難しく，日常臨床で使用される機会は極めてまれである．イヌリンの持続点滴法に代わる方法として，放射性同位元素を標識した GFR 物質の 1 回静注による血液クリアランス計測法が研究目的や日常臨床での GFR 実測法として推奨されている（**図Ⅷ-5b**）．

^{99m}Tc-mercaptoacetyl-triglicine (MAG3) は 5%前後が糸球体で濾過され，60%前後が濃度勾配に逆らう能動輸送により近位尿細管上皮細胞から尿中に排泄される．尿中排泄後の ^{99m}Tc-MAG3 は尿細管で再吸収されない．したがって，その尿中排泄および血液クリアランスは腎血漿流量 renal plasma flow (RPF) を反映するが，パラアミノ馬尿酸の 1 回腎循環での除去率（95～

表Ⅷ-2　わが国で使用されている腎シンチグラフィ用放射性医薬品の投与量と被曝量

放射性医薬品	推奨投与量(MBq)		吸収線量(mGy/MBq)			
	血流相		実効線量	腎臓	膀胱壁	精巣/卵巣
	(+)	(−)				
^{99m}Tc-DTPA	400	200	0.0049	0.0039	0.062	0.0029/0.0042
^{99m}Tc-MAG3	300	70	0.007	0.0034	0.11	0.0037/0.0054
^{99m}Tc-DMSA	—	75	0.0088	0.18	0.018	0.0018/0.0035

(文献3)より一部改変)

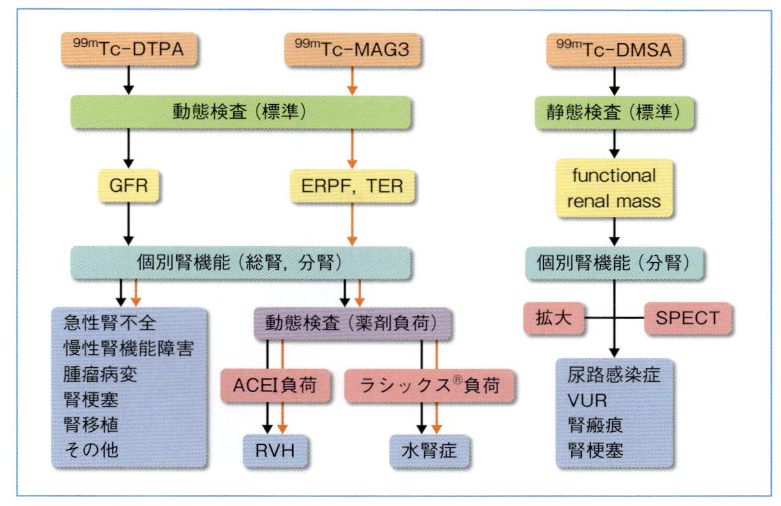

図Ⅷ-6　腎シンチグラフィ検査の進め方の概要
GFR：糸球体濾過率，ERPF：有効腎血漿流量，TER：尿細管分泌能，VUR：尿管逆流症.

100%）よりも低いため，その腎臓クリアランス値は有効腎血漿流量 effective renal plasma flow（ERPF）あるいは尿細管分泌能 tubular excretion rate（TER）とも呼ばれ，真の RPF より 30～40% 低い値となる.

一方，^{99m}Tc-dimercaptosuccinic acid（DMSA）は腎皮質の近位尿細管周囲に分布し，尿中排泄は極めて少ない.

腎臓の生体内における生理的役割は前述した血液浄化機能に代表されるが，そのほかにも，1）体液の酸・塩基平衡調整機能，2）電解質調整機能，および 3）ホルモン産生機能-造血，骨代謝および血圧調整に必要な物質の分泌機能が存在する．しかし，これらの機能評価は腎臓核医学検査の対象とはならない.

検査の進め方

腎臓核医学検査は腎臓の形態的および機能的障害を定性的かつ定量的に把握できる唯一の画像診断法で，特に個別腎機能の定量的評価についてはさまざまな画像診断の中で最も優れた方法とされている．日常臨床で利用されている 3 種類の腎臓シンチグラフィ用放射性医薬品（図Ⅷ-4）の推奨投与量，全身および臓器の内部被曝線量を表Ⅷ-2[3]に示した.

これらの放射性医薬品を用いた腎臓核医学検査は血中および腎臓での薬物動態の違いから大きく動態検査と静態検査に分類される（図Ⅷ-6）．尿中に排泄される ^{99m}Tc-DTPA および ^{99m}Tc-MAG3 は動態検査に利用され，腎集積が遅く，尿中排泄が極めて少ない ^{99m}Tc-DMSA は静態検査に使用される.

❶ 動態シンチグラフィ

動態検査（表Ⅷ-3）は血流相画像，機能相および排泄相の連続画像，さらにデータ処理装置を用いたレノグラム作成と解析データから構成され

表Ⅷ-3　動態腎シンチグラフィ検査手技

1. 放射性医薬品
   ^{99m}Tc-DTPA，^{99m}Tc-MAG3
2. 検査方法
   ・放射性医薬品投与20～30分前に水分飲用（5 mL/kg体重，最大300～500 mL）
   ・背臥位，背側にガンマカメラをセット
   ・肘静脈に翼状針を固定し急速静注．静注後生理食塩水でチューブ内の放射性医薬品を洗い流す
3. データ収集
   ・投与後1分間は秒単位の連続画像（128×128画素）収集
   ・1分以降は10～20秒ごとの連続画像（128×128画素）収集
4. データ処理と画像表示
   ・画像表示：秒単位（2～3秒/フレーム）の血流相画像
   　　　　　　分単位（60秒/フレーム）の機能相，排泄相画像
   ・データ処理：個別腎のバックグラウンド補正レノグラム
   　　　　　　　左右腎の相対的集積比（分腎機能）の算出

る（図Ⅷ-7）．腎シンチグラフィのデータ解析にはかなり早い時期よりコンピュータが利用されてきた．最近では腎シンチグラフィ用コンピュータ補助診断 computer assisted diagnosis（CAD）も行われている．腎シンチグラフィのデータ解析にはコンピュータの使用が必須で，装置の操作，処理内容，さらに腎疾患に関する病態生理を習熟することが有効活用に必要とされている．

❷ 静態シンチグラフィ

^{99m}Tc-DMSA を用いた静態検査（表Ⅷ-4）では検査前の水分負荷は必要ではない．^{99m}Tc-DMSA は腎実質像の描出に優れており投与2～4時間後に撮像を開始する．画像は背面からの平面像（planar 像）と SPECT 像を撮像する（表Ⅷ-4）．planar 像よりも SPECT 像の方が腎瘢痕診断の感度は高い．しかし，投与量が制限される乳幼児の場合，SPECT 像収集が難しく，また，収集された画像の画質も不良な場合がある．検査対象が乳幼児であることから画像撮影中の体動を極力防止する工夫と対策を考慮することが求められる．

画像の読み方

❶ 正常像（^{99m}Tc-DTPA および ^{99m}Tc-MAG3）

動態検査の血流相画像（図Ⅷ-7a）は放射性医薬品静注後10秒前後から秒単位（2～3秒/フレーム）で撮像された画像で，読影の中心は血流出現早期の動脈相での左右差が重要とされている．片側の血流分布低下が観察される場合，多くは相対的腎機能低下と関連している．機能相画像（図Ⅷ-7b）は投与1～3分前後の腎実質画像（通常1分/フレーム）である．機能相画像では腎サイズ，位置，腎集積の程度および腎集積の時間的推移に注目する．特に左右差の判断は重要で，集積低下側は腎機能の低下を示唆する．3分ないし4分以降の腎盂に放射能が観察される連続画像が排泄相画像（図Ⅷ-7b）として区別される．腎盂部に排泄された放射性医薬品は重力および尿管の蠕動運動で尿管から膀胱に移動し，時間経過とともに膀胱内の貯留像が増強する．しかし，検査体位（通常は背臥位）の影響で腎盂部に検査終了まで薬剤が停滞する所見がしばしば観察される．その所見は尿通過障害を示唆する所見ではない．通過障害と診断するには時間経過に伴い集積が増強する所見を確認する必要がある．腎盂における尿停滞を予防するために全例に利尿レノグラフィ（F0）を施行している米国の施設からの報告もある．しかし，わが国では保険適用および腎臓医学検査に精通する医師が限られている点で採用は難しい．通常は腎臓，腎盂の尿排泄動態の評価にはレノグラムが利用される．正常腎のレノグラム（図Ⅷ-7c）は通常2～3分前後で最大値となり，それ以降の排泄相では急激な低下曲線を描く．定量解析としてはピーク時間やカウント数がピーク時間の半分になるまでの時間（T1/2）が計測される．しかし，臨床的には定性的パターン分類（図Ⅷ-8）が有用で，定量解析としては個別腎機能評価に有用な分，腎機能比の算出が重要である．

血流相画像は診断情報が機能相画像と重複する部分があり，必ずしも必要な画像ではない．また，画質のよい血流相画像を得るには投与量を多くする必要がある（表Ⅷ-1）．被曝線量の低減からも過剰な投与量による検査は控えることが望ま

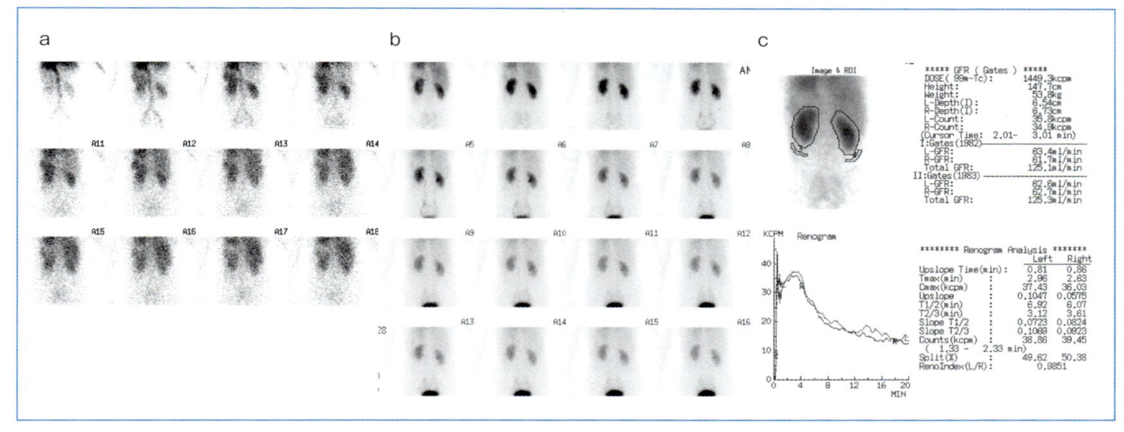

図Ⅷ-7　動態腎シンチグラフィ(54 歳女性．腎機能正常例)
a：血流相画像(3 秒/フレーム)，b：機能相および排泄相画像(1 分/フレーム)，c：コンピュータ作成レノグラムと処理データ表示．

表Ⅷ-4　静態腎シンチグラフィ検査手技と特長

1. 放射性医薬品
   ^{99m}Tc-DMSA
2. 検査方法
   ・薬剤静注 2 時間後以降に背面より平面像(3 方向，背面，左右背面斜位像，最低 256×256 画素)，断層像(SPECT 画像，前額断面の再構成像)を撮像する
3. 診断基準
   ・定性的評価：腎皮質の集積低下，低下は上下辺縁に好発
   ・定量的評価：両側腎集積の相対的比率(分腎機能比)
4. 留意点
   ・乳幼児，小児が対象．撮像中の体動に対する工夫が必要
   ・過剰投与量に注意する．小児用計算式(下記)を用いる
   小児投与量＝成人投与量×(Y＋1)/(Y＋7)
   Y：年齢
   小児投与量＝成人投与量×W/60
   W：体重(kg)

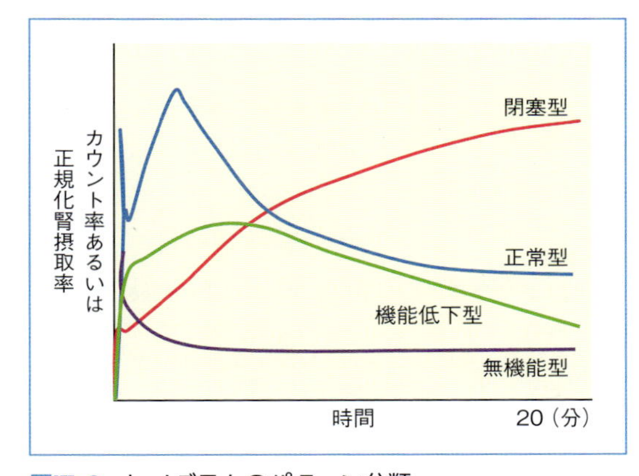

図Ⅷ-8　レノグラムのパターン分類
曲線の型は Y 軸の単位により変化する．通常はカウント率(CPS あるいは CPM)で表示されるが，カウント率を投与量で正規化した腎摂取率(%ID)で示すのが腎機能把握に有効である．
CPS：カウント毎秒，CPM：カウント毎分．

しい．

腎シンチグラフィ読影の基本は両腎性か，あるいは片腎性疾患かを念頭に行うことが重要である．検査対象は通常，片腎性疾患の場合が多く，シンチグラム読影も機能相，レノグラムに注目することで左右差の同定は比較的容易である．しかし，その左右差の原因を特定することは難しい．

❷ 二次性高血圧症（腎血管性高血圧症）

腎血管性高血圧 renovascular hypertension (RVH) は腎動脈狭窄 renal artery stenosis (RAS) により発症する．RAS による高血圧の発症は極めて整然とした内分泌物質のレニン-アンジオテンシン-アルドステロン renin-angiotensin-aldosterone(RAA) カスケードにより説明されている（図Ⅷ-9）[4]．RAS の原因としては高齢者では腎動脈分岐部近傍の動脈硬化，若年～中年女性に好発する線維筋性異形成 fibromuscular dysplasia (FMD) および小児では大動脈炎症候群 aortitis syndrome (AS) である．いずれも RAS の改善により高血圧の治癒が期待できるため原因不明

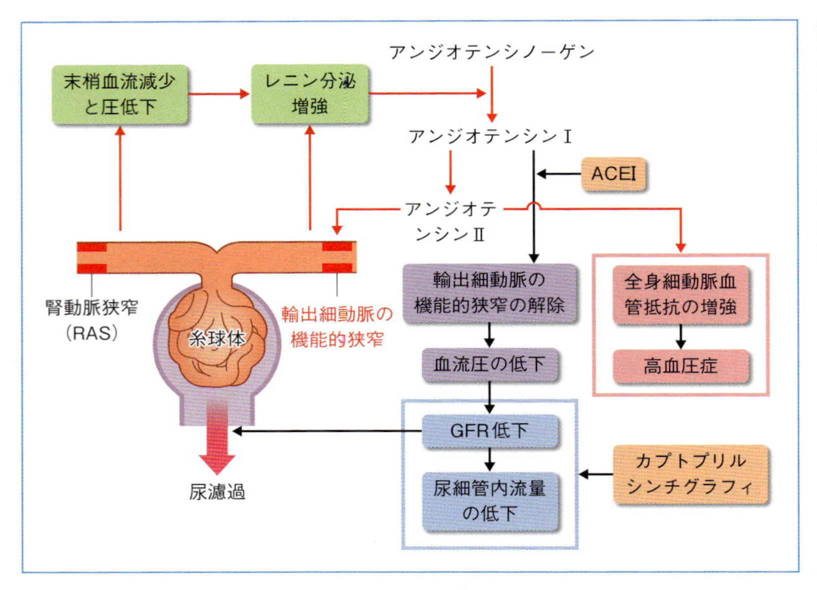

図Ⅷ-9　腎動脈狭窄時のレニン-アンジオテンシン-アルドステロン機構の賦活化機序とカプトプリルレノグラフィの原理

矢印(赤矢印)は賦活化経路, 矢印(黒矢印)はカプトプリル投与後の腎血流および機能変化を示している.
ACEI：アンジオテンシン変換酵素阻害薬

(文献 4)より改変)

表Ⅷ-5　カプトプリル負荷動態腎シンチグラフィ検査手技と特長

1. 放射性医薬品
   ^{99m}Tc-DTPA, ^{99m}Tc-MAG3
2. 検査方法
   - ACE 阻害薬, Ca 拮抗薬の投薬中止(最低検査 2 日前より)
   - 負荷なし動態腎シンチグラフィ(baseline 検査)
   - カプトプリル負荷動態腎シンチグラフィ
     カプトプリル 25～50 mg を検査開始 1 時間前に経口投与(空腹時)
   - 上記検査いずれも通常の動態腎シンチグラフィに準じて施行する
3. 診断基準
   - 対象腎の機能(GFR)低下が基本
4. 留意点
   - ^{99m}Tc-DTPA と ^{99m}Tc-MAG3 ではレノグラムの反応が異なる
   - specificity(95%)＞sensitivity(70～90%)

ACE：アンジオテンシン変換酵素, GFR：糸球体濾過率

な本態性高血圧症との鑑別診断が重要とされている.

RVH の診断にはカプトプリル（アンジオテンシン変換酵素阻害薬 angiotensin converting enzyme inhibitor（ACEI））を負荷した動態腎シンチグラフィ（カプトプリルレノグラフィ captopril assisted renography（CAR））（**表Ⅷ-5**）が適応される. 診断の基礎となる病態生理は前記した RAA に関係している. GFR は RBF と血圧に比例して変化するが, 通常 80～200 mmHg の血圧では GFR をほぼ一定に保持する機序（腎血流に対する自己調節）が働いている. 有意な RAS を有する腎臓では傍糸球体装置（緻密斑）からレニンが分泌され, 血中に移行したレニンは RAA を賦活化し, 結果として全身の血圧を上昇させる. 一方, アンジオテンシンⅡには輸出細動脈に限局的に作用し, 細動脈を狭窄させ糸球体内圧を保持する効果がある. その結果として GFR が維持される. RAA は高血圧といった生体に必ずしも好ましい結果をもたらすわけではないが, 腎臓にとっては腎機能を保持するといった極めて合目的な働きをしている.

CAR では薬剤負荷なしの動態シンチグラフィ（baseline 検査）と負荷時の動態シンチグラフィが施行される（**表Ⅷ-5**）. 基本的には負荷なし検査を先に, 負荷検査を後に行う. なお簡便法として負荷検査を先行して施行し, 片腎性所見が観察されない場合には負荷なし検査を省略することも可能である.

図Ⅷ-10 は二次性高血圧が疑われて施行された CAR である. 負荷なし検査（**図Ⅷ-10a**）では右腎サイズの萎縮, 腎実質相での集積低下, 排泄相では腎盂からの尿排泄の遅延が観察され, レノグラム（**図Ⅷ-10a'**）は閉塞型を示し, 右腎に病変があると診断することは容易である. 負荷時の画像（**図Ⅷ-10b**）では右腎側の集積が極度に低下

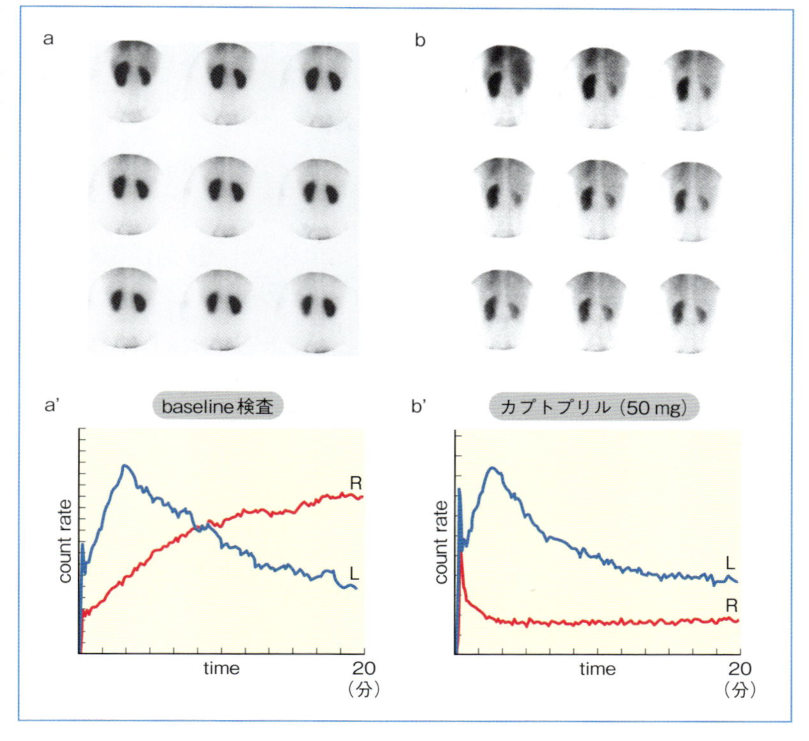

図Ⅷ-10　カプトプリル負荷シンチグラフィ（23歳女性）
a：降圧薬服用中止での ^{99m}Tc-DTPA動態腎シンチグラフィ（baseline検査），a'：その時のレノグラム，右腎/左腎集積比＝29/71%．b：カプトプリルレノグラフィ（A検査2日後，カプトプリル25 mg服用後），b'：その時のレノグラム，右腎/左腎集積比＝17/83%．右腎はa検査と比較して65%集積が低下している（所見の説明は本文参照）．

し，レノグラム（図Ⅷ-10b'）は尿濾過機能（GFR）の著しい低下（無機能型）を示している．RVHの典型的所見であるが，診断に関する病態生理学的機序の説明は図Ⅷ-9を参照していただきたい．その後の選択的血管造影検査（図Ⅷ-11）で右腎動脈狭窄が検出され，血管形成術により高血圧が改善した．

❸ 水腎症

水腎症は腎盂・腎杯の拡張した形態的異常として定義されている．形態的拡張度についてはGrade分類[5]がされている．治療の観点からは泌尿器科的外科処理が必要な閉塞性とそのような処置を必要としない非閉塞性に分類される．利尿レノグラフィ（DR）（表Ⅷ-6）は尿通過を利用した水腎症の鑑別診断法である．検査適応のうえで重要な点は利尿薬と放射性医薬品の投与順（図Ⅷ-12）[6]と，それに関連した診断基準の違いである．最初に報告された方法は放射性医薬品投与後20分間の動態検査を施行し，いったんベッドから離れ，排尿後に再度動態検査を施行し，検査開始時に利尿薬を負荷する方法（F＋20）である．この方法は10～15%前後の偽陽性例があることか

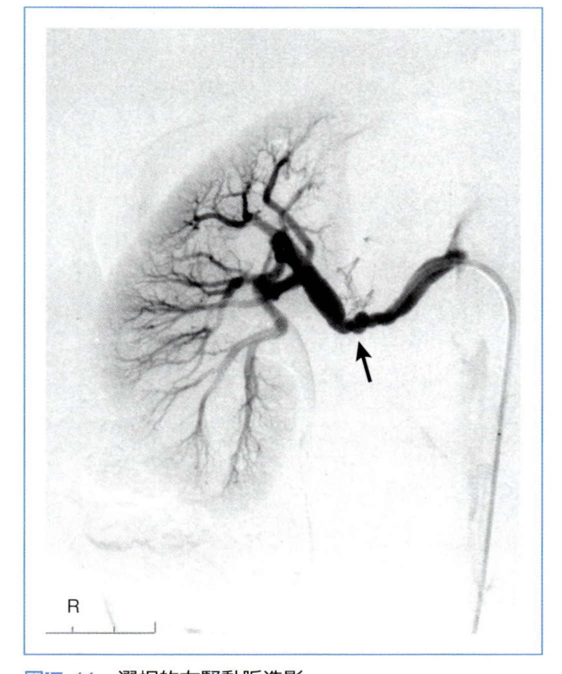

図Ⅷ-11　選択的右腎動脈造影
図Ⅷ-10の症例．腎動脈中央部分に数珠状の拡張と狭窄（矢印）が観察される．線維筋性異形成症（FMD）の特徴的所見．

表Ⅷ-6　利尿レノグラフィ検査手技と特長

1. 放射性医薬品 ^{99m}Tc-MAG3＞^{99m}Tc-DTPA 2. 検査方法 ・検査前の十分な利尿（水分摂取 500 mL 前後/成人，乳幼児では点滴など） ・フロセミド（ラシックス®）と ^{99m}Tc-MAG3 の静注（F＋20，F0，F－15） ・動態腎シンチグラフィに準じた検査手技 ・ラシックス® 投与基準：1 歳以下＝1 mg/kg 1～16 歳＝0.5 mg/kg 16 歳以上＝20～40 mg 3. 診断基準 ・古典的方法と renal output 法では診断基準が異なる 4. 留意点 ・F0 の ROE 算出は Patlak plot 法を用いる

ROE：renal output efficiency

ら，フロセミド投与後最大の利尿効果が期待できる 15 分後に放射性医薬品を静注する方法（F－15）が提案された．一方，検査対象の多くが乳幼児や小児であることから 2 剤を同時に静注する方法（F0）が採用されるようになっている．F＋20 は今では古典的方法とされているが，データ処理の簡便性の点で依然として多くの施設で施行されている．F＋20 の診断基準を図Ⅷ-13 に，F0 に対するデータ処理 renal output efficiency（ROE）と診断基準を図Ⅷ-14 に示した．

図Ⅷ-15 は水腎症の利尿レノグラフィ（F0）である．造影 CT では左腎盂拡張（図Ⅷ-15a）が観察され，水腎症の所見である．^{99m}Tc-MAG3 利尿レノグラフィ（図Ⅷ-15b）では左腎の相対的腫大が観察されるが，排泄相画像で左腎盂部からの尿排泄が観察されない．左腎のレノグラムは閉塞型（図Ⅷ-16a）を示している．個別腎レノグラムの Rutland-Patlak plot 法を用いた ROE のコンピュータ解析（図Ⅷ-16b，c）では左 ROE_{20}＝20%，右 ROE_{20}＝87%で左腎の閉塞性水腎症と診断され，左腎の腎盂形成術が施行された．

❹ 急性腎障害および慢性腎臓病

腎機能障害は急性腎障害 acute kidney injury（AKI）と慢性腎臓病 chronic kidney disease（CKD）に分類される．AKI は 48 時間以内の排泄尿量および血清クレアチニン serum creatinine（SCr）の変化，CKD は 3 ヵ月以上のタンパク尿の持続あるいは GFR の低下を基準に重症度が分類されている（表Ⅷ-7）．AKI は腎前性，腎性および腎前性に区分されており，診断および治療選択のうえで重要である（図Ⅷ-17）．

図Ⅷ-18 は AKI 症例の ^{99m}Tc-MAG3 動態腎シンチグラフィである．血流相画像（図Ⅷ-18a）では両腎血流は比較的よく描出されており，機能相画像（図Ⅷ-18b）でも両腎への腎集積は良好である．排泄相画像（図Ⅷ-18b）では腎実質への集積は増強するが尿排泄を示唆する所見は観察されない．レノグラム（図Ⅷ-18c）は閉塞型を示している．典型的な急性尿細管壊死 acute tubular necrosis（ATN）による AKI の所見である．

AKI では ^{99m}Tc-MAG3 と ^{99m}Tc-DTPA では全く違った腎臓の集積と排泄動態が観察される．AKI では糸球体濾過機能が消失するため，^{99m}Tc-DTPA では無機能型レノグラムが観察される．

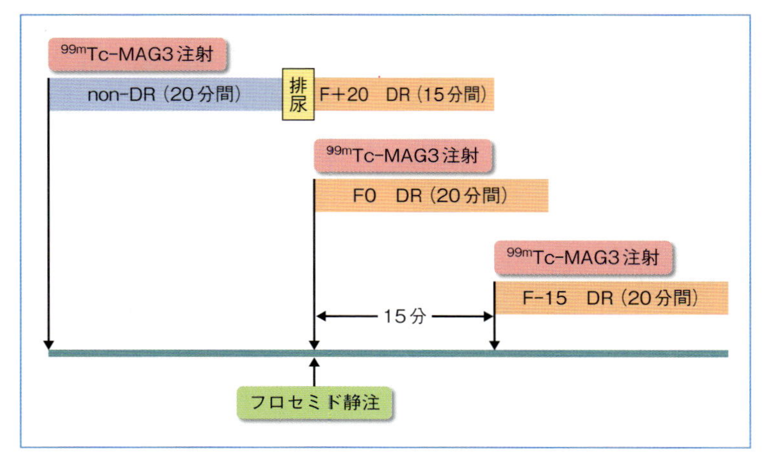

図Ⅷ-12　利尿レノグラフィ（F＋20，F0，F－15）における放射性医薬品投与と利尿薬投与との関係
non-DR：利尿薬負荷なしの動態腎シンチグラフィ，DR：利尿レノグラフィ．
（文献 6）より）

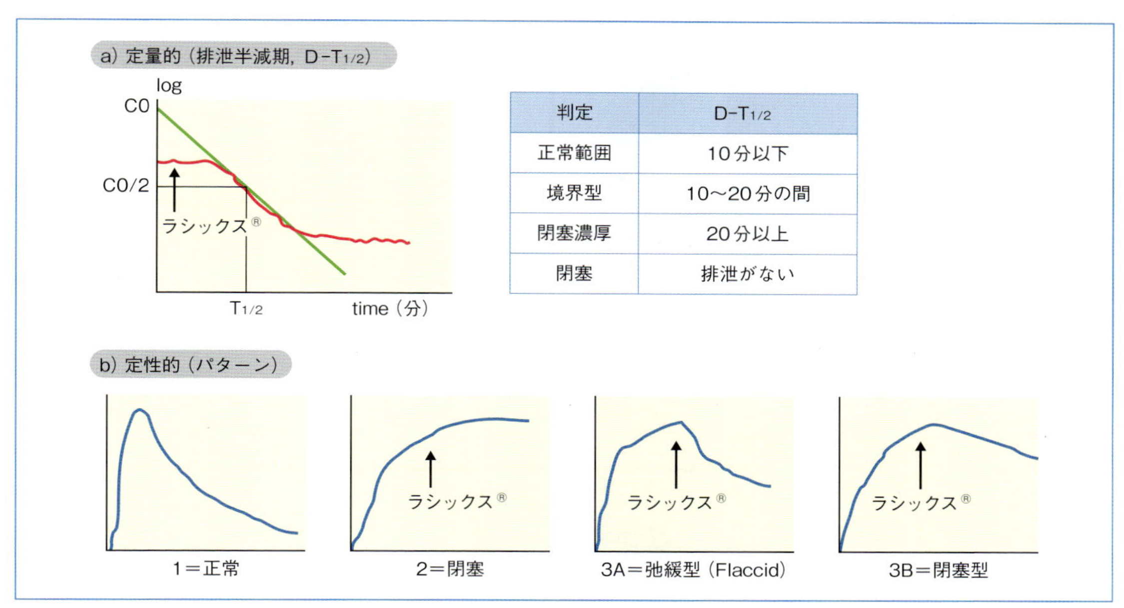

判定	D-T1/2
正常範囲	10分以下
境界型	10～20分の間
閉塞濃厚	20分以上
閉塞	排泄がない

図Ⅷ-13　利尿レノグラフィの定量的評価法と定性的パターン分類（古典的評価法）

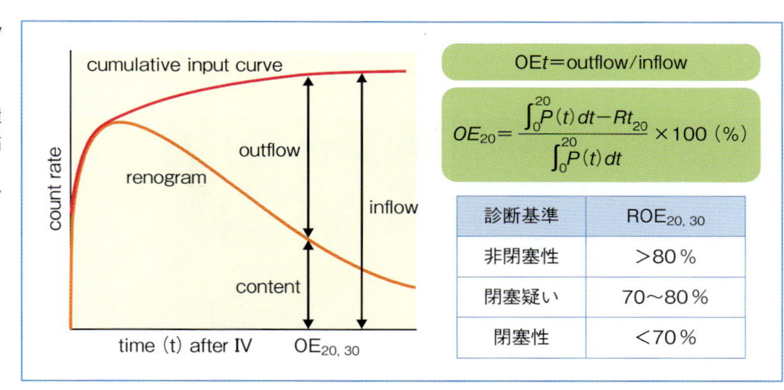

$$OE_{20}=\frac{\int_0^{20}P(t)\,dt-Rt_{20}}{\int_0^{20}P(t)\,dt}\times 100\ (\%)$$

診断基準	ROE20, 30
非閉塞性	>80％
閉塞疑い	70～80％
閉塞性	<70％

図Ⅷ-14　renal output efficiency (ROE)の算出法と診断基準
cumulative input curveは大循環から腎に流入する放射性医薬品の割合の積算曲線で，Patlak plot法を用いて描く．ROEは投与後20分(ROE_{20})あるいは30分(ROE_{30})でのoutflow/inflow×100(%)で示される．

しかし，時には今回のような閉塞性パターンを示す場合もあり，その違いはおそらく障害の程度に依存しているように推測されるが，両薬剤によるレノグラムの違いに関する検討はされていない．AKIの機能回復は傷害腎の血流状態が大きく影響する．このような点から，AKIの診断に関しては腎血漿流量を反映する^{99m}Tc-MAG3の方がGFRを反映する^{99m}Tc-DTPAよりもAKI治療後の腎機能回復を予測する検査法として適している．

長期にわたる腎機能低下を呈するCKDの重症度は腎機能障害を早期に診断することを目的に，全米腎臓病財団により提唱されたGFRの値を基準に分類（**表Ⅷ-7**）されている．日常臨床では60 m/分/1.73 m^{2}以下の症例をCKDとしており，それ以上の場合は糖尿病性腎症の早期診断に適応される．重症度分類に関しては成書（CKD診療ガイドライン2018）を参照してほしい．GFR用放射性医薬品には3種類あることを記載したが，^{99m}Tc-DTPAは唯一動態シンチグラフィによる定性的評価およびレノグラム，さらには採血法による定量的評価に利用される．しかし，腎シンチグラフィによるGFR体外計測法（Gates法）は現在広く臨床で行われているSCrと年齢から算出式を用いて得られる推算糸球体濾過率estimated glomerular filtration rate（eGFR）とほぼ同程度

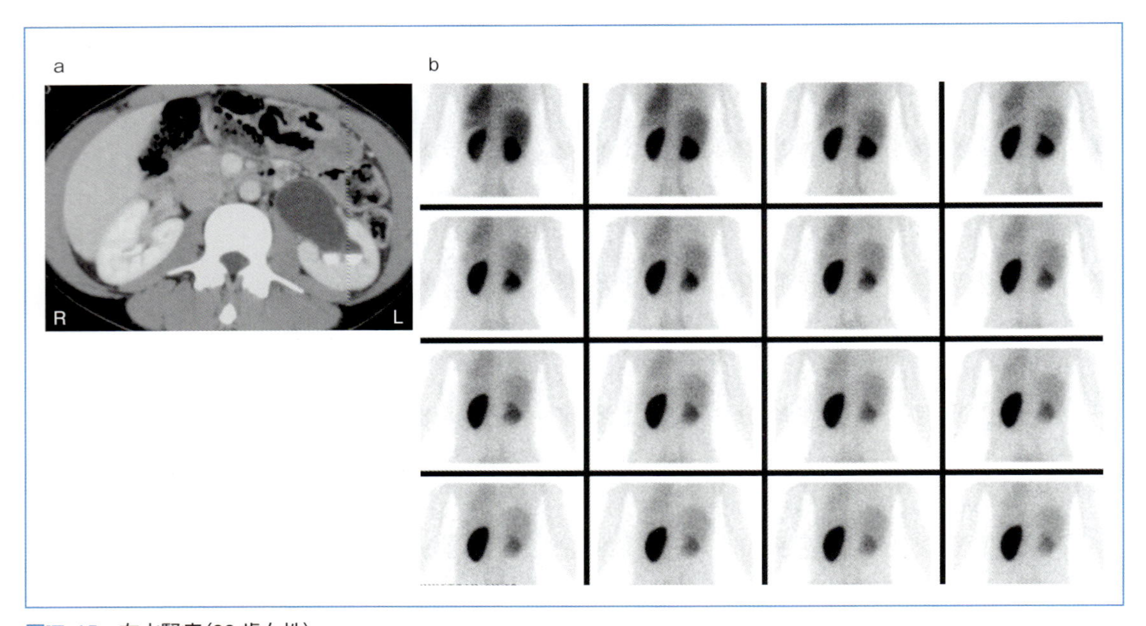

図Ⅷ-15　右水腎症（33 歳女性）
a：造影 CT，b：^{99m}Tc-MAG3 利尿レノグラフィ（F0 法）．分腎機能比（右/左）＝52/48%（所見は本文参照）．

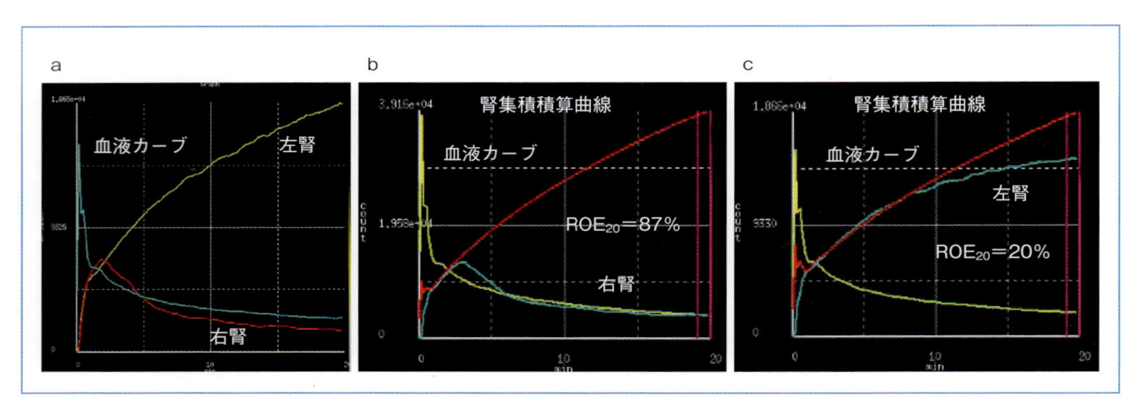

図Ⅷ-16　renal output efficiency（ROE）のコンピュータ補助診断（CAD）結果
図Ⅷ-15 の水腎症症例．a：両腎レノグラム，b：右腎 ROE_{20}，c：左腎 ROE_{20}.

の精度しかない．^{99m}Tc-DTPA を用いて正確な GFR を算出するには採血法が好ましいが日常診療において保険適用がされていない．

図Ⅷ-19 は透析を必要とする段階の末期腎不全 end-stage kidney disease（ESKD）例の ^{99m}Tc-MAG3 動態腎シンチグラフィである．血流相画像（図Ⅷ-19a）では腹部大動脈蛇行が観察され，両腎への血流は左右差なく高度低下が観察される．機能相画像（図Ⅷ-19b）では両腎サイズの萎縮と集積が低下し，腎外分布が増強している．排泄相画像（図Ⅷ-19b）では 7 分以降の画像でわずかに腎盂に排泄された尿所見が確認される．レノグラム（図Ⅷ-19c）では両腎の尿排泄の遅延が示されている．ESKD の腎臓形態および機能の定性的評価に関しては ^{99m}Tc-DTPA よりも ^{99m}Tc-MAG3 が優れている．また，CKD の進行過程においては GFR の低下に先立ち腎血流が低下することが指摘されている．したがって腎機能低下の早期診断に関しては ^{99m}Tc-DTPA よりは ^{99m}Tc-MAG3 が優れている可能性が予測される．

表Ⅷ-7　急性腎障害(AKI)および慢性腎臓病(CKD)の定義と重症度分類

A. 急性腎障害(AKI)(KDIGO 診療ガイドライン)
定義：1. ΔsCr(血清クレアチニン)≧0.3 mg/dL(48 時間以内)
2. sCr 基準値の 1.5 倍(7 日以内)
3. 尿量 0.5 mL/kg/時以下で 6 時間以上低下
(体重 60 kg で 180 mL/6 時間, 360 mL/12 時間)

Stage	血清クレアチニン(mg/dL)	尿量
1	基礎値の 1.5〜1.9 倍, または≧0.3 mg/dL の増加	6〜12 時間で <0.5 mL/kg/時
2	基礎値の 2.0〜2.9 倍	12 時間以上で <0.5 mL/kg/時
3	基礎値の 3 倍 または≧4.0 mg/dL の増加 または腎代替療法(透析)の開始 または 18 未満の症例では eGFR<35 mL/分/1.73 m^2の低下	24 時間以上で<0.3 mL/kg/時 (432 mL/12 時/60 kg)または 12 時間以上の無尿

KDIGO：Kidney Disease Improving Global Outcome

図Ⅷ-17　急性腎障害(AKI)の区分

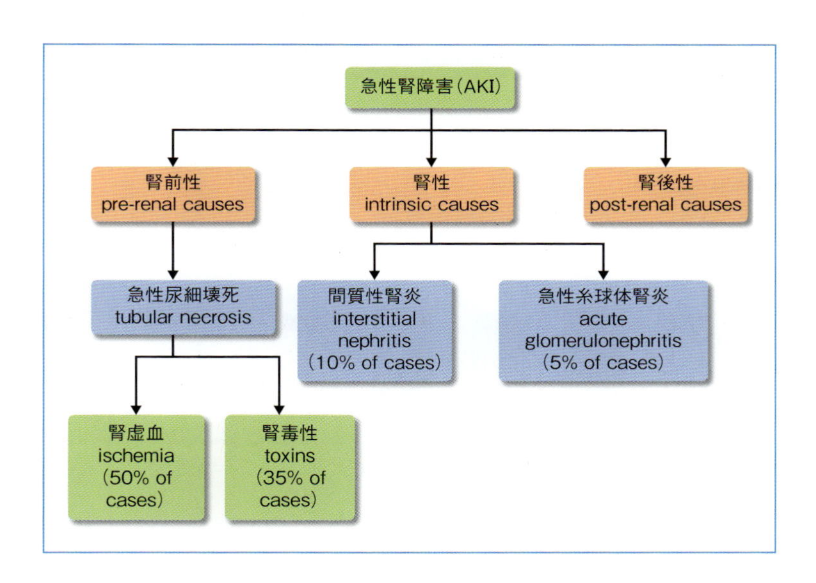

❺ 尿路感染症

尿路感染症 urinary tract infection (UTI) は膀胱(膀胱炎)および腎臓(急性腎盂腎炎 acute pyelonephritis (APN))の細菌感染により引き起こされる．乳幼児から学童期の小児に広く観察され，6 歳までの罹患率は女児で 3〜7%，男児で 1〜2%とされている．臨床症状は年齢で異なるが細菌感染に伴う発熱が共通した症状で，抗菌薬による治療が選択される．UTI の原因として膀胱尿管逆流症 vesicoureteral reflux (VUR) が関係しているが，小児 UTI で VUR が観察されるのは 30〜40%とされている．VUR は排尿時膀胱尿道造影 voiding cystourethrography (VCUG) で診断され，逆流の程度により重症度 (grade) が分類されている (図Ⅷ-20)．^{99m}Tc-DMSA 静態腎シンチグラフィの読影に際しては，VUR の有無および重症度をあらかじめ念頭に行うことが重要である．

^{99m}Tc-DMSA 静態腎シンチグラフイ (DMSA) は VUR に伴う腎盂腎炎後の腎障害 (腎瘢痕および逆流性腎症) の診断が対象である．診断の基本

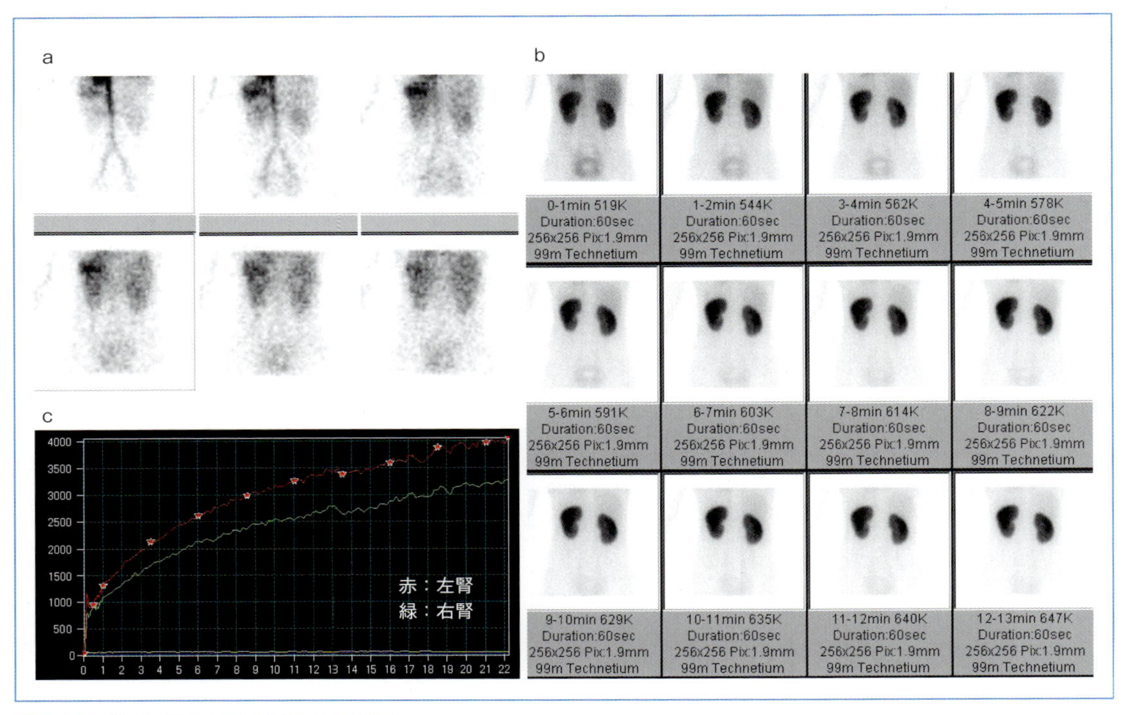

図Ⅷ-18　^{99m}Tc-MAG3 動態腎シンチグラフィ

34歳女性．分娩後の感染によるショック後に急性腎障害を生じた症例．a：血流相画像，b：機能相＋排泄相画像，c：レノグラム（詳細は本文参照）．

（函館中央病院泌尿器科より許可を得て掲載）

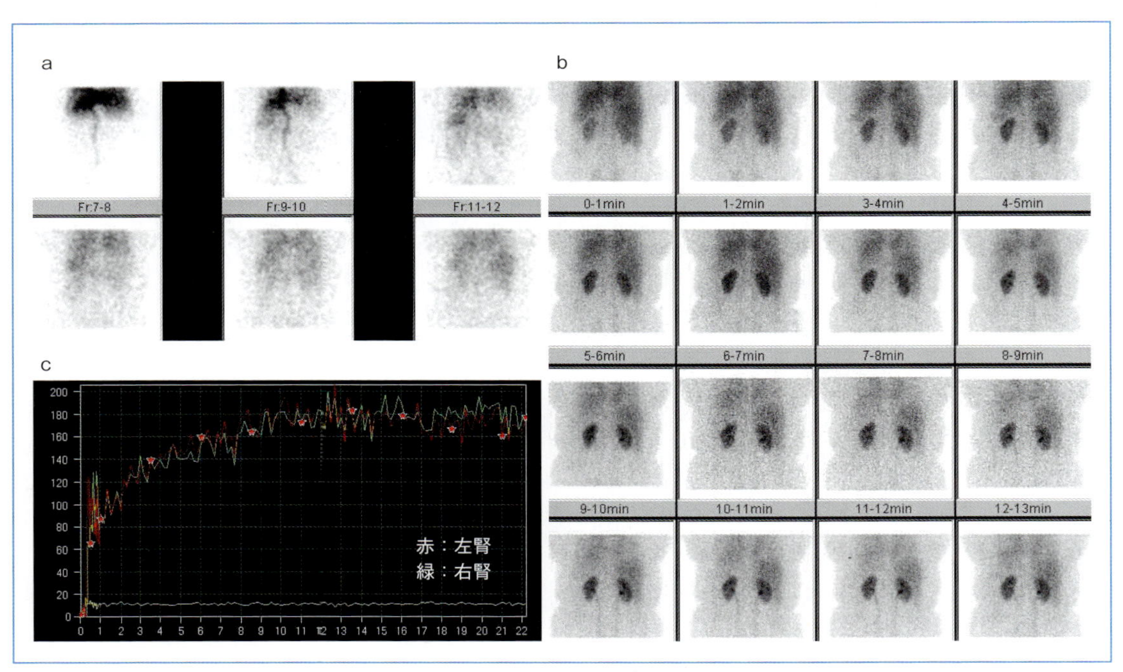

図Ⅷ-19　^{99m}Tc-MAG3 動態腎シンチグラフィ

32歳女性．左卵巣茎捻転による急性腹症で緊急手術を受けた症例．術前に高度腎障害が疑われ術後本検査が施行された．a：血流相画像，b：機能相＋排泄相画像，c：レノグラム（詳細は本文参照）．

（函館中央病院泌尿器科より許可を得て掲載）

は感染によって生ずる腎皮質の集積欠損像を視覚的に捉えることである．感染症の急性期に観察される集積欠損像は permanent な所見ではなく，治療後の時間経過で検出率が変化する．

図Ⅷ-21 は VUR に伴う UTI の ^{99m}Tc-DMSA 腎静態シンチグラフィである．背面像（図Ⅷ-21a）では左腎の上下縁に集積欠損像が観察され，右腎上縁にも集積欠損が疑われる．SPECT 前額断層像（図Ⅷ-21b，c）では集積欠損像が平面像よりは明瞭に示されている．左腎の集積率は全体の36％と低下し，欠損部以外の腎実質部の集積低下も観察される．左腎全体に腎障害が及んでいる逆流性腎症を示唆する所見である．

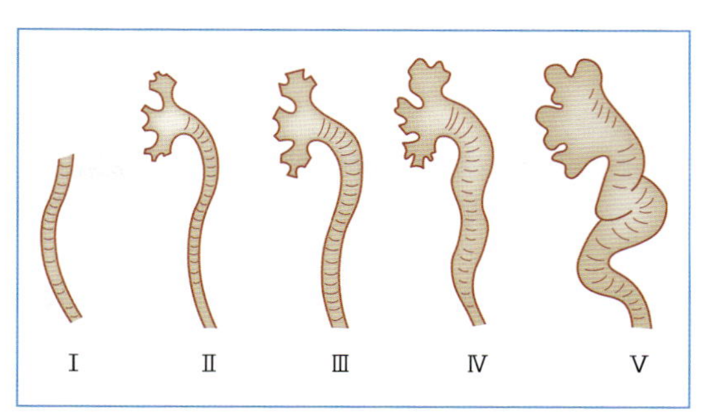

図Ⅷ-20　膀胱尿管逆流症（VUR）の重症度国際分類

Ⅰ：尿管にとどまる逆流，Ⅱ：腎盂まで逆流するが尿管・腎盂の拡張や腎杯の変形がない，Ⅲ：軽度の尿管・腎盂の拡張と腎杯の変形を伴う，Ⅳ：中等度の尿管・腎盂の拡張と腎杯の鈍化を呈する，Ⅴ：高度の尿管・腎盂の拡張と尿管の屈曲・蛇行，腎杯の拡張・乳頭部の形態消失．

◆ 文献

1）Federle, MP et al：Diagnostic and Surgical Imaging Anatomy(Chest, Abdomen, Pelvins), 1st ed, AMIRSYS Inc, Salt Lake City, pⅡ-448, 2006
2）Rahn, KH et al：How to assess glomerular function and damage in humans. J Hypertens 17：309-317, 1999
3）Muller-Suur, R et al：Nuclear Medicine in Clinical Diagnosis and Treatment, 3rd ed, Gambhir ed, Churchill Livingstone, London, 1051-1515, 2004
4）Prigent, A et al：Clinical problems in renovascular disease and the role of nuclear medicine. Semin Nucl Med 44：110-122, 2014
5）Onen A：Grading of Hydronephrosis：An Ongoing Challenge. Front Pediatr 8：458, 2020
6）Sfakianakis, GN et al：A renal protocol for all ages and all indications：mercapto-acetyl-triglycine (MAG_3) with simultaneous injection of furosemide (MAG_3-F_0)：a 17-year experience. Semin Nucl Med 39：156-173, 2009

◆ 参考文献

1）Tauxe, WN et al：Nuclear Medicine in Clinical Urology and Nephrology, Appleton-Century-Croft-sm, 1985
2）Blaufox, MD：Nuclear medicine in renal diseases. Nuclear Medicine in Clinical Diagnosis and Treatment, 3rd ed, Churchill Livingstone, London, 1494-1656, 2004
3）伊藤和夫：泌尿生殖器．最新臨床核医学改訂第3版，久田欣一監，利波紀久ほか編著，金原出版，東京，460-490，1999
4）Zaknun, JJ et al：The International Atomic Energy Agency software package for the analysis of scintigraphic renal dynamic studies：a tool for the clinician, teacher, and researcher. Semin Nucl Med 41：73-80, 2011
5）Durand, E et al：Functional renal imaging：new trends in radiology and nuclear medicine. Semin Nucl Med 41：61-72, 2011

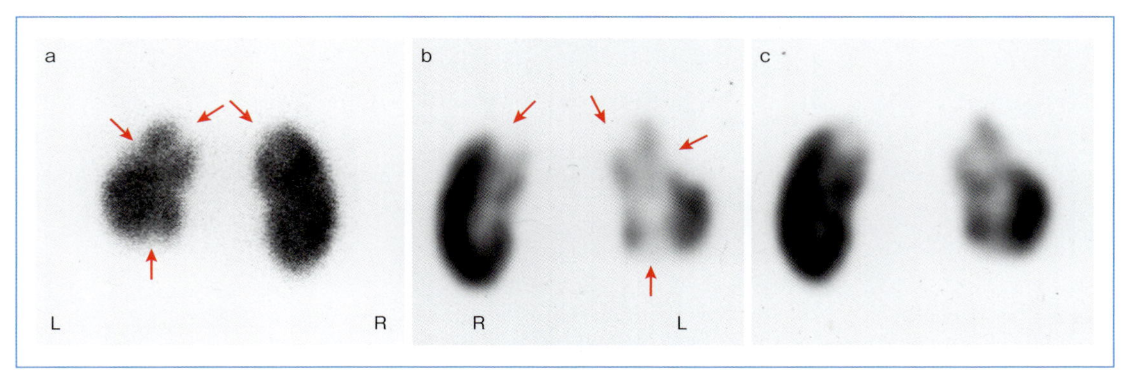

図Ⅷ-21　^{99m}Tc-DMSA 腎静態シンチグラフィ

11歳女児．反復する発熱と尿路感染症で経過観察されていた症例．a：背側平面像，b，c：SPECT の前額断層像．赤矢印は腎瘢痕部分を示す．右/左の集積率比＝65/35％（詳細は本文参照）．

（函館中央病院泌尿器科より許可を得て掲載）

要点

<動態検査>

- 動態画像の機能相画像は腎機能およびその左右差評価に重要.
- 全腎機能は腎外の薬剤分布の経時的変化から推定する.

<カプトプリルレノグラフィ>

- 両側性腎血管性高血圧(RVH)では責任サイド(culprit)しか異常を示さない.
- DTPA と MAG3 では画像およびレノグラム反応に違いがある.
- 腎機能低下腎の場合の評価はレノグラムのみでは難しい.
- 腎機能低下腎では機能相画像の比較的評価を参考にする.

<水腎症>

- 水腎症＋水尿管では関心領域を腎盂＋尿管に大きく設定する.
- 腎腫大を伴う水腎症では相対的分腎機能が高く算出される.
- 水腎症の相対的腎機能は血流低下, 機能相画像の視覚的腎集積を参考にする.
- 腎機能低下の水腎症では利尿剤投与後の排泄が遅延することを念頭に置く.

<腎機能障害>

- 急性尿細管壊死(ATN)では MAG3 と DTPA では動態画像およびレノグラムの形状が異なる.
  MAG3→閉塞型, DTPA→無機型, まれに機能低下あるいは閉塞型.

<尿路感染症>

- DMSA の集積は腎皮質のみで髄質・腎盂には集積しない.
- 腎瘢痕の基本は planar 画像の視覚的評価.
- 欠損像は上極および下極に多く, 多発性欠損像は感染の繰り返し所見.
- 腎障害の重症度は視覚的判定と同時に腎摂取率を参考にする.

6) Taylor, AT et al : Computer-assisted diagnosis in renal nuclear medicine : rationale, methodology, and interpretative criteria for diuretic renography. Semin Nucl Med 44 : 146-158, 2014
7) Levey, AS et al : A new equation to estimate glomerular filtration rate. Ann Intern Med 150 : 604-612, 2009
8) Edefonti, A et al : Febrile urinary tract infection : clinical and laboratory diagnosis, imaging, and prognosis. Semin Nucl Med 44 : 123-128, 2014

IX

腫　瘍

A 基礎

FDG PETの適用について

^{18}F-フルオロデオキシグルコース fluorodeoxyglucose（FDG）PET/CTは，既に悪性腫瘍の診療に欠かせないものとなっている．^{18}Fの物理的半減期は約110分であり，サイクロトロンのないPET施設でもデリバリーにより検査可能である．わが国では診療報酬改定により2010年4月から，早期胃癌を除く悪性腫瘍で，ほかの検査・画像診断により病期診断，転移・再発の診断が確定できない患者に対して保険適用になっているが，詳細は以下の通りである．

●保険適用要件

他の検査又は画像診断により病期診断又は転移若しくは再発の診断が確定できない患者に使用する

●保険適用症例の選択基準

(a) 病理組織学的に悪性腫瘍と確認されている患者であること

(b) 病理診断により確定診断が得られない場合には，臨床病歴，身体所見，PETあるいはPET/CT以外の画像診断所見，腫瘍マーカー，臨床的経過観察などから臨床的に高い蓋然性をもって悪性腫瘍と診断される患者であること

つまり，早期胃癌以外であれば肉腫を含むすべての悪性腫瘍に適用可能であるが，FDG PET/CTの実施前に，CTやMRIなどの画像診断が実施されている必要がある．日本核医学会の「FDG PET, PET/CT診療ガイドライン2020」では，以下の検査目的の範囲内で実施することが推奨されており，「実際の保険適用は症例毎に判断されることに留意されたい」と記されている．

(a) 治療前の病期診断

(b) 二段階治療を施行中の患者において，第一段階治療完了後の第二段階治療方針決定のための病期診断，たとえば術前化学療法後，または術前化学放射線治療後における術前の病期診断等

(c) 転移・再発を疑う臨床的徴候，検査所見がある場合の診断

(d) 手術，放射線治療などによる変形や瘢痕などのため他の方法では再発の有無が確認困難な場合

(e) 経過観察などから治療が有効と思われるにもかかわらず他の画像診断等で腫瘤が残存しており，腫瘍が残存しているのか，肉芽・線維などの非腫瘍組織による残存腫瘤なのかを鑑別する必要がある場合

(f) 悪性リンパ腫の治療効果判定

FDGの特徴・集積機序

FDGはグルコースの類似体であるため（図IX-A-1），細胞膜のグルコーストランスポーター glucose transporter（GLUT）を介して細胞内に取り込まれる．そこで，ヘキソキナーゼ hexokinase（HK）によりリン酸化（FDG-6-リン酸）されることで，細胞内にとどまる（metabolic trapping）（図IX-A-2）．糖代謝関連分子は多く存在するが，GLUTとHKの活性を最も反映することが知られている．代謝活動性の高い病変には多く集積するため，FDG分布を画像化することで病変の機能が可視化される．

癌細胞では増殖に伴い糖代謝が亢進しているが，この集積機序からはFDGの集積は悪性腫瘍に特異的にみられるわけではなく，活動性の炎症性病変にもみられることがわかる．悪性腫瘍の評価においては炎症性病変が偽陽性の一因となるが，炎症部位の診断が必要とされる心臓サルコイドーシス患者においては，有用性が多く報告されており，保険適用となっている（詳しくは「III-

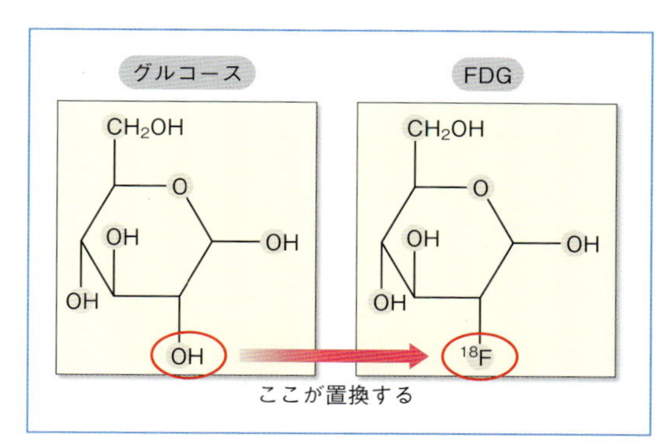

図Ⅸ-A-1 FDG の構造式
FDG はグルコースの類似物質.

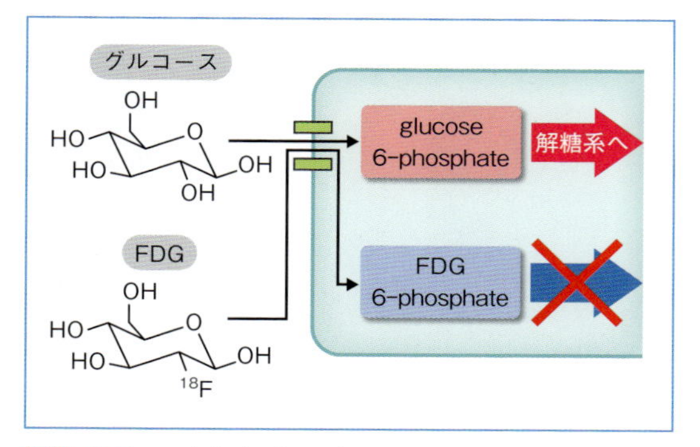

図Ⅸ-A-2 metabolic trapping

D 心臓糖代謝イメージング」参照). また, 不明熱や感染性心内膜炎の検出などにも有用という報告があるが, 今のところその目的での使用に関しては保険適用ではない.

検査の前処置・注意点

検査の一般的な流れは, 1)～6) のようになる (図Ⅸ-A-3).

1) 前処置として 4～6 時間以上の絶食を行う

食後は血糖値, インスリン濃度の上昇により, FDG の体内分布が変わってしまう. 主に筋肉への集積が強くなり, 標的病変への集積が低くなる.

2) 検査前の運動は避ける

骨格筋への集積に繋がるため, 過度な運動は控えてもらう.

3) 糖尿病の有無を確認, 血糖値の測定

血糖値が高い場合や一部の糖尿病患者では, 腫瘍への集積が低下し, バックグラウンドのカウントが増加するために検出能が低下することがあるため, 事前に確認する. 経口糖尿病薬やインスリンの直前投与は低血糖を引き起こすだけでなく, 筋肉などバックグラウンド集積が高くなる要因となるので投与を控える.

4) FDG の投与

投与量は撮像機種や撮像・再構成方法, 年齢, 体重により適宜増減する. デリバリーの場合は投与量が限られるが, サイクロトロンで FDG を作っている施設では通常, 3.7 MBq/kg (2～5 MBq/kg) を静脈投与する. 投与部位に FDG が付着することがあるため, その部位を記載することが望まれる.

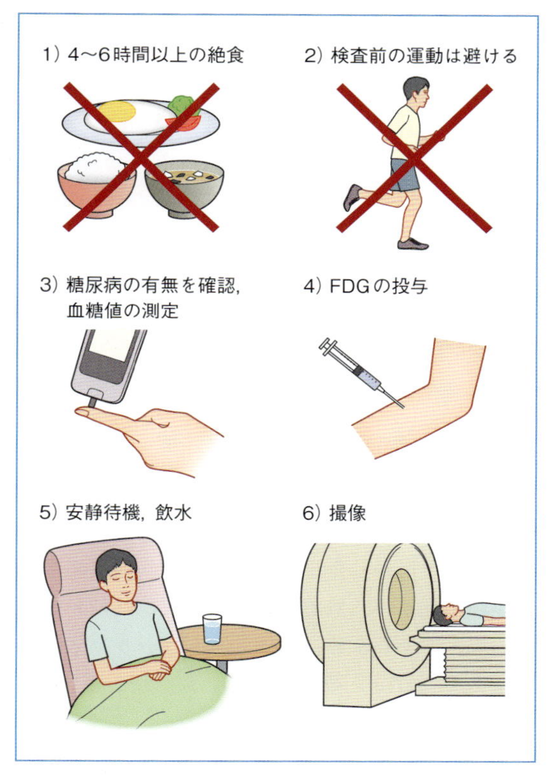

図Ⅸ-A-3 FDG PET の流れ

5) 安静待機, 飲水

投与後撮像までの時間は施設によって異なるが, 60 分後に撮像する施設が多い. その間, 500 mL ほどの水分を取ってもらい, FDG の排泄を促進させることで, 被曝の低減, バックグラウンドのカウント低下に繋がる. なるべく安静にしてもらうことで, 骨格筋や声帯・喉頭などへの生理的集積を抑える. 撮像直前に排尿してもらう.

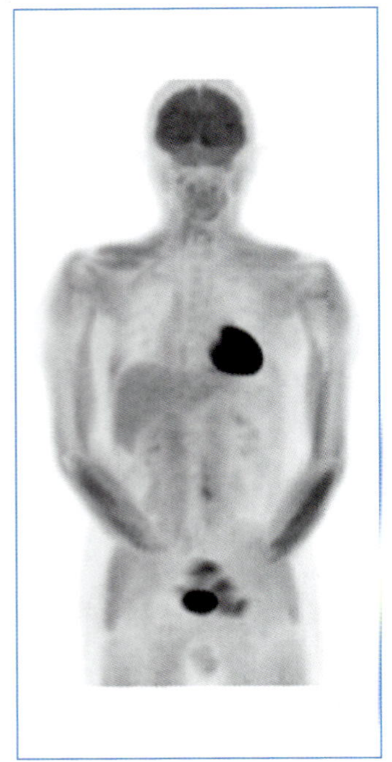

図Ⅸ-A-4　食事の影響
検査前に食事をしてしまった症例．心筋や骨格筋に強く集積している．一方，脳や肝臓への集積は低下している．

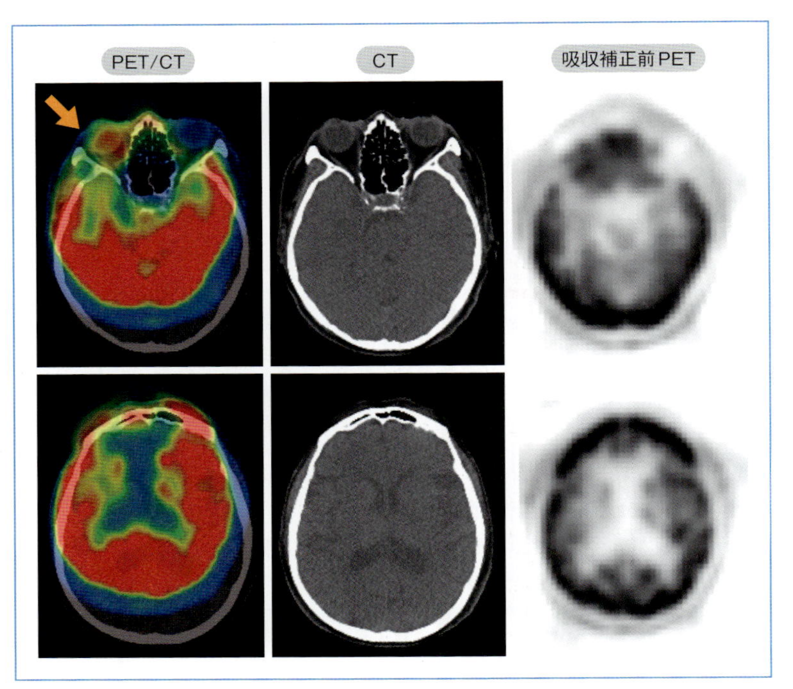

図Ⅸ-A-5　体動の影響
体動によりPETとCTがずれている症例．PET/CTでは右眼球内に集積亢進構造があるようにみえるが，CTでは異常は認められず，吸収補正前の画像を参照すると正常脳実質への集積を反映した所見とわかる．CTで吸収補正するために，定量値にも影響を及ぼす．

6）撮像

頭頂から大腿部（場合によっては足先まで）の撮像を行う．後期像（投与90～120分後）を追加することにより，生理的集積の変化，腫瘍病変への集積増加がみられることがあり，診断に有用である場合があるため，撮像スケジュールや人的余裕がある場合は有効活用する．

読影の際の注意点

❶ 検査前食事（血糖値，インスリン）の影響（図Ⅸ-A-4）

食後は血糖値，インスリン濃度の上昇により，FDGの体内分布が変わってしまう．空腹時と比較してFDGの心筋，全身骨格筋への取り込みが増加し，脳実質や肝臓などへの集積は低下する．バックグラウンドのカウントが上昇し，腫瘍集積が低下することにより，偽陰性を生じる原因となる．

❷ 動きや撮像時間による影響（図Ⅸ-A-5）

CTとPETの撮像タイミングが異なること，PETの撮像にはある程度の時間がかかることから，少なからず動きの影響を受ける．横隔膜付近では呼吸により，腸管では蠕動によりずれが生じることがある（図Ⅸ-A-6）．また，膀胱内には経時的に尿貯留が生じるため，FDGの描出がCTの形態と異なることがある．

❸ 吸収補正の影響（図Ⅸ-A-7）

PET/CTではCTで吸収補正しているため，人工物などの吸収値の高い構造部位では過補正されることがあり，偽陽性の原因となりうる．必要に応じて吸収補正前の画像も確認する．

❹ 病変の大きさの影響

病変へのFDGの集積度は，大きさの影響を受ける．機器や撮像条件の発達により改善されつつあるものの，小さな病変では集積が過小評価され

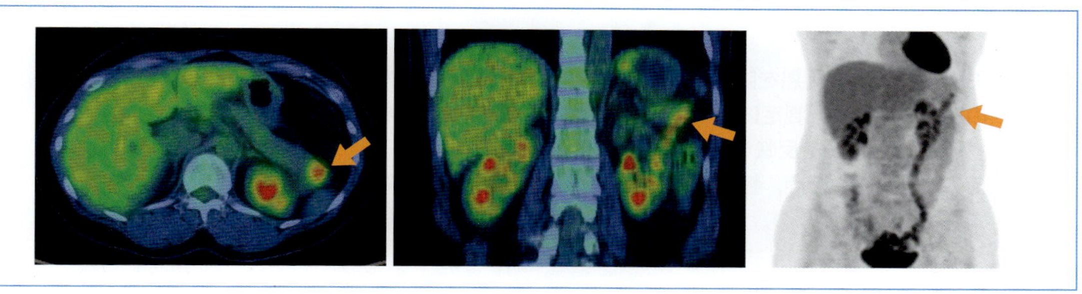

図Ⅸ-A-6 蠕動の影響
体軸断面(axial)画像ではあたかも膵尾部に限局性集積があるようにみえるが，冠状断面(coronal)像や最大値投影法(MIP)像を確認すると，連続性から腸管の生理的描出であることがわかる．

図Ⅸ-A-7 吸収補正の影響
肝内高吸収構造(lipiodol)に一致して集積亢進があるようにみえるが，吸収補正前の画像では集積がなく，吸収補正に伴うアーチファクト artifact と考えられる．

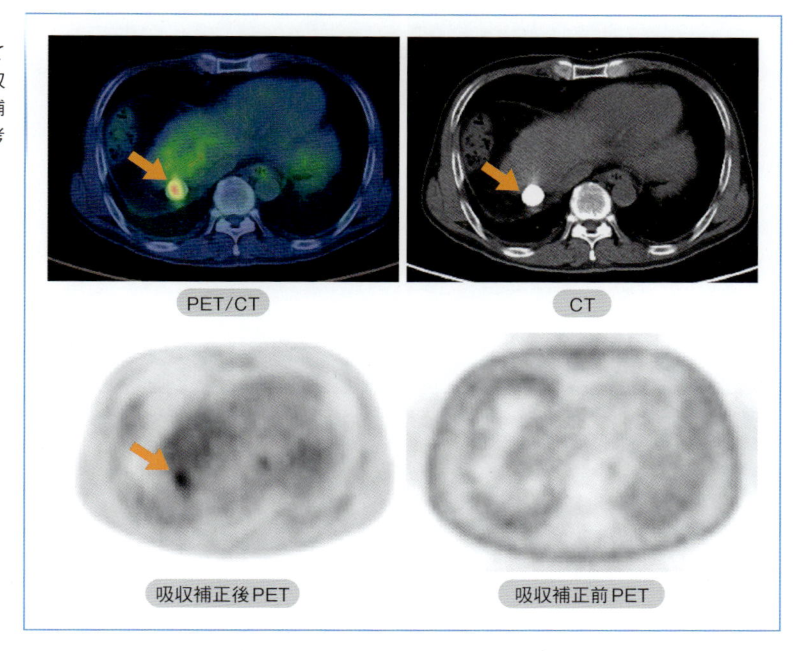

るので注意が必要である（図Ⅸ-A-8）．

❺ 生理的集積による偽陰性

生理的集積に関しては後の項で述べるが，それに伴い病変への集積が評価できないことがある．代表的なものには泌尿器系の悪性腫瘍が挙げられるが，その他，脳腫瘍，胃癌，結腸癌などが挙げられる．

小児では正常胸腺組織への集積が描出される．女性では月経周期により子宮内膜や付属器の集積がみられることがある．月経期や排卵期付近では注意が必要である．

❻ 特殊な癌

腫瘍細胞においては通常，グルコース-6-ホスファターゼ glucose-6-phosphatase の活性は低下しているが，分化型肝細胞癌や腎癌では glucose-6-phosphatase を有するものがあり，FDG-6-リン酸が再度脱リン酸化されて，細胞外に排出されることにより，偽陰性を呈することがある．

◆ 参考文献

1）日本核医学学会：FDG PET，PET/CT 診療ガイドライン 2020，2020
2）Gorospe, L et al：Whole-body PET/CT：spectrum

要点

- FDG PET/CT は早期胃癌を除くすべての悪性腫瘍で保険適用となっている.
- 現在のところ治療効果判定に関しては，悪性リンパ腫のみが保険適用となっている.
- FDG の集積は糖代謝を反映している（必ずしも悪性病変ではない）.
- 検査前の運動，絶食時間，糖尿病治療薬の使用などで FDG の体内分布が変わる.
- CT で吸収補正を行うため，体動や高吸収構造の影響で FDG 集積の見え方が変わることがある.

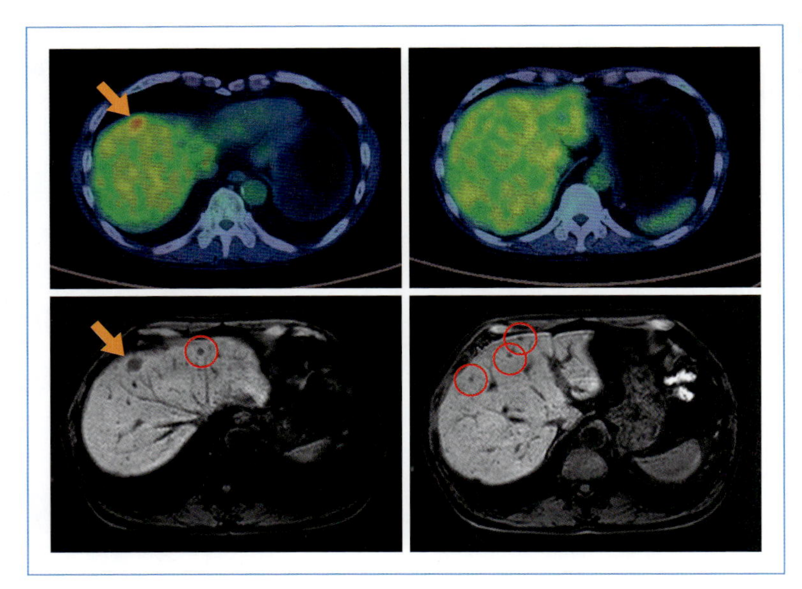

図IX-A-8　腫瘍の大きさの影響
膀胱癌の患者．EOB MRI（肝細胞造影相）では肝内に多数の低信号域を認め，多発肝転移が描出されている．PET/CT では肝 S4 の径 13 mm ほどの転移は描出されているが，それよりも小さな病変は背景肝の生理的集積に埋もれており，指摘困難．

of physiological variants, artifacts and interpretative pitfalls in cancer patients. Nucl Med Commun 26：671-687, 2005

3）Shammas, A et al：Pediatric FDG PET/CT：physiologic uptake, normal variants, and benign conditions. Radiographics 29：1467-1486, 2009

4）Culverwell, AD et al：False-positive upteke on 2-[18F]-fluoro-2-deoxy-D-glucose(FDG) positron-emission tomography/computed tomography (PET/CT) in oncological imaging. Clin Radiol 66：366-382, 2011

B 生理的集積

FDG PET の生理的描出について

FDG PET の生理的描出部位として，脳，口腔，咽頭扁桃部，喉頭，心筋，肝臓，脾臓，骨髄，胃，大腸，腎・尿管・膀胱，骨格筋などが挙げられる．男性では精巣，女性では子宮・卵巣・乳腺，小児では胸腺組織にもみられる．また，褐色脂肪組織への集積も生理的集積として挙げられる．

PET/CT 装置の改良によって，より小さな構造への集積が指摘できるようになってきた．最近の装置では，以前ではあまり気にならなかった下垂体，副腎，胸腰髄移行部付近などにも生理的集積がみられる頻度が多くなっている．読影の際には自施設の PET/CT 装置の特徴を把握し，どれくらいの生理的集積がみられるかを把握する必要がある．

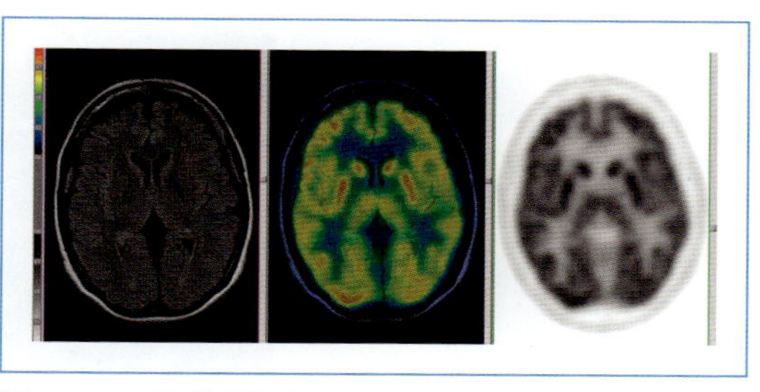

図Ⅸ-B-1 正常脳組織への集積

MRI(fluid-attenuated inversion recovery(FLAIR)画像)との重ね合わせ．血流量だけでなく酸素・グルコースの消費量も神経細胞の豊富な灰白質で高く，逆に白質では低くなる．よって脳へのFDG集積は灰白質で高く，逆に白質では低くなる．

脳神経系

脳はグルコースをエネルギー源として利用し，好気的な糖代謝を行っている．エネルギーの蓄積が行われないため，需要に応じて血流および利用される酸素やグルコース量も変化する．正常では，血流量だけでなく酸素・グルコースの消費量も神経細胞の豊富な灰白質で高く，逆に白質では低くなる（図Ⅸ-B-1）．血糖の影響を受けやすく，高血糖では脳への集積は低くみえる．脊髄では頸髄のほか，胸腰髄移行部付近で集積がみられることがある（図Ⅸ-B-2）．

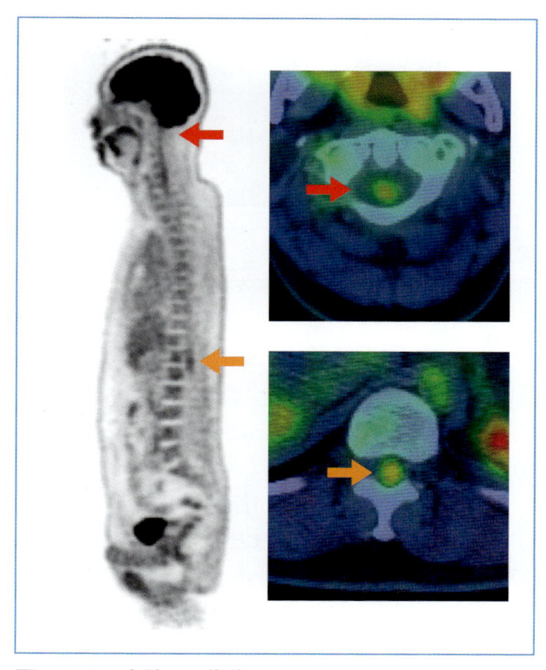

図Ⅸ-B-2 脊髄への集積

脊髄では頸髄のほか，胸腰髄移行部付近で集積がみられることがある．

頭頸部

外眼筋，上咽頭，口蓋，口蓋扁桃，舌扁桃，舌，耳下腺，顎下腺，舌下腺，喉頭に集積がみられることがあるが，通常は左右対称性である．

待機中に開眼している場合は外眼筋や眼瞼に，会話により喉頭部に，ものを噛むと咀嚼筋に，筋緊張により後頸筋や胸鎖乳突筋，頭長筋などの骨格筋に集積がみられる（図Ⅸ-B-3）．病変や治療の影響により反回神経麻痺が生じると，病側の集積が低下し，あたかも健常側に集積亢進があるようにみえる（図Ⅸ-B-4）．齲歯や副鼻腔炎などに

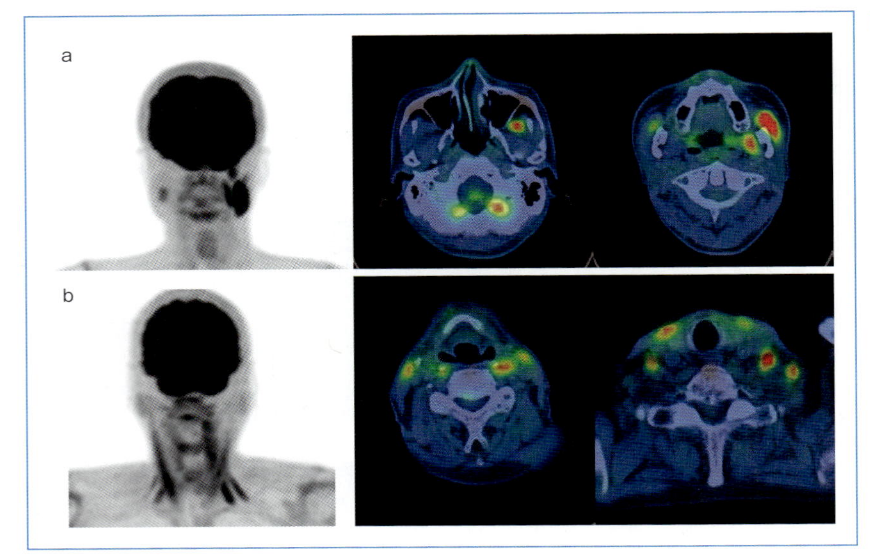

図IX-B-3　頭頸部骨格筋への集積

a：両側咬筋(左側優位)，左内側翼突筋，外側翼突筋に集積亢進を認める．
b：両側胸鎖乳突筋，頭長筋，前斜角筋，中斜角筋に集積亢進を認める．

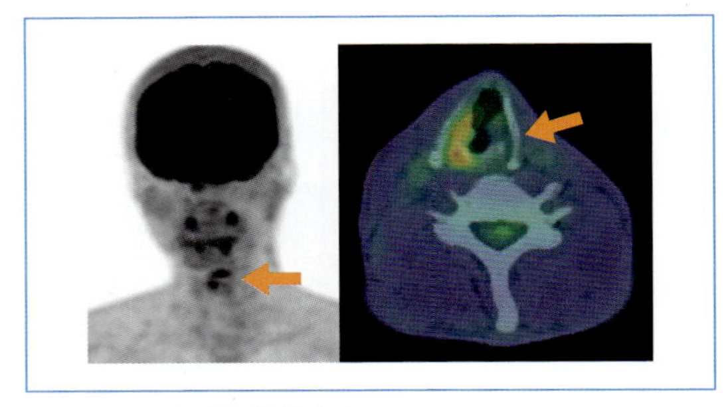

図IX-B-4　左反回神経麻痺

甲状腺全摘術後．声帯への集積に左右差を認める．左反回神経麻痺の所見．

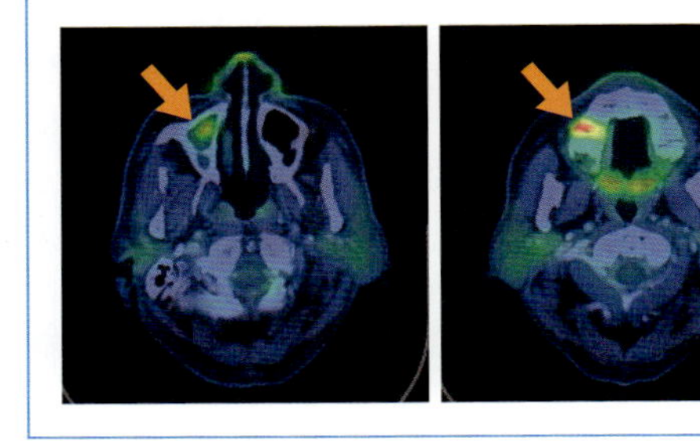

図IX-B-5　齲歯，副鼻腔炎

右上顎に集積亢進部位を認める．齲歯を反映した所見．上顎洞には液貯留を認め集積亢進を伴っている．副鼻腔炎を反映した所見と考える．

より炎症性集積がみられることもある（図IX-B-5）．

頸部ではしばしばリンパ節への非特異的な集積がみられる．集積がそれほど高くないこと，左右対称性であること，CTで小さいもしくは扁平なリンパ節が相当することなどが病的集積との鑑別の一助となる．

胸部

小児や若年成人では胸腺組織に生理的に集積を認める．化学療法後に一過性に胸腺組織に集積亢進を認めることもある（図IX-B-6）．

喫煙や結核・粉塵曝露の既往などにより，縦隔・肺門部のリンパ節に炎症性に集積亢進を認めることがある（図IX-B-7）．しばしば悪性病変との鑑別が困難なことがあるが，左右対称性であるか，CTでの形態（石灰化の有無や扁平かどうか）が判断の一助になりうる．

心筋は主なエネルギー源として脂肪酸および糖を用いるため，生理的にも集積を認めることがある．虚血や心筋症，炎症性疾患でも集積を認めるため，既往などを参考にする（詳しくは「III-D 心臓糖代謝イメージング」参照）．心房細動が原因で，右房や心外膜褐色脂肪への集積がみられることがある（図IX-B-8）．心房中隔の脂肪腫性肥大に集積がみられることがある．

食道胃接合部や下部食道にみられる集積は逆流性食道炎が原因のことが多いが，腫瘍性病変と鑑別を要することがある（図IX-B-9）．

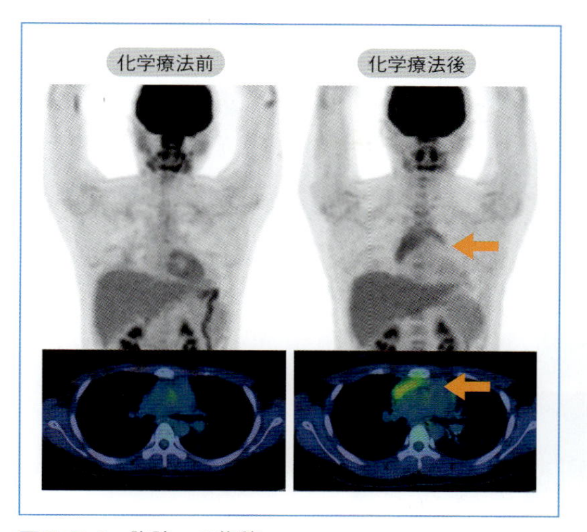

図Ⅸ-B-6 胸腺への集積
化学療法後に胸腺組織への集積亢進を認める.

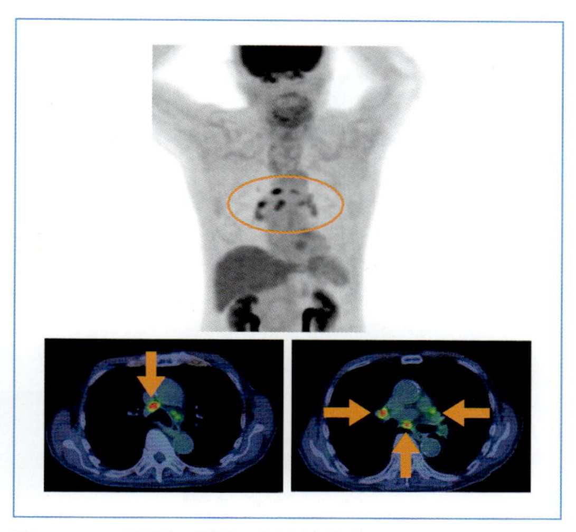

図Ⅸ-B-7 肺門・縦隔の炎症性集積
肺門・縦隔に左右対称性の集積を認める.

図Ⅸ-B-8 心筋・心房への集積
左室心筋にびまん性の集積を認めるが，通常は生理的である．心房への集積が目立つが，心電図でみられる心房細動が原因と考えられる.

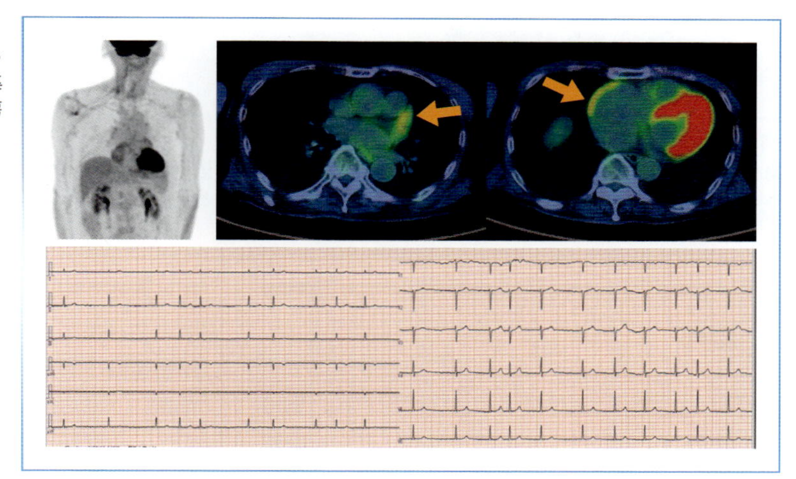

図Ⅸ-B-9 食道の集積
下部食道に連続性集積が認められる.
逆流性食道炎に伴う所見.

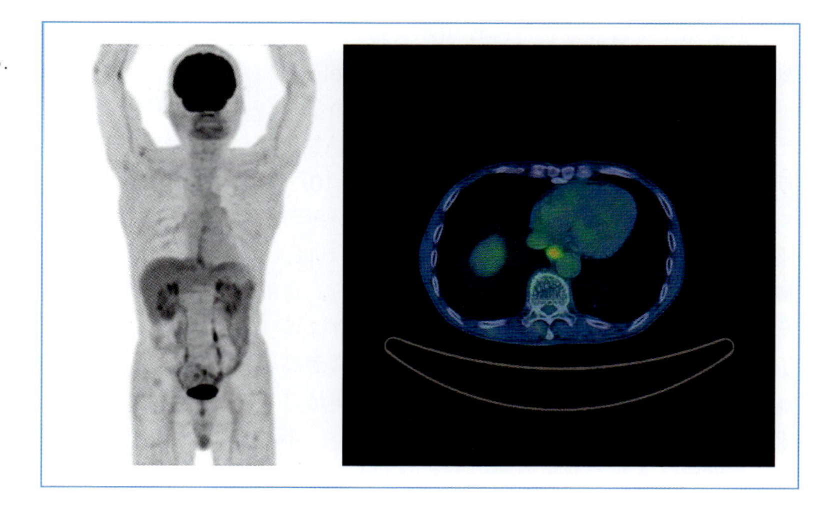

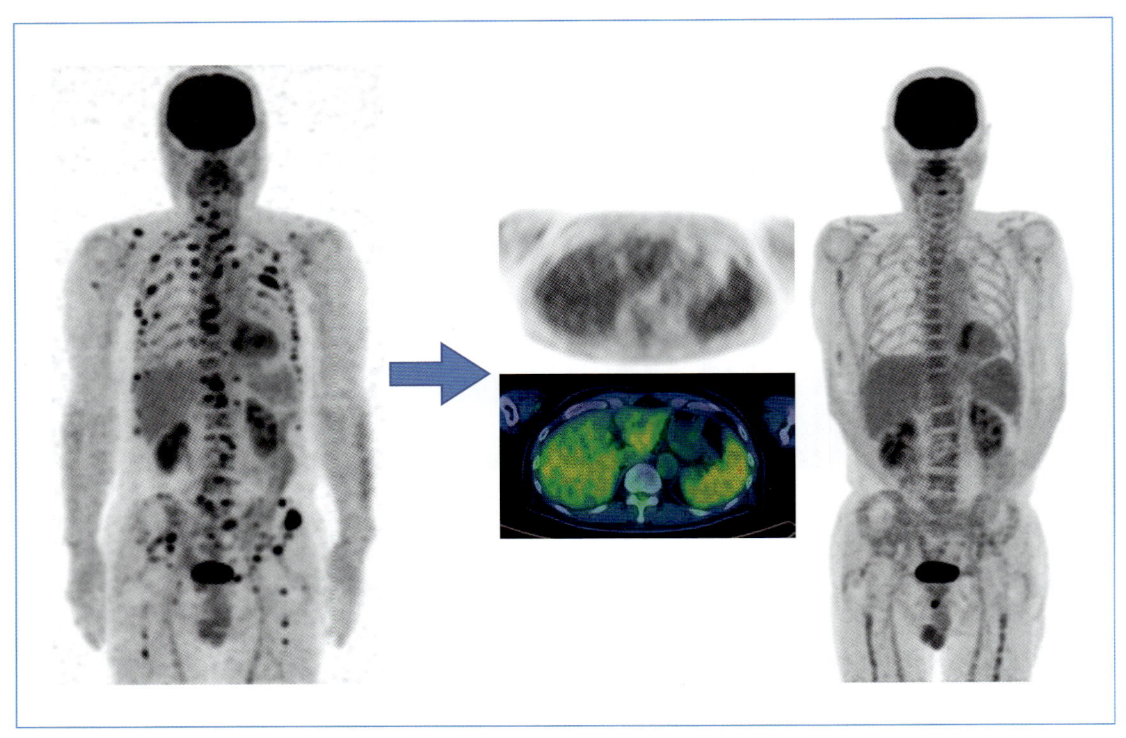

図IX-B-10　脾臓および体幹骨骨髄へのびまん性集積
急性リンパ性白血病治療前の画像では骨に多発する集積を認める．治療後は治療前と比べ骨髄に限局性集積は認められない．骨髄への均一な集積，脾臓へのびまん性集積は治療に伴う反応性の集積と考えられる．

腹部

肝臓への集積は悪性腫瘍や炎症性病変への集積との比較対象としてよく用いられる．通常，脾臓と比較して肝臓への集積の方が高い．横隔膜近傍で呼吸の影響を受けやすく，集積が不均一になることがある．全身的な炎症性疾患が背景にある，顆粒球コロニー刺激因子 granulocyte-colony stimulating factor（G-CSF）が投与されているなど，脾機能が亢進するようなバックグラウンドがある場合は脾臓の集積が亢進する（図IX-B-10）．

胃への集積は生理的にもみられることがある（図IX-B-11）．集積はびまん性のこともあれば，偏在しているケースもあり（穹窿部に多い），胃癌の評価は困難なことが多い．統計学的には *Helicobacter pylori* 菌に感染していると集積が高いという報告もある．十二指腸への生理的集積は球部から下行脚にかけてみられることが多い．小腸への集積はほとんど生理的であるが，まれに転移や悪性リンパ腫などの場合がありうる．結腸への集積は胆道への排泄，リンパ節組織への集積，蠕動運動の影響により描出される．便秘や下痢が背景にあると強い集積を示す（図IX-B-12）．限局性であれば病変を疑うが，後期像により移動するか，集積が減弱するかが診断の一助となる．

糖尿病治療薬であるメトホルミン塩酸塩を内服している患者では，FDGが腸管に排泄され，高集積がみられることが知られている．

腎・尿管・膀胱

FDG はブドウ糖と異なり尿細管で再吸収されず，尿路系へ排泄されるため生理的に描出される．通常，腎への集積は左右対称性であり，腎実質に比し，腎盂の描出が明瞭である．尿管では生理的狭窄部位に FDG の貯留がみられることがある（図IX-B-13）．排泄直後に撮像するが，経時的に尿貯留がみられるため CT でみられる膀胱の形態と集積範囲が一致しないことがあり，周囲臓

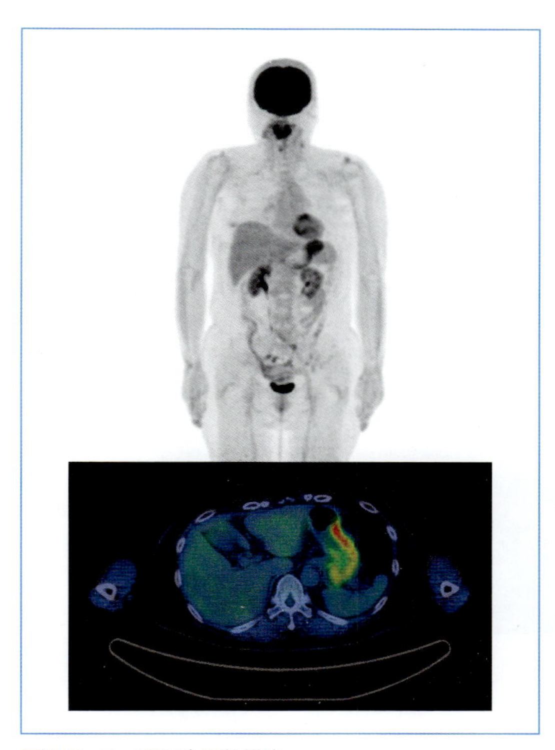

図Ⅸ-B-11 胃の生理的描出
胃穹窿部から体部に生理的な集積を認める.

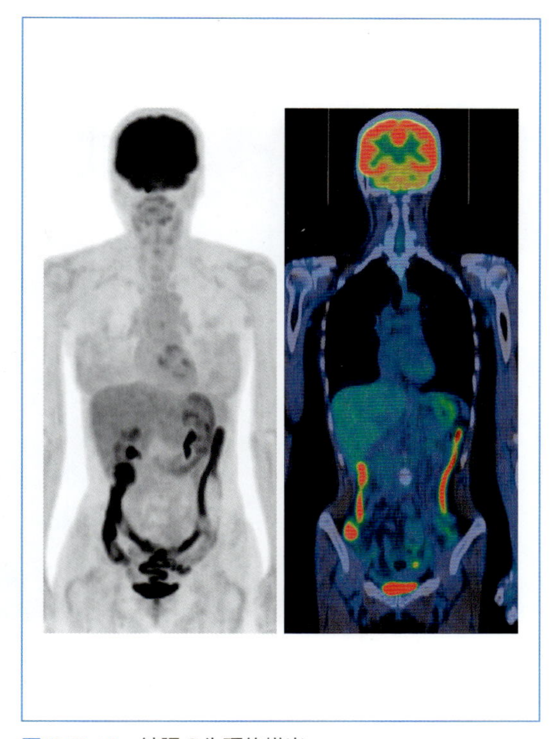

図Ⅸ-B-12 結腸の生理的描出
結腸には連続的に集積が認められる. 腫瘍や炎症性病変がなくても強く描出されることがある.

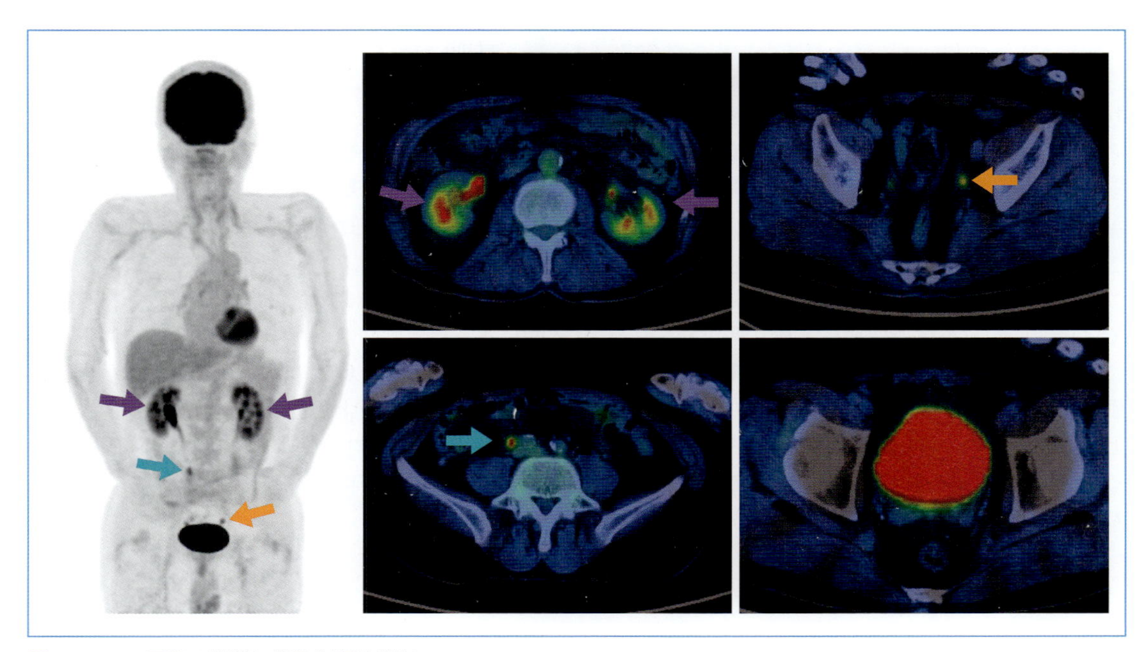

図Ⅸ-B-13 尿路の排泄に伴う生理的描出
腎盂, 尿管, 膀胱内の FDG が描出されている.

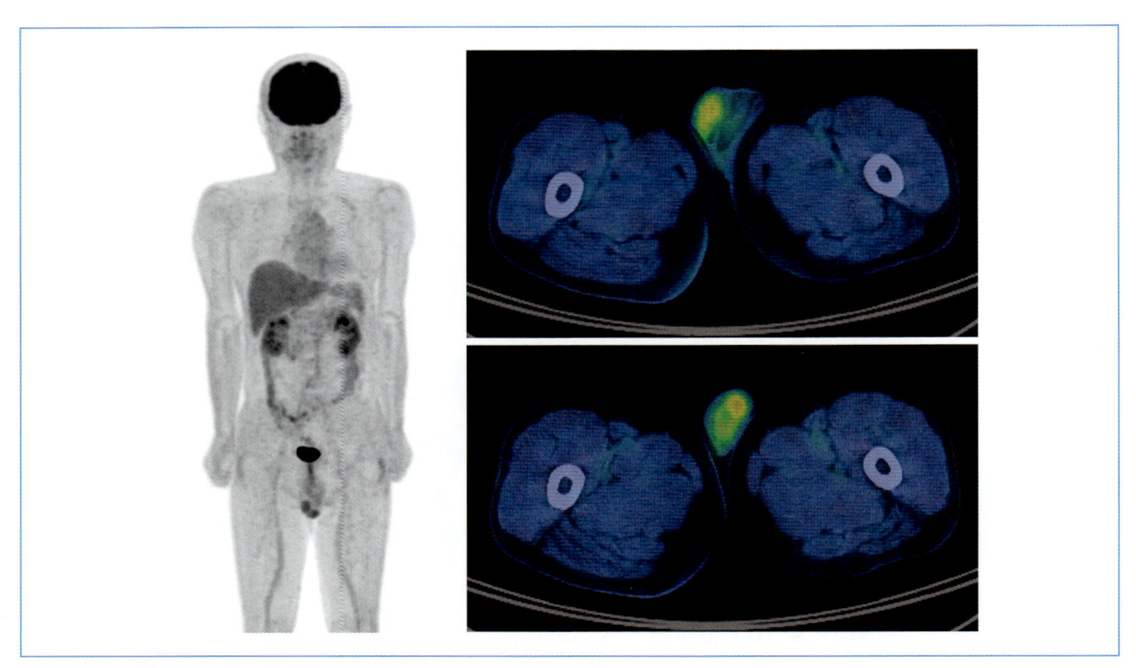

図Ⅸ-B-14　精巣への生理的集積
40歳代男性．両側精巣に集積を認める．

器の評価には注意が必要である．

精巣

精巣には生理的に集積を認める（図Ⅸ-B-14）．成人では加齢により集積が低下し，血中テストステロン値と集積程度が相関する．

子宮・卵巣・乳腺

子宮内膜では月経期および排卵期付近で，卵巣では排卵期から黄体形成期に集積亢進がみられることが多い（図Ⅸ-B-15）．子宮・卵巣病変の評価には，月経終了後から1週間以内に撮像することが望ましい．乳腺への集積は生理的に認められるが，閉経後は集積が低い傾向にある．問診により得られる最終月経開始日，月経周期，閉経などの情報は子宮・卵巣の集積を評価するうえで有用である．

骨髄，骨格筋，褐色脂肪組織

通常は赤色骨髄の分布に沿って軽度の集積を認める．全身性の炎症，貧血，G-CSFの使用などにより，骨髄機能が賦活化すると，体幹骨骨髄にびまん性の集積亢進が認められる（図Ⅸ-B-10）．筋肉の緊張や収縮に伴い骨格筋に集積するため，特にFDG投与後は安静が必要である．熱産生に関与する褐色脂肪組織への集積がしばしばみられることがあるが，CTで脂肪組織の確認が可能であり，多くは鎖骨上窩付近や頸部～胸部傍椎体領域にみられ左右対称性のことが多い（図Ⅸ-B-16）．寒冷時や若年女性に多いといわれている．

要点

- 脳，口腔，咽頭扁桃部，喉頭，肝臓，脾臓，骨髄，腹部腸管，腎・尿管・膀胱，骨格筋などに生理的描出が認められる．
- 男性では精巣，小児では胸腺組織に生理的描出が認められる．
- 女性では月経周期に伴い，子宮・卵巣の描出がみられることがある．
- 心筋への集積は生理的なことが多いが，病的にも集積しうるため病歴や症状があれば注意を要する．
- 褐色脂肪組織にも集積がみられることがある．

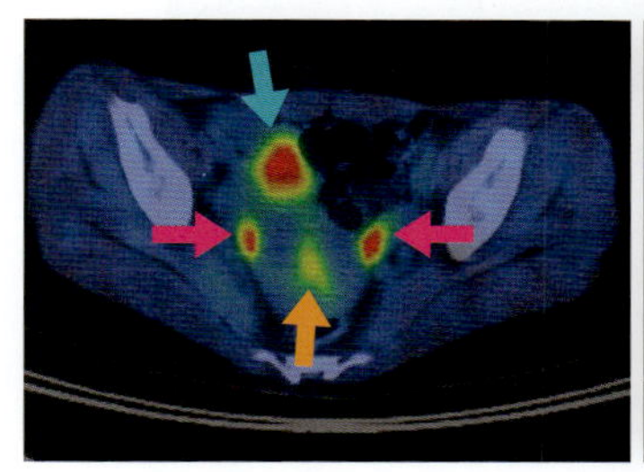
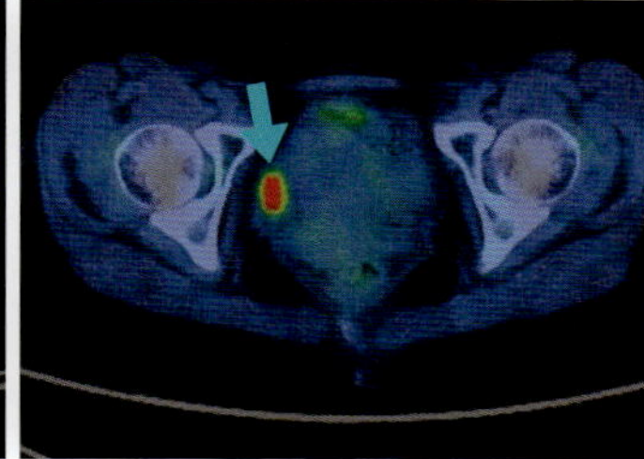
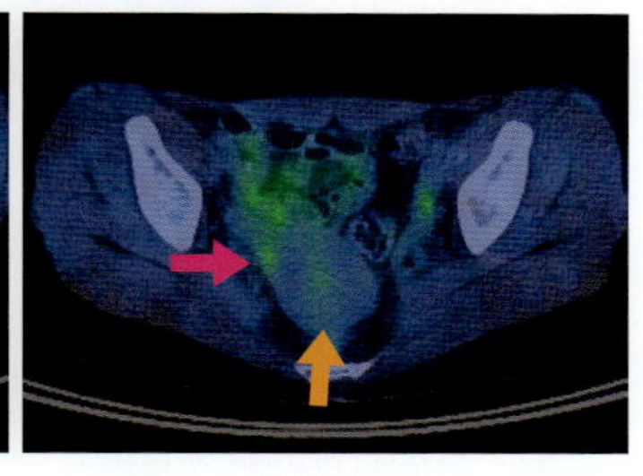

図Ⅸ-B-15 子宮内膜，卵巣の生理的集積

20 歳代女性．同一患者に 3 回 PET が行われたが，子宮内膜(➡)や卵巣(➡)，膀胱(➡)への生理的集積程度はその都度異なっている．

Note

腫瘍性病変に求められる FDG PET/CT の役割と実際の読影

初回検査においては，通常，原発巣の良悪鑑別・進展範囲の評価，リンパ節転移の存在診断，遠隔転移の存在診断に加え，重複癌有無の評価が求められる．

検診や原発不明癌の検出目的の検査，偶然みつかった重複癌などを除いて，原発巣に関しては，ほかの検査・画像診断にて病変が指摘されていることが多く，その病変が悪性なのか，どこまで進展しているのかを評価していくことになる．多くの悪性腫瘍では糖代謝が盛んであるため，FDG の集積が高いことが多いが，高分化癌(甲状腺，肺，肝臓，腎臓など)や粘液産生腫瘍，印環細胞癌，indolent lymphoma などでは集積がほとんどみられないこともある．また，良性腫瘍(髄膜腫，下垂体腺腫，多形腺腫，Warthin 腫瘍，神経原性腫瘍，副甲状腺腺腫，大腸腺腫など)，炎症などの良性病変にも集積亢進することがあり，集積の程度だけでは良悪鑑別が難しいことがある．病変の進展範囲に関しては，それ以前に行われている MRI や造影 CT などとあわせて評価することで，より正確な評価が可能となる．

リンパ節転移評価に関しての診断にも有用性が高いが，どの領域でも小さなリンパ節病変では検出できないことがあり，また反応性リンパ節への集積が偽陽性となりうる．CT の形態や造影効果，経過が一助となり，体表のリンパ節に関してはエコー検査とあわせて評価する．

遠隔転移の存在診断や重複癌の rule out に関しては，PET/CT の有用性は揺るぎないと思われる．しかしながら生理的集積がみられる臓器への転移に関しては検出が難しいことがあり，後述するように，特に脳転移検出に関しては，正常脳組織への生理的集積により評価困難なことが多いため，造影 MRI による評価が必要である．

原発不明癌の評価に関しては原発巣の検出が求められているが，全身を一度に検査できる PET/CT の有用性は高い．ほかの検査では検出困難であった原発巣の検出が可能なこともあるが，実際はみつからないことも少なくない．

そのほか，ほとんどの領域の悪性腫瘍においても，PET は治療効果判定，再発診断，予後予測に有用であるという報告がなされている．形態画像と比較し，早期に治療効果判定が可能という報告は多いが，2021 年 10 月の時点で悪性リンパ腫以外を対象にする場合，単純な治療効果判定に関しては保険適用が認められていないので注意を要する．また，手術や放射線治療により，特に早期では医原性の集積をきたすことがあり，残存病変との評価が困難なことがある．

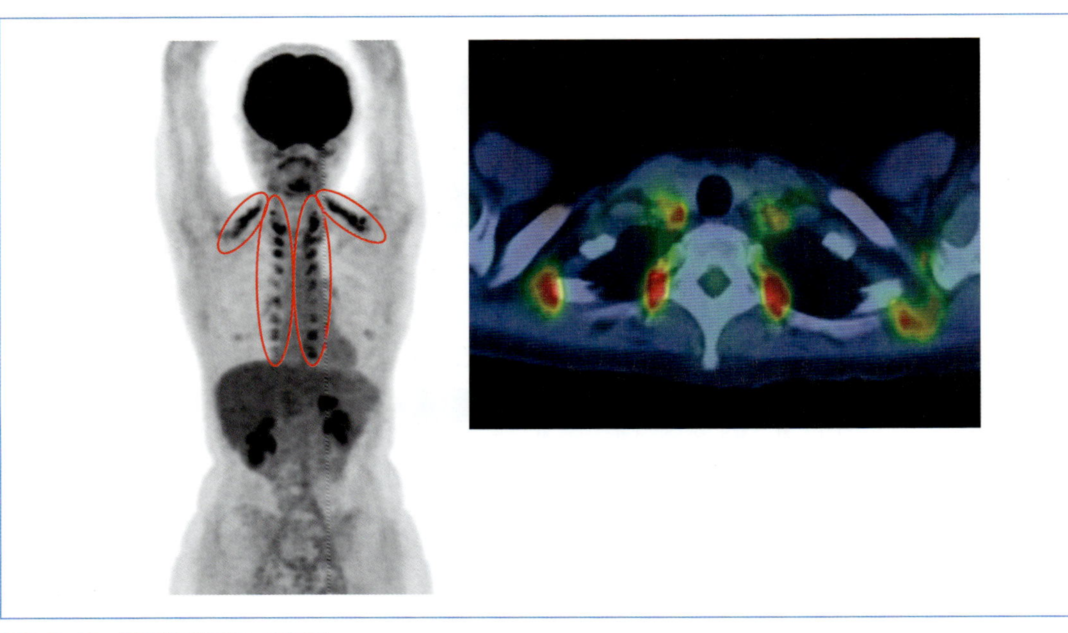

図IX-B-16　褐色脂肪組織への集積

40 歳代女性．両側下頸部や胸椎の椎体傍領域に左右対称性の FDG 集積亢進を認め，CT では脂肪組織に相当．褐色脂肪組織への生理的集積．

読影の鍵　悪性腫瘍と良性腫瘍，生理的集積との鑑別

結腸への集積は生理的にもみられることがあり，時に病変との鑑別が難しいことがある．後期像を追加することにより，再現性を確認することで，病的集積の確診度が上がる．生理的集積は，分節状もしくは連続的な描出を示すことが多く，後期像で集積形態や程度が変化することがある．

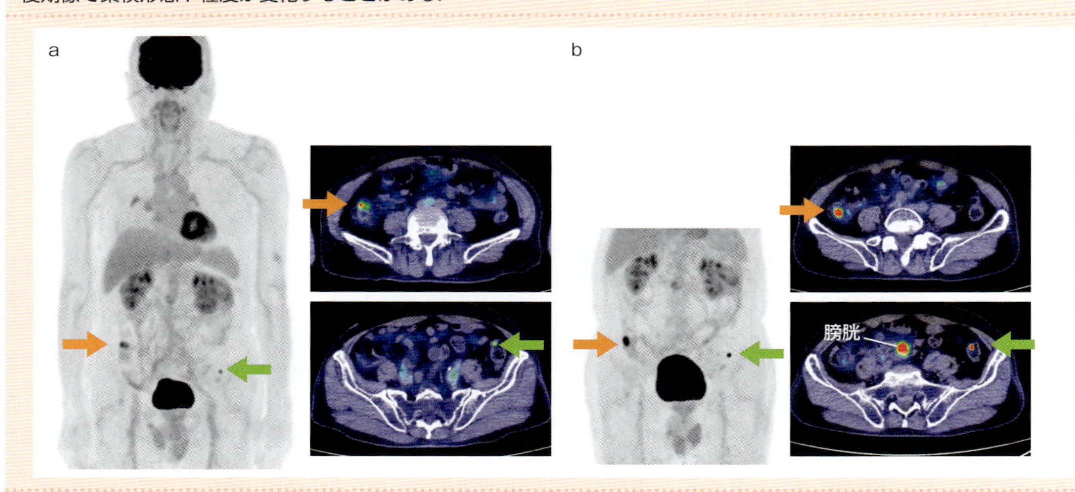

a：FDG 投与後 60 分で撮像された画像．最大値投影法 maximum intensity projection (MIP) 像で両側腹部に集積があり，PET/CT の水平断像では上行結腸 (standardized uptake value (SUV) $_{max}$ 6.14)，S 状結腸 (SUV$_{max}$ 4.85) に相当することが分かる．

b：FDG 投与後 90 分で撮像された後期像で，上行結腸 (SUV$_{max}$ 11.53)，S 状結腸 (SUV$_{max}$ 16.19) の両方の集積に再現性が認められ，病的集積が考えられた．

後に行われた内視鏡検査では 20 mm 大の無茎性隆起型ポリープ，10 mm 大の表面隆起型ポリープが確認された．病変があることが確認できるが，集積程度での腺腫と癌の鑑別は困難である．

C 脳

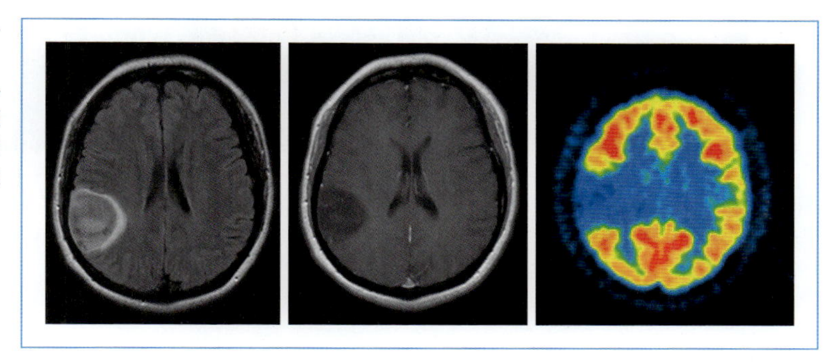

図Ⅸ-C-1　低悪性度神経膠腫 diffuse astrocytoma（WHO grade Ⅱ）
MRI fluid-attenuated inversion recovery（FLAIR）像にて右頭頂葉から側頭葉に腫瘤性病変を認める．造影後の増強効果は乏しい．FDG PET では集積低下領域として指摘できる．

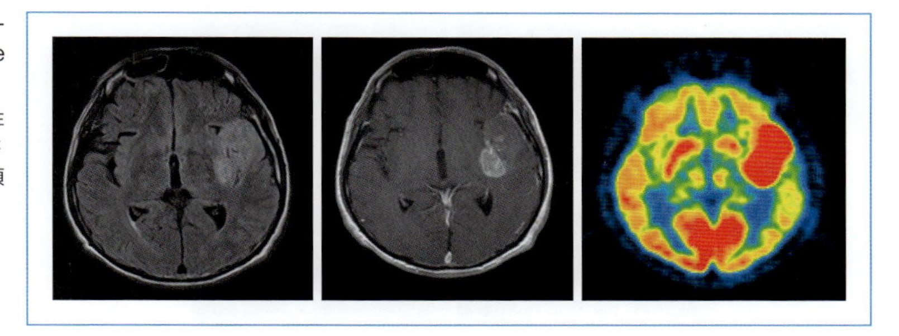

図Ⅸ-C-2　高悪性度神経膠腫 anaplastic astrocytoma（WHO grade Ⅲ）
MRI FLAIR 像にて左側頭葉に腫瘤性病変を認める．造影後不均一に増強されている．FDG PET では集積亢進領域として指摘できる．

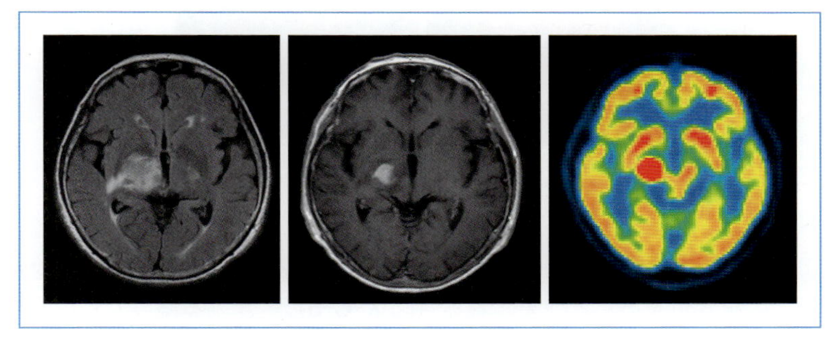

図Ⅸ-C-3　中枢神経原発悪性リンパ腫
MRI FLAIR 像にて右大脳脚を主体とした高信号病変を認める．造影後強い増強効果を示す病変に一致するように FDG の強い集積を認める．

脳腫瘍

脳実質には生理的に FDG が非常に強く集積するため，特に小さな脳病変への集積評価は困難である．また正確な腫瘍範囲の評価も困難である．原発性脳腫瘍の多くを占める神経膠腫に関しては，FDG集積と悪性度が相関することが知られており，低悪性度の神経膠腫であれば正常脳実質よりも低集積領域として描出されることが多い（図Ⅸ-C-1）．腫瘍により浮腫が生じていると，その領域も低集積領域として描出される．高悪性度の神経膠腫であれば，正常脳実質よりも強い集積を示すことが多いが（図Ⅸ-C-2），高集積を示す病変の鑑別としては悪性リンパ腫（図Ⅸ-C-3），転移性脳腫瘍（図Ⅸ-C-4），脱髄性疾患の一部，脳膿瘍が挙げられる．転移性脳腫瘍に関しても同様に，小さな病変は評価困難であり，造影 MRI での診断が標準となる．しかしながら，PET/CT の読影の際には，大きな脳転移を見逃すことがない

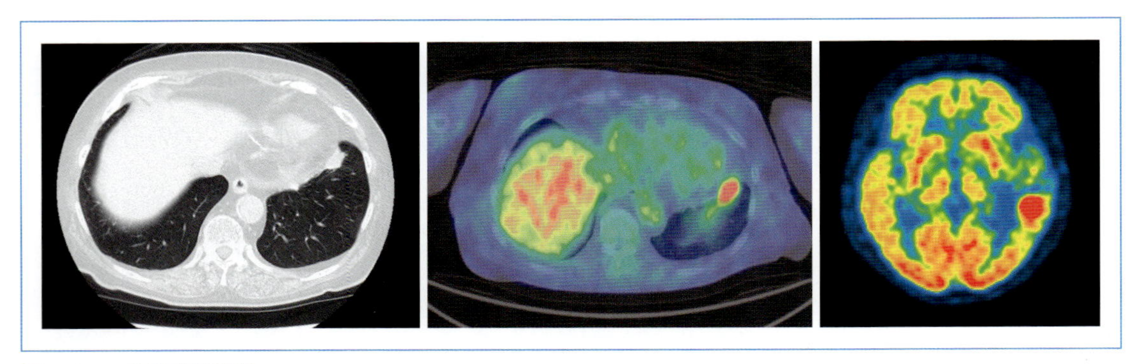

図IX-C-4　転移性脳腫瘍
左肺下葉の結節に強い集積を認める．原発性肺癌の所見．左側頭葉の脳転移病変にも強い集積を認める．

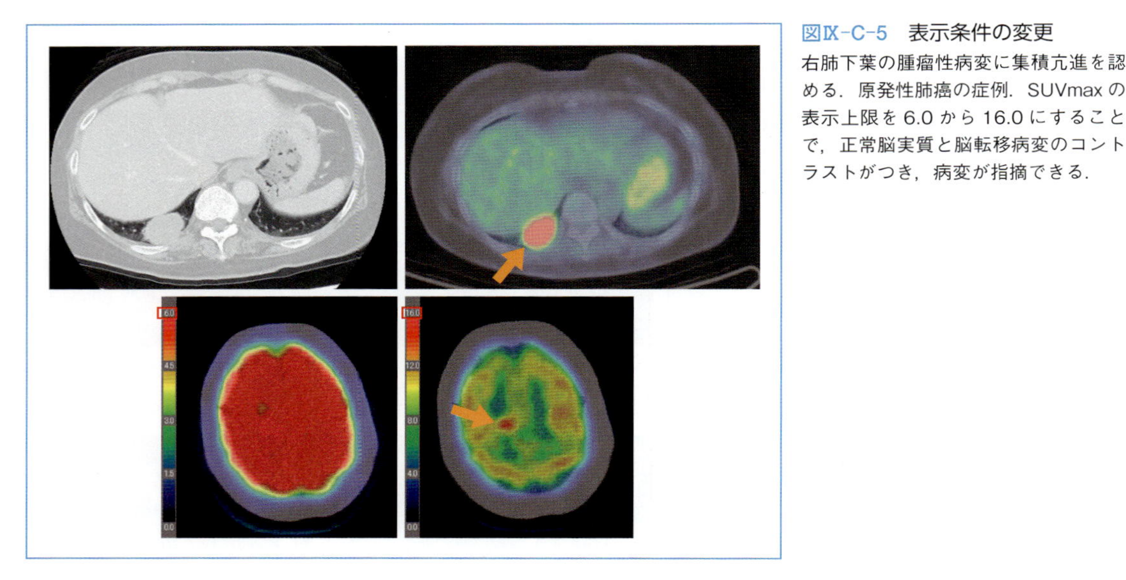

図IX-C-5　表示条件の変更
右肺下葉の腫瘤性病変に集積亢進を認める．原発性肺癌の症例．SUVmaxの表示上限を6.0から16.0にすることで，正常脳実質と脳転移病変のコントラストがつき，病変が指摘できる．

ように，standardized uptake value（SUV）の表示上限を変更することが望まれる（図IX-C-5）．そのほか，集積亢進を呈することの多い腫瘍として，髄膜腫，下垂体腺腫，胚細胞腫などが挙げられる．

脳腫瘍の評価に関しては正常脳実質への集積が少ないトレーサが望まれる．^{11}C-methionine，^{11}C-choline，^{18}F-フルオロチミジン fluorothymidine（^{18}F-FLT）などがその代表例だが，現在のところ保険適用はできない．中でも^{11}C-methionineの研究は進んでおり，その集積は腫瘍範囲をより適切に描出するといわれている．また，治療後の再発（図IX-C-6）・壊死（図IX-C-7）の鑑別にも有用性が高い．しかしながら，^{11}Cの物理学的半減期は約20分であり，サイクロトロンがある施設でしか検査を行うことができない．

神経膠腫の中でも最も悪性度の高い膠芽腫では，病理学的に壊死がみられる．よって低酸素領域を描出するトレーサである^{18}F-フルオロミソニダゾール fluoromisonidazole（^{18}F-FMISO）などを用いることにより集積が認められ，より正確なグレード分類が可能となると考えられている（図IX-C-8）．

◆ 参考文献

1）Kaschten, B et al：Preoperative evaluation of 54 gliomas by PET with fluorine-18-fluorodeoxyglucose and/or carbon-11-methionine. J Nucl Med

要点

- 脳実質への生理的集積により，脳腫瘍に対する FDG PET の有用性は限られる．
- FDG が高集積を示す病変として，高悪性度の神経膠腫，悪性リンパ腫，転移性脳腫瘍，脳膿瘍などが挙げられる．
- ^{11}C-methionine PET は腫瘍範囲の描出，再発・壊死の鑑別に有用である．
- ^{18}F-FMISO PET は膠芽腫の診断に有用である．

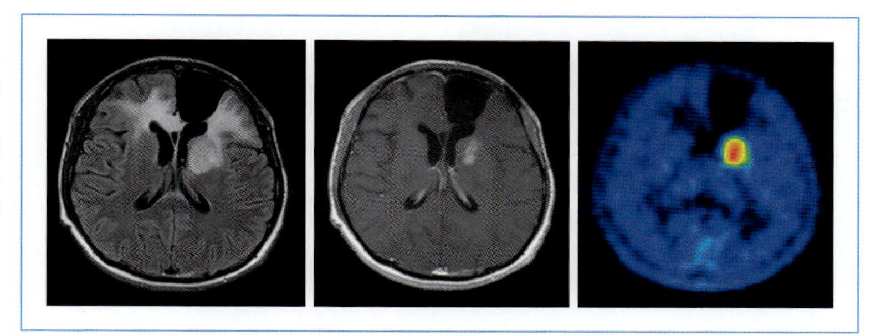

図Ⅸ-C-6 神経膠腫の再発
神経膠腫(anaplastic oligoastrocytoma)に対する術後．左前頭葉術後部位周囲に MRI FLAIR 像で高信号域を認める．造影 MRI では左基底核に増強される病変が認められる．^{11}C-methionine の強い集積が認められ，再発病変と考えられる．

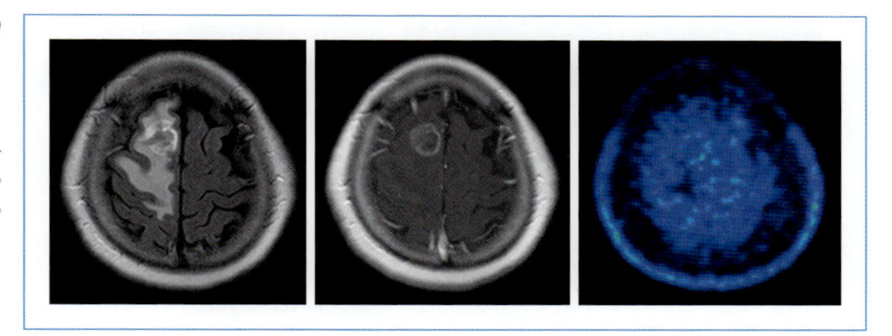

図Ⅸ-C-7 放射線性壊死(肺癌の脳転移)
肺癌の脳転移に対する放射線照射後．MRI で増強される腫瘤性病変が出現，再発病変との鑑別のため ^{11}C-methionine PET を施行．有意な集積は認められない．その後の経過で縮小が認められた．

39：778-785, 1998
2) Pirotte, B et al：Integrated positron emission tomography and magnetic resonance imaging-guided resection of brain tumors：a report of 103 consecutive procedures. J Neurosurg 104：238-253, 2006
3) Terakawa, Y et al：Diagnostic accuracy of ^{11}C-methionine PET for differentiation of recurrent brain tumors from radiation necrosis after radiotherapy. J Nucl Med 49：694-699, 2008
4) Hirata, K et al：^{18}F-Fluoromisonidazole positron emission tomography may differentiate glioblastoma multiforme from less malignant gliomas. Eur J Nucl Med Mol Imaging 39：760-770, 2012

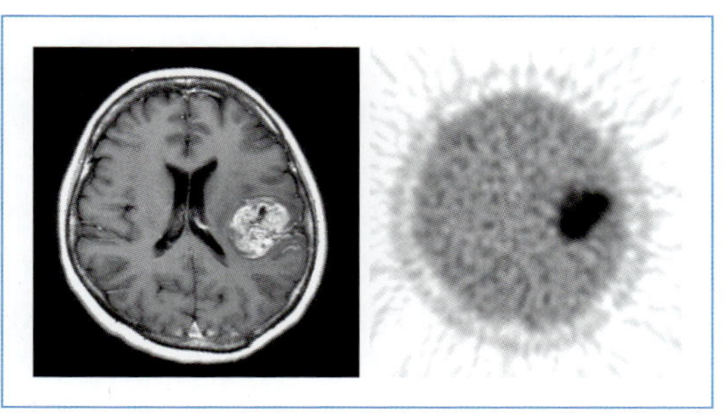

図Ⅸ-C-8 glioblastoma(WHO grade Ⅳ)
左前頭葉から頭頂葉に腫瘤性病変を認める．^{18}F-FMISO PET では強い集積を認め，低酸素状態を反映していると考えられる．

D 頭頸部

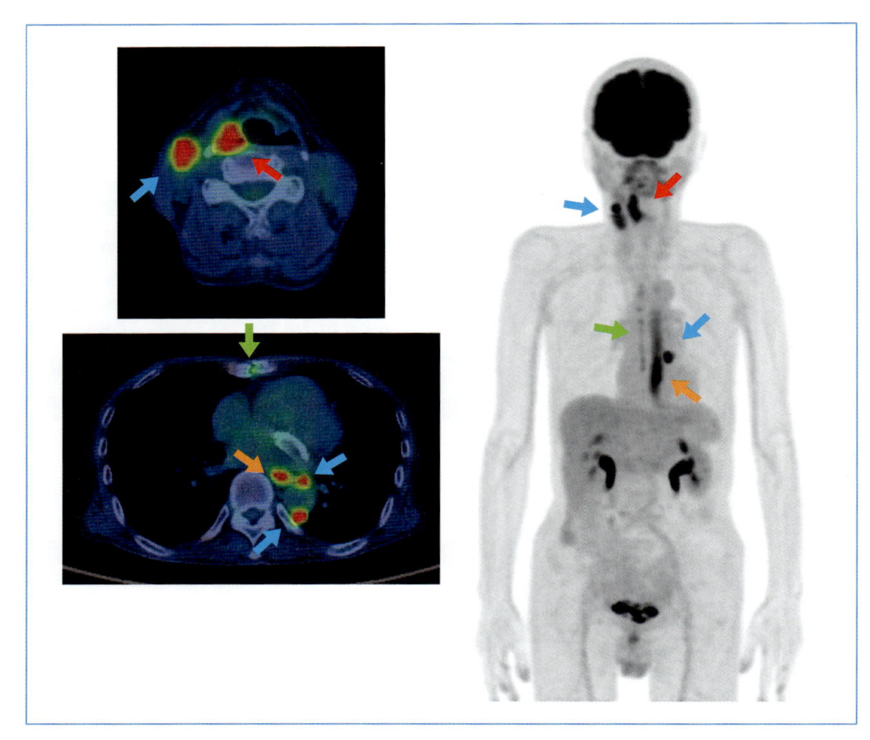

図IX-D-1 重複癌（下咽頭癌＋食道癌）
右梨状陥凹にSUVmax＝11.3，食道にSUVmax＝13.2までの集積亢進を認め，重複癌の診断.
頸部，胸部に多発リンパ節転移を認める．僧帽弁置換術のため胸骨正中切開術後であり，胸部正中に連続性の集積を認める.
➡は下の咽頭癌，➡は食道癌，➡はリンパ節転移，➡は正中切開後.
SUV：standardized uptake value

頭頸部癌

頭頸部癌の原発巣は大きく，口唇および口腔，鼻腔および副鼻腔，上咽頭，中咽頭，下咽頭，喉頭，唾液腺に分けられる．咽頭，喉頭，鼻腔，口腔，舌などの上皮由来の腫瘍であれば，通常，原発巣は視診や触診，内視鏡，生検により診断されることがほとんどである．原発巣のT因子の評価には，より解像力の高いCTやMRIで行われるため，初回評価時のFDG PET/CTの主な役割は原発巣の進展範囲評価の一助や転移性病変の検出ということになる．また，重複癌の検出にも有用である．喫煙や飲酒が危険因子のことが多いこともあり，PET検査により頭頸部癌患者においては重複癌が10～20%に発見されるとされている（肺，頭頸部，食道などが多い）（図IX-D-1）.

リンパ節転移に関しては，PETの診断能は高く，感度70～80%程度，特異度80～90%程度と報告されている．ただし，陰性適中率は80%前後であり，特に術前臨床的リンパ節転移陰性（cN0）症例の評価は慎重に行う必要がある．臨床的には超音波検査と組み合わせてリンパ節転移の評価を行うことになる．炎症性リンパ節がしばしば偽陽性の原因となるため，リンパ節の形態，部位，経過などと併せて評価する必要がある.

PETでは全身を一度に評価することもあり，CTよりも遠隔転移の検出能は高い（図IX-D-2）．特に上咽頭癌は遠隔転移をきたしやすく，肺，肝，骨，縦隔リンパ節への転移が多い.

頸部転移でみつかる原発不明がんにおいても，PETによる原発巣の検出が有用とされているが，発見頻度は25%程と報告されている（図IX-D-3）.

再発病変においても強い集積を示すことが多く，特にリンパ節転移再発検出に優れている（図

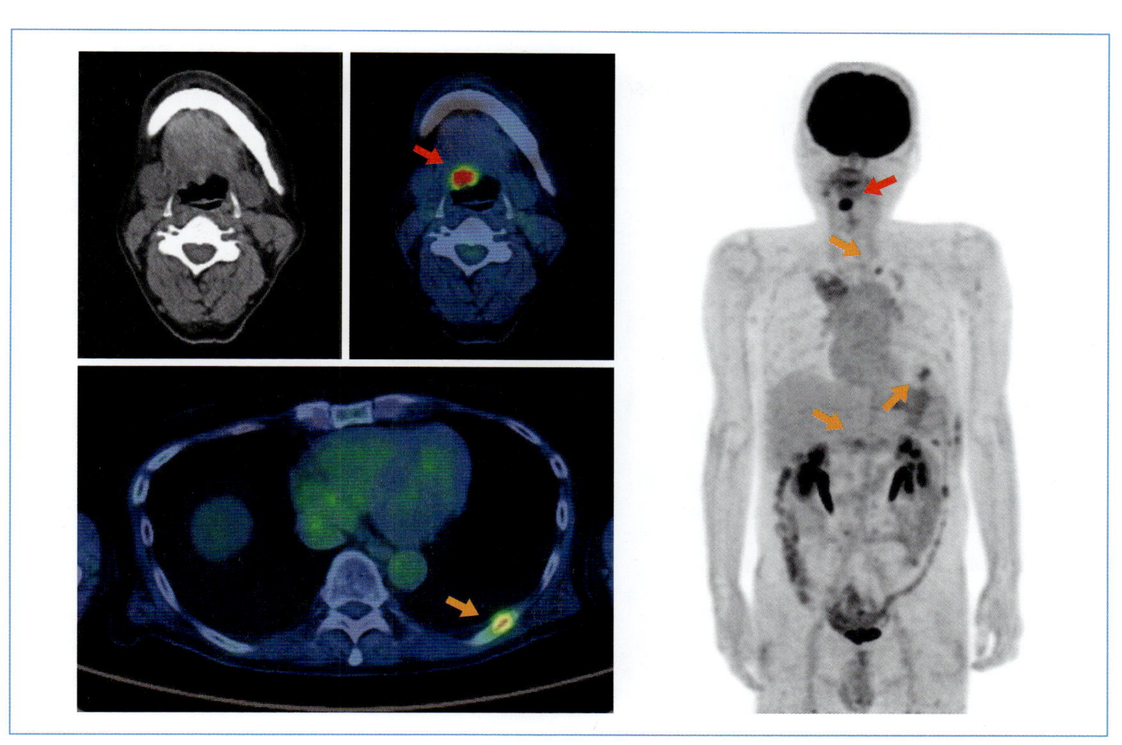

図Ⅸ-D-2 上咽頭癌＋多発骨転移
➡は上咽頭癌，➡は骨転移．

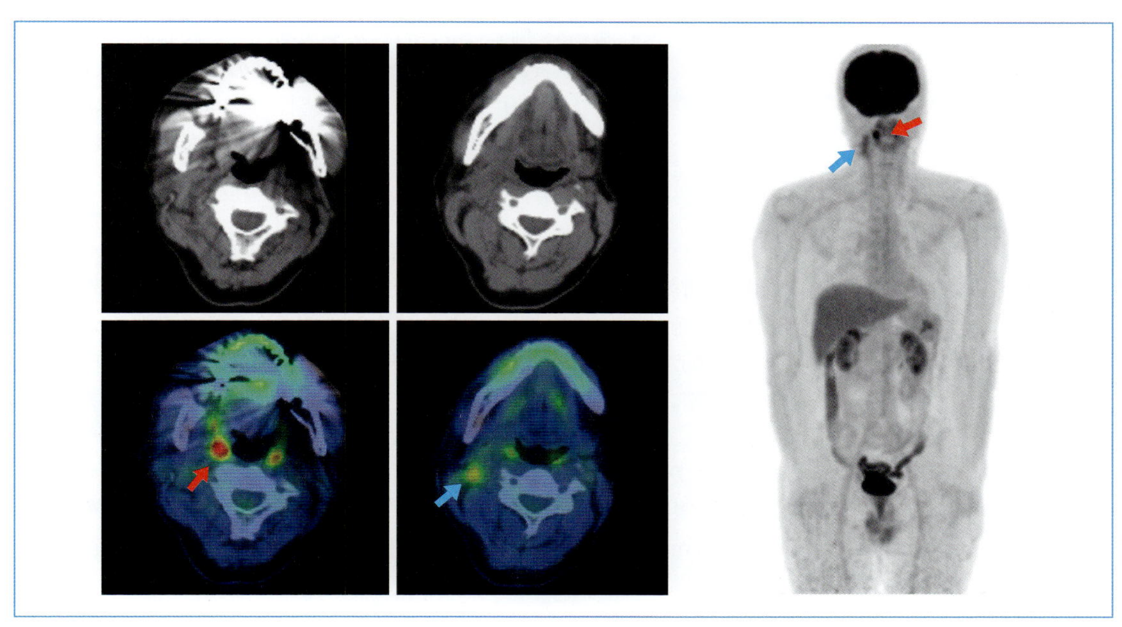

図Ⅸ-D-3 原発不明癌から中咽頭癌の診断
右頸部リンパ節腫脹に対し生検を行ったところ扁平上皮癌が検出された．原発不明癌としてPET/CT撮像．右扁桃への集積が対側に比して強く，中咽頭癌が疑われた（SUVmax＝7.7）．扁桃摘出術施行され，扁平上皮癌の診断となった．
➡は中咽頭癌，➡はリンパ節病変．

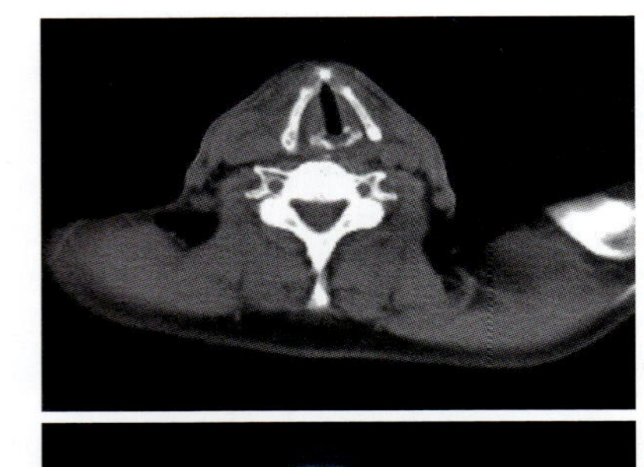

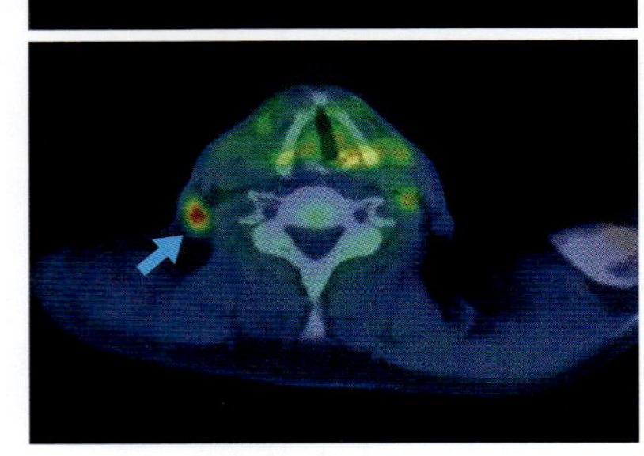

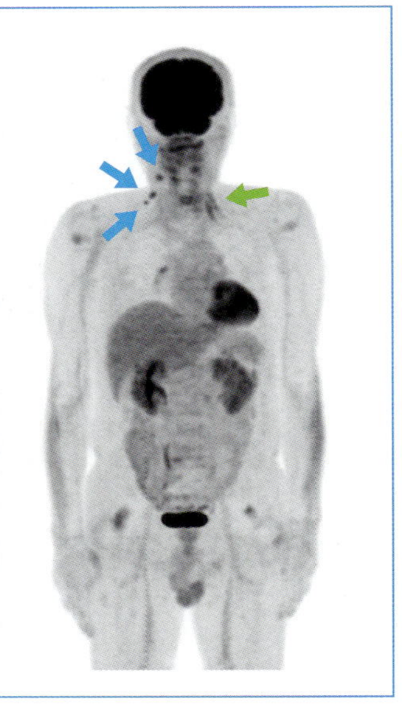

図IX-D-4　下咽頭癌再発（リンパ節）
下咽頭癌化学放射線療法（CRT）後．リンパ節転移への集積亢進（SUVmax＝4.7 まで）を認め，再発の所見．左頸部の集積は斜角筋の生理的描出．
➡はリンパ節転移，➡は斜角筋．

IX-D-4）．頭頸部癌の治療では手術，化学療法および放射線療法が行われるが，特に術後は解剖学的構造が変化するため，形態画像での再発診断が難しいことがあり，FDG PET/CT による評価が有用であると考えられる．放射線化学療法後早期（4～7 週）に効果判定を行うと，治療に伴う炎症により偽陽性になることがあるので，治療後評価は 12 週以上空けて行うのが望ましい．

咽頭

❶ 病期分類のポイント

上咽頭癌では原発巣が周囲（傍咽頭間隙，頭蓋骨，副鼻腔など）に進展しているかを評価する．リンパ節転移に関しては，片側性であるか，6 cm より大きなリンパ節があるか，鎖骨上窩に転移があるかどうかを判断する．

中咽頭癌では p16 免疫染色の結果によりステージングが変わる．中・下咽頭癌では周囲組織への浸潤の有無のほか，病変のサイズが 2 cm，4 cm を超えるかでも T 分類が変わる．下咽頭癌ではいくつの亜部位（輪状後部，梨状陥凹，咽頭後壁）にまたがっているかもポイントとなる．リンパ節転移に関しては，単発であるか，原発巣に対して同側・両側・対側であるか，3 cm，6 cm より大きなリンパ節があるかを判断する．

❷ 読影のポイント

咽頭悪性腫瘍に関しては扁平上皮癌が多いため，通常は FDG の強い集積を認める（図IX-D-5）．生理的もしくは炎症性集積が偽陽性となりうるため，CT や MRI とあわせて原発巣の進展評価を行う．特に傍咽頭間隙への浸潤評価に有用なことがある．リンパ節転移の頻度が高く，PET の有用性は高いが，反応性リンパ節（左右対称性のことが多い）への集積には注意が必要である．

上咽頭癌は低分化型扁平上皮癌が多く，上壁および Rosenmüller 窩に好発する（図IX-D-6）．中咽頭癌で最も発生頻度の高い部位は側壁であり，診断時に進行癌であることが多い．特に癌が咽頭正中を越えて進展する場合には，両側リンパ節転移にも注意が必要である（図IX-D-3）．下咽頭癌は進行性で，広範な局所進展を示すことが多く，発症時に半数を超えてリンパ節転移がみつかり，遠隔転移もまれではない（図IX-D-7）．

喉頭

❶ 病期分類のポイント

喉頭癌の T 分類は原発巣がどこに存在するか（声門上部，声門，声門下部）で異なる．声帯運動が正常かどうかは画像からは判断できないた

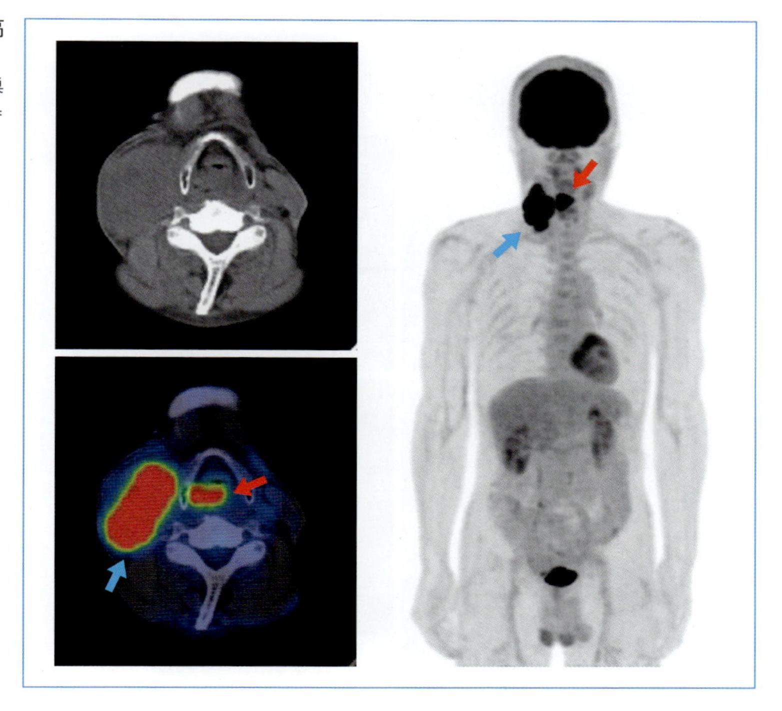

図Ⅸ-D-5 扁平上皮癌への FDG の高い集積
下咽頭癌＋右頸部リンパ節転移．原発巣は SUVmax＝32.6，転移巣は SUVmax＝41.2 と非常に高い集積を示している．
➡は下咽頭癌，➡は右頸部リンパ節転移．

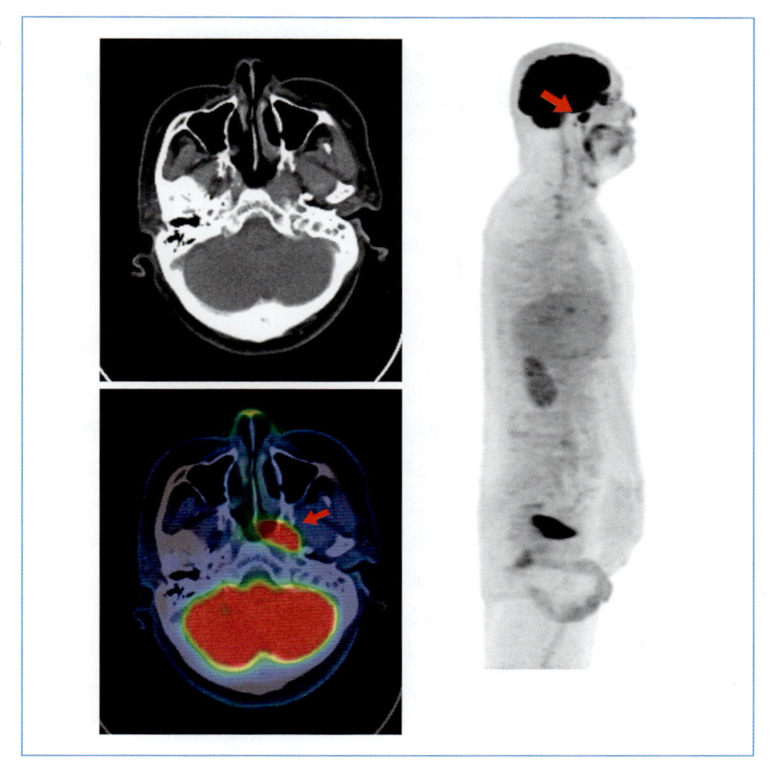

図Ⅸ-D-6 Rosenmüller 窩近傍から発生した上咽頭癌
➡は上咽頭癌．

め，腫瘍が限局しているか，周囲組織や臓器（傍声帯間隙，輪状軟骨，甲状軟骨，前頸筋群，甲状腺，食道など）に浸潤しているかを評価する．リンパ節転移に関しては，単発であるか，原発巣に

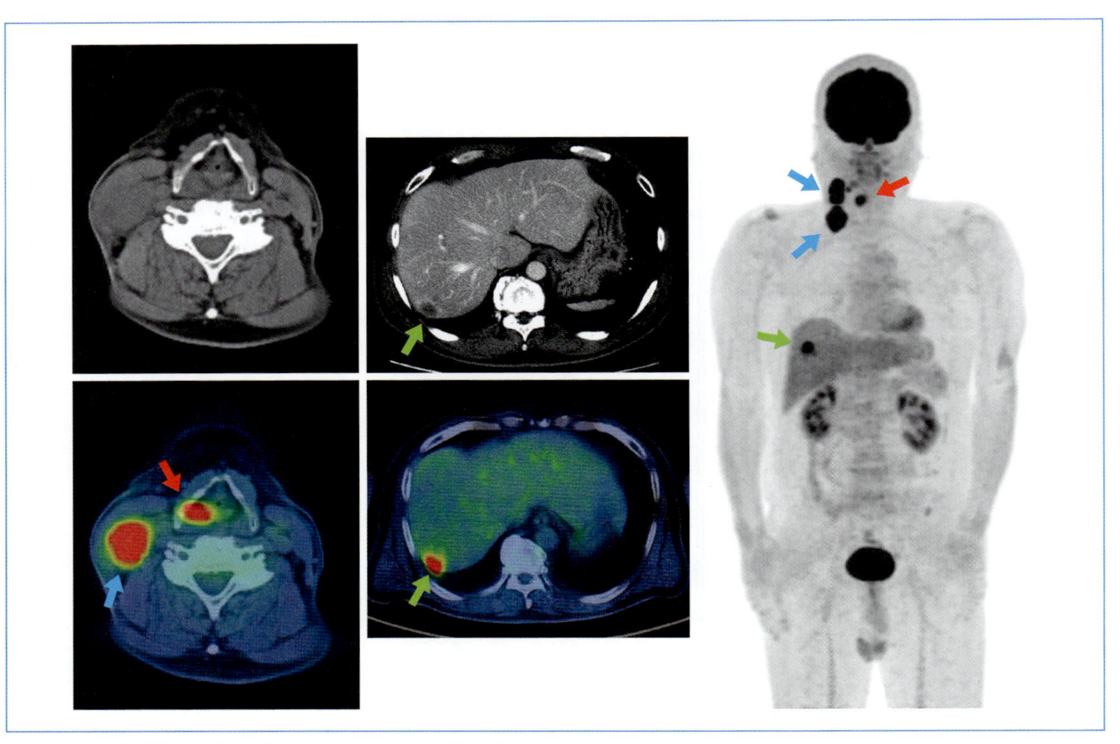

図Ⅸ-D-7　診断時に遠隔転移をきたしていた下咽頭癌
右梨状陥凹に SUVmax＝10.1 の限局性集積を認め，下咽頭癌の原発巣と考えられる．頸部リンパ節転移を認める．肝臓 S7 に SUVmax＝11.8 の集積あり，遠隔転移の診断（呼吸性変動のため集積の位置は若干ずれている）．直後に撮られた造影 CT では ring 状の増強効果を伴う結節性病変が確認できる．
➡は原発巣，➡はリンパ節転移，➡は肝転移．

対して同側・両側・対側であるか，3 cm，6 cm より大きなリンパ節があるかを判断する．

❷ 読影のポイント

喉頭腫瘍は発生部位により，声門癌，声門上癌，声門下癌に分けられる．頻度は，声門部，次いで声門上部が高く，声門下部はまれである（図Ⅸ-D-8）．扁平上皮癌が多いため，通常は FDG の強い集積を認める．病変のサイズが小さい時は偽陰性になることがある．生理的，炎症性にも集積が認められることがあるが，通常は左右対称性である．反回神経麻痺が生じると，麻痺側の集積が相対的に低下する．

声門癌は症状（嗄声）が出現しやすく，リンパ節転移を比較的きたしにくいため早期に発見されることが多い．対照的に声門上癌は，広範な局所進展を起こすだけでなく，リンパ節転移，遠隔転移をきたすことが少なくないため，PET の有用性が高い（図Ⅸ-D-9）．

鼻腔・副鼻腔

❶ 病期分類のポイント

鼻腔・副鼻腔癌では原発巣が限局するか，骨破壊の有無，周囲に進展するかを評価する．リンパ節転移に関しては，単発であるか，原発巣に対して同側・両側・対側であるか，3 cm，6 cm より大きなリンパ節があるかを判断する．

❷ 読影のポイント

鼻腔癌，副鼻腔癌ともに扁平上皮癌が多く，強い集積を認めることが多い（図Ⅸ-D-10）．内反性乳頭腫は良性腫瘍であるが，強い集積を示すことが多く（図Ⅸ-D-11），集積程度からは悪性腫瘍との鑑別は困難である．

副鼻腔癌では上顎洞癌が最も多いが，進行するまで症状が現れないことが多い．局所進展の評価

図Ⅸ-D-8 声門上部〜声門部〜声門下部

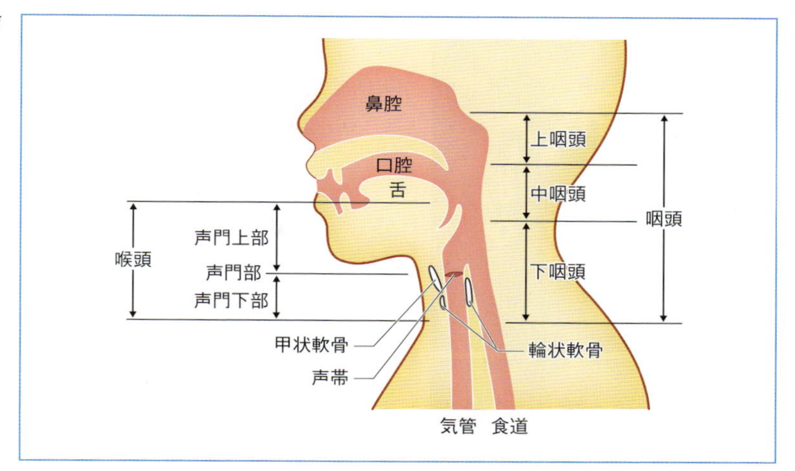

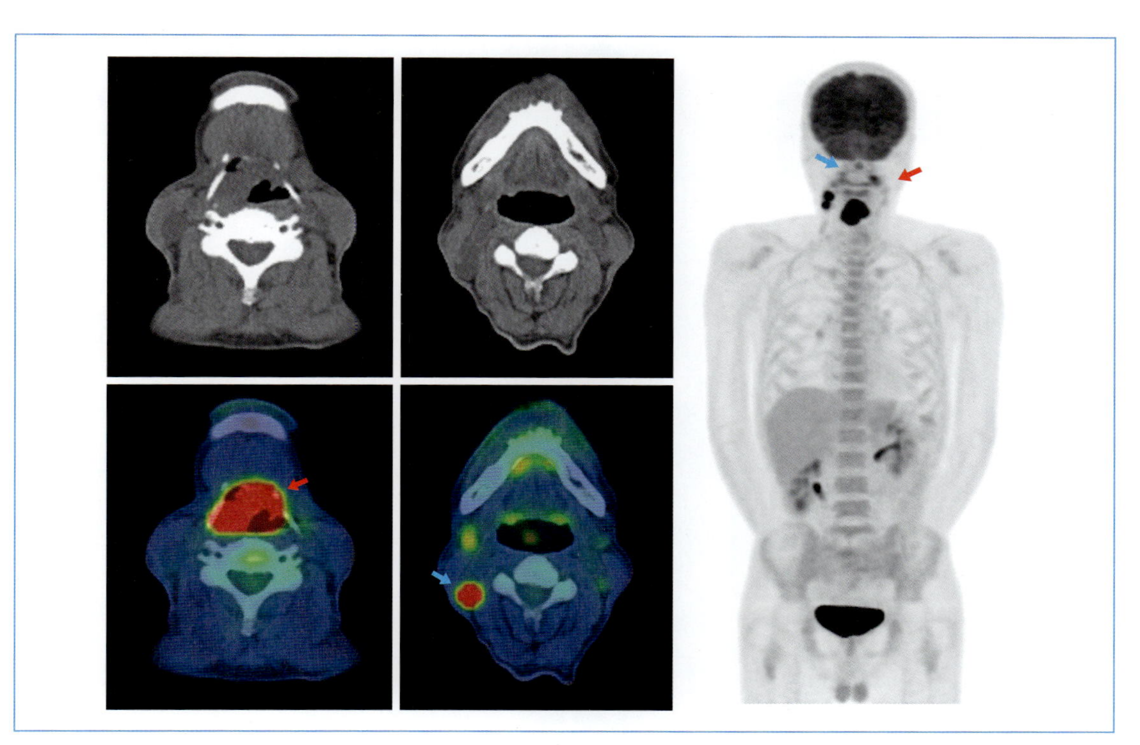

図Ⅸ-D-9 声門上癌＋リンパ節転移

声門上の原発巣に SUVmax＝42.4 の強い集積を認める．頸部リンパ節転移を認める（SUVmax＝27.6 まで）．骨髄へのびまん性集積は骨髄賦活化を反映した所見と思われる．

➡は原発巣，➡は頸部リンパ節転移．

に骨破壊の有無が重要であり，CT とあわせて評価を行う必要がある．偽陽性の原因として副鼻腔炎が挙げられる（図Ⅸ-D-12）．

甲状腺

❶ 病期分類のポイント（表Ⅸ-D-1）[1,2]

甲状腺癌の T 分類は組織系が分化癌（乳頭癌・

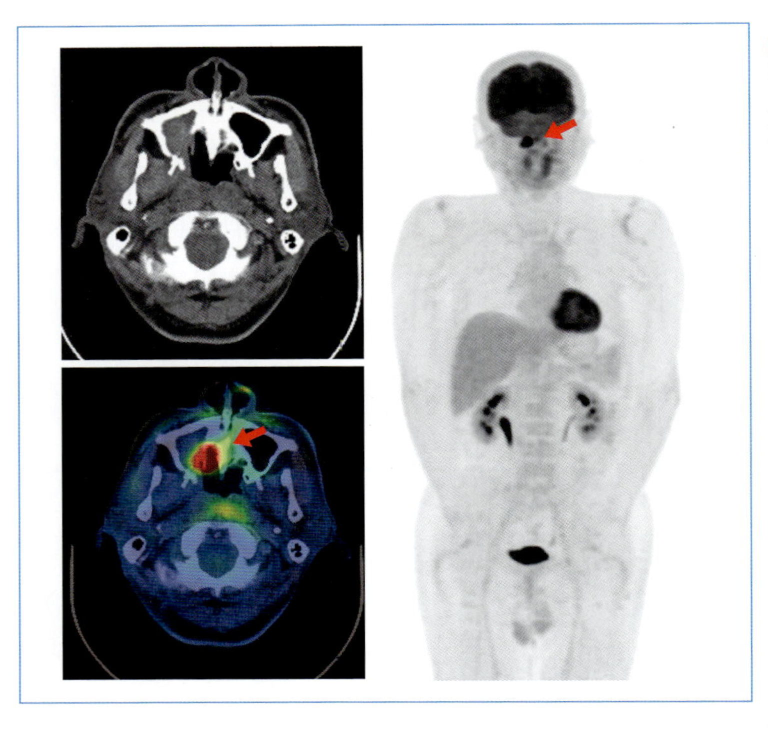

図IX-D-10　鼻腔癌・副鼻腔癌への高い集積
上顎洞〜右鼻腔にSUVmax＝43.2の集積亢進を認め（➡），（副）鼻腔癌の診断.

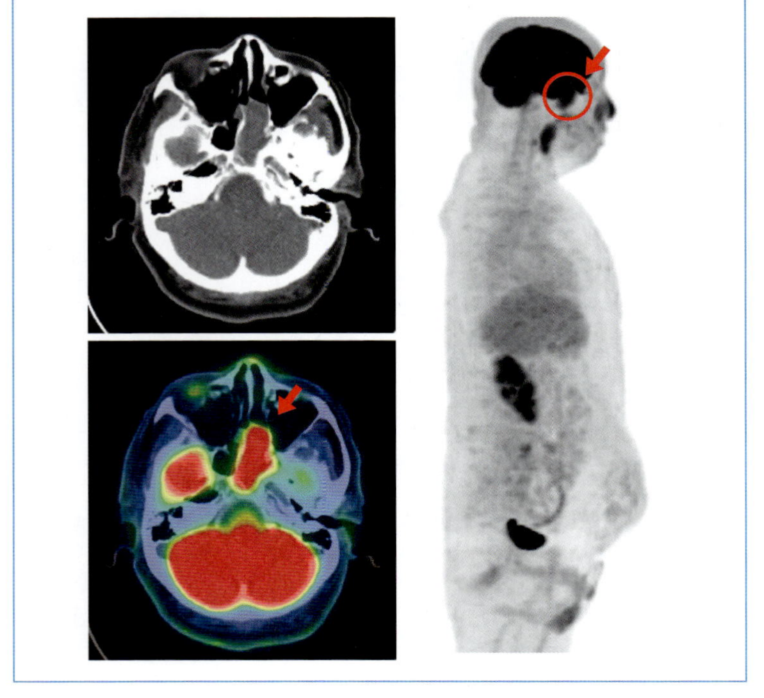

図IX-D-11　内反性乳頭腫
左篩骨洞〜蝶形骨洞にSUVmax＝6.9の集積亢進を認め（➡），乳頭腫の疑い. 病理で内反性乳頭腫の診断となった.

濾胞癌・髄様癌）か未分化癌かで異なる. また，病期分類は乳頭癌，濾胞癌の場合，55歳以上かどうかでも異なってくる.

❷ 読影のポイント

正常の甲状腺組織にはほとんど集積が認められ

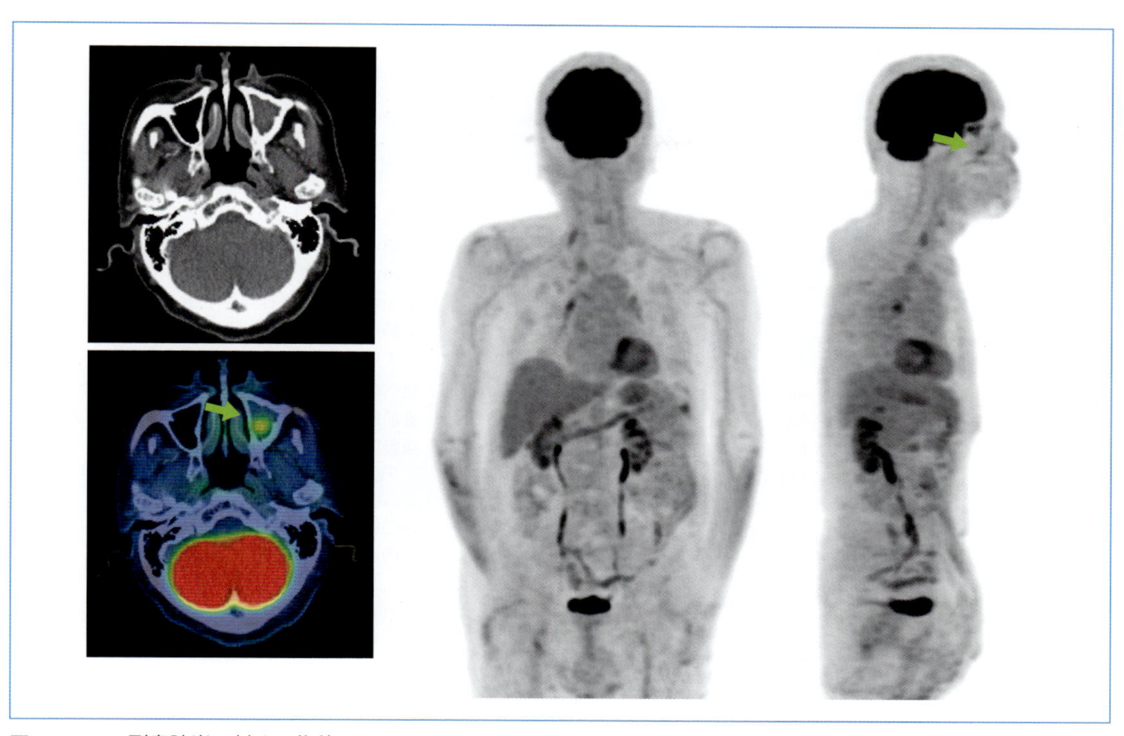

図Ⅸ-D-12 副鼻腔炎に対する集積
左上顎洞内に軟部組織濃度を認め，内部に SUVmax＝4.4 の集積亢進部位を認める（➡）．副鼻腔炎を示唆する所見．

ない．分化癌（乳頭癌，濾胞癌）では集積がほとんどみられないことが多く，集積がなくても悪性病変の除外はできない（「Ⅻ-B 甲状腺癌」参照）．検診やほかの悪性腫瘍精査の際に甲状腺に集積亢進病変を少なからず認めるが，甲状濾胞腺腫や腺腫様甲状腺腫でも集積がみられるため集積程度からは良悪鑑別はできない．甲状腺腫瘍の評価は，通常，エコー，組織診とあわせて行う．慢性甲状腺炎では，びまん性に強い集積を示すが（図Ⅸ-D-13），まれに発生する悪性リンパ腫との鑑別は難しいため（図Ⅸ-D-14），臨床情報やエコー所見とあわせての診断が望ましい．

唾液腺

❶ 病期分類のポイント

唾液腺癌では腫瘍が 2 cm，4 cm を超えるか，実質外進展の有無，周囲臓器への浸潤があるかを評価する．リンパ節転移に関しては，単発であるか，原発巣に対して同側・両側・対側であるか，3 cm，6 cm より大きなリンパ節があるかを判断する．

❷ 読影のポイント

耳下腺，顎下腺，舌下腺には生理的に集積がみられることが多いが，通常は左右対称性である（図Ⅸ-D-15）．唾液腺腫瘍は良性，悪性ともに組織型が多彩である．唾液腺癌の多くは耳下腺癌と顎下腺癌で占められ，小唾液腺癌はまれである．

唾液腺腫瘍の中では耳下腺腫瘍が最も高頻度であるが，その半分以上は多形腺腫や Warthin 腫瘍といった良性腫瘍である．FDG はそれらの良性腫瘍にも強く集積するため，集積の強さでの良悪鑑別は困難である（図Ⅸ-D-16）．両側性に腫瘍がみられる場合は，Warthin 腫瘍の可能性が高くなる（Warthin 腫瘍では $^{99m}TcO_4^-$ の高集積がみられることも有名である）．

顎下腺腫瘍は，頻度は高くないものの，半数は悪性腫瘍であるため，顎下腺腫瘍をみた場合は腺様囊胞癌を疑う必要がある．

表IX-D-1　甲状腺癌の TNM 臨床分類と病期分類

a. 病期分類

乳頭癌および濾胞癌（分化型），髄様癌，および未分化癌に関して，異なる病期分類を用いる．

乳頭癌または濾胞癌			
55 歳未満			
I 期	T に関係なく	N に関係なく	M0
II 期	T に関係なく	N に関係なく	M1
55 歳以上			
I 期	T1a，T1b，T2	N0	M0
II 期	T3	N0	M0
	T1，T2，T3	N1	M0
III 期	T4a	N に関係なく	M0
IVA 期	T4b	N に関係なく	M0
IVB 期	T に関係なく	N に関係なく	M1
髄様癌			
I 期	T1a，T1b	N0	M0
II 期	T2，T3	N0	M0
III 期	T1，T2，T3	N1a	M0
IVA 期	T1，T2，T3	N1b	M0
	T4a	N に関係なく	M0
IVB 期	T4b	N に関係なく	M0
IVC 期	T に関係なく	N に関係なく	M1
未分化癌			
IVA 期	T1，T2，T3a	N0	M0
IVB 期	T1，T2，T3a	N1	M0
	T3b，T4a，T4b	N0，N1	M0
IVC 期	T に関係なく	N に関係なく	M1

b. 要　約

甲状腺	
T 分類	
T1a	腫瘍最大径≦1 cm，甲状腺内
T1b	1 cm＜腫瘍最大径≦2 cm，甲状腺内
T2	2 cm＜腫瘍最大径≦4 cm，甲状腺内
T3a	4 cm＜腫瘍最大径，甲状腺内
T3b	前頸筋群も明らかに浸潤
T4a	皮下脂肪組織，喉頭，気管，食道，反回神経への浸潤
T4b	椎前筋膜，縦隔内の血管への浸潤，または頸動脈を全周性に取り囲む
N 分類	
N1a	頸部中央区域リンパ節
N1b	他の所属リンパ節

(a は文献 1)UICC 日本委員会　TNM 委員会訳：TNM 悪性腫瘍の分類　第 8 版　日本語版，金原出版，東京，p52，2017，b は文献 2) 日本内分泌外科学会ほか編：甲状腺癌取扱い規約　第 8 版，金原出版，東京，p11，2019 より）

口腔

❶ 病期分類のポイント

口腔癌では腫瘍が 2 cm，4 cm を超えるか，実質外進展の有無，周囲臓器への浸潤があるかを評価する．リンパ節転移に関しては，単発であるか，原発巣に対して同側・両側・対側であるか，3 cm，6 cm より大きなリンパ節があるかを判断する．

❷ 読影のポイント

口腔癌は発生する部位によって分類される．舌癌が最も多く，次いで歯肉癌，口底癌，頬粘膜癌が挙がる．多くは扁平上皮癌であり，強い集積を示す．歯冠によるアーチファクトにより，特に病変が小さい場合は原発巣の評価が困難なことがあるため，吸収補正前の画像もあわせて評価する（図IX-D-17）．齲歯治療や歯肉炎などでも強い集積を認めることがあり，偽陽性となりうる（図IX-D-18）．

リンパ節転移の検出にも優れているが，やはり小さな病変では偽陰性になること，反応性リンパ節が偽陽性になることから，エコーとあわせた評価が望ましい．

要点

- 咽頭・喉頭・鼻腔・副鼻腔・口腔癌などでは扁平上皮癌が多いため，強い集積を示す．
- 甲状腺分化癌では有意な集積がみられないことがある（集積程度での良悪鑑別は困難）．
- 唾液腺腫瘍として良性腫瘍である多形腺腫，Warthin 腫瘍の頻度が高いが，それらは強い集積を示す．
- 遠隔転移や重複癌の検出にも FDG PET/CT は有用である．

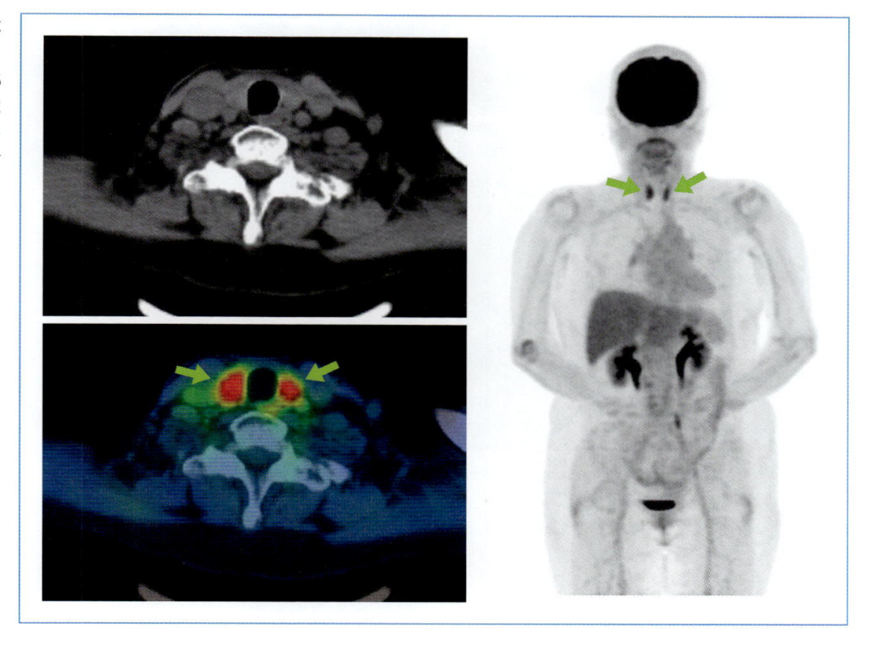

図Ⅸ-D-13 慢性甲状腺炎へのびまん性集積亢進
両側甲状腺に SUVmax＝7.5 までのびまん性集積亢進を認め（➡），慢性甲状腺炎の所見．CT では甲状腺の吸収値が低下している．

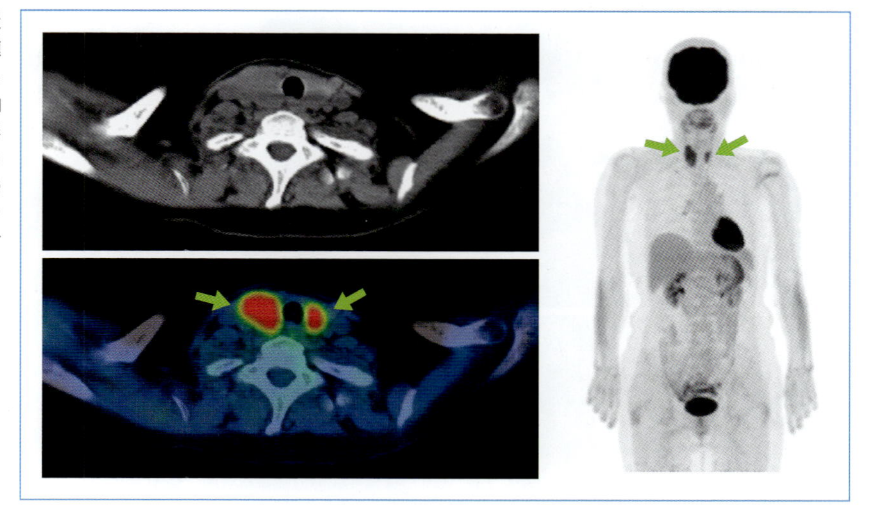

図Ⅸ-D-14 慢性甲状腺炎を背景とした悪性リンパ腫
慢性甲状腺炎を背景とした mucosa associated lymphoid tissue（MALT）リンパ腫．形状に左右差があるが，集積の程度は SUVmax＝6.26 と慢性甲状腺炎としても矛盾しない（➡）．生検の結果，MALT リンパ腫の診断となった．

◆ 文献
1）UICC 日本委員会 TNM 委員会訳：TNM 悪性腫瘍の分類 第 8 版 日本語版，金原出版，東京，p52，2017
2）日本内分泌外科学会ほか編：甲状腺癌取扱い規約 第 8 版，金原出版，東京，p11，2019

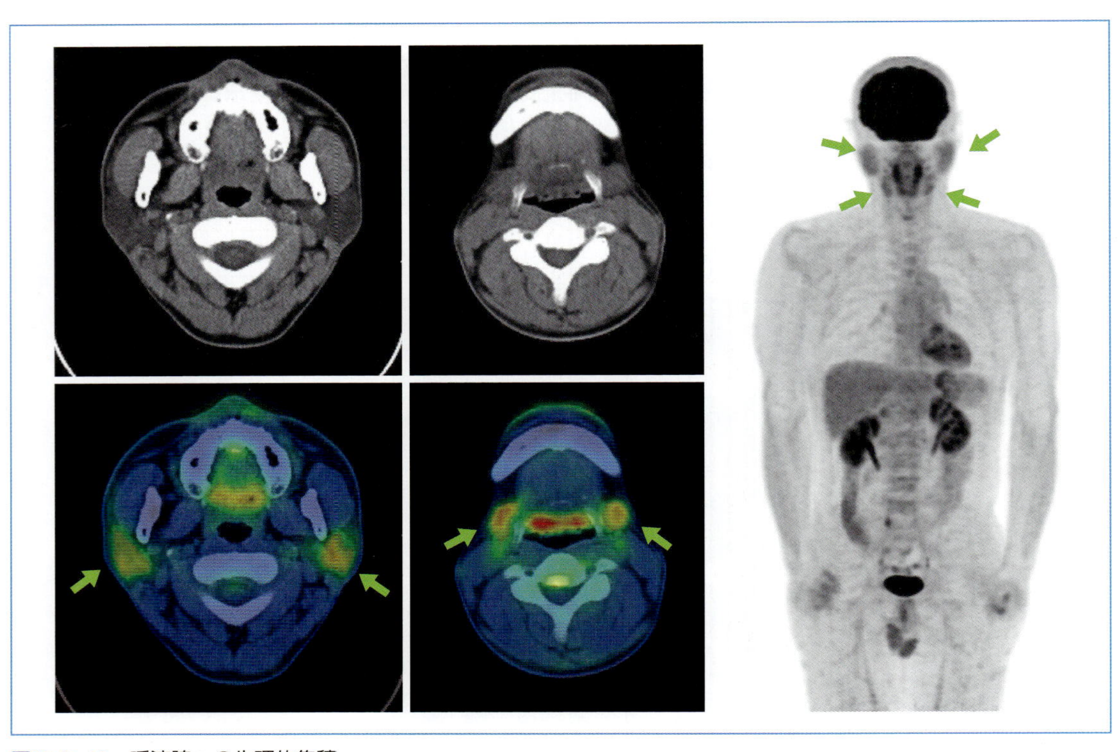

図Ⅸ-D-15　唾液腺への生理的集積

唾液腺に SUVmax＝3.50 までの集積を認める（➡）．対称性であり，生理的と考える．

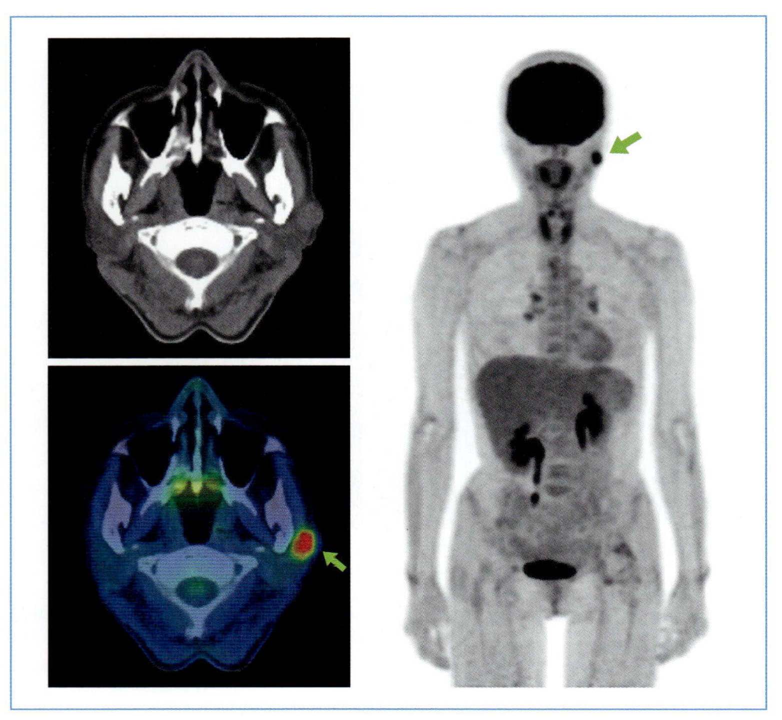

図Ⅸ-D-16　耳下腺良性腫瘍（多形腺腫）

左耳下腺に SUVmax＝7.1 の集積亢進病変を認める（➡）．病理で多形腺腫の診断．

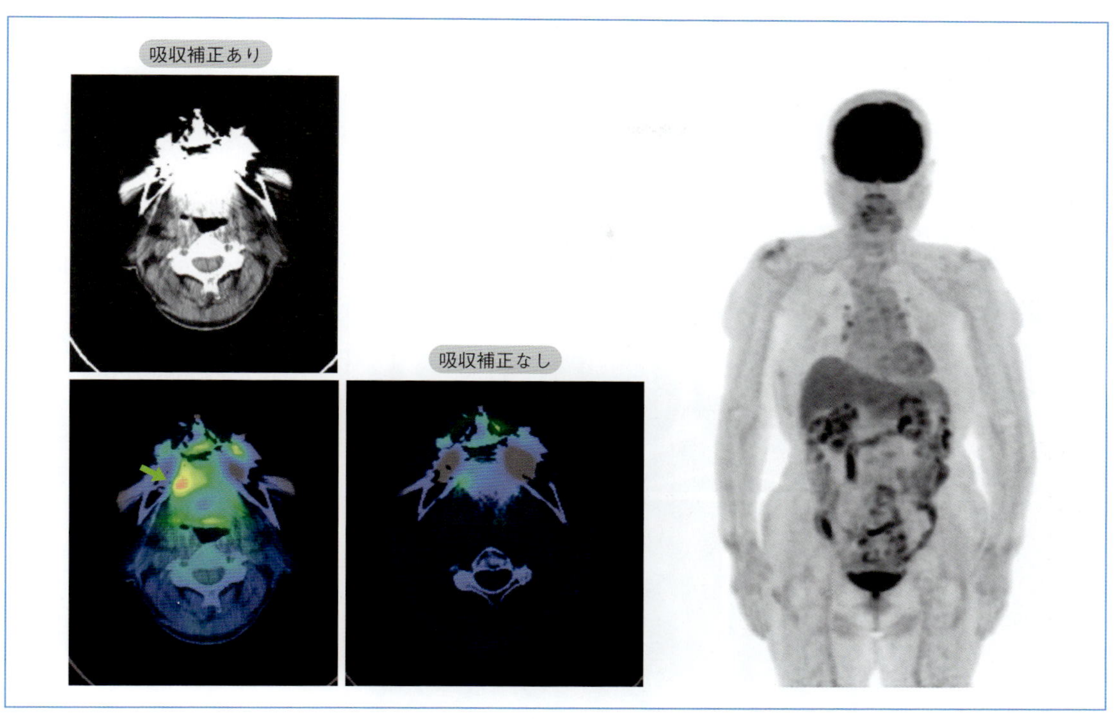

図Ⅸ-D-17 舌癌術後のアーチファクトの影響
原発部位に一致して SUVmax＝5.3 の集積亢進を認めたが(➡)，吸収補正前の画像では有意な所見とはいえず，アーチファクトによるものと判断．次回以降の検査では同部位の集積は消失していた．

◆ 参考文献

1）日本頭頸部癌学会編：頭頸部癌取扱い規約 第 6 版，金原出版，東京，2018
2）Gupta, T et al：Diagnostic performance of post-treatment FDG PET or PDF PET/CT imaging in head and neck cancer：a systematic review and meta-analysis. Eur J Nucl Mol Imagng 38：2083-2095, 2011
3）Kyzas, PA et al：18 F-fluorodeoxyglucose positron emission tomography to evaluate cervical node metastases in patients with head and neck squamous cell carcinoma：a meta-analysis. J Natl Cancer Inst 100：712-720, 2008
4）Liao, LJ et al：Detection of cervical lymph node metastasis in head and neck cancer patients with clinically N0 neck-a meta-analysis comparing different imaging modalities. BMC Cancer 12：236, 2012
5）Fletcher, JW et al：Recommendations on the use of 18 F-FDG PET in oncology. J Nucl Med 49：480-508, 2008

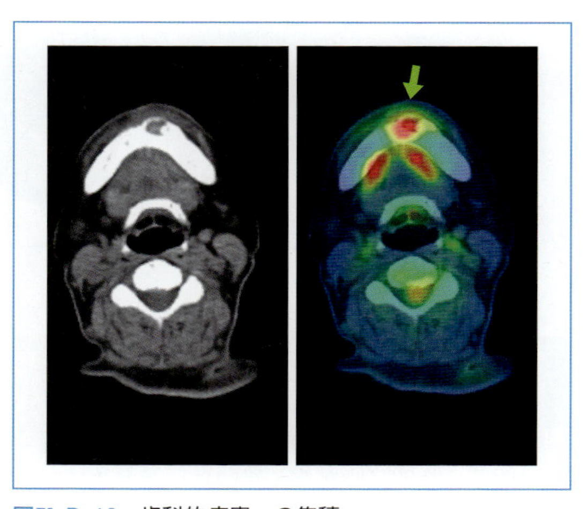

図Ⅸ-D-18 歯科的疾患への集積
下顎骨頤部に SUVmax＝7.76 の集積亢進(➡)．齲歯への集積．

E 胸部

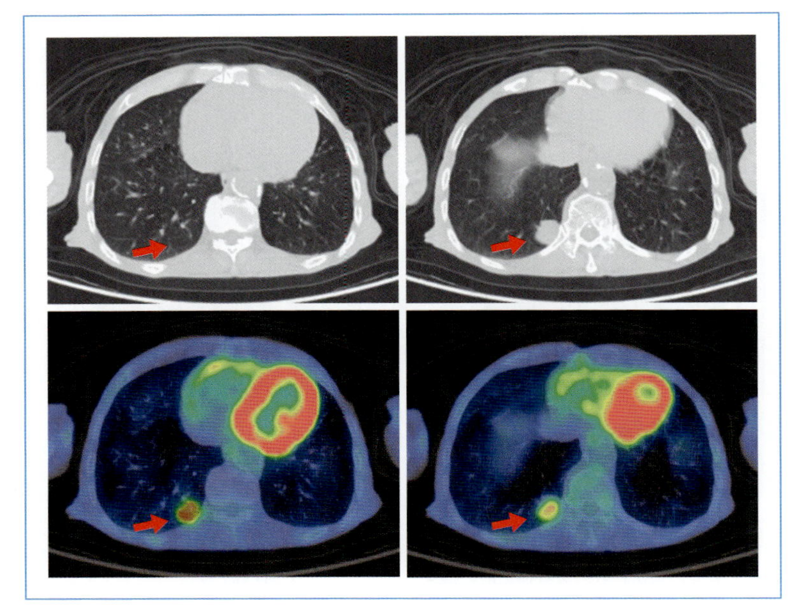

図Ⅸ-E-1　肺野での CT と FDG PET の位置ずれ

集積亢進部位と CT での軟部組織濃度の位置がずれている(➡).

吸収補正によるアーチファクトも発生するため，腫瘤内部の集積が真かどうかは吸収補正前の画像で評価する必要がある.

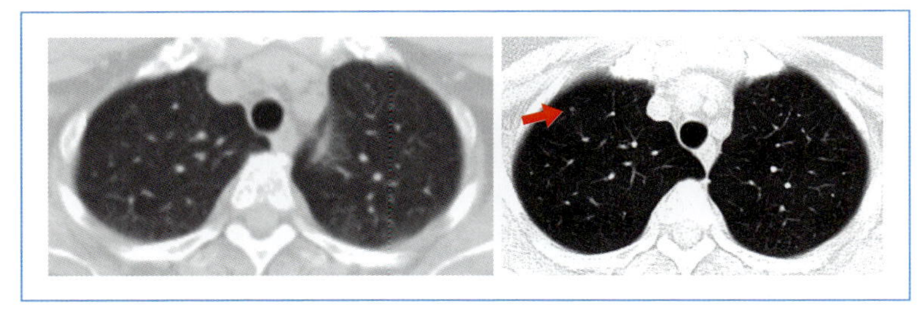

図Ⅸ-E-2　吸収補正用 CT と吸気 CT

右肺尖部の結節．吸気 CT では小さく確認できるが(➡)，吸収補正用 CT では確認が困難.

胸部

胸部や上腹部の読影をする際に注意しなければいけない点の一つとして，呼吸の影響が挙げられる．数 mm 秒の単位で撮像される CT に対し，PET は 1 ベッドあたり 2 分以上かけて撮像されることが多く，両者の画像の間に少なからずずれが生じる．また，呼吸性変動は集積程度 SUV が過小評価される原因にもなる．呼吸同期法などにより改善されるが，読影の際には PET と CT 単独の画像も検討し，時にはそのずれを考慮する必要がある（図Ⅸ-E-1）.

また，吸収補正用の CT は通常，線量を落とし呼気時もしくは自由呼吸下に撮像されているため，特に小さな肺野病変を正確に評価するためには，線量を上げて吸気時の CT を追加撮像するなどの工夫が必要である（図Ⅸ-E-2）.

肺

❶ 病期分類のポイント（表Ⅸ-E-1）[1,2]

肺癌では周囲臓器への浸潤，副腫瘍結節，肺門

表Ⅸ-E-1 肺の TNM 病期分類と要約

a. 病期分類

病 期	T	N	M
潜伏期	TX	N0	M0
0 期	Tis	N0	M0
ⅠA 期	T1	N0	M0
ⅠA1 期	T1mi T1a	N0 N0	M0 M0
ⅠA2 期	T1b	N0	M0
ⅠA3 期	T1c	N0	M0
ⅠB 期	T2a	N0	M0
ⅡA 期	T2b	N0	M0
ⅡB 期	T1a T1b T1c T2a T2b T3	N1 N1 N1 N1 N1 N0	M0 M0 M0 M0 M0 M0
ⅢA 期	T1a T1b T1c T2a T2b T3 T4 T4	N2 N2 N2 N2 N2 N1 N0 N1	M0 M0 M0 M0 M0 M0 M0 M0
ⅢB 期	T1a T1b T1c T2a T2b T3 T4	N3 N3 N3 N3 N3 N2 N2	M0 M0 M0 M0 M0 M0 M0
ⅢC 期	T3 T4	N3 N3	M0 M0
Ⅳ期	Any T	Any N	M1
ⅣA 期	Any T Any T	Any N Any N	M1a M1b
ⅣB 期	Any T	Any N	M1c

b. 要約

TX	潜伏癌
Tis	上皮内癌 carcinoma *in situ*：肺野型の場合は，充実成分径 0 cm かつ病変全体径≦3 cm
T1	充実成分径≦3 cm
T1mi	微少浸潤性腺癌：部分充実型を示し，充実成分径≦0.5 cm かつ病変全体径≦3 cm
T1a	充実成分径≦1 cm かつ Tis・T1mi に相当しない
T1b	充実成分径＞1 cm かつ≦2 cm
T1c	充実成分径＞2 cm かつ≦3 cm
T2	充実成分径＞3 cm かつ≦5 cm，あるいは主気管支浸潤，臓側胸膜浸潤，肺門まで連続する部分的または一側全体の無気肺・閉塞性肺炎
T2a	充実成分径＞3 cm かつ≦4 cm
T2b	充実成分径＞4 cm かつ≦5 cm
T3	充実成分径＞5 cm かつ≦7 cm，あるいは壁側胸膜，胸壁，横隔神経，心膜への浸潤，同一葉内の不連続な副腫瘍結節
T4	充実成分径＞7 cm あるいは横隔膜，縦隔，心臓，大血管，気管，反回神経，食道，椎体，気管分岐部への浸潤，同側の異なった肺葉内の副腫瘍結節
N1	同側肺門リンパ節転移
N2	同側縦隔リンパ節転移
N3	対側縦隔，対側肺門，前斜角筋または鎖骨上窩リンパ節転移
M1	対側肺内の副腫瘍結節，胸膜または心膜の結節，悪性胸水，悪性心嚢水，遠隔転移
M1a	対側肺内の副腫瘍結節，胸膜結節，悪性胸水(同側・対側)，悪性心嚢水
M1b	肺以外の一臓器への単発遠隔転移
M1c	肺以外の一臓器または多臓器への多発遠隔転移

注)「病変全体径」とはすりガラス成分と充実成分を合わせた最大径を，「充実成分径」とは充実成分の最大径を表す．

(a は文献 1)UICC 日本委員会　TNM 委員会訳：TNM 悪性腫瘍の分類，第 8 版　日本語版　金原出版，東京，p109，2017，b は文献 2)日本肺癌学会編：肺癌取扱い規約　第 8 版補訂版，金原出版，東京，p7，2021 より)

まで連続する部分的または一側全体の無気肺か閉塞性肺炎がない場合は，大きさにより T 分類が変わる．特に 3 cm 未満の場合を結節，3 cm 以上の場合を腫瘤と呼ぶ．大きさに関しては，病変全体の径と充実成分径を分けて考える必要がある．リンパ節転移に関しては原発巣と同側気管支周

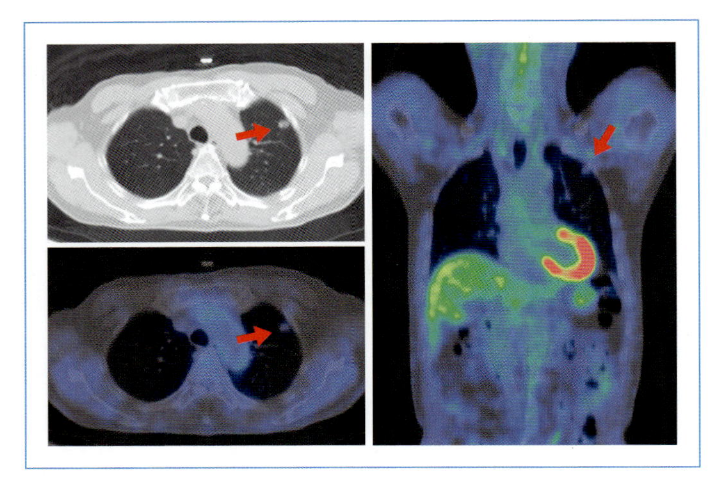

図IX-E-3　高分化型肺腺癌

左肺に結節を認める．FDG 集積はごく軽度(➡)．病理で肺腺癌の診断となった．甲状腺にも限局性の集積亢進を認め，別個の悪性腫瘍を示唆する所見を認めた．

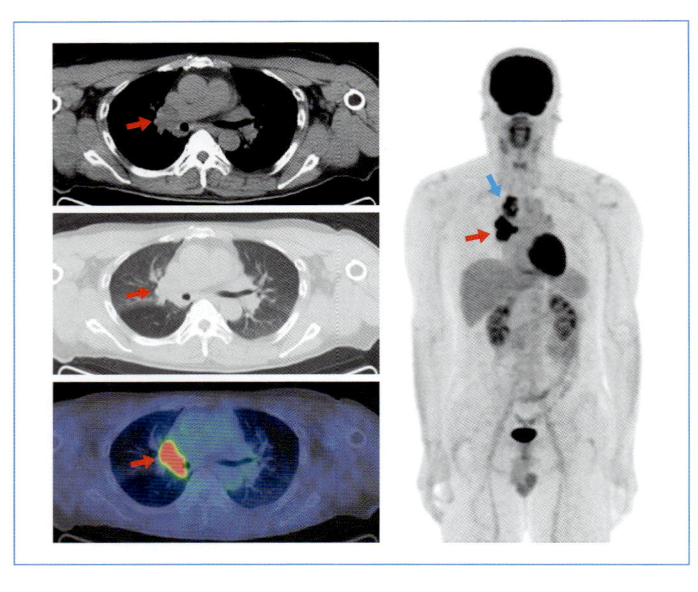

図IX-E-4　肺扁平上皮癌

肺門部肺癌．集積は高分化型腺癌に比して強い(SUVmax＝19.3)．病理で肺扁平上皮癌の診断となった．縦隔リンパ節転移を伴っている．

➡は肺門部肺癌，➡は縦隔リンパ節転移．

SUV：standardized uptake value

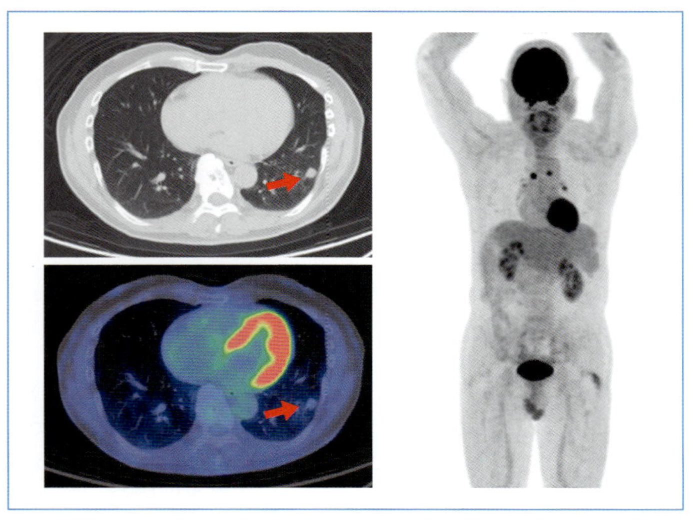

図IX-E-5　集積亢進を伴わない肺悪性腫瘍

左肺 S9 に CT で結節を認めるが，FDG 集積亢進はない(➡)．病理で mucinous adenocarcinoma の診断．悪性だが細胞成分が少ないためか集積がほとんどみられない．

肝右葉部分切除後．肺門・縦隔リンパ節は炎症性と思われる．

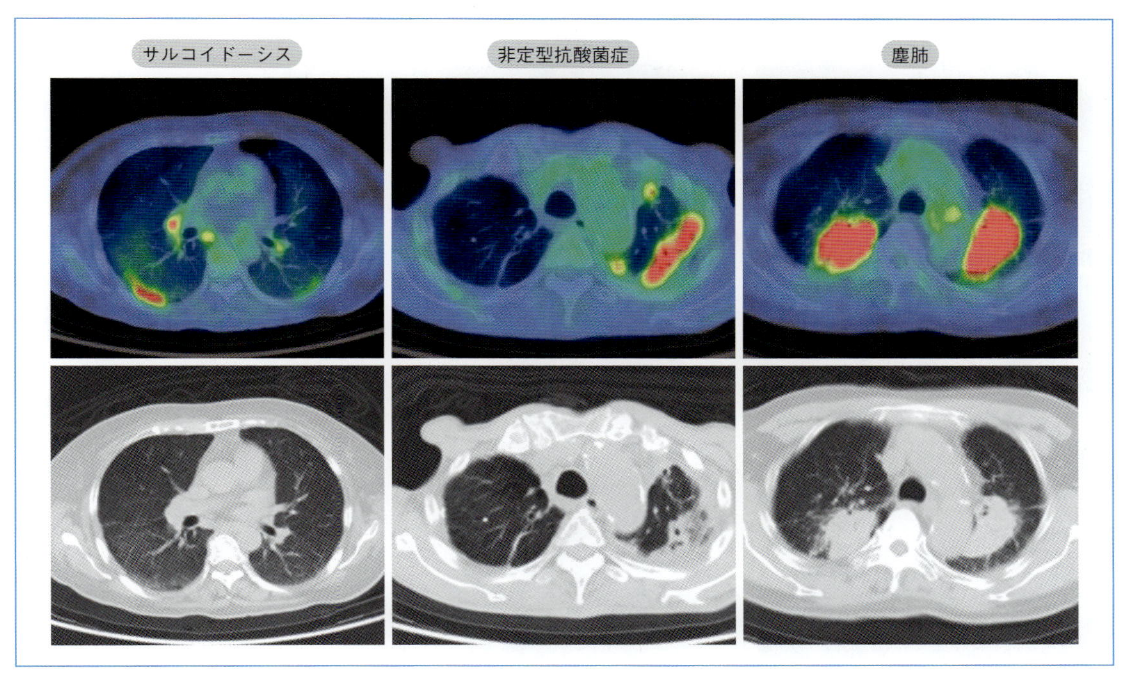

図Ⅸ-E-6 集積亢進を伴う肺病変（非悪性腫瘍）
サルコイドーシスの肺病変：CT では淡い濃度上昇にとどまるが，PET で集積亢進を認める．
非定型抗酸菌症：肺尖部に濃度上昇と集積亢進を認める．
塵肺：両側肺野に腫瘤と FDG 集積亢進を認める．

囲/肺門，同側縦隔・気管分岐下，対側縦隔/肺門・前斜角筋・鎖骨上に進展があるかを評価する．対側肺野の副腫瘍結節，胸膜または心膜の結節，悪性胸水，悪性心嚢水は遠隔転移に相当する．

❷ 原発巣

肺癌は組織学的に，大きく小細胞癌と非小細胞癌の二つに分類される．非小細胞肺癌は約 80～85％を占めるが，腺癌，扁平上皮癌，大細胞癌，その他に分類される．

腺癌は小細胞癌や扁平上皮癌に比し，FDG の集積が低い傾向にあり，特にすりガラス陰影を呈するような分化度の高い腺癌では有意な集積がみられないことがある（図Ⅸ-E-3，4）．また，カルチノイドやムチン産生腫瘍でも偽陰性になることがあるので注意を要する（図Ⅸ-E-5）．

偽陽性の原因としては，非定型抗酸菌症，結核，サルコイドーシス，塵肺などの炎症性病変が挙げられ，良悪鑑別を集積程度だけで行うことは困難である（図Ⅸ-E-6）．

原発巣の T 因子に関しては，大きさ，胸膜や周囲臓器への浸潤，肺内の結節などにより規定されるため，CT での評価が重要となってくる．

❸ リンパ節転移

リンパ節転移に関しては，CT での大きさによる評価に比べると，感度，特異度ともに PET/CT の方が高い．偽陰性の原因としてはサイズが小さいこと，偽陽性の原因としては炎症性リンパ節が挙げられる（図Ⅸ-E-7）．結核の既往や喫煙の影響により，炎症性に集積することがあるが，その場合は対称性にみられることが多い（図Ⅸ-E-7）．

原発巣に明瞭な集積が認められない肺腺癌に関しては，リンパ節転移がみられないことが多いため，原発巣の情報も一助となりうる．縦隔リンパ節転移に関しては，原発巣の部位により転移しやすい部位があるため，原発巣の部位も参考にすべきである．

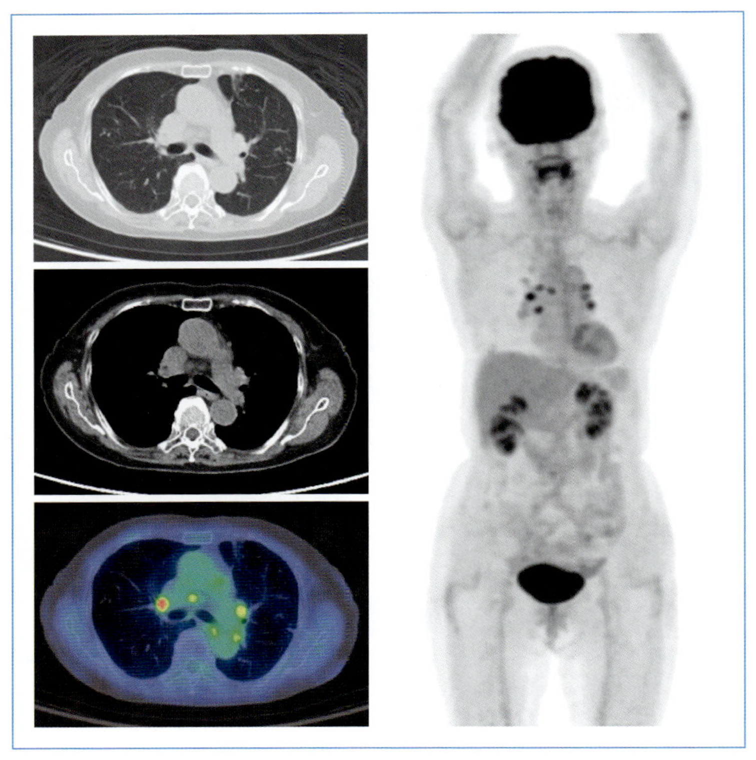

図Ⅸ-E-7　炎症性リンパ節
対称性に SUVmax＝8.0 までの集積．対称性であり，有意なリンパ節腫大なく，炎症性反応と考えられる．

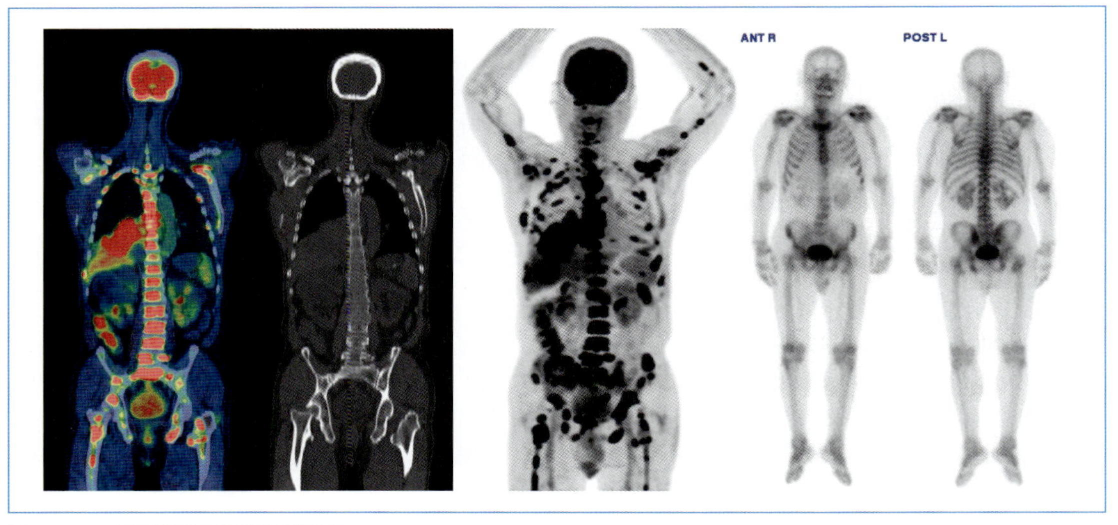

図Ⅸ-E-8　骨梁間型の転移性骨腫瘍
右肺癌の骨転移（骨梁間型）．FDG PET/CT では全身骨髄に転移が認められるが，骨シンチグラフィ上は転移を示唆する所見を認めない．単純 CT でも骨転移を示唆する所見を認めない．

❹ 遠隔転移

肺癌は遠隔転移を起こしやすい癌であり，転移の頻度が高い臓器として脳，骨，肝臓，副腎が挙げられる．正常脳への FDG 集積により，脳転移検出に関しては限界があり，造影 MRI での検索が望まれる．骨転移に関しては特に骨梁間型転移や溶骨性転移に関しては，骨シンチグラフィより

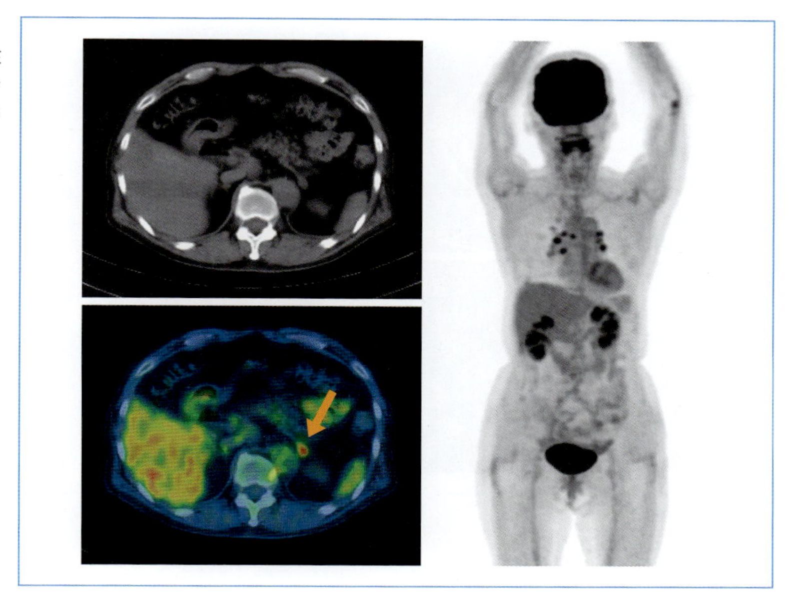

図Ⅸ-E-9 副腎皮質腺腫
内部が low density で脂肪成分の存在を示唆(SUVmax＝4.6). 肺門部リンパ節への集積は炎症性と考えられる(➡).

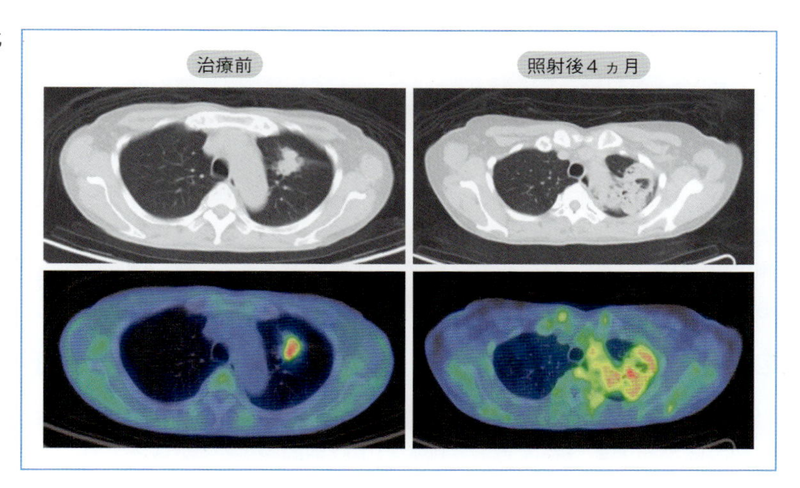

図Ⅸ-E-10 放射線治療前後の変化
肺癌に対する放射線治療前後.
治療前：SUVmax＝4.40 の集積亢進.
治療後：SUVmax＝3.2 の集積亢進と濃度上昇(治療後変化).

も感度・特異度が高く，予期せぬ骨転移が発見されることもしばしば経験する（図Ⅸ-E-8）．肝転移の検出能も高いが，呼吸性変動によるアーチファクトには注意する必要がある．副腎転移に関しては偽陽性として副腎腺腫が挙げられるが，CT 値が低い（脂肪を含有している）場合は腺腫と考えられる（図Ⅸ-E-9）．必要に応じて MRI や dynamic CT などとあわせて評価する．対側肺野への転移性病変に関しては小さい場合は偽陰性になることがあるため，吸気 CT をしっかり確認する必要がある．

❺ 治療効果判定

化学療法後早期に集積が低下する患者は，集積が低下しない群に比較して予後がよいという報告があり，ほかの癌と同様，治療早期に予後予測が可能と考えられている．しかしながら，このような PET の診療は保険適用内ではなく，標準的な検査とはなっていない．

放射線治療後は炎症性変化に伴い偽陽性がみられることがあるため（図Ⅸ-E-10），効果判定には治療終了後１ヵ月は間隔を空けて行うのが望ましい．

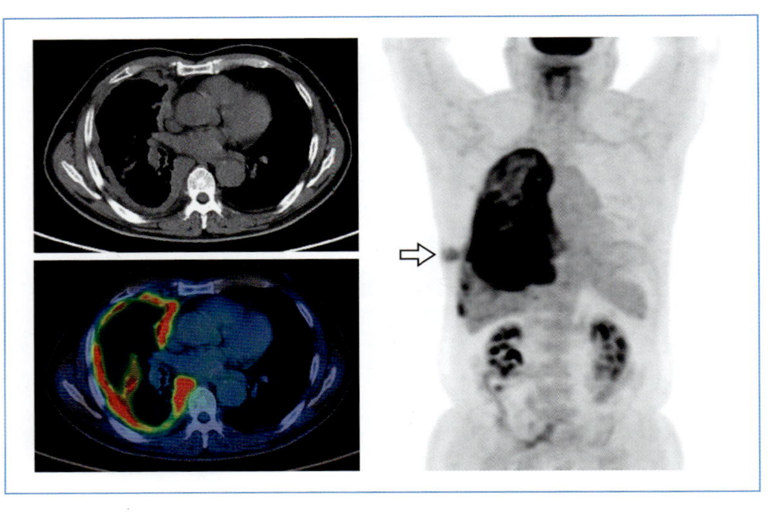

図IX-E-11　胸膜中皮腫
SUVmax=16.9 までのびまん性高度集積亢進と胸膜肥厚を伴う.
右胸壁の集積亢進は生検に伴う炎症性の反応(⇨).

胸膜・胸壁腫瘍

❶ 病期分類のポイント

臓側胸膜，肺，横隔膜のほか，周囲組織（筋膜，縦隔，心膜，肋骨など）への浸潤の有無を評価する．リンパ節転移に関しては原発巣と同側気管支周囲/肺門，同側縦隔/内胸・気管分岐下，対側縦隔/内胸/肺門・前斜角筋・鎖骨上に進展があるかを判断する．

❷ 読影のポイント

肺癌などからの浸潤・播種，他臓器からの転移性胸膜腫瘍が大部分を占める．胸膜の中皮細胞から成る原発性胸膜腫瘍としては，胸膜中皮腫，孤立性線維性腫瘍 solitary fibrous tumor（SFT）が挙げられる．特に悪性胸膜中皮腫はアスベストの長期曝露と関連があることが知られているため，曝露歴の問診が重要である．

胸部X線やCTで胸膜肥厚性病変を指摘された場合，良悪鑑別が重要となる．中皮腫との鑑別には，結核などに伴う胸膜炎，びまん性胸膜肥厚，胸膜プラークなどの良性疾患が挙げられる．陳旧性胸膜炎，あるいは良性の胸膜肥厚は集積が低いことから，悪性胸膜中皮腫の診断において，FDG PET（/CT）は高い感度，特異度を示すと報告されている（図IX-E-11）．アスベストの長期曝露歴があり，一側性，縦隔側および全周性に腫瘤状もしくは結節状肥厚がみられるような典型的な悪性中皮腫であれば，鑑別に困ることはあまりないが，時に活動性の高い炎症性病変との鑑別が必要な時がある．悪性胸膜中皮腫に関して，FDGの集積程度と悪性度には相関があり，集積が高いほど予後が悪いとされている．所属リンパ節転移や局所深達度の評価に関しては困難とされているが，胸郭外転移病巣の検索には有用である．

縦隔腫瘍

❶ 縦隔の区分

縦隔は胸膜によって左右の肺の間に隔てられた領域であり，通常，前縦隔，中縦隔，後縦隔，上縦隔の四つに分けられる（図IX-E-12）．心臓，血管，気管，食道，胸腺，リンパ節，神経節などが存在するが，縦隔腫瘍は発生部位により，ある程度鑑別が絞られる．それぞれの部位に好発する腫瘍を表IX-E-2 に示す．

❷ 胸腺腫瘍

胸腺腫瘍は全縦隔腫瘍の30%程度を占めるとされる．胸腺腫は病理診断での良悪鑑別が難しく，手術時の所見からの臨床病期分類（正岡分類）が提唱されており，予後との相関もよい．大きく，被膜で被包されている非浸潤性胸腺腫（Ⅰ期）と，周囲に浸潤性増殖をきたす浸潤性胸腺腫（Ⅱ～Ⅳ期）に分けられる．胸腺癌は診断時に進

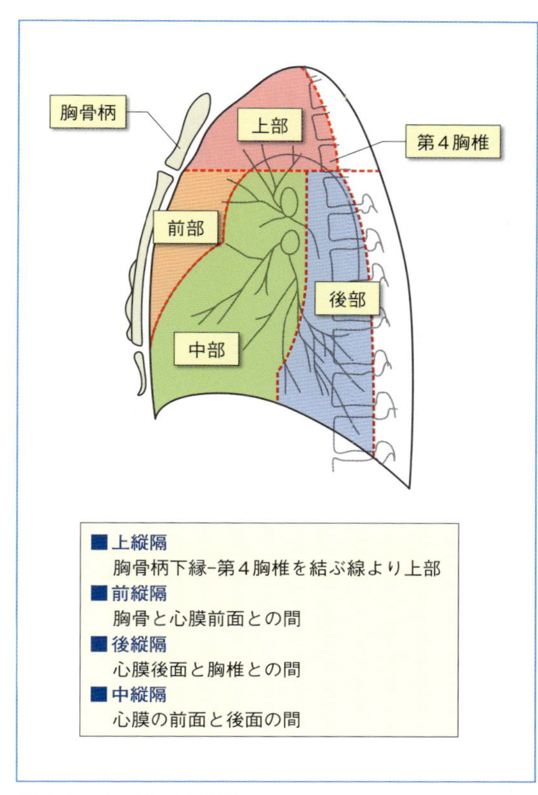

図Ⅸ-E-12 縦隔の解剖

表Ⅸ-E-2 縦隔部位による好発腫瘍

部位	好発腫瘍
前縦隔	胸腺腫瘍 胚細胞性腫瘍 悪性リンパ腫 甲状腺腫
中縦隔	気管支嚢胞 心膜嚢胞 悪性リンパ腫
後縦隔	神経原性腫瘍 気管支嚢胞 食道嚢胞
上縦隔	甲状腺腫 神経原性腫瘍 悪性リンパ腫

表Ⅸ-E-3 胸腺腫瘍の正岡分類

Ⅰ期	腫瘍は被膜に包まれている
Ⅱ期	周囲の胸腺・脂肪組織・縦隔胸膜への肉眼的浸潤，または病理学的被膜浸潤あり
Ⅲ期	心膜・肺・大血管への浸潤あり
Ⅳ期	Ⅳa：心膜播種または胸膜播種あり Ⅳb：リンパ行性または血行性転移あり

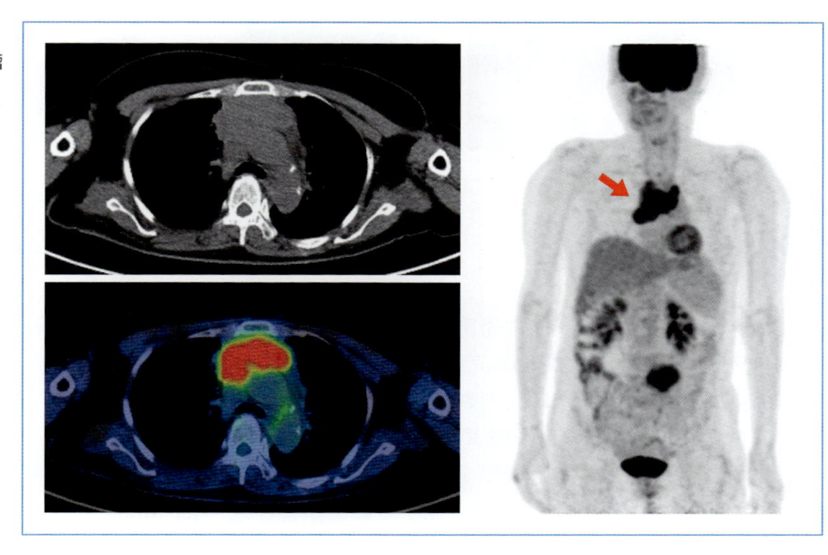

図Ⅸ-E-13 胸腺癌
前縦隔に SUVmax＝193 の腫瘤（➡）．胸腺癌の診断．

行していることが多く，周囲臓器への浸潤傾向も強い．胸腺腫と比較し，胸腺癌への FDG の集積は高いとされており，良悪鑑別の一助となる（図Ⅸ-E-13）．また，FDG PET/CT により，予期せぬリンパ節転移，遠隔転移がみつかることがある．胸腺カルチノイドに関しては，集積が高いという報告が散見される．胸腺腫瘍の病期分類として，正岡分類を表Ⅸ-E-3 に示す．

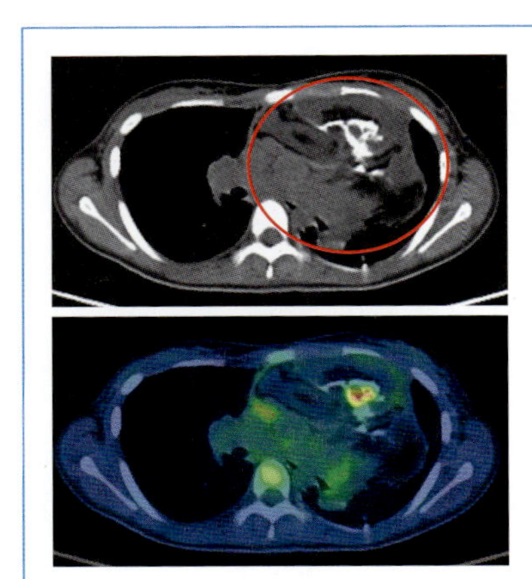
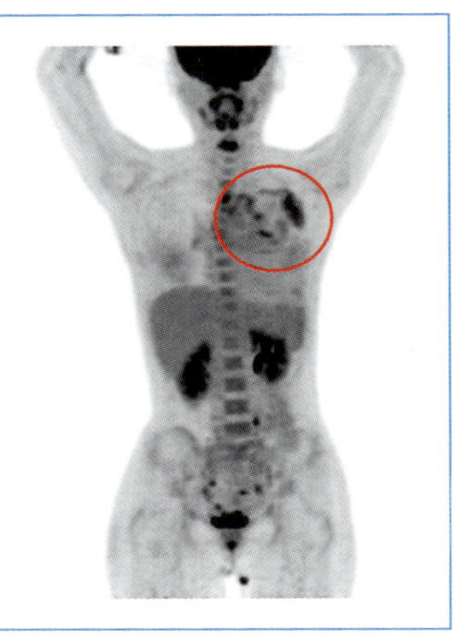

図IX-E-14　奇形腫
内部に SUVmax＝5.2 までの集積亢進部位を認める(○)．CT では石灰化成分や脂肪成分を認め，奇形腫の所見．
SUV が高い部位は何らかの活動性を有していると考えられる．

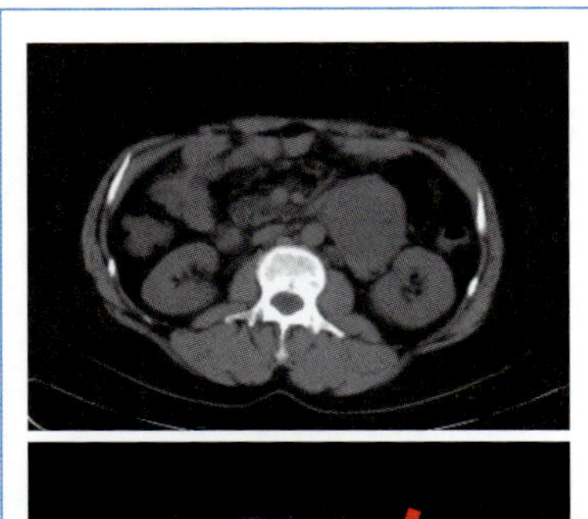
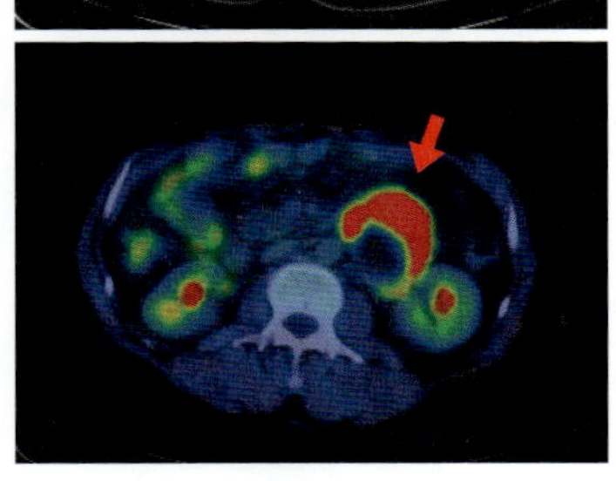
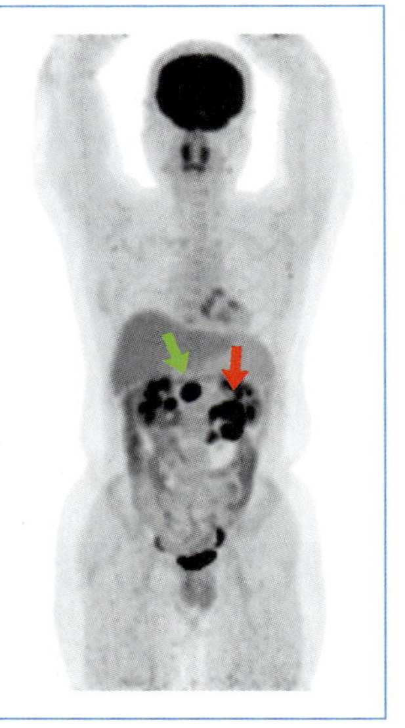

図IX-E-15　傍神経節腫
左腎門部レベルに SUVmax＝24.5 の不均一な集積の腫瘤．悪性傍神経節腫の診断．
右腎の内側に SUVmax＝51.1 までの集積亢進領域を複数認め，リンパ節転移．
➡は原発腫瘍，➡はリンパ節転移．

❸ そのほかの腫瘍

胚細胞性腫瘍は，臨床的に奇形腫，セミノーマ，非セミノーマ（絨毛癌，卵黄囊腫瘍，胎児性癌，混合性胚細胞腫瘍）に大別されることが多い．未熟奇形腫では成熟奇形腫よりも FDG の集積が強いことが知られているが，PET/CT の CT の情報から脂肪・石灰化の有無を評価することでより診断能が上がると考えられる（図IX-E-14）．悪性腫瘍に関しては集積が強い傾向にあり，再発や転移の診断に有用である．

良性神経原性腫瘍には神経鞘腫，神経線維腫，神経節神経腫，傍神経節腫などが含まれる．神経鞘腫が最も多いため，いくつかの検討が報告されており，腫瘍内の細胞密度と FDG の集積程度に相関があることが知られている．傍神経節腫の評価に関しては ^{123}I-meta-iodobenzylguanidine（MIBG）シンチグラフィが有用だが，低分化腫瘍を対象とする場合は FDG PET の有用性が高い（図IX-E-15）．

食道

❶ 病期分類のポイント

食道癌の原発巣の評価は通常内視鏡で行われるが，周囲臓器（胸膜，心膜，横隔膜，大動脈，椎体，気管）への浸潤があるかを評価する．腹腔動

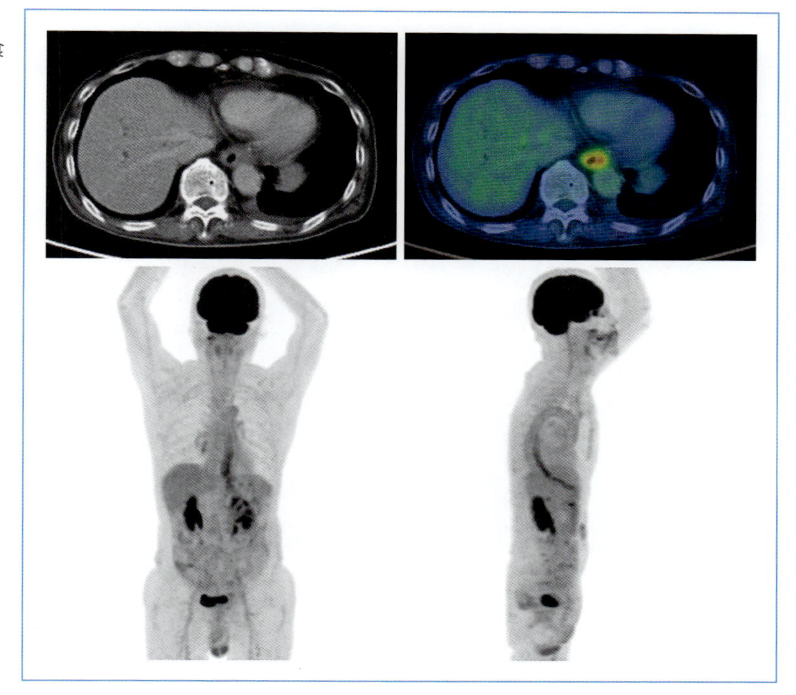

図Ⅸ-E-16　逆流性食道炎
食道に連続性の集積があり，逆流性食道炎への集積と考えられる．

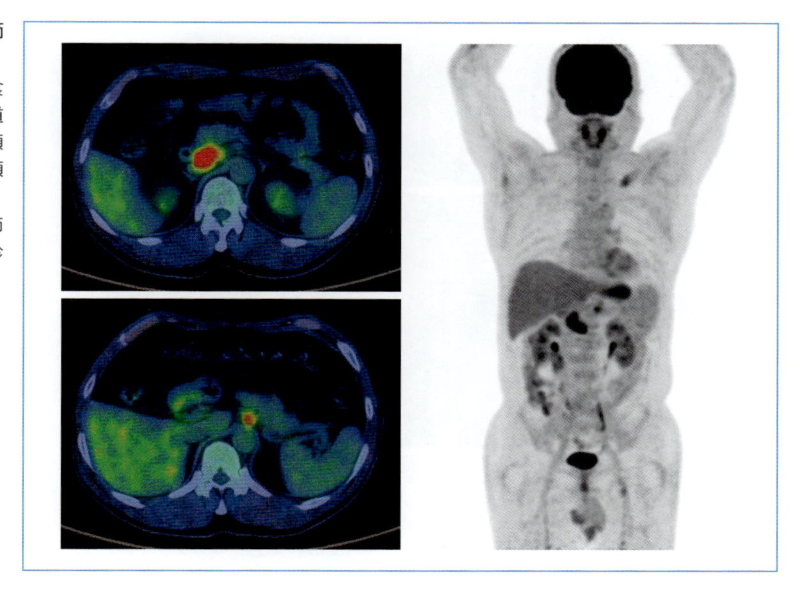

図Ⅸ-E-17　早期食道癌＋リンパ節転移
上部消化管内視鏡検査（GIS）で早期食道癌疑いとなった症例．明らかな食道癌を示唆する集積亢進を認めず．膵頭後部に SUVmax＝11.5，腹腔動脈頭側に SUVmax＝6.0 の集積亢進あり，多発リンパ節転移疑い．後にリンパ節から生検行い，扁平上皮癌（SCC）の診断となった．

脈リンパ節，食道周囲，頸部食道傍リンパ節までが所属リンパ節であり，部位のほか，何個あるかを評価する．

❷ 原発巣

健常人では食道への FDG 集積はほとんど認められないが，逆流性食道炎により下部食道～食道胃接合部に炎症性の集積を認めることがある（図Ⅸ-E-16）．わが国では食道癌のほとんどは扁平上皮癌であるため，強い集積を示すことが多い．ただし，粘膜内や粘膜下層に腫瘍がとどまる T1 病変の場合は偽陰性になることがある（図Ⅸ-E-17）．深達度が上がるほど，FDG の集積が高くなる傾向にあるが各ステージでの重なりが大きい．

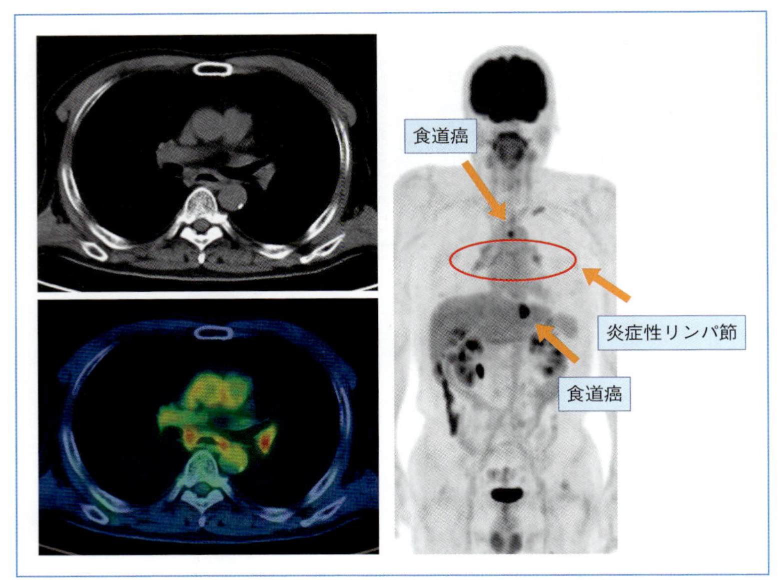

図IX-E-18　食道癌＋炎症性リンパ節への集積
胸部食道に SUVmax＝7.3，腹部食道に SUVmax＝11.6 の集積亢進を認め，食道癌の所見.
そのほか，両側肺門部と縦隔内のリンパ節への集積は対称性でもあり，炎症性変化と考えられる.

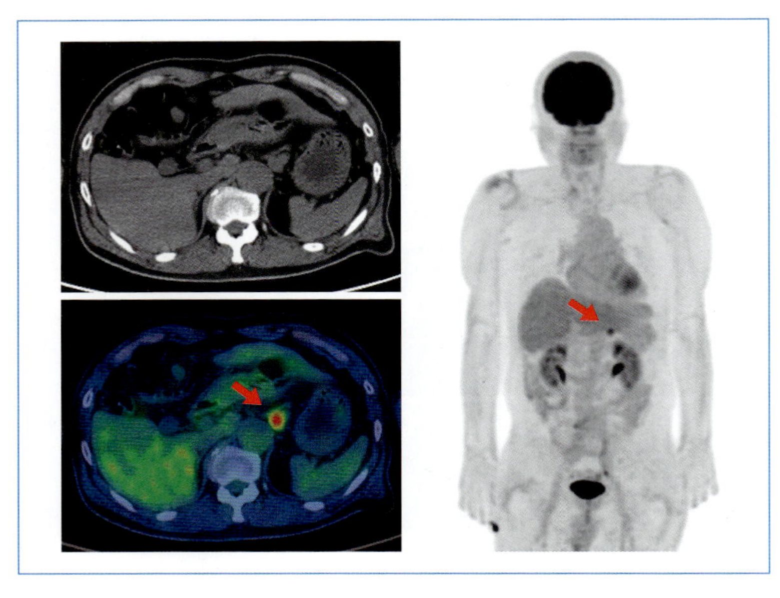

図IX-E-19　食道癌：原病変から離れた部位のリンパ節転移
食道癌の左胃動脈周囲リンパ節転移（SUVmax＝6.95）（➡）.
原発巣には明らかな FDG 集積はないが，内視鏡で食道癌疑い，生検で食道扁平上皮癌の診断.

原発巣の局所診断，他臓器浸潤の評価は通常，内視鏡および CT，MRI で行われ，FDG の集積情報は補助的である.

❸ リンパ節転移

リンパ節転移に関しては，早期癌（T1a）であっても約 5%，T2～T3 では約 60%にも認められると報告されている．リンパ節転移病変評価に関して FDG PET は，特異度は 80%以上と高いものの，感度は 50%前後とそれほど高くないという報告が多い．小さなリンパ節転移病変が多いこと，原発巣の集積と一塊になってしまうことなどが原因と考えられる．特に胸部領域の評価に関しては，炎症性リンパ節が偽陽性となるため，注意が必要である（図IX-E-18）．経食道エコーでの評価が難しい，食道から離れた領域のリンパ節転移が検出されることがあるため（図IX-E-19），そのほかの検査と相補的に診断すべきと考えられる.

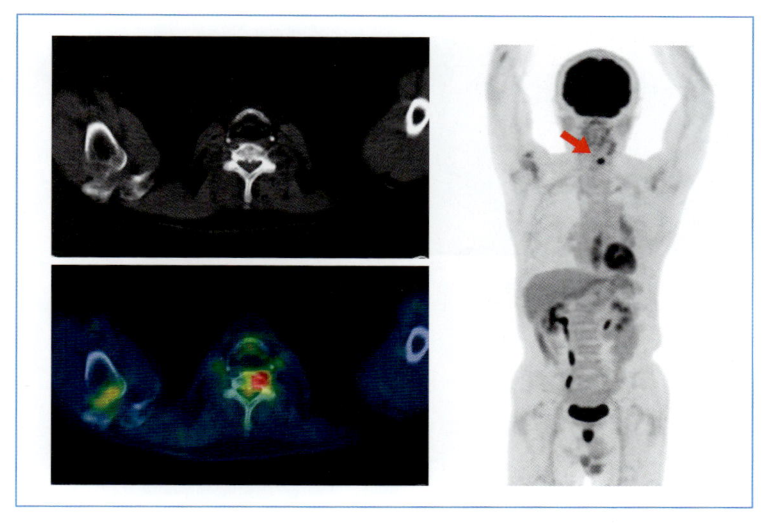

図Ⅸ-E-20　食道癌の骨転移
食道癌に対して化学放射線療法施行後.
食道の集積亢進部位は CT で全周性壁肥厚を認め，病変の残存が疑われる.
左肺門付近の集積亢進は放射性肺臓炎を示唆する所見.
頸椎 C6 に SUVmax=14.9 の focal uptake を認め(➡)，骨転移の所見.

❹ 遠隔転移

食道癌はほかの消化器癌と比較し，早期から遠隔転移をきたしやすい．PET は CT と比較して遠隔転移病変の診断能が高く（図Ⅸ-E-20），PET の情報を追加することでより正確なステージングができる．

❺ 治療効果判定

放射線化学療法後の治療効果判定や予後予測に対しても有用であると考えられているが，治療効果判定については現在保険適用はない．治療後早期の場合は，食道に炎症性の集積が生じるため，注意が必要である．

乳房

❶ 病期分類のポイント

乳癌の原発巣では部位のほか，サイズ，胸壁や皮膚への浸潤の有無などで T 分類が変わる．呼吸変動により PET と CT にずれが生じることがある．同側の腋窩，鎖骨下，胸骨傍，鎖骨上のリンパ節転移が所属リンパ節であり，頸部や対側へのリンパ節は遠隔転移として分類される．

❷ 原発巣

乳腺や乳頭部には生理的に集積が認められる（図Ⅸ-E-21）．通常，集積は左右対称性であり，閉経後と比べると閉経前の方が目立つ．また，授乳期には非常に強い集積を示し，乳汁中への FDG 排泄はわずかだが認められる（図Ⅸ-E-22）．原発巣に関して，小さな腫瘍は指摘困難なことが多く，また非浸潤癌は偽陰性になりやすい．組織型によっても集積度合は異なり，乳管癌に比し小葉癌は集積が低い傾向にあり，粘液癌，硬癌では集積がほとんどみられないこともある．また，トリプルネガティブ乳癌（エストロゲン受容体，プロゲステロン受容体，2 型上皮成長因子受容体（HER2）がすべて陰性）に関しては集積が高いことが知られている．乳腺症，乳腺炎，線維腺腫などの良性疾患でも集積がみられることがあり，偽陽性の原因になる．通常，主病変の評価，進展評価に関しては，マンモグラフィ，超音波検査，MRI で行われるため，PET の評価は補助的である．

乳房専用 PET 装置の臨床応用により，局所の評価も期待される（「Ⅰ-C　核医学装置，③乳房専用 PET 装置」参照）．

❸ リンパ節転移

腋窩リンパ節転移に関しては，PET/CT の感度は 56％程度，特異度は 96％程度という報告があり，特に小さなリンパ節病変に関しては検出できないことが多い．つまり，PET/CT を行っても腋窩センチネルリンパ節による評価は省略できない．関節炎やワクチンの皮下筋肉内投与などが原因で，腋窩リンパ節に集積がみられることがあ

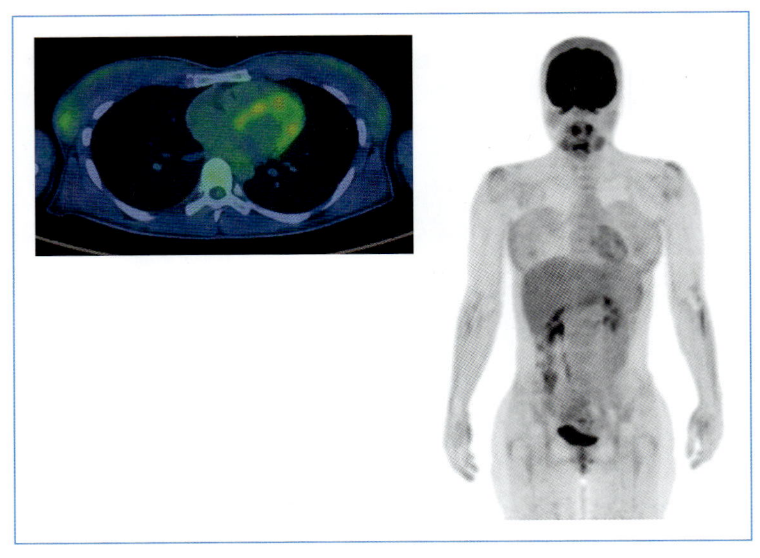

図Ⅸ-E-21　乳腺へのびまん性集積（生理的）
20歳代女性．両側乳腺にびまん性の生理的集積を認める．
子宮内膜への集積は月経周期に伴うもの．

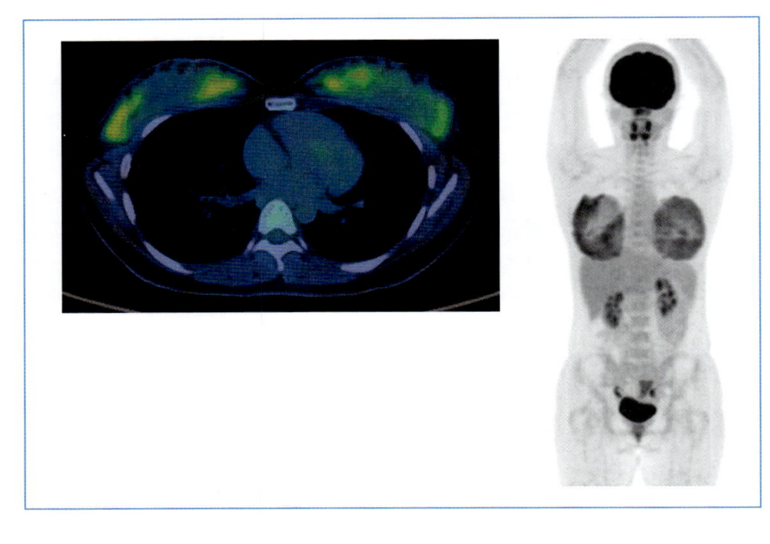

図Ⅸ-E-22　乳腺へのびまん性集積（授乳中）
20歳代女性．授乳中であり，両側乳腺への生理的集積が亢進している．
卵巣および子宮内膜への集積は月経周期に伴うもの．

り，偽陽性の原因となることがある．傍胸骨領域のリンパ節転移に関しては，炎症性に集積することがほとんどないため，特異度が高い．原発巣の集積が高い場合は，病理的にリンパ節転移の頻度が高いことも知られている．

❹ 遠隔転移

乳癌の好発遠隔転移部位は肺，肝，骨である．進行乳癌の場合は遠隔転移の頻度が高く，PET/CTの有用性は高い．造骨性骨転移に関しては，集積が乏しいことがあるため，CTでの骨条件での評価，骨シンチグラフィと相補的に評価することが望ましい（図Ⅸ-E-23）．再発疑いもしくは局所再発患者の評価に関しての有用性は高く，約半数で治療方針が変わるという報告もある（図Ⅸ-E-24）．特に遠隔転移の検出能はCTよりも高いと考えられている．

◆ 文献

1）UICC日本委員会TNM委員会訳：TNM悪性腫瘍の分類　第8版　日本語版，金原出版，東京，p109，2017
2）日本肺癌学会編：肺癌取扱い規約　第8版補訂版，金原出版，東京，p7，2021

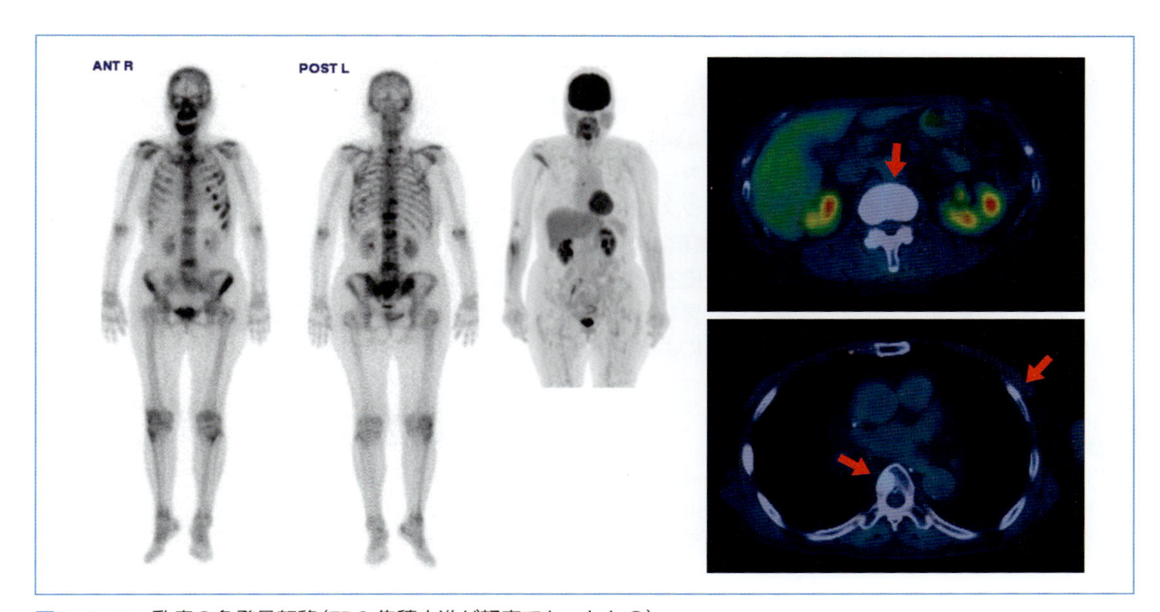

図Ⅸ-E-23 乳癌の多発骨転移(FDG 集積亢進が軽度であったもの)

骨シンチグラフィ撮像の翌日に FDG PET 施行．骨シンチグラフィでは多発骨転移を認めるが(➡)，PET/CT 上は骨転移病変に対する明らかな集積亢進を認めない．

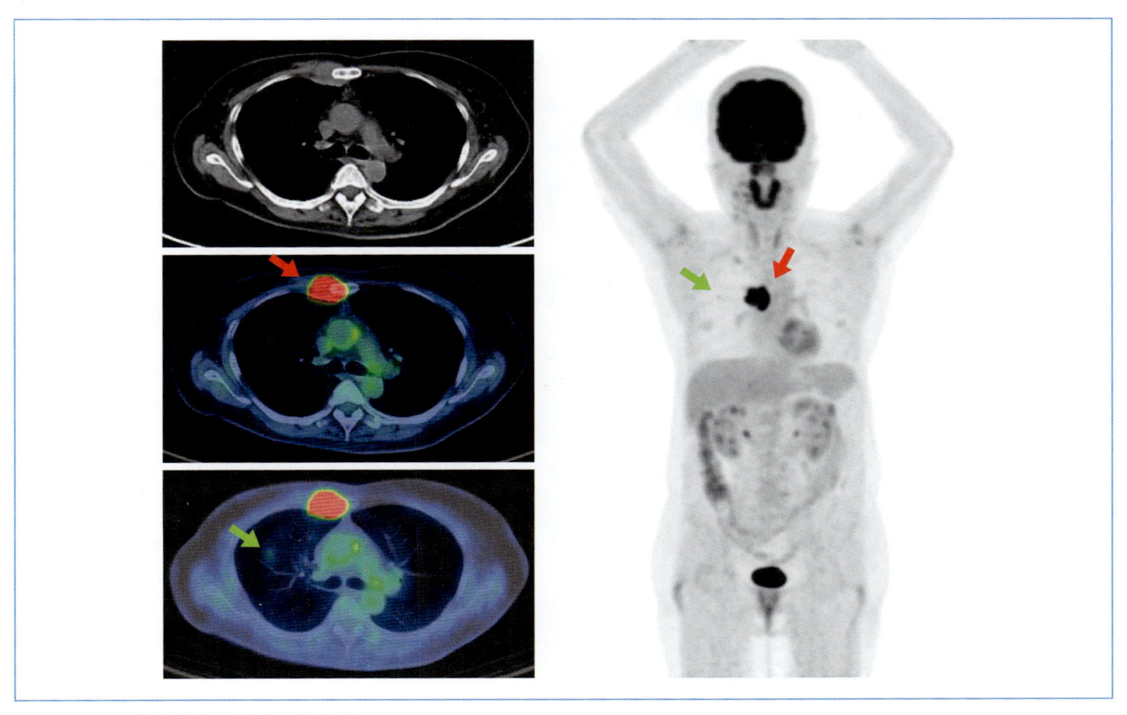

図Ⅸ-E-24 乳癌術後の再発＋肺転移

右乳癌に対し右乳房温存術後．右胸壁に SUVmax＝17.3 の集積亢進を認め，再発の所見．右肺野にも集積亢進を伴う結節を認め，肺転移と考えられた．

➡は再発癌，➡は肺転移．

要点

- 呼吸の影響により PET と CT にずれが生じることがあり，特に下肺野では集積が過小評価されることがある．
- 分化度の高い肺腺癌では有意な集積がみられないことがある．
- 非定型抗酸菌症，結核，サルコイドーシス，塵肺などの炎症性病変でも集積亢進を呈する．
- 胸腺腫と比較し，胸腺癌への FDG の集積は高いことが多く，良悪鑑別の一助となる．
- わが国では食道癌のほとんどは扁平上皮癌であるが，T1 病変では偽陰性になることが多い．
- 乳癌では組織型によっても集積度合は異なるが，トリプルネガティブ乳癌に関しては集積が高い．
- 特に縦隔や肺門部では炎症性リンパ節による集積がみられるため注意が必要である．

◆ 参考文献

1) Dwamena, BA et al：Metastases from non-small cell lung cancer：Mediastinal staging in the 1990s—Meta-analytic comparison of PET and CT. Radiology 213：530-536, 1999
2) Nomori, H et al：Fluorine 18-taggedfluorodeoxyglucose positron emission tomographic scanning to predict lymph node metastasis, invasiveness, or both, in clinical T1N0M0 lung adenocarcinoma. J Thorac Cardiovasc Surg 128：396-401, 2004
3) Naruke, T et al：Lymph node sampling in lung cancer：how should it be done?　Eur J Cardiothorac Surg 16(Suppl 1)：S17-S24, 1999
4) Flores, RM：The role of PET in the surgical management of malignant pleural mesothelioma. Lung Cancer 49(Suppl 1)：S27-S32, 2005
5) Treglia, G et al：Is(18)F-FDG PET useful in predicting the WHO grade of malignancy in thymic epithelial tumors?　A meta-analysis. Lung Cancer 86：5-13, 2014
6) Otsuka, H：The utility of FDG-PET in the diagnosis of thymic epithelial tumors. J Med Invest 59：225-234, 2012
7) Beaulieu, S et al：Positron emission tomography of schwannomas：emphasizing its potential in preoperative planning. AJR Am J Roentgenol 182：971-974, 2004
8) Ezuddin, S et al：MIBG and FDG PET findngs in a patient with malignant pheochromocytoma：a significant discrepancy. Clin Nucl Med 30：579-581, 2005
9) 日本食道学会編：食道癌取扱い規約　第 11 版，金原出版，東京，2015
10) 井垣弘康：我が国および世界における食道癌の罹患率と死亡率の動向．日臨 69：31-35, 2011
11) van Vliet, EP et al：Staging investigations for oesophageal cancer：a meta-analysis. Br J Cancer 98：547-557, 2008
12) Chatterton, BE et al：Positron emission tomography changes management and prognostic stratification in patients with oesophageal cancer：results of a multicentre prospective study. Eur J Nucl Med Mol Imaging 36：354-361, 2009
13) Gillies, RS et al：Additional benefit of ^{18}F-fluorodeoxyglucose integrated positron emission tomography/computed tomography in the staging of oesophageal cancer. Eur Radiol 21：274-280, 2011
14) Ngamruengphong, S et al：Assessment of response to neoadjuvant therapy in esophageal cancer：an updated systematic review of diagnostic accuracy of endoscopic ultrasonography and fluorodeoxyglucose positron emission tomography. Dis Esophagus 23：216-231, 2010
15) 日本乳癌学会編：乳癌取扱い規約　第 18 版，金原出版，東京，2018
16) Cooper, KL et al：Positron emission tomography (PET)for assessment of axillary lymph node status in early breast cancer：A systematic review and meta-analysis. Eur J Surg Oncol 37：187-198, 2011
17) Eubank, WB et al：Impact of FDG PET on defining the extent of disease and on the treatment of patients with recurrent or metastatic breast cancer. AJR Am J Roentgenol 183：479-486, 2004
18) Aukema, TS et al：The role of FDG PET/CT in patients with locoregional breast cancer recurrence：a comparison to conventional imaging techniques. Eur J Surg Oncol 36：387-392, 2010

F 腹部

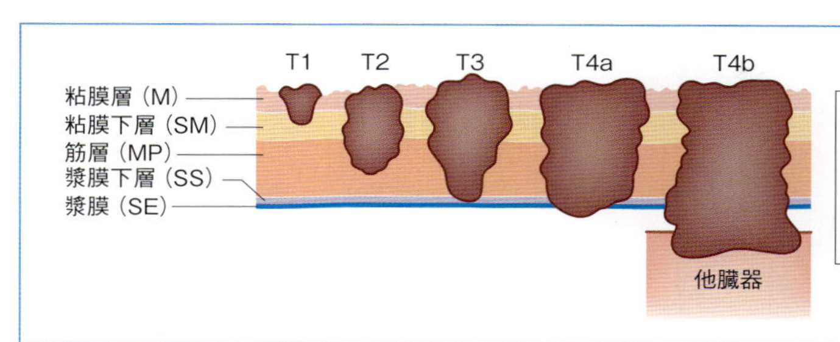

図Ⅸ-F-1 胃壁の構造と胃癌の深達度
M：mucosa，SM：submucosa，MP：muscularis propria，SS：subserasa，SE：serasa

胃

❶ 病期分類のポイント

胃癌の原発巣の評価は通常内視鏡で行われるが，隣接臓器への浸潤があるかを評価する．リンパ節転移に関しては部位のほか，何個あるかを評価する．

❷ 原発巣

現在のところ早期胃癌は保険適用となっていない．理由としては，生理的集積に埋もれて評価が困難なこと，陥凹型が多く部分容積効果により集積が過小評価されること，転移が少ないことなどが挙げられる．検査前の飲水により，胃壁の拡張を促すことで，検出率が上がるといわれているが，FDG PET での深達度診断は困難である（図Ⅸ-F-1）．組織型では印環細胞癌では集積が低いということが有名であるが，乳頭腺癌や管状腺癌および充実型の低分化腺癌では比較的強い集積を示す（図Ⅸ-F-2）．スキルス胃癌と呼ばれるびまん浸潤型胃癌に関しては偽陰性になることが多い．術後再発病変の評価に関しては，集積しやすい組織か確認したうえで読影することで，検出の一助となると考えられる．

非上皮性腫瘍である間葉系腫瘍（消化管間質腫瘍 gastrointestinal stromal tumor（GIST），平滑筋腫，平滑筋肉腫，神経系原性腫瘍など）にも集積がみられることが多い（図Ⅸ-F-3）．特に GIST は，悪性度と集積に相関があるとされ，遠隔転移の検出や治療効果判定に有用である．

❸ リンパ節転移

小さなリンパ節転移病変の検出は困難である．特に胃周囲のリンパ節転移については呼吸性変動の影響を受けやすく，また原発巣に強い集積がみられる場合は，近傍のリンパ節への集積と一塊となり，偽陰性の一因となりうる．リンパ節転移に対する特異度は非常に高いが，腹部では炎症性リンパ節が少ないためと考えられる．

❹ 遠隔転移

原発巣と転移巣では集積程度が異なることがあり，原発巣は検出できなくても，転移巣の検出に有用なことがある．腹膜播種に関しては感度が低いものの，特異度が高いため，治療法選択に有用なことがある．腹膜播種は再発形式として最も頻度が高いため，感度が低いとはいえ，注意深く読影する必要がある．

❺ 早期治療効果判定・予後予測

局所進行胃癌に対して，化学療法開始後に PET で評価することで治療効果をより早期に予想でき，予後予測にも有用とする報告があるが，今のところこのような使用法は保険適用外である．

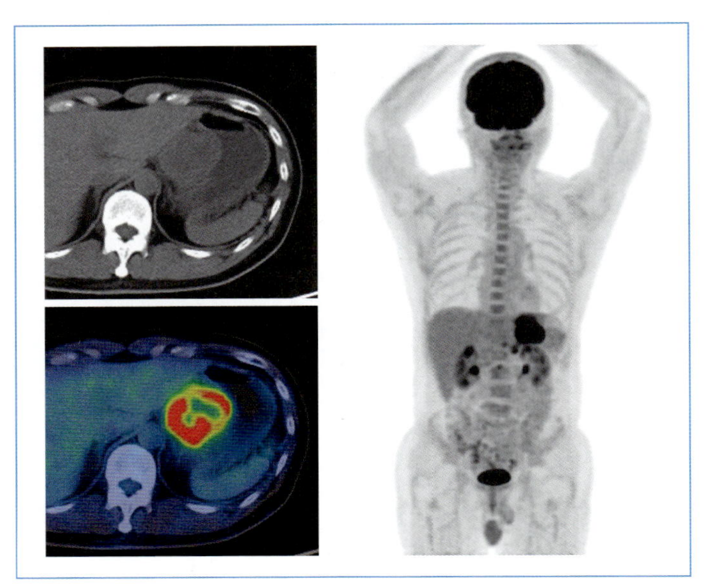

図Ⅸ-F-2　胃癌
胃小彎側にSUVmax=15.1の集積亢進を認める．右傍大動脈までの多発リンパ節転移を疑う集積あり．病理診断は管状腺癌(adenocarcinoma tub2)．
SUV：standard uptake value

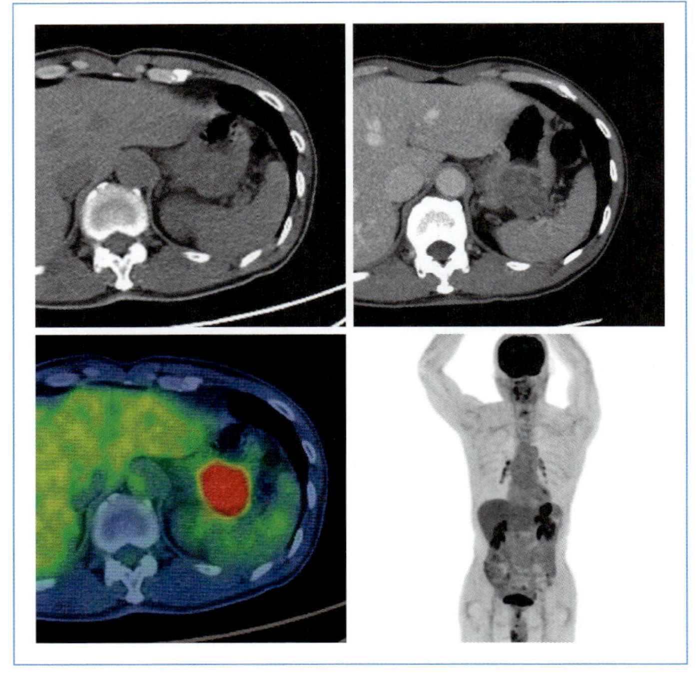

図Ⅸ-F-3　胃GIST
病変にSUVmax=11.1の集積を認めた．生検標本はMIB-1 index 30％を示し，やや悪性度の高い消化管間質腫瘍(GIST)が示唆された．

肝臓(肝細胞癌)

❶ 病期分類のポイント

肝細胞癌の原発巣の評価は通常造影CTもしくはMRIで行われる．原発巣の部位，単発/多発性であるか，周囲臓器への直接浸潤があるかを評価する．所属リンパ節転移がある場合はそれだけで病期がⅣA以上となる．

❷ 原発巣

原発性肝癌の大部分は肝細胞癌が占める．肝細胞癌におけるFDGの集積は，組織型により異な

図Ⅸ-F-4 高分化型肝細胞癌および胃癌
早期濃染を示す結節状病変を認めるが，FDG の高い集積は認めず，比較的分化度が高い肝細胞癌と考えられた．胃噴門側に高い集積を認めたが，生検で胃管状腺癌であった．

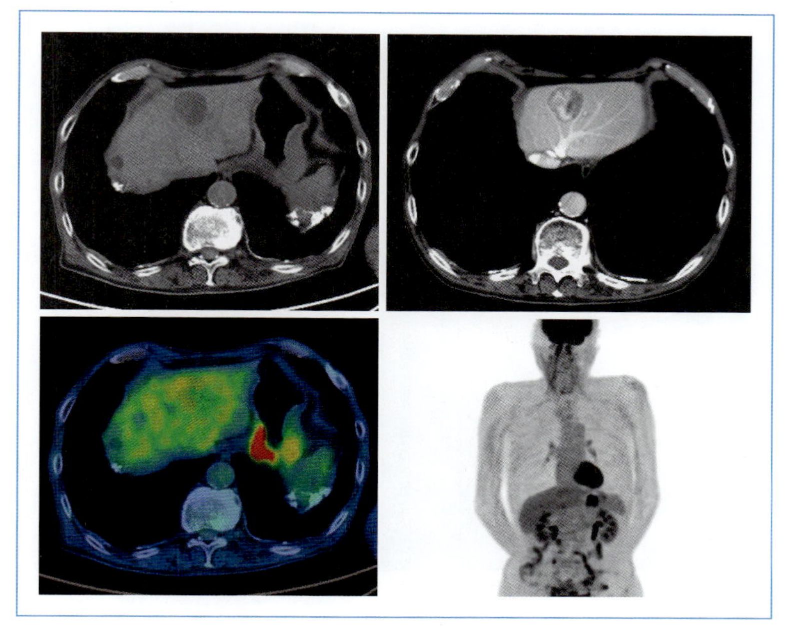

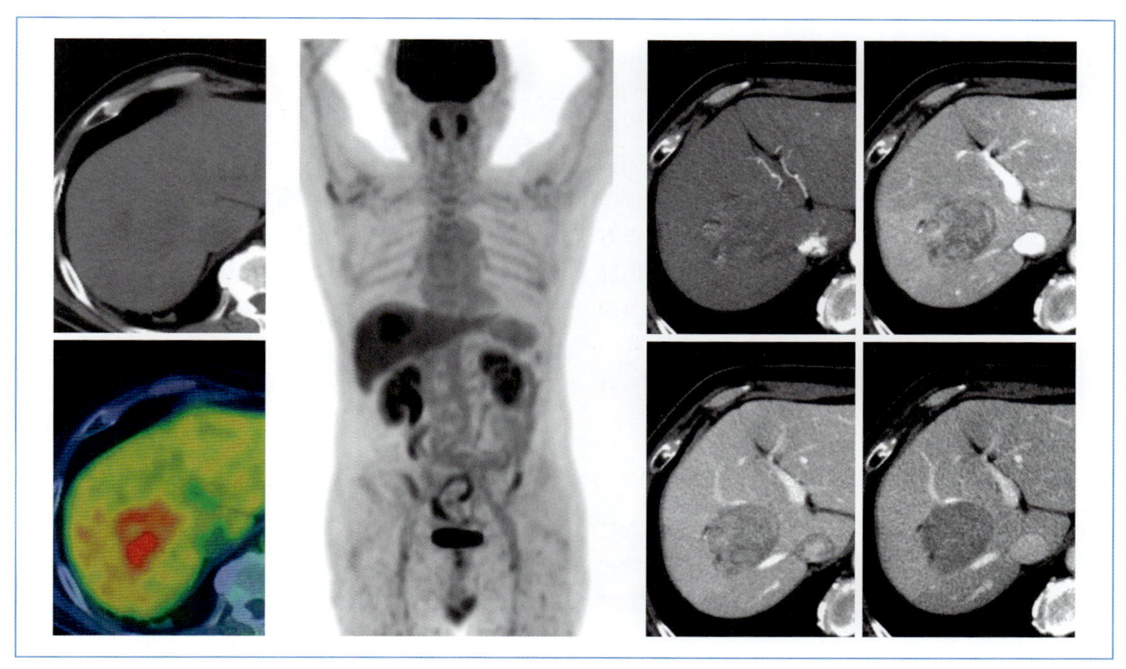

図Ⅸ-F-5 肝細胞癌
肝右葉に SUVmax＝4.570 を示す腫瘤性病変を認める．dynamic CT では典型的な早期濃染と洗い出しを認め，中分化型肝細胞癌を疑う所見．病理所見は単純結節周囲増殖型．

る．前述の通り，高分化型の肝細胞癌は正常肝細胞と同様 glucose-6-phosphatase を有するものがあり，FDG-6-リン酸が再度脱リン酸化されて，細胞外に排出されるため，偽陰性を呈することがある（図Ⅸ-F-4）．より低分化な肝細胞癌は，FDG の強い集積を示すことが多いため検出率が上がる（図Ⅸ-F-5）が，dynamic CT，MRI を脅かすほどではない．しばしばPET/CTのCT部分

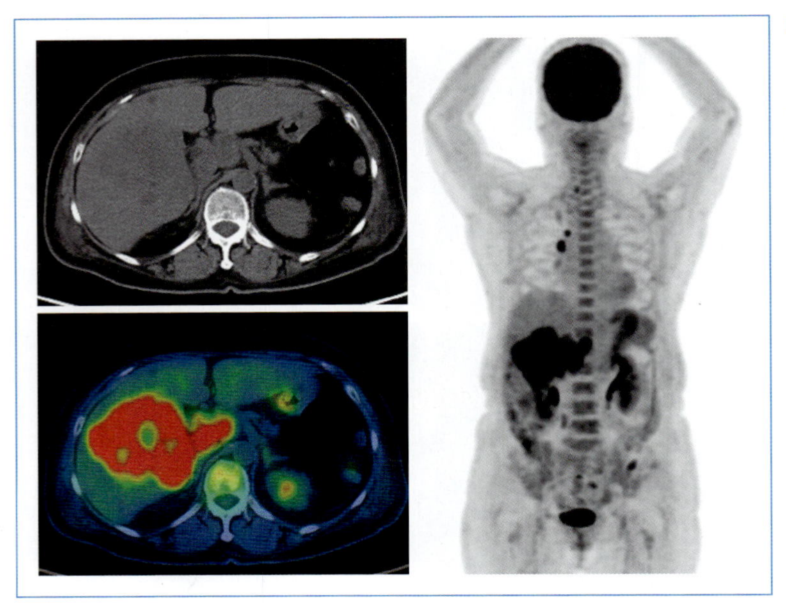

図IX-F-6 胆管細胞癌
肝右葉に非常に高い集積を認め，粗大な腫瘤性病変に一致する．肝内転移，肝十二指腸間膜リンパ節転移，多発肺転移が認められた．

で淡い低吸収域がみつかった場合，限局性脂肪肝，海綿状血管腫，限局性結節性過形成 focal nodular hyperplasia（FNH）などでは通常，明瞭な集積は認められないが，逆に高分化肝細胞癌 hepatocellular carcinoma（HCC）との鑑別が困難であるため，初回であれば，除外も兼ねて腹部エコーや造影 CT，MRI などを行うことが望ましい．呼吸性変動による集積のムラ，炎症性偽腫瘍，肝腺腫，リピオドールなどの高吸収構造（吸収補正に伴うアーチファクト），各種治療に伴う医原性の炎症性変化などが偽陽性として挙げられる．

❸ リンパ節転移・遠隔転移

転移や再発の頻度が高い肝細胞癌は低分化なことが多く，転移性病変検出に有用性がある．特に骨転移は溶骨性転移のことが多いため，PET/CT の有用性は高いと考えられる．

❹ 予後予測

集積の測定方法，cut off 値は報告によりさまざまであるが，原発巣の集積が高い症例では，予後が悪いという報告がいくつかなされている．原発巣に関しては検出よりも，悪性度の推測という観点で有用性があると思われる．

胆道系

❶ 病期分類のポイント

胆囊癌および胆囊管癌では，漿膜（胃・腹壁・結腸・下大静脈），肝臓，門脈，肝動脈など周囲臓器への浸潤の有無の評価が重要であり，所属リンパ節は胆囊管リンパ節，総胆管周囲，肝門，膵臓周囲（膵頭部），十二指腸周囲，門脈周囲，腹腔動脈および上腸間膜動脈リンパ節である．

肝門部胆管癌の所属リンパ節は肝十二指腸間膜内の肝門リンパ節と胆管周囲リンパ節であり，胆囊管，総胆管，固有肝動脈，門脈に沿ったリンパ節の評価を行う．

合流部よりも遠位側の胆管癌では，胆管，総肝動脈から腹腔動脈幹までのリンパ節および膵十二指腸周囲，上腸間膜静脈周囲，上腸間膜動脈右側壁沿いのリンパ節が所属リンパ節となる．

❷ 原発巣

胆管細胞癌は FDG の集積が明瞭なことが多い（図IX-F-6）が，腫瘤形成が少ない肝外胆管癌の描出は困難なことが多い．原発巣の診断能は CT と同程度という報告があるが，通常は CT が行われた後に PET に回ってくるため，原発巣の検出

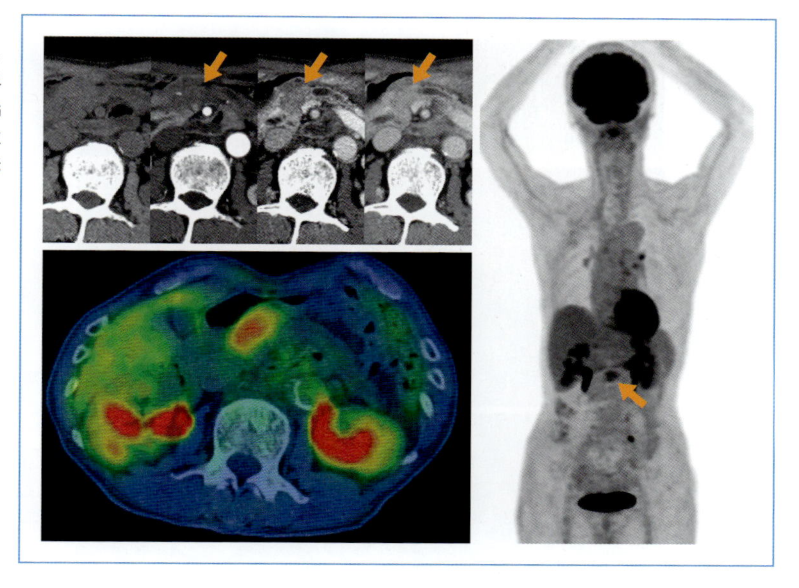

図Ⅸ-F-7 膵癌
造影 CT で認める乏血性腫瘤と一致して膵頭体部移行部に 30 mm 大の境界不明瞭な充実性腫瘤を認め(➡), FDG の集積あり(SUVmax=3.7), 同部位より末梢の膵管は高度拡張. 膵癌原発巣の所見.

という意味では有用性は限られる. また, PET に回ってくる時には腫瘍による狭窄部位にステントやチューブが挿入されていることも多く, その場合は機械的刺激に伴う炎症性変化と混在すると考えられる. 原発性硬化性胆管炎でも集積亢進を伴うため, 鑑別は難しい. 腫瘤を形成する胆嚢癌にも強い集積を認めることが多いが, 胆嚢炎, 胆嚢腺筋腫症などで偽陽性になることがある.

❸ リンパ節転移

所属リンパ節転移に関しては, 検出感度がそれほど高くないという報告が多く, やはり小さなリンパ節の描出は困難である. PET での拾い上げだけでは不十分と考えられる.

❹ 遠隔転移

遠隔転移の検出に関しては有用性が高い. Petrowsky ら[1] の検討では遠隔転移に関して, 造影 CT の感度 25%, 正診度 85% に比し, PET/CT の感度 100%, 正診度 100% と検出能が有意に高いと報告されている.

❺ 再発診断

胆道癌の再発診断に対しての有用性も報告されている. 50 人の再発疑い患者を対象とした Kitajima ら[2] の検討では FDG PET (/CT) の感度は 86%, 特異度は 91%, 正診率は 88% と報告されている.

膵臓

❶ 病期分類のポイント

原発巣が膵内に限局する場合は最大径が 5 mm 以下, 5 mm を超えるが 10 mm 以下, 10 mm を超えるが 20 mm 以下かどうか, 膵外に進展した場合は腹腔動脈幹または上腸間膜動脈への浸潤を伴うかで T 分類が変わる. 所属リンパ節は膵臓周囲のリンパ節で, リンパ節転移個数により, N1a (領域リンパ節に 1～3 個の転移を認める), N1b (領域リンパ節に 4 個以上の転移を認める) となる.

❷ 原発巣

糖尿病合併患者が多いため, 検査前血糖値が高い場合は, 集積が過小評価されると考えられる. 膵癌の集積には大きく, サイズ, 組織型, 進展形式が関与する. 2 cm 以上の膵癌であればほとんど検出可能 (図Ⅸ-F-7) であるが, 小さな腫瘍であれば診断困難なことが多い. 組織型としては 9 割程を占める浸潤型膵管癌では明瞭な集積を示すことが多いが, 充実部分が少ない膵管内乳頭癌や粘液性嚢胞腺癌では集積が乏しいことが多い. 後期像を撮像することにより, 診断能が増し, 局所

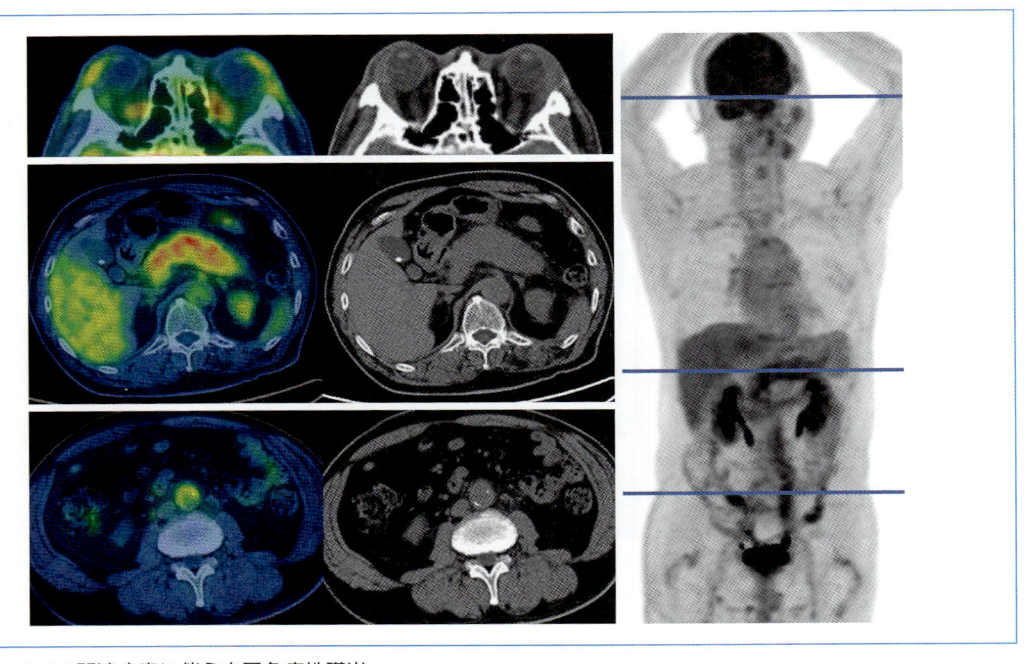

図Ⅸ-F-8　IgG4 関連疾患に伴う自己免疫性膵炎
膵にはびまん性集積亢進が認められる自己免疫性膵炎の所見．そのほか，涙腺，顎下腺，腎実質，前立腺，腹部大動脈壁にも集積亢進を認め，病変と考えられる．

浸潤の評価に関して，造影 PET/CT が有用であるという報告もある．

偽陽性の原因としては，炎症性疾患が挙がる．免疫グロブリン G4 immunoglobulin G4（IgG4）関連疾患（図Ⅸ-F-8）に伴う自己免疫性膵炎では，腫大した膵にびまん性に集積することが多いが，腫瘤形成性膵炎のように限局性集積を示す場合もあり，その場合は全身の集積分布の評価が一助となる．IgG4 関連疾患では涙腺，唾液腺などの腺組織の炎症，間質性肺炎，硬化性胆管炎，肝炎症性偽腫瘍，後腹膜線維症，間質性腎炎，動脈炎などが生じることがあり，それらに関しても FDG の集積が認められる．

❸ リンパ節転移・遠隔転移

リンパ節転移に関しては小さなリンパ節が偽陰性となるため，報告されている感度は低い傾向にある．79 人の膵癌患者を検討した Wang ら[3] の報告では遠隔転移，リンパ節転移ともに造影 CT より正診率が高い（遠隔転移 87.81% vs 76.83%，リンパ節転移 66.67% vs 41.33%）と報告されており，特に遠隔転移の検出により，治療方針が変わる例が少なからず存在するため，PET/CT の有用性は高い．

❹ 再発診断

膵癌の再発診断に対しての有用性も報告されている．Asagi ら[4] は 11 人の再発患者に対して，造影 CT での検出は 7 人であったのに比し，FDG PET/CT は全例検出できたと報告している．腫瘍マーカー（CA19-9）の情報と組み合わせることで，再発病変の診断能が上がる．

腎臓・尿管・膀胱

❶ 病期分類のポイント

腎癌では原発巣が腎臓に限局する場合は最大径が 4 cm，7 cm，10 cm を超えるかで T 分類が変わる．腎静脈や下大静脈への進展の有無を評価する．また，腎外に進展する場合は，同側の副腎への浸潤，Gerota 筋膜を越えて進展するかを評価する．所属リンパ節は腎門，腹部傍大動脈，傍大静脈のリンパ節である．尿管癌では骨盤内リンパ節

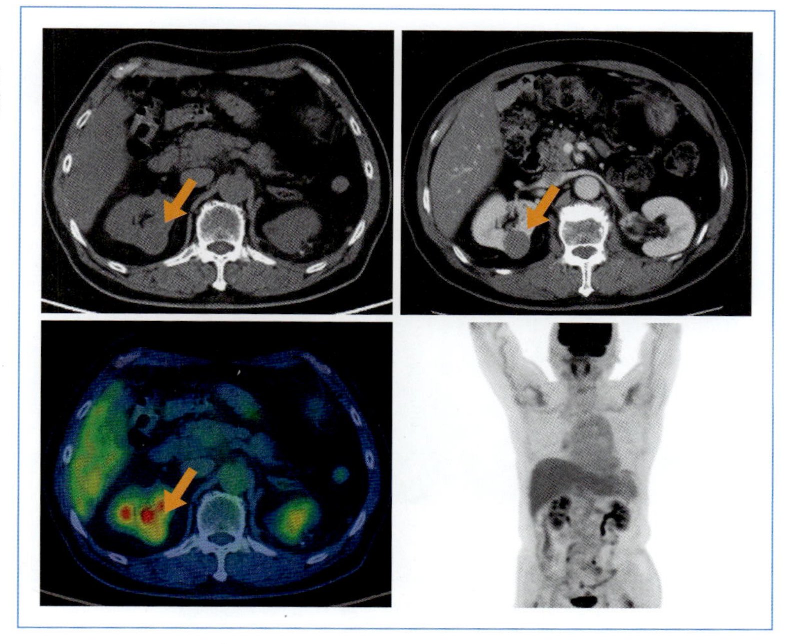

図Ⅸ-F-9 腎細胞癌（papillary renal cell carcinoma）
右腎上極よりの背側へ突出する腎と同程度の density を呈する結節に，軽度の集積亢進が認められる（➡）．

も所属リンパ節となる．膀胱癌では総腸骨動脈分岐部以下の小骨盤リンパ節で，総腸骨動脈沿いのリンパ節も含まれる．

❷ 原発巣

FDG は尿中に排泄されるため，尿路腫瘍の原発巣評価に対する有用性は限定される．また分化度の高い腎癌に関しては glucose-6-phosphatase を有するものがあり，FDG-6-リン酸が再度脱リン酸化されて，細胞外に排出されることにより，偽陰性を呈することがある．ただし，腎嚢胞のように欠損像として描出はされないため（図Ⅸ-F-9），注意深くみることで，比較的小さな腎腫瘍でも指摘できることがある．

❸ 転移・再発病変

Fuccio ら[5] は淡明細胞癌術後に再発が疑われた 69 人の患者を対象に，FDG PET/CT を行い，検出能は感度 90％，特異度 92％，正診率 91％と報告している．再発病変や転移性病変の検出において，特に特異度が高いという報告が多い．

大腸

❶ 病期分類のポイント

大腸癌の所属リンパ節は原発巣の部位によって異なる．N 分類は何個の所属リンパ節があるかで異なる．遠隔転移は 1 臓器に限局する転移（M1a）であるか，もしくは 2 臓器以上，または腹膜転移（M1b）かで分けられる．

❷ 原発巣

大腸癌の診断においては通常，内視鏡検査により形態的・組織的診断が行われるため，FDG PET/CT の有用性は限られる．原発巣には強い集積がみられることが多いが，小さな病変に関しては検出困難なことがある．腸管カルチノイドは集積が乏しいことが知られており，評価には注意を要する．偽陽性として一番多い原因は生理的集積であり，しばしば限局的にみられることもある．後期像を撮像することで，集積が減弱もしくは移動すれば，生理的集積と判断できることが多く（図Ⅸ-F-10），疑わしい場合は積極的に追加する．そのほかの偽陽性の原因としては良性の腺腫（図Ⅸ-F-11），憩室炎などの炎症性変化が挙

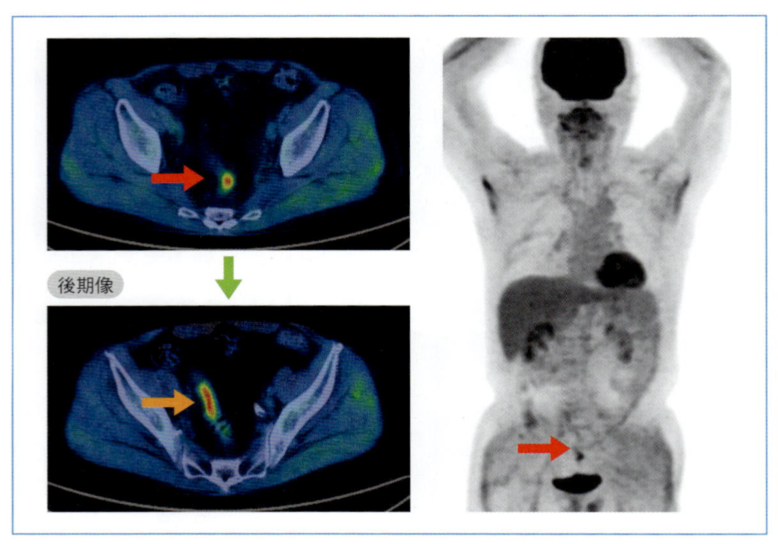

図Ⅸ-F-10　結腸生理的集積
直腸からＳ状結腸にかけてSUVmax＝3.7の集積を認める(➡)．後期像を追加したところ，SUVmax＝5.3と集積は増していたものの形態が変化し腸管に沿って伸びているため生理的な描出と考えられる(➡)．

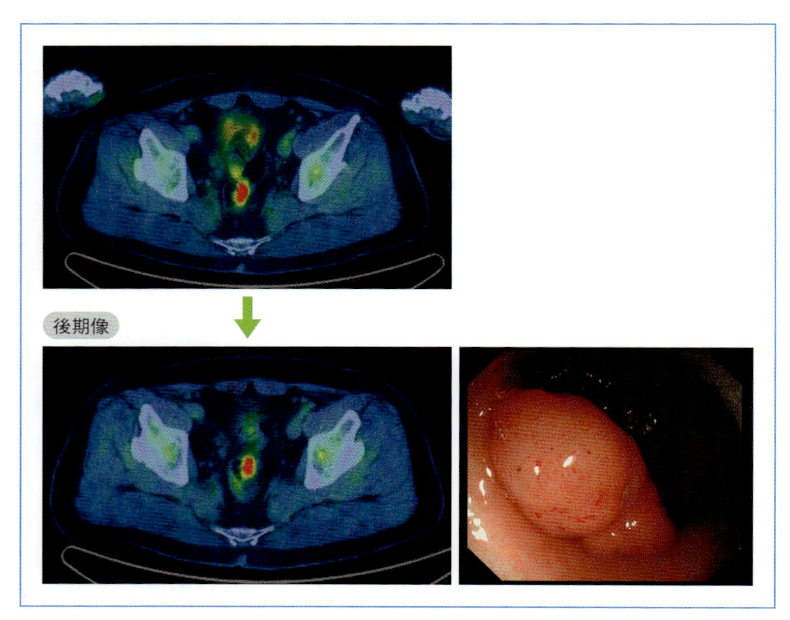

図Ⅸ-F-11　腺腫
Ｓ状結腸に限局性の集積亢進部位を認める(SUVmax＝6.3)．後期像で集積が亢進しており，腫瘍性病変が疑われた(SUVmax＝8.9)．生検にて腺腫の診断であった．

げられる．Van Hoeij ら[6] の報告では悪性腫瘍の方が集積が強い傾向にあり（図Ⅸ-F-12），特に standardized uptake value（SUV）max＝11.4 以上の集積があれば，積極的に精査を勧めるとしており，良性病変との重なりはあるものの，集積の強さがある程度診断に寄与すると考えられる．

❸ リンパ節転移

原発巣近傍のリンパ節に関しては，集積が一塊となり，見落とされることがあるため，CT での評価も重要となる．また，小さなリンパ節はやはり偽陰性となることがある．

❹ 遠隔転移

肝転移の検出に関しては，肝細胞特異性造影剤を用いた MRI に比較し，PET の検出能は低い．特に病変ごとの評価になると，小さな病変は検出困難なことがある．特異度は高いことから，集積を検出した場合は肝転移と診断できる．偽陽性の原因としては，呼吸性変動や心拍動に伴うアーチ

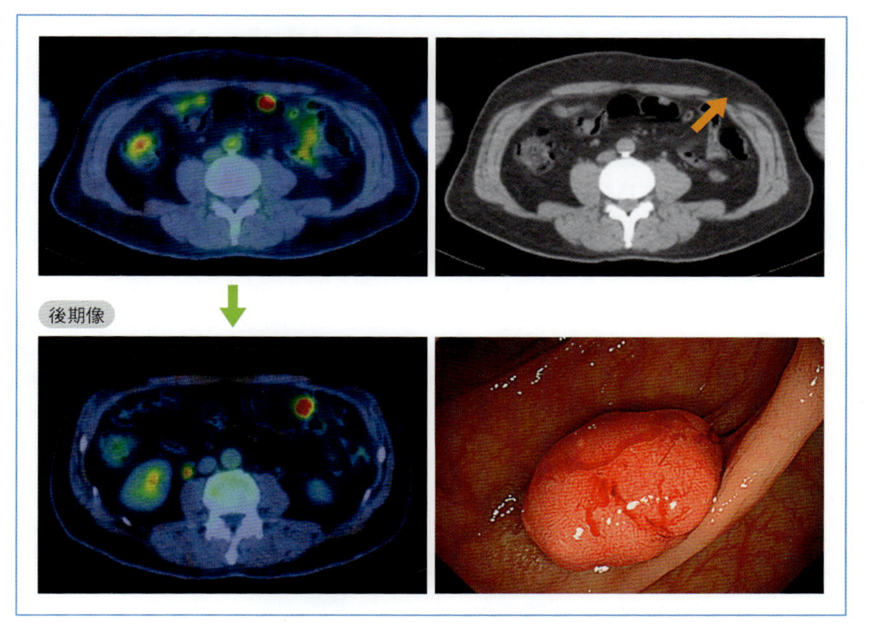

図Ⅸ-F-12　S 状結腸癌
S 状結腸に限局性集積亢進部位を認める(SUVmax=7.1). 後期像で集積は亢進しており(SUVmax=13.0), CT で polyp 様の突出が認められる(➡). 生検にて S 状結腸癌と診断された.

ファクトや炎症性偽腫瘍などが挙げられる．化学療法を受けている場合は，FDG の集積が低下し検出能が下がるため，治療の有無を確認してから読影する．

❺ 局所再発診断

直腸癌術後の再発形式として，局所再発および肝転移の頻度が高い．局所再発は手術操作に伴う瘢痕組織の増生などにより，形態画像では診断が困難なことがある．FDG PET/CT による局所再発の評価は造影 CT と比較して感度，特異度ともに高く，特に造影 CT で指摘された瘢痕組織の良悪鑑別に有用である（図Ⅸ-F-13）．

◆ 文献

1) Petrowsky, H et al : Impact of integrated positron emission tomography and computed tomography on staging and management of gallbladder cancer and cholangiocarcinoma. J Hepatol 45 : 43-50, 2006
2) Kitajima, K et al : Clinical impact of whole body FDG-PET for recurrent biliary cancer : a multicenter study. Ann Nucl Med 23 : 709-715, 2009
3) Wang, XY et al : The value of 18F-FDG positron emission tomography/computed tomography on the pre-operative staging and the management of patients with pancreatic carcinoma. Hepatogastroenterology 61 : 2102-2109, 2014
4) Asagi, A et al : Utility of contrast-enhanced FDG PET/CT in the clinical management of pancreatic cancer : impact on diagnosis, staging, evaluation of treatment response, and detection of recurrence. Pancreas 42 : 11-19, 2013
5) Fuccio, C et al : Restaging clear cell renal carcinoma with 18F-FDG PET/CT. Clin Nucl Med 39 : e320-e324, 2014
6) van Hoeij, FB et al : Incidental colonic focal FDG uptake on PET/CT : can the maximum standardized uptake value (SUVmax) guide us in the timing of colonoscopy? Eur J Nucl Med Mol Imaging 42 : 66-71, 2015

◆ 参考文献

1) 日本胃癌学会編：胃癌取扱い規約　第 15 版，金原出版，東京，2017
2) Yamada, A et al : Evaluation of 2-deoxy-2-[18F] fluoro-D-glucose positron emission tomography in gastric carcinoma : relation to histological subtypes, depth of tumor invasion, and glucose transporter-1 expression. Ann Nucl Med 20 : 597-604, 2006
3) Nakamoto, Y et al : Clinical value of whole-body FDG-PET for recurrent gastric cancer : a multicenter study. Jpn J Clin Oncol 39 : 297-302, 2009
4) Ott, K et al : Prediction of response to preoperative chemotherapy in gastric carcinoma by metabolic imaging : results of a prospective trial. J Clin Oncol 21 : 4604-4610, 2003
5) 日本肝癌研究会編：原発性肝癌取扱い規約　第 6 版補訂版，金原出版，東京，2019

要点

- 早期胃癌は保険適用となっていない．
- 印環細胞癌やびまん浸潤型胃癌では偽陰性になることが多い．
- 高分化型の肝細胞癌や腎癌では明瞭な集積がみられないことがある．
- FDG は尿中排泄されるため，尿路腫瘍の原発巣評価に対する有用性は限定される．
- 直腸癌術後の局所再発診断に有用である．
- 腹膜播種の検出に関しては特に特異度が高い．

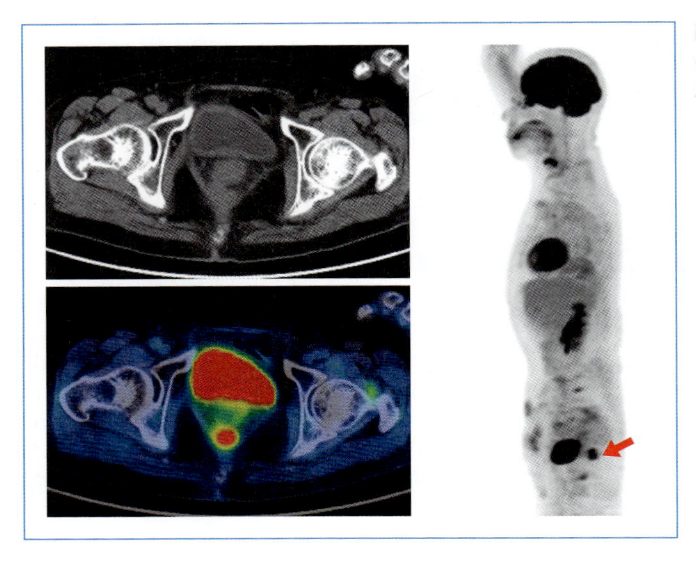

図IX-F-13　直腸癌術後再発
骨盤内尾骨レベルに結節状集積亢進を認め（➡），局所再発と考えられる．

6）Torizuka, T et al：In vivo assessment of glucose metabolism in hepatocellular carcinoma with FDG PET. J Nucl Med 36：1811-1817, 1995
7）Hatano, E et al：Preoperative positron emission tomography with fluorine-18-fluorodeoxyglucose is predictive of prognosis in patients with hepatocellular carcinoma after resection. World J Surg 30：1736-1741, 2006
8）Kong, YH et al：Positron emission tomography with fluorine-18-fluorodeoxyglucose is useful for predicting the prognosis of patients with hepatocellular carcinoma. Korean J Hepatol 10：279-287, 2004
9）Anderson, CD et al：Flucrodeoxyglucose PET imaging in the evaluation of gallbladder carcinoma and cholangiocarcinoma. J Gastrointest Surg 8：90-97, 2004
10）日本膵臓学会編：膵癌取扱い規約　第７版補訂版，金原出版，東京，2020
11）日本泌尿器科学会ほか編：膀胱癌取扱い規約　第３版，金原出版，東京，2001
12）Maffione, AM et al：Diagnostic accuracy and impact on management of(18)F-FDG PET and PET/CT in colorectal liver metastasis：a meta-analysis and systematic review. Eur J Nucl Med Mol Imaging 42：152-163, 2015
13）Akhurst, T et al：Recent chemotherapy reduces the sensitivity of[18F]fluorodeoxyglucose positron emission tomography in the detection of colorectal metastases. J Clin Oncol 23：8713-8716, 2005
14）Ozkan, E et al：The role of 18F-FDG PET/CT in detecting colorectal cancer recurrence in patients with elevated CEA levels. Nucl Med Commun 33：395-402, 2012
15）大腸癌研究会編：大腸癌取扱い規約　第９版，金原出版，東京，2018

G 生殖器

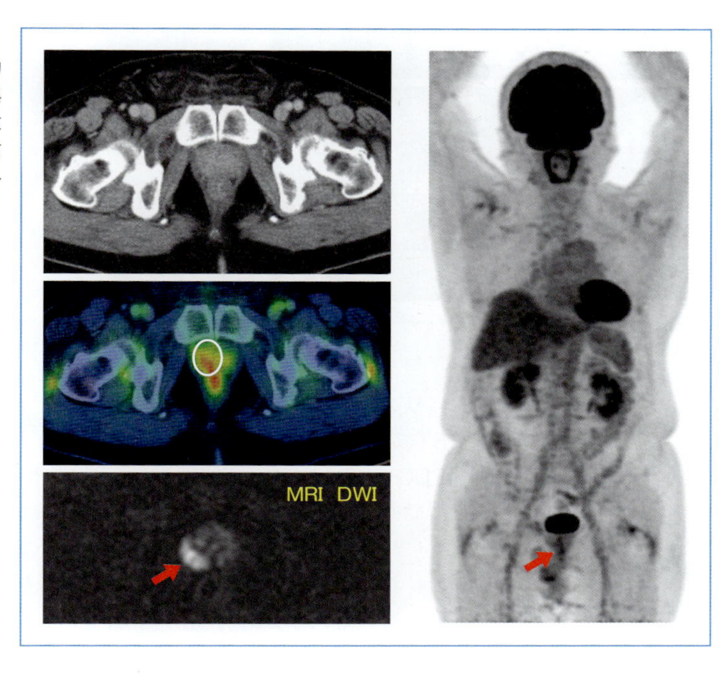

図Ⅸ-G-1 前立腺癌原発巣
前立腺右葉に左右差のある集積亢進が偶発的にみつかった症例(連続してみえる直腸への集積は生理的). 直後に撮影されたMRIの拡散強調像でも前立腺右葉辺縁域に一致した高信号を認めており(➡), 前立腺生検ではGleason score＞7の前立腺癌が確認された.

前立腺

❶ 病期分類のポイント

原発巣が前立腺に限局する場合はT2以下となる. 被膜を越えて進展した場合, 精囊以外の隣接組織に固定または浸潤する場合はT4となる. 所属リンパ節は腸骨動脈分岐部以下の小骨盤リンパ節である.

❷ 原発巣

正常前立腺や前立腺肥大でもある程度の集積がみられることがあり, また, 近接する膀胱・尿道により病変がマスクされること, 前立腺炎により偽陽性を呈することなどから, 前立腺癌の診断やステージングに, FDG PETは勧められていない.

前立腺癌の分化度が低いほどグルコーストランスポーター1 glucose transporter 1 (GLUT1) の発現が高い傾向にあり, 集積が増加する傾向にある. またアンドロゲンの持つグルコース代謝への調節機構により, ホルモン感受性癌ではFDGの集積は低くなる. したがって低分化型腺癌 (Gleason score＞7), 高前立腺特異抗原 prostate specific antigen (PSA) 値, 去勢抵抗性を示す場合は, 集積が高く有用な場合がある (図Ⅸ-G-1).
また, 移行域では辺縁域の病変よりも感度が低いという報告がある.

偶発的にみつかった前立腺への限局性集積については, PSAの確認やMRIを追加し前立腺癌を除外することが望ましい.

局所再発診断に関しても, 再発腫瘍と治療後変化の集積に有意差がなく, また隣接する膀胱・尿道への集積でマスクされ, 有用性は限定的である.

❸ リンパ節転移

部位としては骨盤内や下腹部領域で多い. Changらの報告[1]では, 術前にCTで骨盤内リンパ節転移陰性と判断された症例を検討したとこ

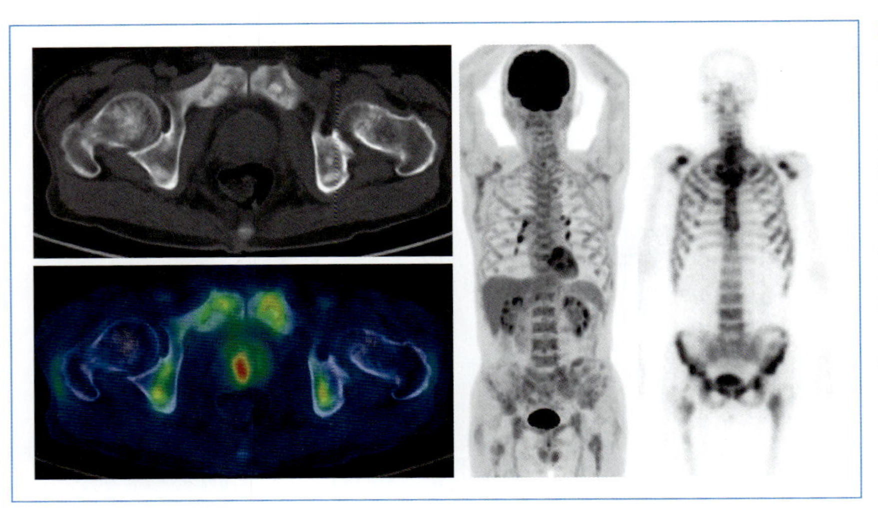

図IX-G-2 前立腺癌・全身性多発造骨性骨転移
Gleason score>7の低分化型前立腺癌．前立腺右葉に原発巣と思われる局所的集積亢進を認める．CTでは両側の骨盤骨・大腿骨近位部をはじめ，椎骨，胸骨，肋骨などに多発する造骨性転移を認めており，一致してFDG PETと骨シンチグラフィでも集積亢進を認める．

ろ，病理組織像では67%にリンパ節転移が認められたが，そのうちFDG PETで75%が検出可能であったと報告しており，FDG PETはCTよりもリンパ節転移検出には有用であると考えられる．

❹ 遠隔転移

骨転移が最も多く，脊椎や骨盤骨に多い．骨転移の検出感度は骨シンチグラフィにやや劣る．ただし，PET陽性の骨転移は増殖の活動性が高いとされており，今後増大することが推測される．また，PSAの上昇から再発を疑われた症例でも，FDG PETにより31%で病変を指摘できたとされている（図IX-G-2）．

❺ 治療効果判定

化学療法前にFDGの有意な集積がみられると，抗アンドロゲン療法や化学療法の奏効率が低下するとされている．また，手術症例では，治療前のSUVmaxが高値であると術後の予後が悪いと報告されている．

子宮体癌

❶ 病期分類のポイント

所属リンパ節は骨盤内リンパ節および傍大動脈リンパ節である．

❷ 原発巣

子宮体癌の局所浸潤の程度診断に関してはMRIが優れており，また，早期の子宮体癌ではサイズが小さいことや内膜への生理的集積による偽陰性を呈しやすいため，PETの役割は少ない．筋層浸潤が深いほどSUVが高いと報告されている．

再発診断では，FDG PETで感度93～100%，特異度78～93%と良好な成績を示し，conventionalな画像検索と腫瘍マーカーの組み合わせよりも有用である．また再発症例の検討ではPETを行うことで21.9%の患者で治療方針が変更されたという報告がある．

❸ リンパ節転移

子宮底部からは腸骨領域から傍大動脈領域へ，子宮中下部からは子宮傍組織から閉鎖領域へ進展する．骨盤内・傍大動脈リンパ節転移の検索において，FDG PET/CTは感度60%，特異度98%程度と報告されている．CT・MRIのみよりもFDG PETを組み合わせることで感度が有意に高くなり，適切なマネジメントに貢献することができる．

❹ 遠隔転移

FDG PETでは検出感度が83.3%であり，CTの66.7%と比較し検出に有用であると報告されている．ただしほかの悪性腫瘍と同様にサイズが小さいほど検出は困難であり，感度は10 mm以上で

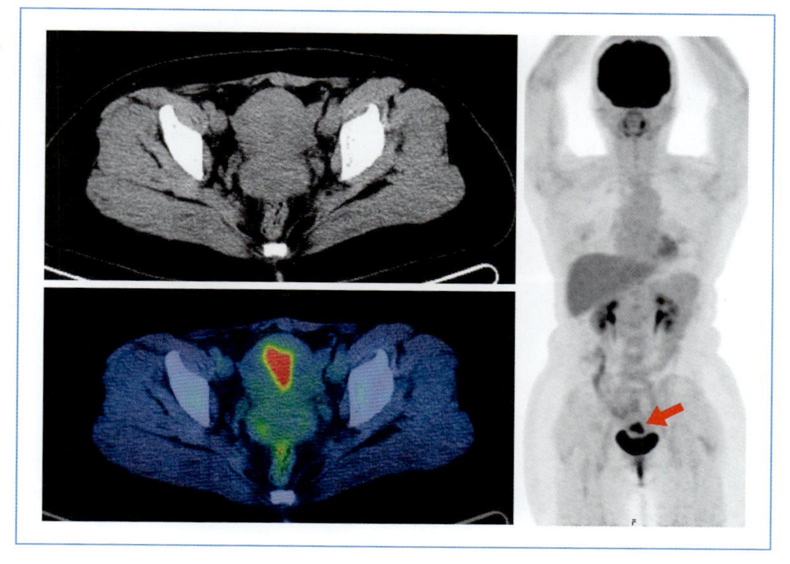

図Ⅸ-G-3　子宮体癌
閉経後の 50 歳代女性の子宮体癌．子宮内に SUVmax＝17.1 の集積亢進を認める(➡)．
SUV：standardized uptake value

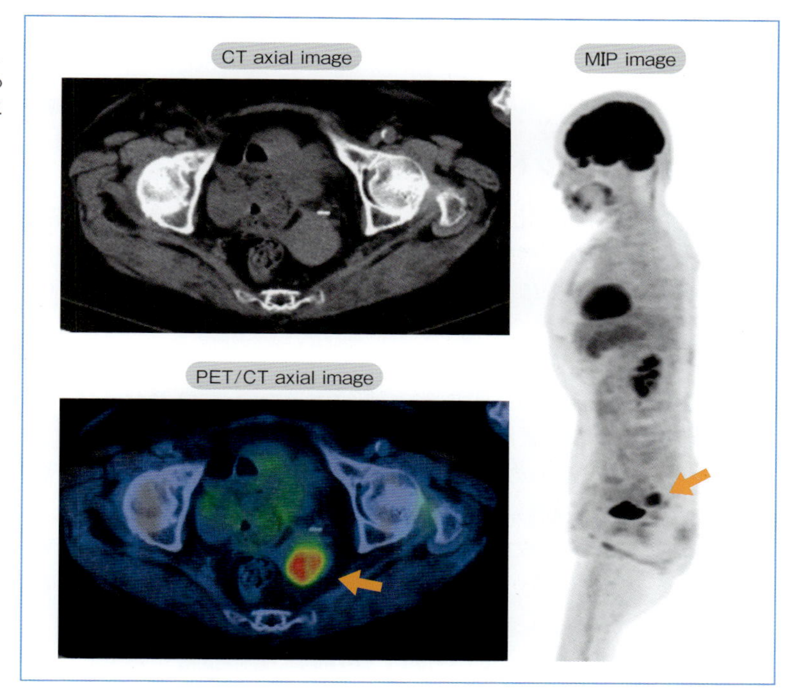

図Ⅸ-G-4　子宮筋腫
通常は筋腫への集積は軽度であるが，変性を有するもの，細胞密度が高いものに関しては明瞭な集積がみられることがある(➡)．

あれば 93.3%，5～9 mm では 66.7%，4 mm 以下では 16.7% まで低下する．

❺ 注意事項

子宮内膜への生理的集積は排卵期と月経期で増強する．閉経前の場合は浸潤と判断しないように注意が必要であるが，閉経後であれば浸潤を疑う所見となる（図Ⅸ-G-3）．

子宮筋腫への集積は，変性を有するもので有意に高いと報告されているが，悪性転化したものでも集積に有意差はなく，良悪の鑑別は困難である（図Ⅸ-G-4）．子宮筋腫への集積を認めた場合は MRI を追加することが鑑別の一助になる．

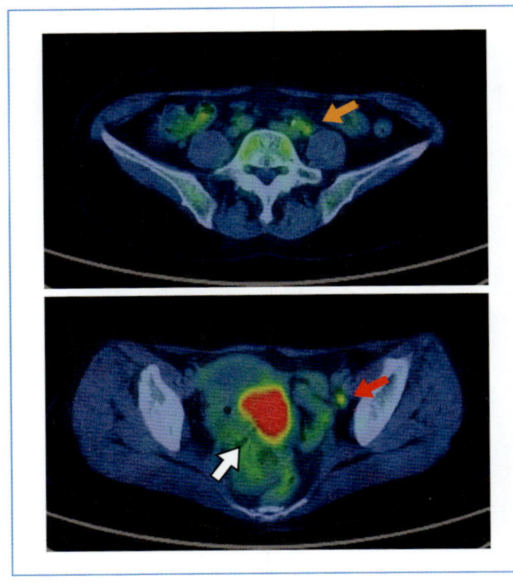
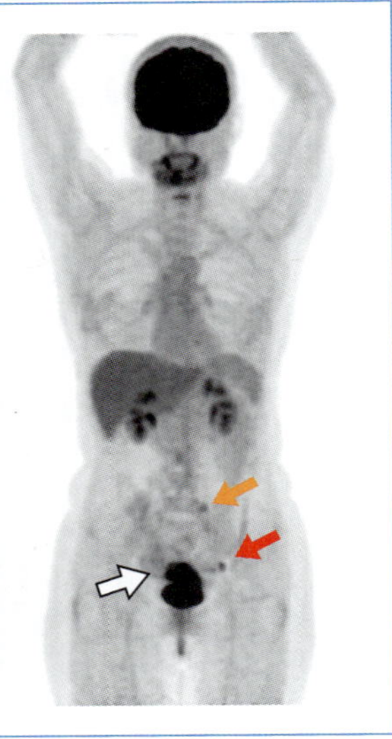

図IX-G-5　子宮頸癌
腫大した子宮頸部に限局性の集積亢進を認める．左閉鎖領域および左外腸骨領域のリンパ節転移も描出されている．⇨は原発巣，➡は閉鎖リンパ節転移，➡は外腸骨リンパ節転移．

子宮頸癌

❶ 病期分類のポイント

所属リンパ節は頸部傍，基靱帯，下腹，総腸骨，外腸骨，仙骨リンパ節であり，傍大動脈リンパ節は所属リンパ節ではない．

❷ 原発巣

子宮頸癌はまず頸部擦過細胞診で診断されるため，原発巣の存在診断に用いられることは少ないが，基本的に原発巣への集積は高く，扁平上皮癌・低分化型でより高い．局所浸潤評価についてはMRIがゴールドスタンダードであり，FDG PET/CTの有用性は確立されていない．ただし，予後予測の有用性については，集積のボリュームが60 cm^{3}以上であれば全生存期間や無増悪生存期間が短くなる，術前のSUVmaxが高いと術後再発率が高くなるという報告がある．

局所再発と術後変化による線維化や壊死との鑑別にFDG PET/CTが有用である．局所再発については感度90～95%，特異度76～93%とCT・MRIより優れており，治療後の無症状症例のフォローアップ，有症状例の再発診断，再発診断時の治療戦略で有用であると報告されている．

❸ リンパ節転移

内・外腸骨動静脈，仙骨前面の3経路から進行し，総腸骨領域・傍大動脈領域に進展，その後，鎖骨上窩リンパ節に及ぶ．FDG PET/CTはリンパ節転移の評価について感度75～84%，特異度95～98%と特に感度が優れている点で有用と考えられており，CT・MRIで判別困難な小サイズのリンパ節転移や良性の反応性リンパ節腫大を鑑別することができる（図IX-G-5）．偽陰性では，やはりサイズが小さいものや顕微鏡的な転移があり，偽陽性ではリンパ組織の過形成や腸管への生理的集積との読み間違いがある．

Grigsbyら[2)]は，子宮頸癌症例において，傍大動脈リンパ節転移への集積が予後予測因子であると報告している．

❹ 遠隔転移

骨盤外リンパ節への転移は診断時の12%の症例で認められる．特に左鎖骨上窩リンパ節の有無が重要であり，40%で傍大動脈リンパ節転移を伴い，予後不良因子とされている．血行性転移は5%とまれだが，肺，肝，骨，副腎で認めやすい．骨盤内リンパ節転移がない場合には遠隔転移は認めにくい．

卵巣

❶ 病期分類のポイント

所属リンパ節は下腹リンパ節，総腸骨リンパ節，外腸骨リンパ節，外仙骨リンパ節，傍大動脈リンパ節および鼠径リンパ節である．

❷ 原発巣

卵巣には多種多様な腫瘤が発生し，その発生母地による分類と，それぞれについて，良性腫瘍，境界悪性腫瘍，悪性腫瘍に分類される．

卵巣腫瘍の診断は婦人科的診察，CT や MRI による形態，年齢・腫瘍マーカーなどからその組織型を推定する．ステージングに関して，FDG PET の有用性は証明されていない．卵巣癌の診断について，MRI が感度 81%，特異度 98% であるのに対し，FDG PET が感度 58～90%，特異度 54～90% とやや劣る．良悪の鑑別について，FDG PET は感度 81～100%，特異度 74～100% と比較的良好な結果を示すが，小サイズや低細胞密度の低悪性腫瘍・境界悪性腫瘍の診断については有効であるとはいえず，子宮内膜症や成熟嚢胞奇形腫，線維腫では偽陽性を生じる．

再発診断では，卵巣癌腫瘍マーカー（CA125）で異常値を示した症例について，FDG PET は感度 96%，特異度 80% と CT・MRI よりも良好な成績を示している．またフォローアップに関しても，CT や CA125 よりも高い感度を示し，再発局在診断に有用である．ただし，骨盤内に限れば，再発の評価について MRI の方が FDG PET よりも優れていた（感度 91% vs 73%）という報告もある．

❸ リンパ節転移

転移部位としては骨盤内から後腹膜リンパ節が多く，まれだが鎖骨上窩や傍胸骨，臍領域にも認められることがある．CT や MRI の形態診断（短径 10 mm 以上）では感度が低いが，FDG PET では 5～9 mm 程度のリンパ節転移でも一部で指摘することが可能である．その成績は感度 68～78%，特異度 96～98% と CT・MRI よりも良好である．

❹ 遠隔転移

卵巣癌は腹膜播種をきたしやすく，さらに横隔膜上部のリンパ節や肝臓や肺，胸膜などへの多臓器転移も少なくない．FDG PET は，腹膜播種について感度 71%，特異度 100% で検出できると報告されている（図Ⅸ-G-6）．癌細胞が一度腹腔内に播種すると腹水の流れに沿って大網や肝・脾周囲，横隔膜下，両側傍結腸溝などにしばしば限局性病変を形成する．腸管壁外側に存在する病変では腸管の生理的集積との鑑別に苦慮することがあり，後期像の追加撮像が両者の鑑別に寄与する．

❺ 注意点

生殖可能年齢における子宮付属器の集積は性周期とともに変動し，排卵期には片側（時には両側）卵巣への明瞭な集積を認めることがある．診断の際には事前に撮像されている造影 CT，MRI などの形態画像を注意深く参照することに加えて，最終月経日など月経周期の確認を行うことが鑑別の一助となる（図Ⅸ-G-7）．

❻ 治療効果判定

1，3 サイクル後の FDG PET でそれぞれ 20%，50% 以上の SUV 減少率が得られれば，その後の手術で完全切除できる可能性が高く，予後も有意に延長されると報告されている．また，腫瘍減少手術後の化学療法を施行後，FDG PET 陰性であれば 2nd-look 手術を回避できる可能性も報告されている．

◆ 文献

1）Chang, CH et al：Detecting metastatic pelvic lymph nodes by 18F-2-deoxyglucose positron emission tomography in patients with prostate specific antigen relapse after treatment for localized prostate cancer. Urol Int 70：311-315, 2003
2）Grigsby, PW et al：Lymph node staging by positron emission tomography in patients with carcinoma of the cervix. J Clin Oncol 19：3745-3749, 2001

◆ 参考文献

1）日本泌尿器科学会ほか編：前立腺癌取扱い規約 第4版，金原出版，東京，2010
2）Schöder, H et al：2-[^{18}F]-fluoro-2-deoxyglucose

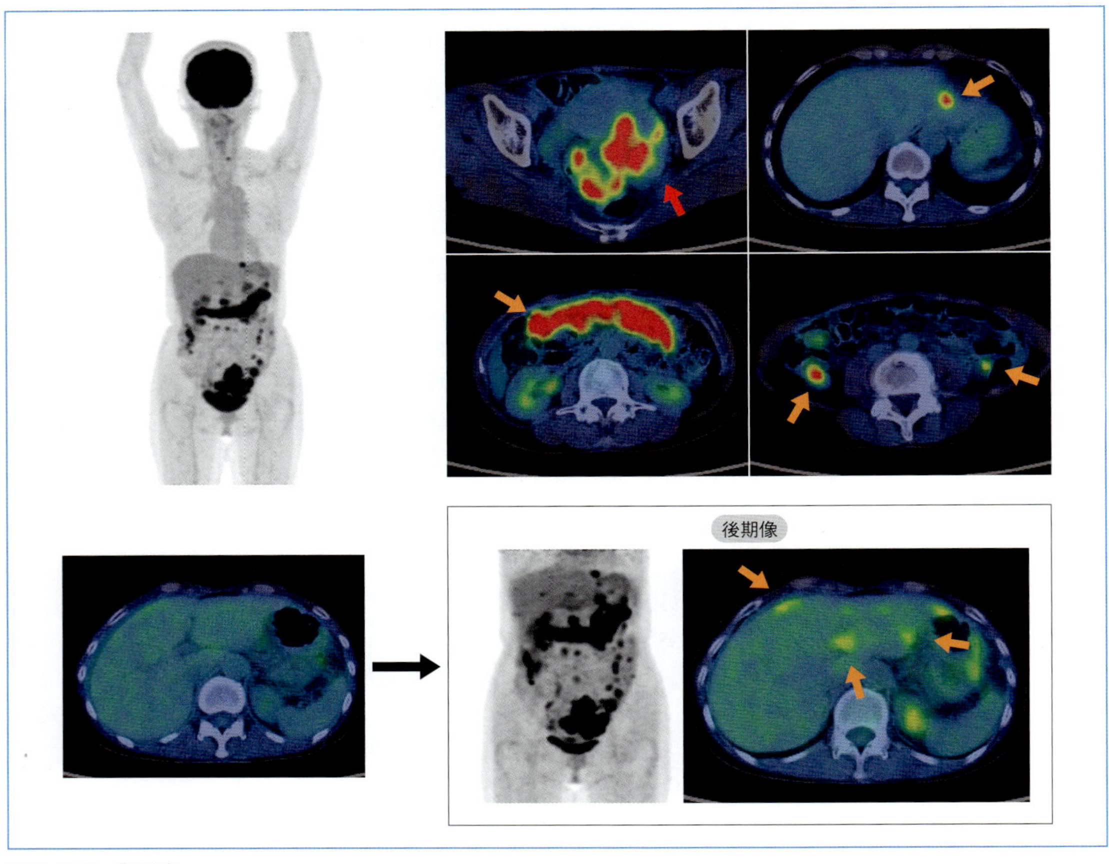

図IX-G-6　卵巣癌

左卵巣腫瘤性病変に強い集積を認める．また腹腔内に多数の集積亢進病変を認め，播種性病変と考えられる．後期像を撮像することで，肝臓周囲などの播種性病変がより明瞭に描出されている．

➡は左卵巣病変，➡は播種性病変．

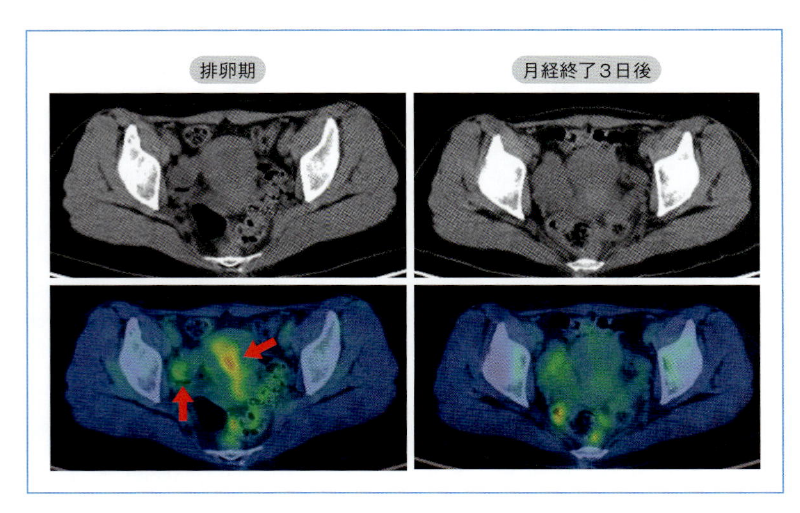

図IX-G-7　若年女性の卵巣・子宮内膜への生理的集積

30歳代の同一女性の排卵期と月経終了3日後のFDG PET/CT．排卵期には右卵巣と子宮内膜に生理的集積亢進(SUVmax=3.1)を認めるが(➡)，月経終了後には卵巣・子宮内膜への集積亢進は認められない．

要点

- 前立腺肥大や前立腺炎でも集積がみられるため，前立腺癌に関する特異度は低い．
- 造骨性転移では FDG の明瞭な集積がみられないことがある．
- 子宮内膜への生理的集積は排卵期と月経期で増強する．
- 排卵期付近では片側（時には両側）卵巣への明瞭な集積を認めることがある．
- 子宮癌，卵巣癌ともに再発病変の検出に優れている．

positron emission tomography for the detection of disease in patients with prostatic specific antigen relapse after radical prostatectomy. Clin Cancer Res 11：4761-4769, 2005

3）Liu, Y：Diagnostic role of fluorodeoxyglucose positron emission tomography-computed tomography in prostate cancer. Oncol Lett 7：2013-2018, 2014

4）Jadvar, H：Imaging evaluation of prostate cancer with 18F-fluorodeoxyglucose PET/CT：utility and Limitations. Eur J Nucl Med Mol Imaging 40（Suppl 1）：S5-S10, 2013

5）Lee, ST et al：PET in prostate and bladder tumors. Semin Nucl Med 42：231-246, 2012

6）日本産科婦人科学会ほか編：子宮体癌取扱い規約 第3版，金原出版，東京，2012

7）Lee, SI et al：Evaluation of gynecologic cancer with MR imaging, 18F-FDG PET/CT, and PET/MR imaging. J Nucl Med 56：436-443, 2015

8）De Gaetano, AM et al：Imaging of gynecologic malignancies with FDG PET-CT：case examples, physiologic activity, and pitfalls. Abdom Imaging 34：696-711, 2009

9）Grant, P et al：Gynecologic oncologic imaging with PET/CT. Semin Nucl Med 44：461-478, 2014

10）日本産科婦人科学会ほか編：子宮頸癌取扱い規約 第3版，金原出版，東京，2012

11）Lee, SI et al：Evaluation of gynecologic cancer with MR imaging, 18F-FDG PET/CT, and PET/MR imaging. J Nucl Med 56：436-443, 2015

12）日本産科婦人科学会ほか編：卵巣腫瘍取扱い規約 第1部 第2版，金原出版，東京，2009

13）Fuccio, C et al：Noninvasive and invasive staging of ovarian cancer Review of the literature. Clin Nucl Med 36：889-893, 2011

Note

● PSMA

前立腺癌の細胞表面に発現する前立腺特異的膜抗原 prostate specific membrane antigen（PSMA）を分子標的とした PET 製剤が開発され，海外で広く用いられている．FDG PET を含めた従来診断法よりも高い診断能が期待されている．わが国でも治験が開始されており，近い将来，臨床応用が始まると考えられる．PSMA に β 線や α 線核種を標識することで，前立腺癌の治療にも応用が期待されている（詳細は「Ⅻ 内用療法」を参照）．

悪性リンパ腫

表IX-H-1 Ann Arbor 分類

I期	単独リンパ節領域の病変（I） またはリンパ節病変を欠く単独リンパ外臓器または部位の限局性病変（IE）
II期	横隔膜の上下いずれかにある二つ以上のリンパ節領域の病変（II） または所属リンパ節病変と関連している単独リンパ外臓器もしくは部位の限局性病変（横隔膜の同側にあるそのほかのリンパ節領域の病変はあってもなくてもよい）（IIE）
III期	横隔膜の上下両側にあるリンパ節領域の病変（III） 隣接するリンパ節病変と関連しているリンパ外進展を伴っている（IIIE） 脾臓病変を伴っている（IIIS） その両者を伴っている（IIIES）
IV期	一つ以上のリンパ外臓器のびまん性または播種性病変（関連するリンパ節病変の有無を問わない） または隣接する所属リンパ節病変を欠く孤立したリンパ外臓器病変であるが，離れた部位の病変をあわせ持つ場合

AおよびB分類（症状）
各病期は以下の全身症状の有無に従って，症状がない場合はA，症状がある場合はBに分類される．
1）発熱（38℃より高い原因不明の発熱），2）寝汗，3）体重減少（診断前の6ヵ月以内に通常体重の10%以上の原因不明の体重減少）．

I期

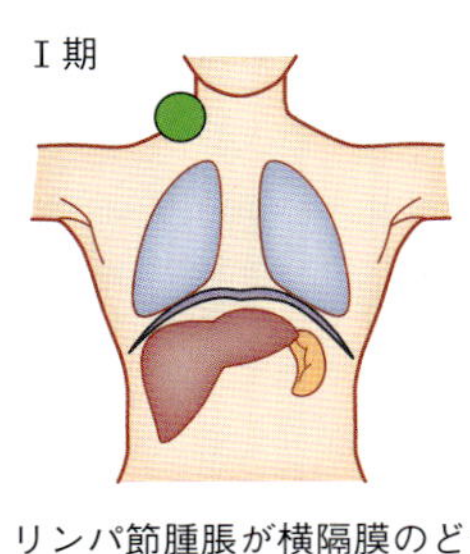

リンパ節腫脹が横隔膜のどちらか片側のみにとどまっているもの

II期

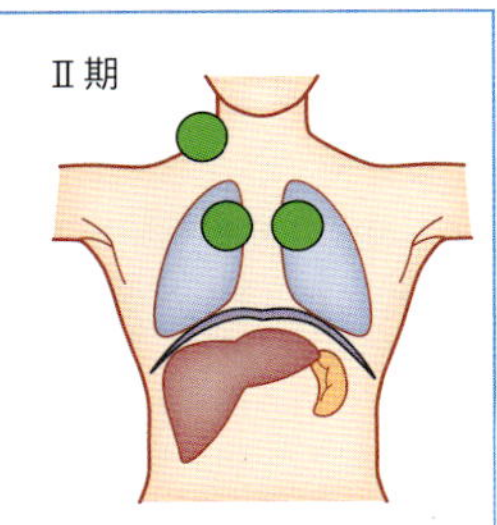

横隔膜のどちらか片側のみで，リンパ節腫脹が2領域以上あるもの

III期

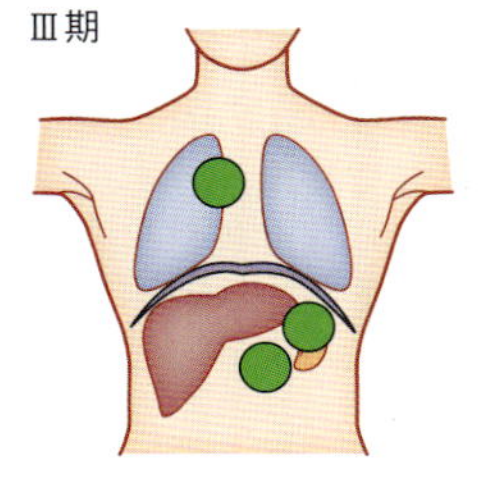

横隔膜を挟み，両側でリンパ節腫脹が2領域以上あるもの

IV期

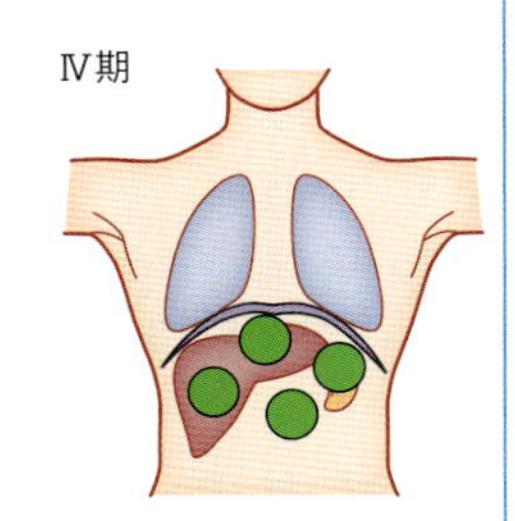

リンパ組織以外の臓器に，びまん性病変があるもの

A：B　症状なし
B：B　症状あり

X：巨大腫瘤（bulky disease）
E：限局性の節外臓器への侵襲

図IX-H-1 Ann Arbor 分類

❶ 病期分類

悪性リンパ腫に対する病期分類は，Ann Arbor分類（**表IX-H-1**，**図IX-H-1**）が広く用いられていたが，FDG PET/CTの有用性が認識され，FDG avidリンパ腫ではFDG PET/CTを主体としたLugano分類（2014）が用いられている（**表IX-H-2**）．

消化管原発の悪性リンパ腫では節外病変が主病変であることもあり，消化管原発悪性リンパ腫のLugano分類（1994）での評価が用いられる（**表IX-H-3**）．

❷ 初回診断時

悪性リンパ腫は，病理的にHodgkinリンパ腫と非Hodgkinリンパ腫に大きく分けられる．また，非Hodgkinリンパ腫は，B細胞起源のものとT/ナチュラルキラー natural killer（NK）細胞起源のものとに大別される（**表IX-H-4**）．また，悪性度に応じて，低悪性度で進行が緩徐なindolent lymphoma，中～高悪性度で進行が早いaggressive lymphomaに分類される．

悪性リンパ腫は，あらゆる臓器から発生する可能性があるため，全身を一度に評価できるFDG PET（/CT）の有用性は高い．PET（/CT）の診断能に関しては既存のモダリティと比較し，感

表Ⅸ-H-2 Lugano 分類

病期		病変部位	節外部位
限局期	Ⅰ期	一つのリンパ節，もしくは一つのリンパ節領域にのみ病変が存在	リンパ節病変を伴わない単独の節外病変が存在
	Ⅱ期	横隔膜の同側に，二つ以上のリンパ節領域に病変が存在	リンパ節病変の広がりはⅠ，Ⅱ期にとどまるが，連続性のある節外臓器に限局した病変を伴う
	Ⅱ期 bulky	巨大病変を伴うⅡ期	該当なし
進行期	Ⅲ期	横隔膜両側のリンパ節領域に病変が存在，もしくは脾病変と横隔膜より上側のリンパ節病変が存在	該当なし
	Ⅳ期	リンパ節外臓器に非連続性病変が存在	該当なし

注）扁桃，Waldeyer 咽頭輪，脾臓は節性病変と評価する．脾臓に腫瘤形成がなくてもびまん性に有意な集積を認める場合や脾腫が明らかな場合は脾臓浸潤ありと考える．

表Ⅸ-H-3 消化管原発悪性リンパ腫の Lugano 分類

病期	病気の広がり
Ⅰ期	消化管に限局し，漿膜浸潤を認めない．単発もしくは多発（非連続）
Ⅱ期	消化管の原発巣から腹腔内へ進展，リンパ節浸潤 Ⅱ$_1$ 限局性（胃または腸管周囲のリンパ節） Ⅱ$_2$ 遠隔性（腸管原発の場合は腸間膜，そのほかでは傍大静脈，骨盤，鼠径）
ⅡE 期	漿膜から隣接臓器へ進展する浸潤
Ⅳ期	リンパ外への播種性浸潤または横隔膜を越えたリンパ節への浸潤

表Ⅸ-H-4 悪性リンパ腫の WHO 分類

非 Hodgkin リンパ腫	
B 細胞腫瘍	前駆 B リンパ芽球型白血病/リンパ腫 成熟 B 細胞腫瘍 B 細胞性慢性リンパ性白血病/ 小リンパ球性リンパ腫 B 細胞前リンパ球性白血病 リンパ形質細胞性リンパ腫 脾辺縁帯リンパ腫 有毛細胞白血病 節外性粘膜関連リンパ組織型辺縁帯 B 細胞リンパ腫 マントル細胞リンパ腫 濾胞性リンパ腫 皮膚濾胞中心リンパ腫 節性辺縁帯 B 細胞リンパ腫 Barkitt リンパ腫 形質細胞腫 形質細胞性骨髄腫
T/NK 細胞腫瘍	前駆 T リンパ芽球型白血病/リンパ腫 成熟 T 細胞・NK 細胞腫瘍 T 細胞前リンパ球性白血病 T 細胞大顆粒リンパ球性白血病 Sezary 症候群 NK 細胞性白血病 節外性 NK/T 細胞リンパ腫・鼻型 菌状息肉腫 原発性皮膚未分化大細胞型リンパ腫 皮下蜂窩織炎様 T 細胞リンパ腫 腸炎型 T 細胞リンパ腫 肝脾 $\gamma\delta$T 細胞リンパ腫 血管免疫芽球型 T 細胞リンパ腫 末梢性 T 細胞リンパ腫，非特定 未分化大細胞型リンパ腫，原発性全身型 成人 T 細胞白血病/リンパ腫
Hodgkin リンパ腫	
結節性リンパ球優位型 Hodgkin リンパ腫 結節硬化型 古典的 Hodgkin リンパ腫 リンパ球豊富型 混合型 リンパ球減少型	

NK：ナチュラルキラー

度，特異度とも高いという報告が多いが，組織型によって検出能が異なることが知られており，読影前に病理診断が出ている場合は，その情報も参考にする．一般に，悪性度の低い indolent lymphoma（amarginal zone/mucosa-associated lymphoid tissue（MALT）lymphoma, small lymphocytic lymphoma など）においては，集積がほとんど認められないことがある（図Ⅸ-H-2）ので注意が必要である．FDGの集積が強くみられる病型として，diffuse large B-cell lymphoma（DLBCL）（図Ⅸ-H-3），Hodgkin リンパ腫，濾胞性リンパ腫が代表的である．病理的に indolent lymphoma と診断されている症例でも，FDG の高集積が認められた場合は，aggressive lymphoma への transformation の可能性がある（図Ⅸ-H-4, 5）．

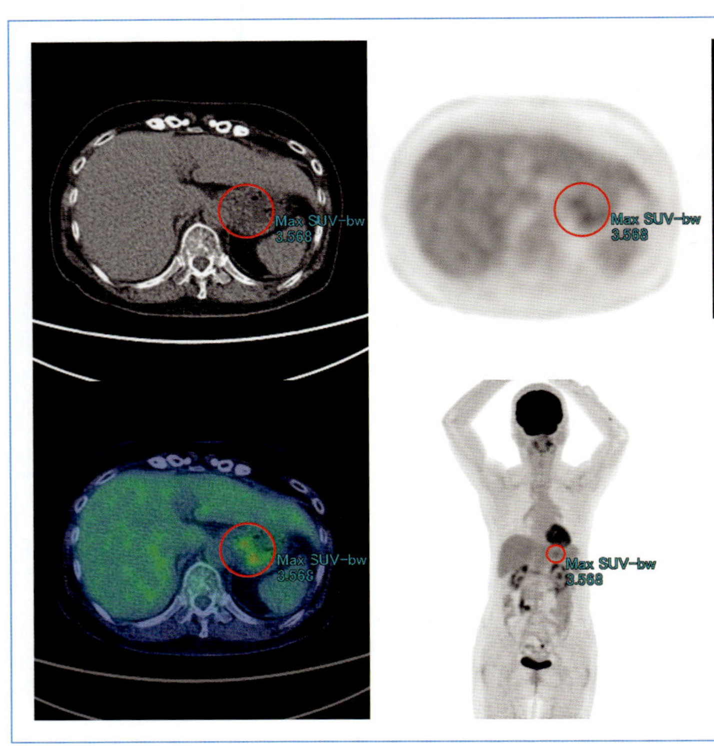

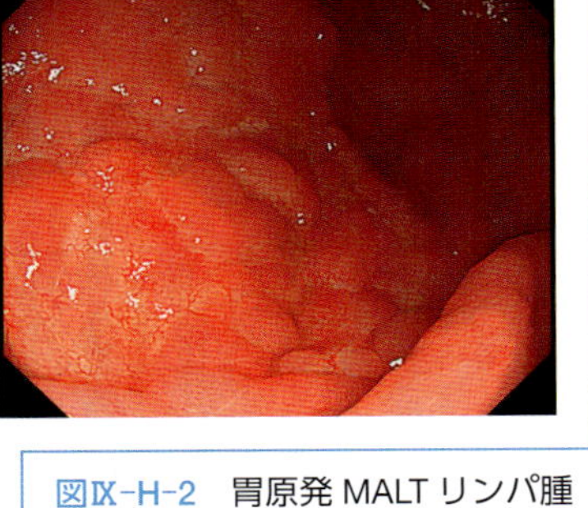

図Ⅸ-H-2　胃原発 MALT リンパ腫

左，中央：FDG PET/CT 所見．胃壁には軽度の FDG 集積を認めるのみで，mucosa-associated lymphoid tissue（MALT）リンパ腫などの indolent lymphoma として矛盾しない所見であった．リンパ節病変や他臓器に浸潤を疑う所見はなかった．

右上：上部消化管内視鏡検査所見．胃粘膜に複数の隆起性病変を認めた．一部から生検を行い，MALT リンパ腫と診断された．

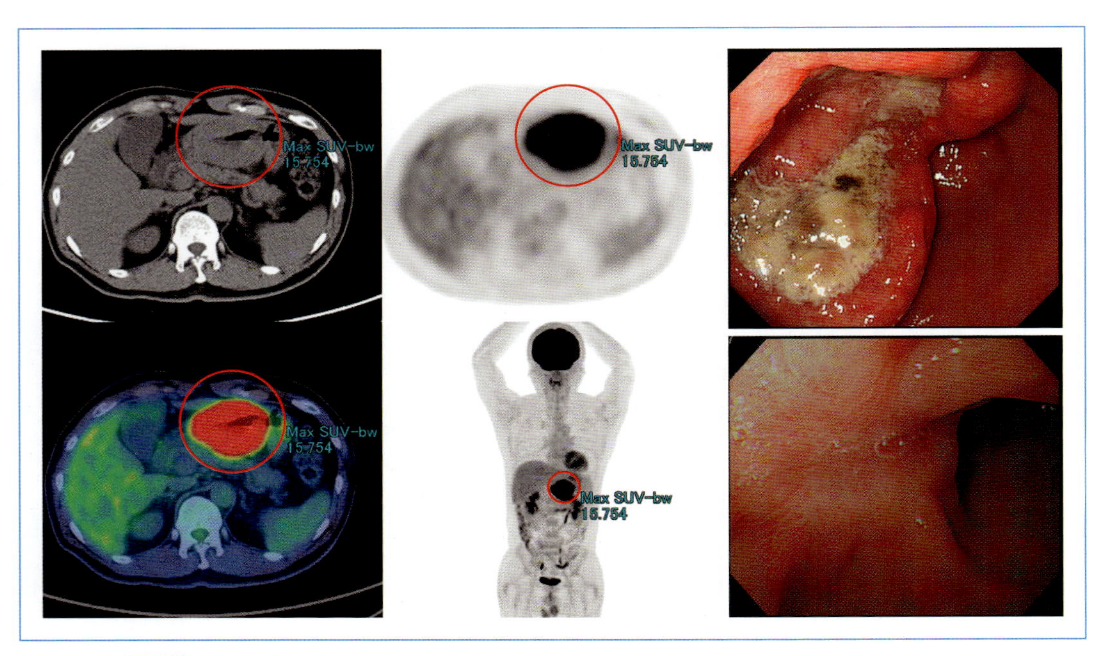

図Ⅸ-H-3　胃原発 DLBCL

左，中央：治療前の FDG PET/CT 所見．胃前庭部に standardized uptake value（SUV）max＝15.754 の限局性集積亢進を認め，著明な壁肥厚を示す病変に一致した．diffuse large B-cell lymphoma（DLBCL）として矛盾しない所見であった．

右上：治療前の上部消化管内視鏡検査所見．胃粘膜に周堤を伴う潰瘍性病変を認めた．生検で DLBCL と診断された．

右下：治療後の上部消化管内視鏡検査所見．DLBCL に対し，cyclophosphamide, hydroxydaunorubicin, oncovin, prednisolone（CHOP）を 3 コース施行後の上部消化管内視鏡検査の様子．潰瘍性病変は縮小・消失し，治療効果と考えられた．

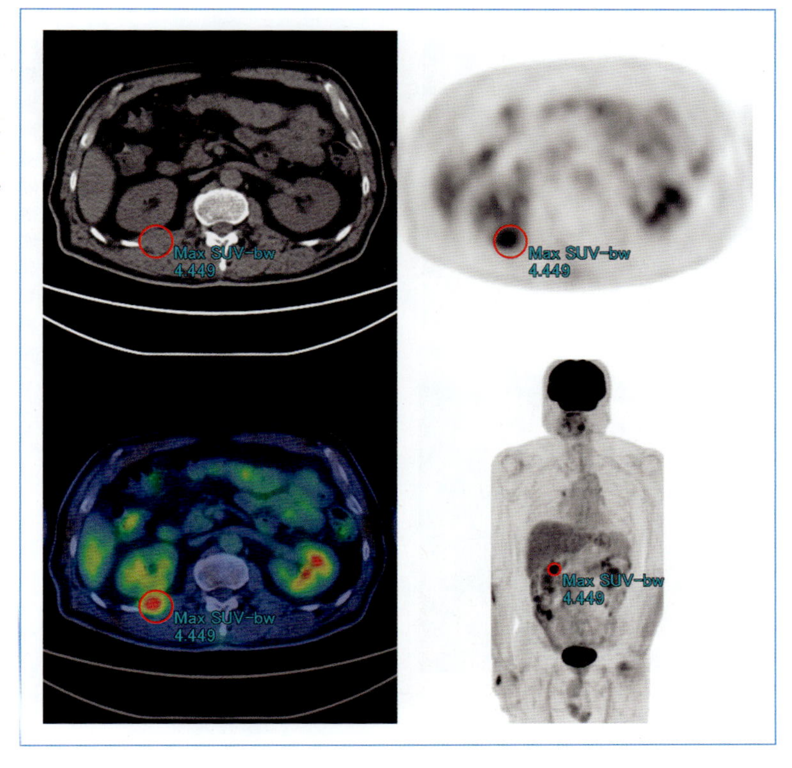

図Ⅸ-H-4 MALTリンパ腫からDLBCLへのtransformationを示した症例

初回のFDG PET/CT所見．右腎背側の後腹膜に結節状病変を認め，SUVmax＝4.4の集積を示した．病理でmucosa-associated lymphoid tissue（MALT）リンパ腫と診断．

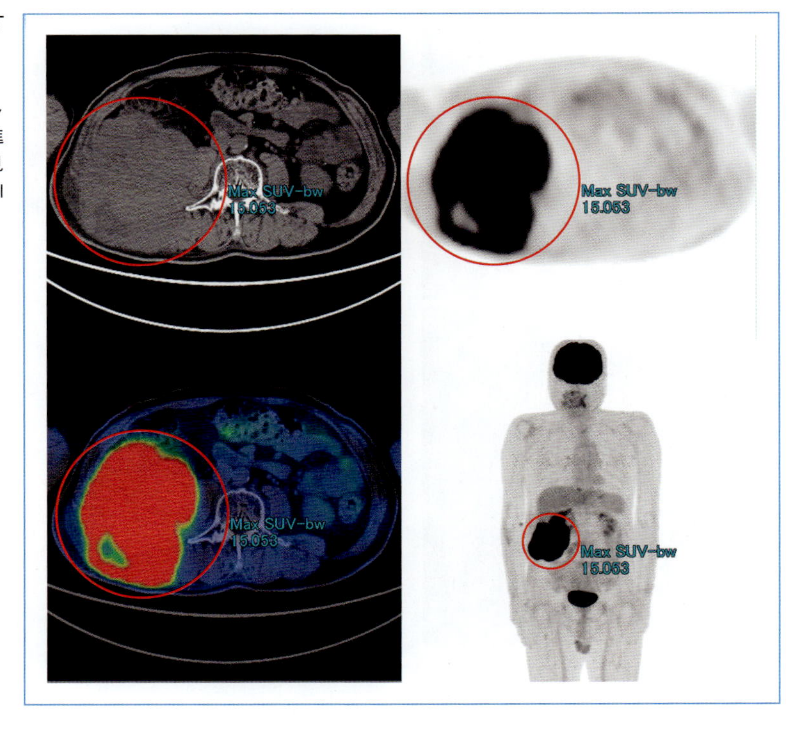

図Ⅸ-H-5 4年後のFDG PET/CT所見

右後腹膜の病変は著明に増大し，SUVmax＝15.1の集積亢進を示した．前回より明らかに増大・集積亢進しており，transformationを疑う所見であった．病理でdiffuse large B-cell lymphoma（DLBCL）と診断された．

PETでの骨髄浸潤の評価に関しては組織型によって異なるものの，Hodgkinリンパ腫とDLBCLにおいては，FDG PETを行った場合は骨髄生検は省略可能とされている．

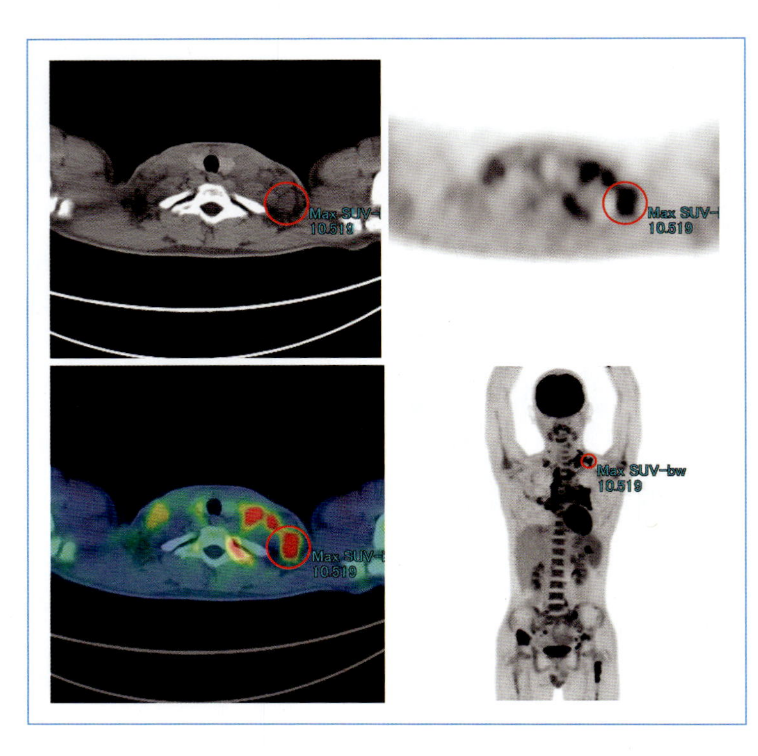

図Ⅸ-H-6　Hodgkinリンパ腫の治療後FDG PET/CTで褐色脂肪への集積を認めた症例

治療前のFDG PET/CT所見．前縦隔を主体としてSUVmax＝19.2のFDG集積を認め，単純CTでは軟部組織腫瘤に一致．縦隔内や両側鎖骨上窩，左副神経領域，左心横隔膜角傍大動脈領域，肝十二指腸間膜領域，脾門部，両側総・外腸骨領域，右内腸骨領域にfocalな集積を多数認め，いずれもリンパ節病変と考えられた．

左上腕骨頭，脊椎や両側腸骨，左恥骨，左大腿骨近位骨幹にfocalな集積を認め，CTでは溶骨性変化に一致した．骨病変の所見と考えた．病理でHodgkinリンパ腫と診断された．

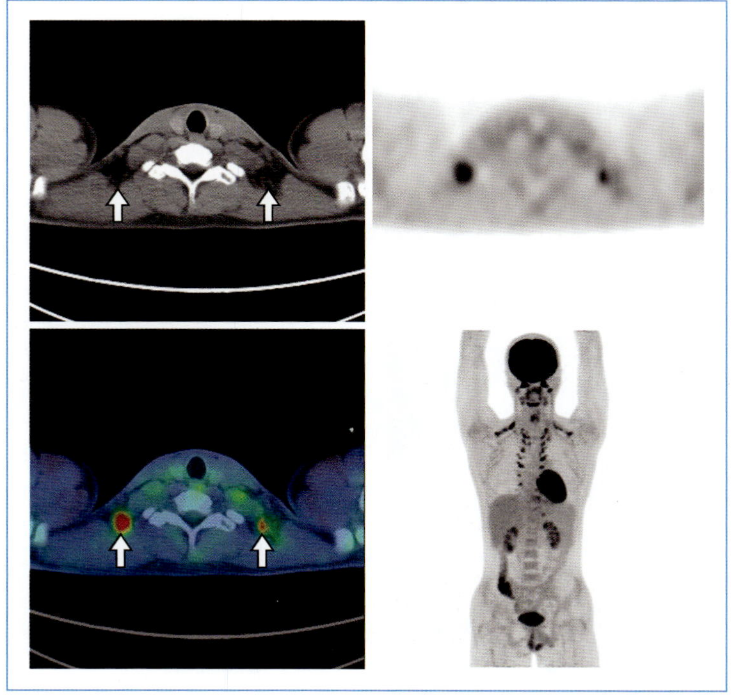

図Ⅸ-H-7　治療後のFDG PET/CT所見

治療前PET/CTで認められていた集積はいずれも不明瞭化し，治療効果と考えられた（完全寛解（CR））．

両側頸部，傍椎体領域に多数のfocal uptakeが出現した（⇨）．単純CTでは腫大リンパ節は認められず，脂肪組織に相当．褐色脂肪への集積と考えた．

各種臓器の生理的集積や炎症性病変への集積が偽陽性となりうる．特に褐色脂肪への集積（図Ⅸ-H-6，7）は，季節性もあるといわれており，注意が必要である．

表Ⅸ-H-5 5ポイントスケール

scale	visual assessment
1	no uptake above background
2	uptake≦mediastinum
3	mediastinum＜uptake≦liver
4	liver＜uptake moderately
5	uptake markedly higher than liver and/or new lesions

表Ⅸ-H-6 治療効果判定

判定	読影結果
Complete Metabolic Response (CMR)	スコア1，2，3（スコア3はprobable CMR）
Partial Metabolic Response (PMR)	スコア4，5で集積低下
Stable Metabolic Response (SMR)	スコア4，5で集積同等
Progressive Metabolic Disease (PMD)	スコア4，5で集積増加，新規病変あり

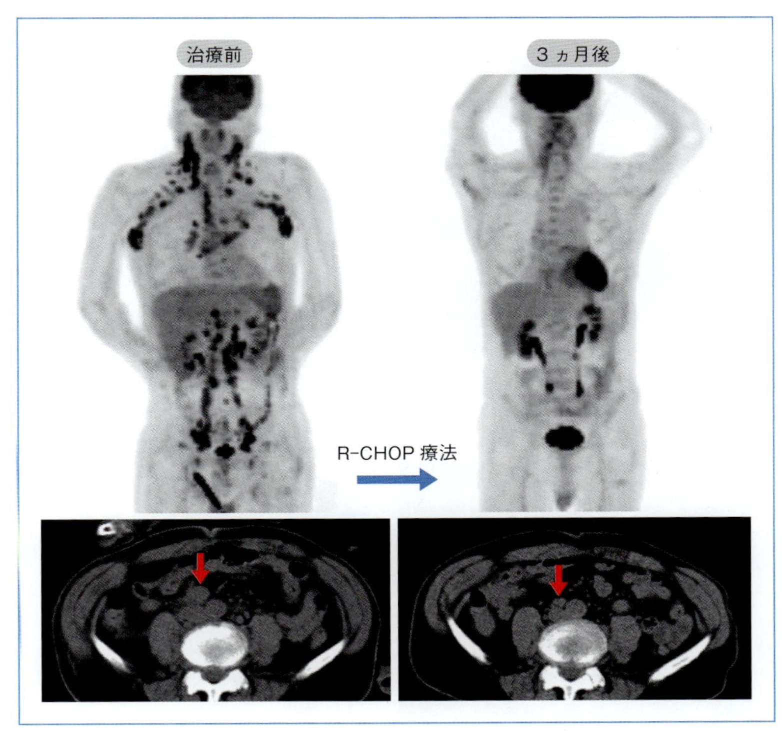

図Ⅸ-H-8 悪性リンパ腫の治療効果判定
DLBCLに対してrituximab-cyclophosphamide, hydroxydaunorubicin, oncovin, prednisolone（R-CHOP）療法を2コース施行した前後のPET/CT．治療前は全身に多発する異常集積を認めたが，3ヵ月後には異常集積が完全に消失している（心臓への集積は生理的）．この時点でCTではリンパ節病変は縮小を認めるものの残存しており（➡），CTよりもPETのほうが早期に治療効果判定を行えることがわかる．

❸ 治療効果判定

治療効果判定への有用性に関してもいくつもの報告が認められるが，治療に伴う反応性の集積が偽陽性となりうるため，化学療法後は治療終了後6～8週空けて，放射線療法もしくは放射線化学療法が行われた場合には8～12週空けて行うのが望ましいとされている．治療効果判定ではFDG集積を5ポイントスケール（Deauville Criteria）で評価を行う（**表Ⅸ-H-5**）．

特にDLBCLやHodgkinリンパ腫に関しては，治療により長期生存が期待できることもあり，多くの臨床研究が行われている．CTでの評価にかかわらず，集積が消失した場合は治療効果ありと判定される（**表Ⅸ-H-6，図Ⅸ-H-8**）．

DLBCLやHodgkinリンパ腫に関しては，治療途中（1～4コース終了後）にPET検査を追加することで，より早期に予後予測が可能であるという報告があるが，追加されたPETにより，治療方針を変更するということは現在のところ一般的ではない．

顆粒球コロニー刺激因子granulocyte-colony stimulating factor（G-CSF）投与により体幹骨骨髄にびまん性の集積がみられる（**図Ⅸ-H-9，10**）ため，治療効果を判定する際には治療経過も把握する必要がある．

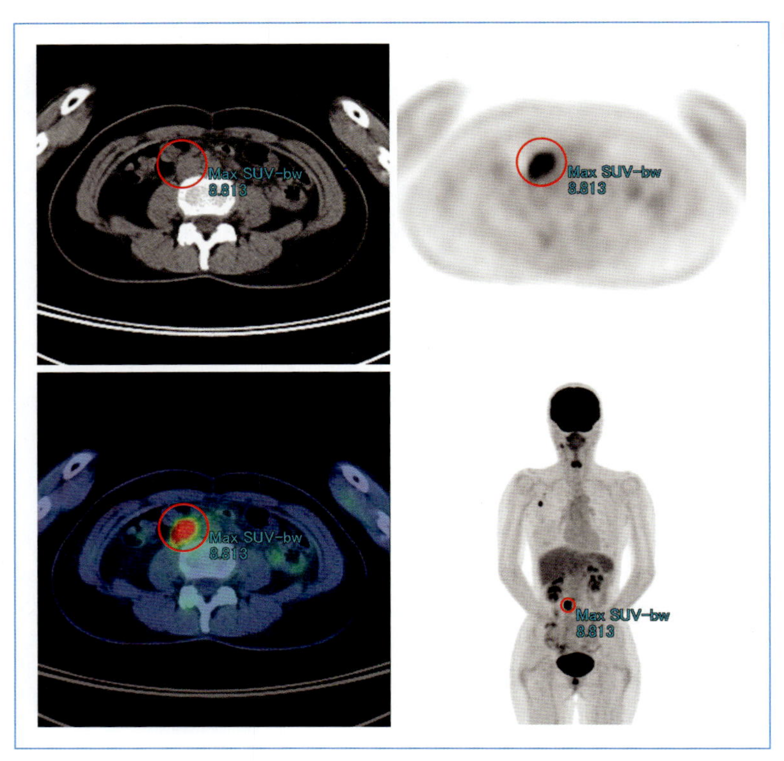

図Ⅸ-H-9　G-CSF の使用で骨髄の賦活化を認めた症例

顆粒球コロニー刺激因子(G-CSF)使用前の FDG PET/CT 所見．悪性リンパ腫治療中．腹部大動脈右側や右腋窩のリンパ節に集積残存を認めた．

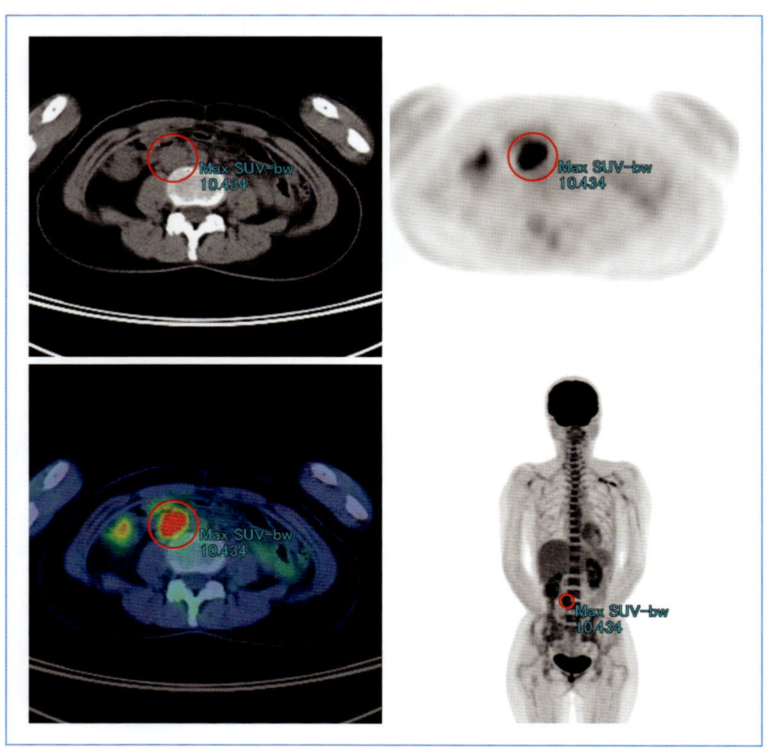

図Ⅸ-H-10　G-CSF 使用中の FDG PET/CT 所見

化学療法に伴う白血球減少をきたし，顆粒球コロニー刺激因子(G-CSF)を使用した．使用中の FDG PET/CT では体幹部骨髄への集積が著明な亢進を示した．
腹部病変への集積は残存している(○)．

要点

- 悪性リンパ腫は組織型によって検出能が異なり，aggressive lymphoma では集積が非常に高い．
- 悪性リンパ腫に関して早期治療効果判定が可能である．
- FDG avid の悪性リンパ腫の治療効果判定には 5 ポイントスケールを用いる．

◆ 参考文献

1) Karam, M et al：Role of fluorine-18 fluoro-deoxyglucose positron emission tomography scan in the evaluation and follow-up of patients with lowgrade lymphomas. Cancer 107：175-183, 2006
2) Engert, A et al：Reduced-intensity chemotherapy and PET-guided radiotherapy in patients with advanced stage Hodgkin's lymphoma(HD 15 trial)：a randomised, open-label, phase 3 non-inferiority trial. Lancet 379：1791-1799, 2012
3) Mikhaeel, NG et al：18-FDG-PET for the assessment of residual masses on CT following treatment of lymphomas. Ann Oncol 11(Suppl 1)：147-150, 2000
4) Pregno, P et al：Interim 18-FDG-PET/CT failed to predict the outcome in diffuse large B-cell lymphoma patients treated at the diagnosis with rituximab-CHOP. Blood 119：2066-2073, 2012
5) Rohatiner, A et al：Report on a workshop convened to discuss the pathological and staging classifications of gastrointestinal tract lymphoma. Ann Oncol 5：397-400, 1994
6) Cheson, BD et al：Recommendations for initial evaluation, staging, and response assessment of Hodgkin and non-Hodgkin lymphoma：the Lugano classification. J Clin Oncol 32：3059-3068, 2014

読影の鍵　悪性リンパ腫の治療効果判定

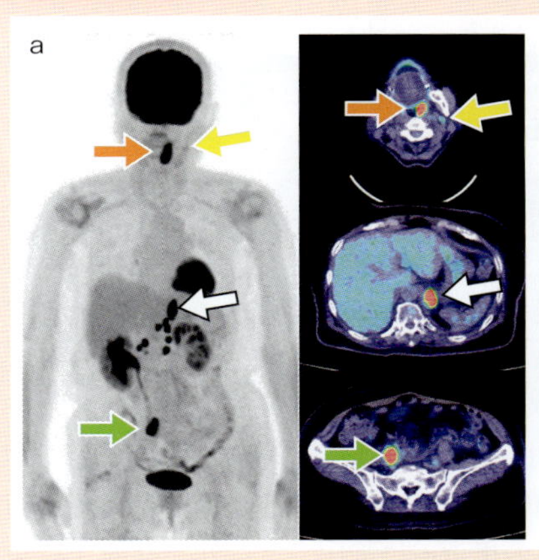

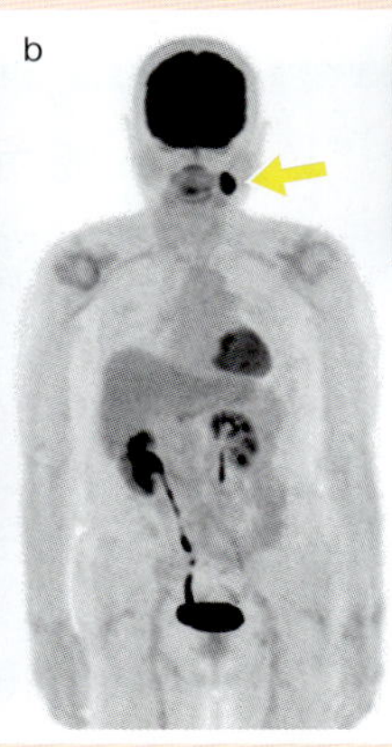

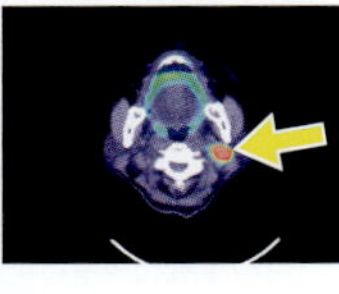

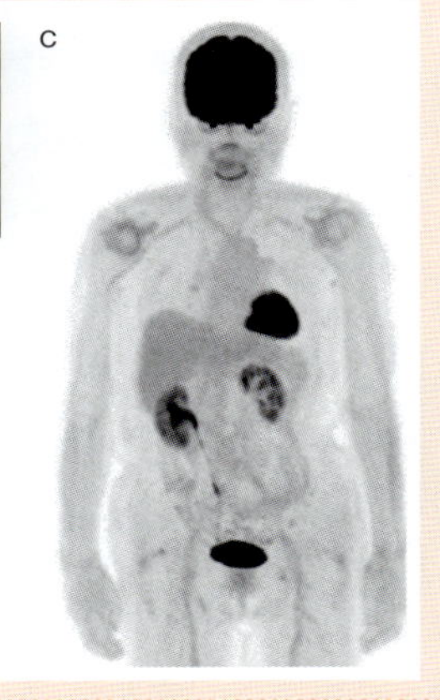

悪性リンパ腫(aggressive lymphoma)の症例.
a：左咽頭扁桃部，左頸部リンパ節，腹部～骨盤内リンパ節に集積亢進を認める．横隔膜の上下のリンパ節領域に病変が広がっており，Lugano 分類で進行期(Ⅲ期)に相当．右尿管付近の病変により，尿管が狭窄し，水腎症をきたしている．
b：化学療法後に撮像された FDG PET/CT では左頸部リンパ節が増大，集積が亢進している．そのほかの集積は消失したものの，5 ポイントスケールでスコア 5 と考えられ，治療効果判定は progressive metabolic disease(PMD)となる．
c：頸部リンパ節に放射線照射が行われた後の FDG PET/CT では左頸部の集積は消失．新規集積病変の出現なく，5 ポイントスケールでスコア 1 と考えられ，治療効果判定は complete metabolic response(CMR)となる．

I その他のがん

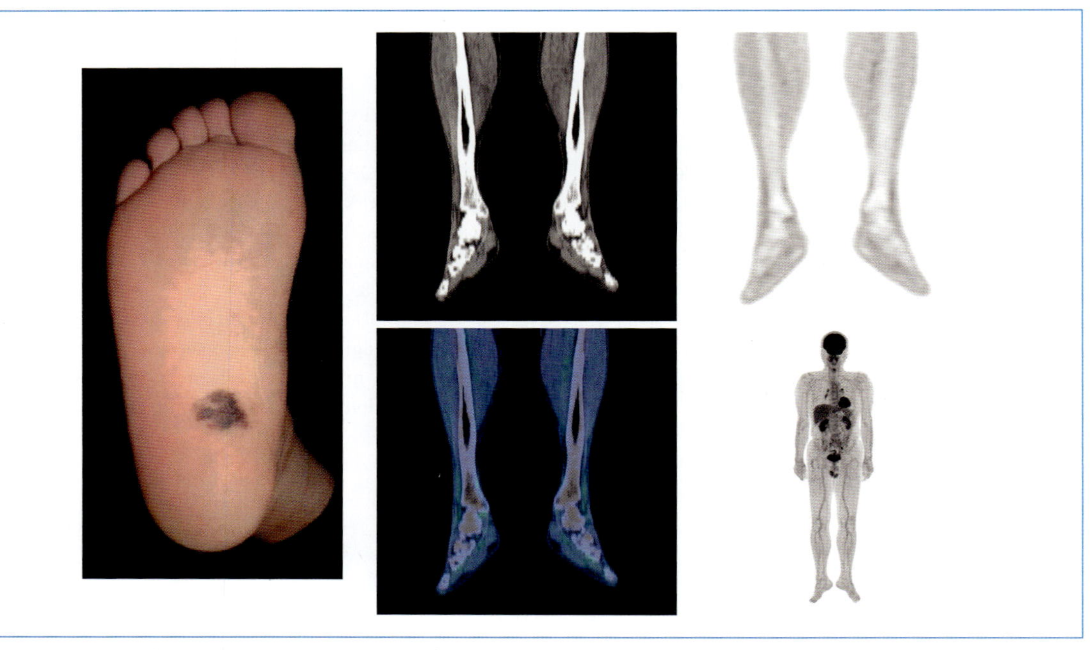

図IX-I-1 悪性黒色腫の原発巣へ明らかな集積が指摘できなかった症例
右足底部には明らかな異常集積を指摘できず．腫瘍の容量が小さいことによる偽陰性の可能性を考えた．リンパ節転移，遠隔転移を疑う所見はなかった．足底の病変は切除され，病理で悪性黒色腫と診断された．

皮膚（悪性黒色腫）[1,2]

悪性黒色腫の原発巣に関しては視覚的に評価可能であり，病変のサイズが小さい場合は，FDGの集積が検出できないことがあるため，原発巣検出におけるPETの有用性は低い（図IX-I-1）．皮膚の炎症性病変が偽陽性になることがある．

局所リンパ節転移の評価に関してはいくつもの報告がされているが，PETで検出されないことが多く（偽陰性が多い），センチネルリンパ節の生検を省略することはできない．しかしながら，遠隔転移の検出には優れるとされており，患者の治療方針決定に有用であると考えられる（図IX-I-2）．

原発不明がん[3〜5]

転移病巣が判明しているもしくは，腫瘍マーカーの上昇などの臨床所見により悪性腫瘍の存在が強く疑われるが，既存の検査では原発巣がみつからないケースに対するFDG PET/CTの有用性がいくつも報告されている．Kweeら[3]の報告ではFDG PET/CTの検出率は37％程とされており，検出できないケースの方が多いと考えられるが，既存の検査では検出できなかった原発巣が判明する症例に対しては，より効果的な治療法を選択することができると考えられる（図IX-I-3）．またほかの転移性病変が検出されることにより，適切な治療方針を決定できることもある．

FDG PET/CTで原発として検出される頻度が高い部位は，肺癌，中咽頭癌，膵癌などである．

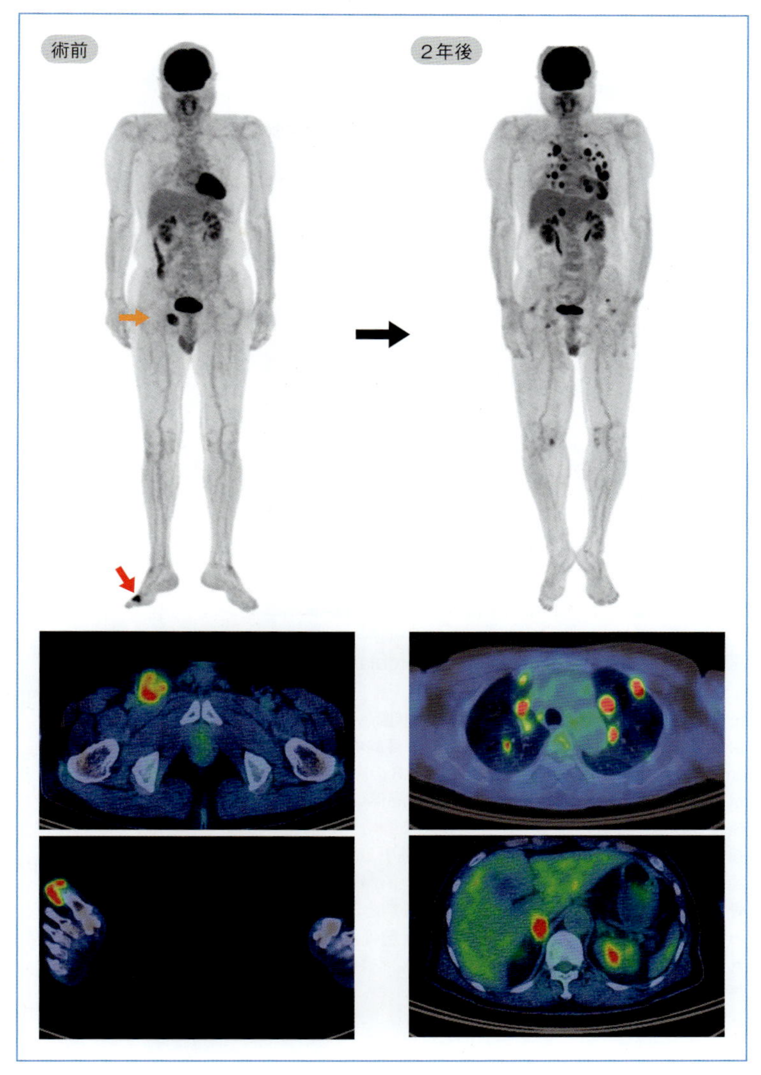

図Ⅸ-I-2 悪性黒色腫切除後の転移・再発

術前検査では右第1趾先端の原発巣のほか，右鼠径部リンパ節転移が描出されている．術後2年目の画像では，多発肺転移・縦隔リンパ節転移・右副腎転移が描出されている．

➡は原発巣，➡はリンパ節転移．

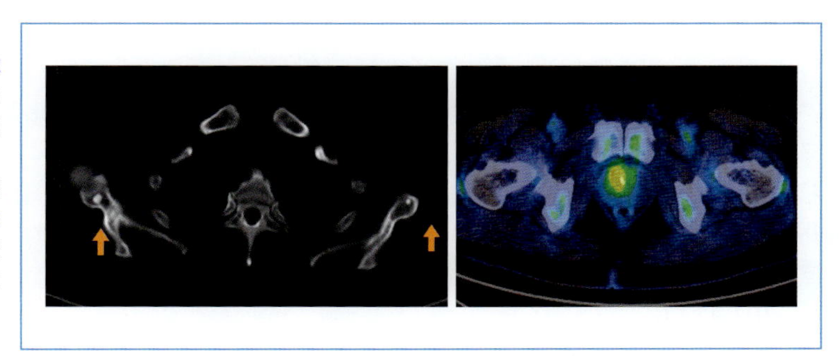

図Ⅸ-I-3 原発不明がん

CTで全身骨に結節状硬化性変化を多数認めた．多発骨移転が疑われたが，ほかの画像診断では原発巣を疑う所見なく，原発不明癌としてFDG PET/CTが施行された．前立腺右葉腹側にstandardized uptake value(SUV)max＝3.1の集積亢進を認め(➡)，前立腺癌が疑われた．検査後prostate specific antigen(PSA)を測定したところ異常高値で，前立腺生検から前立腺癌と診断された．

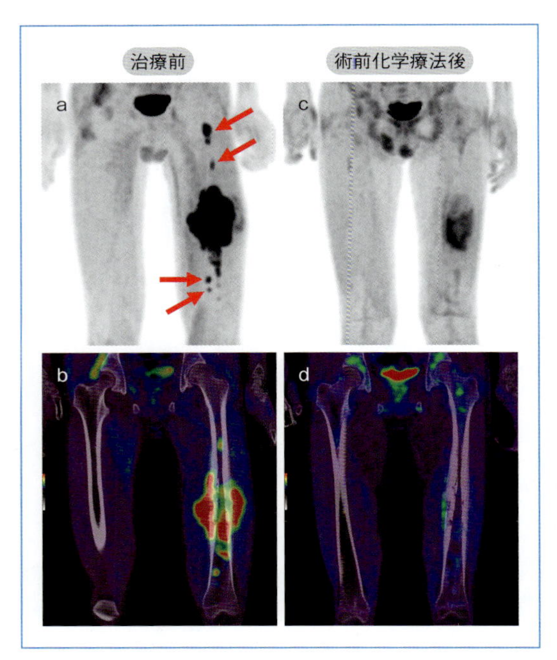

図Ⅸ-Ⅰ-4　骨肉腫（osteosarcoma, fibroblastic, grade 3）
a，c：^{18}F-FDG PET MIP 画像
b，d：^{18}F-FDG PET/CT 融合画像　冠状断
治療前のPET/CT画像では，左大腿骨の骨幹中央部に長径15 cm大の腫瘤性病変を認め，SUVmax 15.8の高いFDG集積を示している．骨膜反応・骨外腫瘤の形成を伴い，近位骨幹端，遠位骨幹端に複数のskip lesionを認める（➡）．術前化学療法後のPET/CT画像では，腫瘤性病変は縮小している．骨外腫瘤の部位にはSUVmax 4.8のFDG高集積が残存しているが，骨内病変への集積はほぼ消失し，正常骨髄と同程度の集積がみられるのみとなっている．直後に左大腿骨摘出術が実施され，病理組織学的に腫瘍の壊死率は95%，骨外腫瘤の部位に腫瘍細胞が一部残存するのみであった．

FDG PET/CTで検出できない原発巣としては乳癌が代表的である．

表在リンパ節の腫脹として頸部や鎖骨上窩リンパ節の腫大で気づかれ，原発不明がんとなるケースが多いが，Leeら[5]は造影CTやMRIでの評価に比しFDG PET/CTは特に感度が高いことで有用と報告している．

小児がん

小児がんは成人の悪性腫瘍と比べてまれであるが，小児および青年期の死因としては外傷に次いで2番目に多く，通常の成人の悪性腫瘍とは疫学，病理，臨床経過，治療反応性，予後が異なる．本項では核医学検査の対象となる代表的な小児がんについて述べる．

❶ 骨肉腫

骨肉腫 osteosarcomaは，小児・成人を通じて骨原発の悪性腫瘍として最も頻度が高い．転移の好発部位としては肺，骨などが挙げられる．^{18}F-FDG PET/CTは従来の骨シンチグラフィと比較して，同一骨内のskip lesion，遠隔骨への転移の検出における感度，特異度，診断精度が高く，特に成長板に存在する病変の検出に有用である（図Ⅸ-Ⅰ-4）．肺転移の検出においては胸部CTと比較して感度が低く，偽陰性率が高い．治療終了後の局所再発病変の検出にも有用である．予後予測におけるバイオマーカーとしては，診断時のmetabolic tumor volume（MTV），診断時のSUVmaxと術前化学療法後のSUVmaxの変化率が，化学療法に対する組織学的奏効，予後と相関することが報告されている[6]．

❷ Ewing 肉腫

Ewing肉腫 Ewing sarcomaは，小児の骨原発悪性腫瘍としては2番目に頻度が高い．近年では，骨外Ewing肉腫，末梢性未分化神経外胚葉性腫瘍 peripheral primitive neuroectodermal tumor（pPNET），胸壁Askin腫瘍などの骨外に発生する病理学的，分子生物学的特徴の一致する腫瘍と合わせてEwing肉腫ファミリー腫瘍 Ewing sarcoma family of tumors（ESFT）と称されることが多い．転移の好発部位としては骨/骨髄，肺，軟部組織などが挙げられる．骨肉腫と比較すると骨髄へ浸潤する傾向があり，^{18}F-FDG PET/CTは骨/骨髄転移の同定において骨シンチグラフィと比較して感度が高い（図Ⅸ-Ⅰ-5）．肺転移の検出においては胸部CTと比較して感度が低い．治療終了後のサーベイランス，予後予測におけるバイオマーカーとしての有用性が期待されている[6,7]．

❸ 横紋筋肉腫

横紋筋肉腫 rhabdomyosarcomaは，小児期・青年期に発生する軟部組織肉腫としては最も頻度が高い．転移の好発部位としては肺，骨/骨髄，リンパ節などが挙げられる．^{18}F-FDG PET/CTは従来の画像検査と比較してリンパ節転移，遠隔転移の検出における感度，特異度が高い（図Ⅸ-I-6）．肺転移の検出においては胸部CTと比較して感度が低い．予後予測におけるバイオマーカーとしての有用性が期待されている．

❹ 神経芽腫

神経芽腫 neuroblastoma は，神経堤細胞（neural crest cell）に由来する悪性腫瘍であり，乳児期の頭蓋外の固形悪性腫瘍として最も頻度が高い．転移の好発部位としては骨/骨髄，リンパ節，肝臓，眼窩，皮膚などが挙げられる．^{123}I-MIBG はノルエピネフリン再取り込み機構である uptake-1 を介して細胞内のクロム親和性顆粒に取り込まれ，集積を示す．神経芽腫では一般に高集積を呈し，その診断における ^{123}I-MIBG シンチグラフィの感度は 88～92%，特異度は 83～92% とされている[8]．特異度の高さから病変の質的診断に寄与するとともに，転移の好発部位である骨/骨髄病変の検出に特に優れる（図Ⅸ-I-7）．病変集積は治療に伴う修飾を受けにくく治療効果判定に有用である．^{123}I-MIBG 集積の客観的な評価のために半定量的なスコアリングシステムが提唱されており，化学療法後のスコアが化学療法の奏効および無再発生存率と相関があることが報告されている[9,10]．^{18}F-FDG PET/CT は，^{123}I-MIBG 陰性例の病変の進展範囲や活動性の評価における有用性が期待されている．また海外では ^{68}Ga-DOTA peptide 製剤の臨床応用，^{18}F-メタフルオロベンジルグアニジン metafluorobenzyl guanidine（MFBG）などの新規 PET 製剤の開発が進行している．

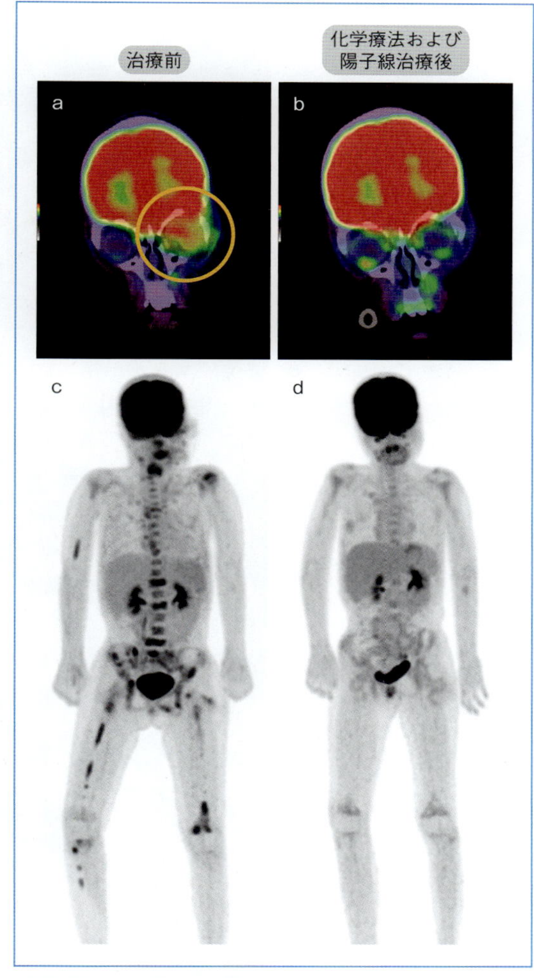

図Ⅸ-I-5 Ewing 肉腫（Ewing sarcoma, EMS-FLI1 fusion gene（＋））
a, b：^{18}F-FDG PET/CT 融合画像 冠状断
c, d：^{18}F-FDG PET MIP 画像
治療前の PET/CT 画像では，前頭蓋底から左眼窩内にかけて進展する溶骨性腫瘤を認め，SUVmax の高い FDG 集積を示している（◯）．maximum intensity projection（MIP）画像では全身の骨に FDG 高集積を多数認め，一部は溶骨性変化や病的骨折をきたしている．左眼窩病変に対して生検を実施し，Ewing 肉腫と診断された．化学療法および陽子線治療後の PET/CT 画像では，左眼窩病変は明瞭に縮小し，欠損を生じていた骨皮質が再生している．MIP 画像では全身に多発していた骨/骨髄転移についても異常な集積はほぼ消失している．

◆ 文献

1）Jiménez-Requena, F et al：Meta-analysis of the performance of(18)F-FDG PET in cutaneous melanoma. Eur J Nucl Med Mol Imaging 37：284-300, 2010
2）Mirk, P et al：Comparison between F-Fluorodeoxyglucose Positron Emission Tomography and Sentinel Lymph Node Biopsy for Regional Lymph Nodal Staging in Patients with Melanoma：A Review of the Literature. Radiol Res Pract 2011：912504, 2011
3）Kwee, TC et al：Combined FDG-PET/CT for the detection of unknown primary tumors：systematic review and meta-analysis. Eur Radiol 19：731-744, 2009
4）Kwee, TC et al：FDG PET/CT in carcinoma of unknown primary. Eur J Nucl Med Mol Imaging 37：635-644, 2010
5）Lee, JR et al：Detection of occult primary tumors in patients with cervical metastases of unknown

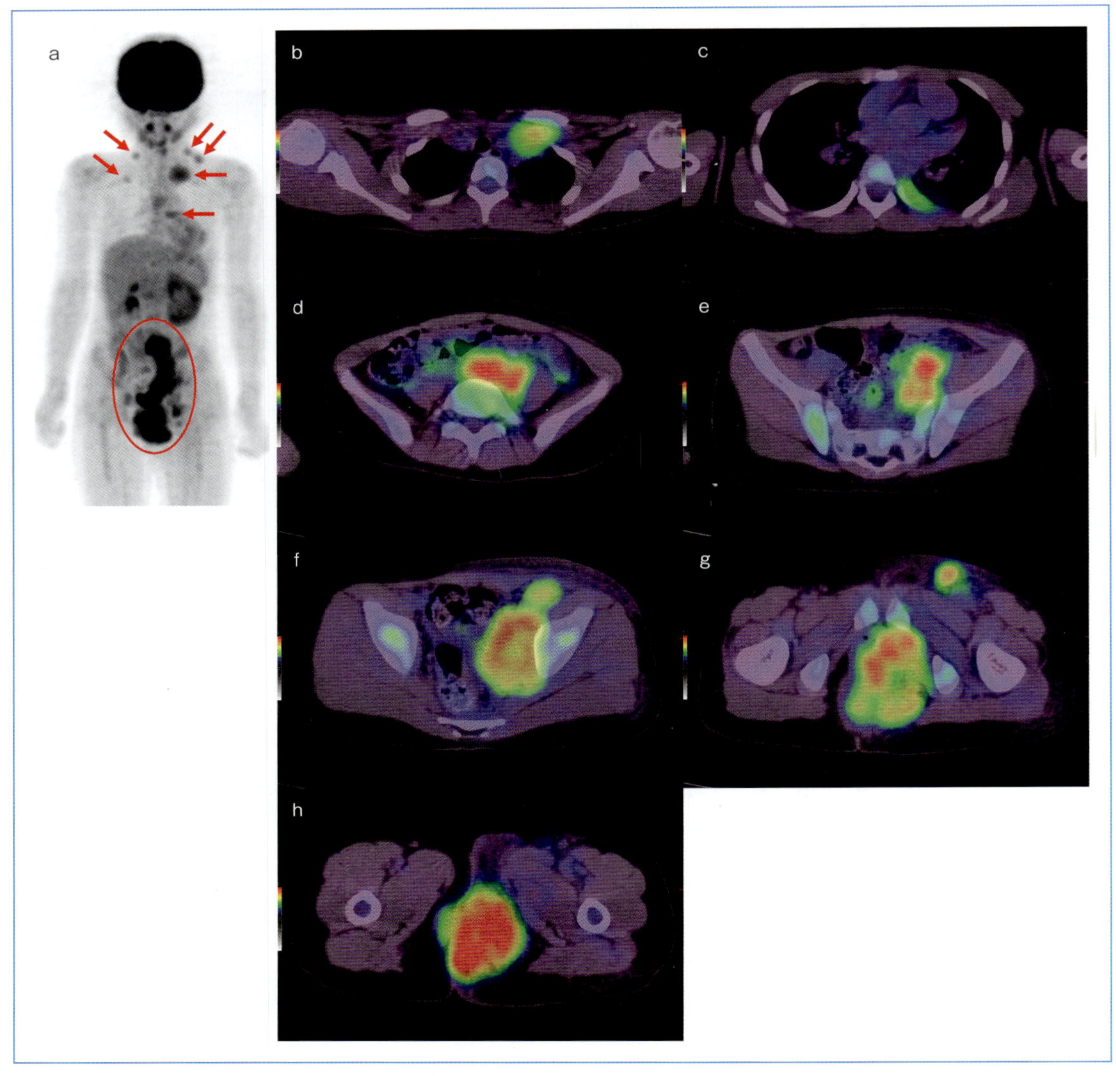

図IX-I-6　横紋筋肉腫(alveolar rhabdomyosarcoma, solid variant)

a：^{18}F-FDG PET MIP 画像

b～h：^{18}F-FDG PET/CT 融合画像

会陰部，左鼠径部，左内外腸骨動脈周囲，左総腸骨動脈周囲に累々と腫瘤性病変を認め，SUVmax 6.8 の高い FDG 集積を示している(○)．左胸壁，左鎖骨上窩～両頸部にかけてFDG集積の亢進を示す腫大リンパ節(→)，右腸骨などに高集積を認め，リンパ節転移および骨転移が疑われる．会陰部病変に対して生検を実施し，横紋筋肉腫と診断された．

primary tumors：comparison of(18)F FDG PET/CT with contrast-enhanced CT or CT/MR imaging-prospective study. Radiology 274：764-771, 2015

6) Harrison, DJ et al：The Role of ^{18}F-FDG-PET/CT in Pediatric Sarcoma. Semin Nucl Med 47：229-241, 2017

7) Albano, D et al：Clinical and Prognostic Role of ^{18}F-FDG PET/CT in Pediatric Ewing Sarcoma. J Pediatr Hematol Oncol 42：e79-e86, 2020

8) Bar-Sever, Z et al：Guidelines on nuclear medicine imaging in neuroblastoma. Eur J Nucl Med Mol Imaging 45：2009-2024, 2018

9) Yanik, GA et al：Validation of Postinduction Curie Scores in High-Risk Neuroblastoma：A Children's Oncology Group and SIOPEN Group Report on SIOPEN/HR-NBL1. J Nucl Med 59：502-508, 2018

10) Ladenstein, R et al：Validation of the mIBG skeletal

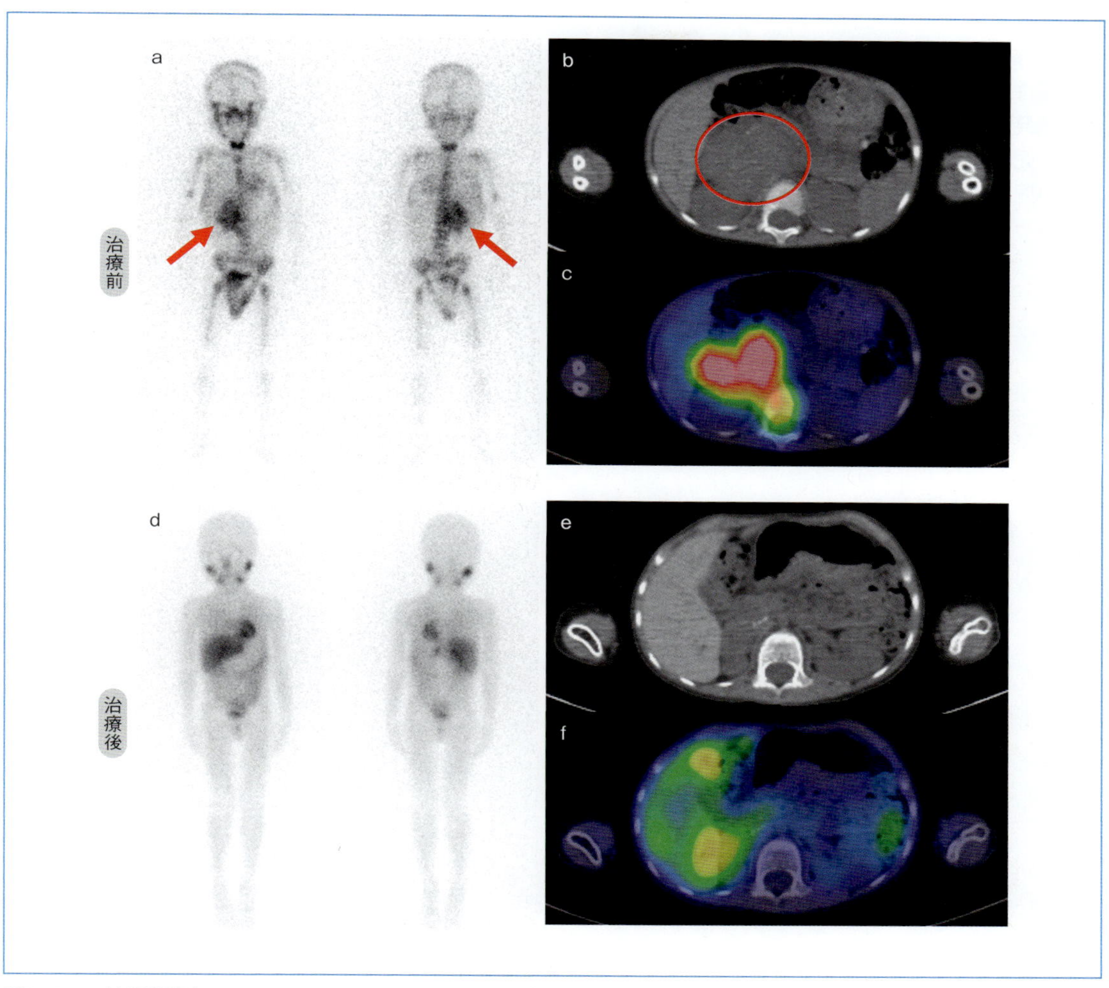

図Ⅸ-I-7 神経芽腫(neuroblastoma, poorly differentiated)

a, d：^{123}I-MIBG シンチグラム前後面像

b, e：低線量 CT 画像

c, f：^{123}I-MIBG SPECT/CT 融合画像

治療前の ^{123}I-MIBG シンチグラムでは，右上腹部に異常集積を認める(→)．頭蓋骨，胸骨，肩甲骨，脊椎，骨盤，四肢長管骨などに多数の異常集積がみられる．低線量 CT では右腎前方に淡い石灰化を伴う腫瘤を認め(赤丸)，SPECT/CT 融合画像では同病変は強い MIBG 集積を示している．広範な骨/骨髄転移，多発リンパ節転移を伴う右副腎原発神経芽腫と診断した．

治療後の ^{123}I-MIBG シンチグラムでは，全身の骨にみられた異常集積はほぼ消失している．低線量 CT では右副腎腫瘤は縮小し，SPECT/CT 融合画像では同病変の MIBG 集積も低下している．

SIOPEN scoring method in two independent high-risk neuroblastoma populations：the SIOPEN/HR-NBL1 and COG-A3973 trials. Eur J Nucl Med Mol Imaging 45：292-305, 2018

要点

- 悪性黒色腫の遠隔転移検出に有用である.
- 原発不明がんの検出に有用なことがある.
- 小児がん：骨肉腫や軟部肉腫の遠隔転移の検出に ^{18}F-FDG PET/CT は有用である.
- 小児がん：神経芽腫の遠隔転移の検出，治療効果判定に ^{123}I-MIBG シンチグラフィは有用である.

Note

● 小児の RI 投与量

小児は成人に比べて放射線感受性が高いため，小児に対するラジオアイソトープ radio isotope（RI）の投与においては，より適正な投与量設定とその遵守が求められる[1]．しかし，投与量を小さくしすぎて，診断に必要な情報を確実に得るという目的が達成できなければ，検査の意味がない．一方，鎮静に限界があるため検査時間がおおむね 30 分を超えないようにすることも求められる．そして，撮影機器の進歩にあわせて，常に改訂する必要がある．

こうした背景で，日本核医学会から小児核医学検査における投与量のガイドラインが発行されている（執筆時点で最新の改訂は 2020 年 7 月 25 日）．ここでは，ガイドラインにしたがって FDG の投与量の算出法をみてみよう．

基本的に，

投与量［MBq］＝「基本量」×「体重別係数」

という計算式によって算出される．FDG の場合，検査対象が体幹か脳かによって異なる基本量が設定されており，体幹では 18.0［MBq］，脳では 14.0［MBq］を用いる．ただし，最小投与量が，体幹では 26 MBq，脳では 14 MBq とされており，上記の計算式の値が最小投与量よりも小さい場合は，最小投与量を用いる．体重別係数は文献 1）に表としてまとめられている．

（例 1）体重 4 kg の児に体幹の検査目的に FDG を投与する場合：
体重 4 kg における体重別係数は 1.14 であるから，
18×1.14=20.5 MBq → 最小投与量 26 MBq を用いる．

（例 2）体重 10 kg の児に体幹の検査目的に FDG を投与する場合：
体重 10 kg における体重別係数は 2.71 であるから，
18×2.71=48.8 MBq → 最小投与量よりも大きいので，48.8 MBq を用いる．

（例 3）体重 20 kg の児に脳の検査目的に FDG を投与する場合：
体重 20 kg における体重別係数は 4.86 であるから，
14×4.86=68.0 MBq → 最小投与量よりも大きいので，68.0 MBq を用いる．

1）日本核医学会：小児核医学検査適正施行のコンセンサスガイドライン 2020．http://jsnm.org/wp_jsnm/wp-content/uploads/2019/03/小児核医学検査適正施行のコンセンサスガイドライン 2020.pdf（2021 年 9 月閲覧）

X

炎　症

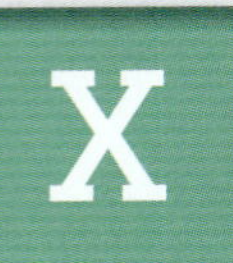

X 炎症

炎症・腫瘍シンチグラフィ

^{18}F-フルオロデオキシグルコース fluorodeoxyglucose（FDG）PET/CT が炎症性疾患に有用だという報告はいくつもあるが，現在，心サルコイドーシスおよび大型血管炎（高安動脈炎または巨細胞性動脈炎）以外の炎症性疾患に関しては保険適用がされていないのが現状である．大型血管炎に関しては2018年4月から保険適用となったが，保険適用要件は，「①高安動脈炎等の大型血管炎において，他の検査で病変の局在又は活動性の判断のつかない患者，及び②薬事承認を得ている ^{18}F-FDG 製剤を使用した場合に限り算定する」，となっている．

核医学検査では炎症性疾患の検出には古くから ^{67}Ga シンチグラフィが用いられている．^{67}Ga はサルコイドーシスや感染，不明熱などの炎症性疾患だけではなく，悪性リンパ腫をはじめとする悪性病変の評価にも用いられてきた．しかしながら PET/CT のある施設では腫瘍性病変の評価に関しては，^{18}F-FDG PET/CT の有用性が高いことから，その役割が PET/CT に移っているのが現状である．

今後，機器の普及がさらに広まり，evidence の構築が行われれば，不明熱などの炎症性疾患に対する ^{18}F-FDG PET/CT の運用も行われていくと予想される．本章では期待も込めて，^{18}F-FDG PET/CT の炎症性疾患に対する有用性についても触れたいと思う．

^{67}Ga シンチグラフィによる炎症病変の評価

❶ 原理

^{67}Ga の物理学的半減期は約78時間である．主な γ 線のエネルギーは 93.3 keV（39.2%），185 keV（21.2%），300 keV（16.8%）の3種類である．病変への集積機序に関しては完全には分かっていない．血中に投与された ^{67}Ga は血清蛋白質であるトランスフェリンと結合し，炎症組織では血管拡張に伴う血流増加，毛細血管透過性亢進，細菌や多核白血球への取り込み，組織間質への結合などの機序により集積すると考えられている．腫瘍では細胞膜表面にあるトランスフェリン受容体を介して腫瘍細胞内に取り込まれると考えられている．

投与24時間までは主に腎臓から排泄され（24時間以内に投与量の約12%が腎から排泄される），その後は主に肝臓から排泄されるため，腸管の描出が目立つようになる．

❷ 検査の進め方

74～148 MBq を静注して48～72時間後に撮像する．検査に際して食事制限などは必要ないが，腸管への排泄により，病変検出が困難になることがあるため，腹部の病変が疑わしい場合は，撮像前の下剤服用もしくは，撮像前に浣腸を行うなどの事前準備が望ましい．病変が疑われた部位では SPECT 像の追加を行う．また，腸管の生理的集積と紛らわしい場合は翌日撮像を行う．

顆粒球コロニー刺激因子 granulocyte-colony stimulating factor（G-CSF）の投与により骨髄に強い集積を認めることがある．また，化学療法を受けている場合や輸血，鉄剤投与時には薬剤の分布が変化することがあるため，注意が必要である．MRI 造影剤である gadlinium（Gd）-diethylenetriamine pentaacetia acid（DTPA）の前投与により，骨への集積が増加するという報告があるが，影響はないという報告もある．一定の見解が得られていないこともあり，同日検査は避けた方がよいと思われる．

❸ 画像の読み方

正常像（**図X-1**）では，鼻咽腔，涙腺，唾液腺，肝臓，腸管，骨髄に生理的集積を認める．男性では精巣，女性では乳腺への集積が認められる．肺門部に対称性の集積がみられることもある．

悪性腫瘍では，悪性リンパ腫（**図X-2**），甲状

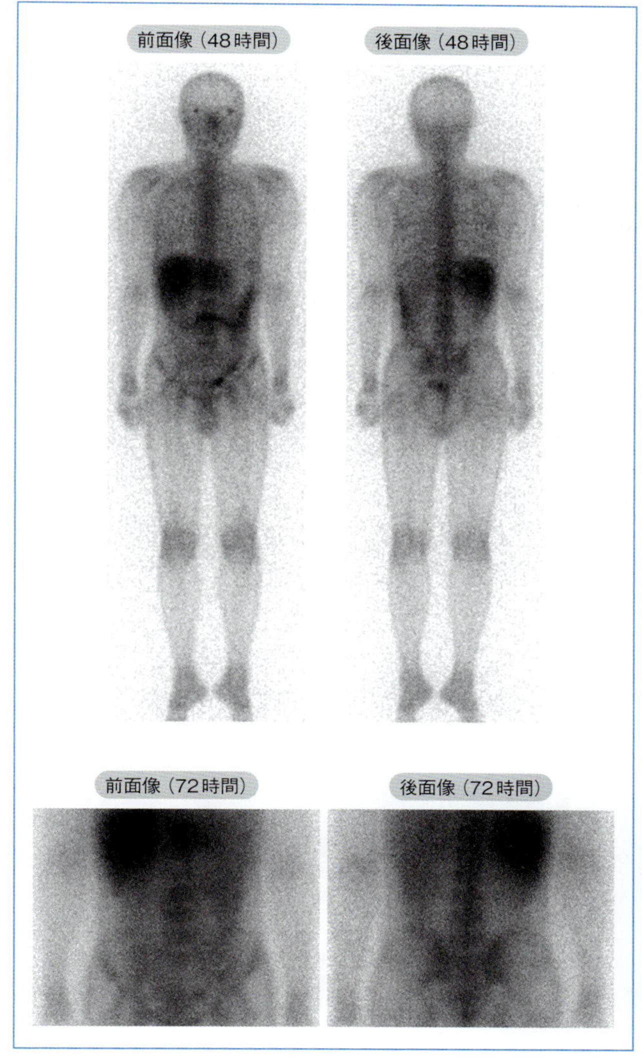

図X-1　正常像

40歳代男性．静注48時間後の像で，涙腺，鼻咽腔，唾液腺，肝臓，腸管，骨髄，精巣に集積を認める．女性では乳腺にも生理的集積がみられる．72時間後では腸管の描出が淡くなっている．

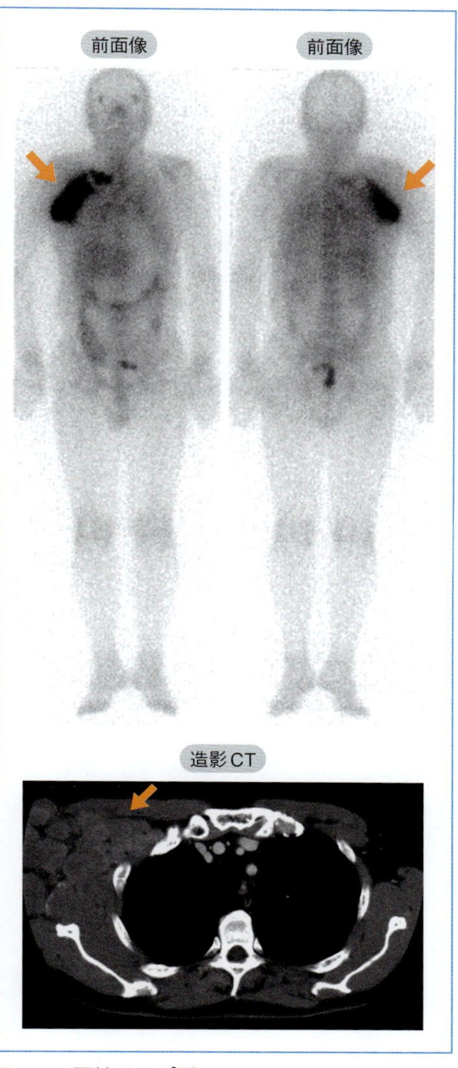

図X-2　悪性リンパ腫

Gaシンチグラフィで右腋窩～鎖骨上窩に強い集積を認める（矢印）．CTでは腫大リンパ節が多数認められる（矢印）．生検の結果diffuse large B cell lymphomaびまん性大細胞型B細胞リンパ腫（DLBCL）の診断であった．

Note 1

● **^{111}In標識白血球による炎症評価**

^{111}In-oxineをインビトロで白血球に標識し，静注にて体内に投与する（成人には3.7～37 MBq程度）．3～6時間後の早期像および24時間後の後期像を撮像する．標識白血球は炎症部位に集積するが，その動態から比較的急性期の炎症性疾患の描出に向いている．生理的集積部位としては脾臓，肝臓が挙げられ，そのほかの臓器はほとんど描出されない．^{67}Gaシンチグラフィが得意ではない腸管などの炎症性疾患の描出も可能である．

手技がやや煩雑であり，頻用されている検査とはいえない．

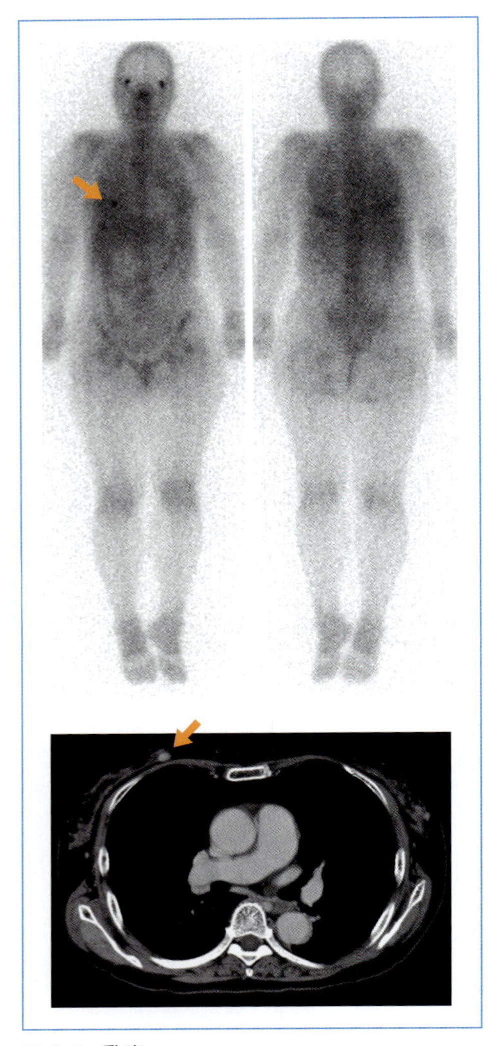

図X-3　乳癌
60 歳代女性．近位筋優位の筋力低下あり．多発性筋炎の疑いで撮像された Ga シンチグラフィには右前胸部に限局性の集積あり（矢印）．CT では右 A 領域の結節（矢印）が相当．乳癌の診断．

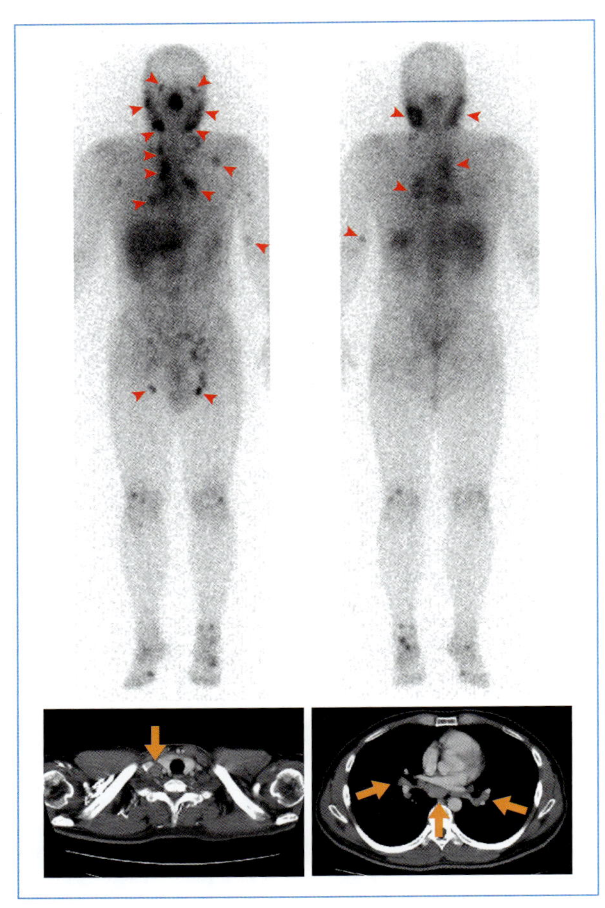

図X-4　サルコイドーシス
涙腺，唾液腺，両側肺門，縦隔，鎖骨上窩，鼠径部，左上腕皮膚などに集積を認める（矢頭）．両側涙腺，耳下腺の集積はその分布からパンダサインと呼ばれる．両側肺門，縦隔，右鎖骨上窩の集積はその分布からラムダサインと呼ばれる．造影 CT では両側肺門，縦隔，右鎖骨上窩に腫大リンパ節を認める（矢印）．

腺未分化癌，悪性黒色腫，肺癌，乳癌（図X-3），頭頸部癌などの診断，転移性病変の検出，治療効果判定に用いられていたが，PET 機器の普及により，それらの目的で行われることは少なくなってきた．

炎症性疾患に関してはサルコイドーシス（図X-4），間質性肺炎（図X-5），骨髄炎，関節炎などの各種炎症性疾患の診断や活動性評価（図X-6，7），不明熱の原因病巣検出などに用いられる．通常，腎臓は描出されないため，間質性腎炎の評価も可能である（図X-8）．

^{18}F-FDG PET/CT における炎症病変の評価

❶ 原理

^{18}F-FDG の細胞内の取り込みに関しての詳細については，「Ⅸ　腫瘍」を参照されたい．炎症巣では炎症反応が惹起され，炎症性細胞（顆粒球・リンパ球・マクロファージなど）が活性化することにより，グルコースと酸素を大量に消費する．グルコース類似体である ^{18}F-FDG も同様に炎症組織に集積し描出される．不明熱の検出や感

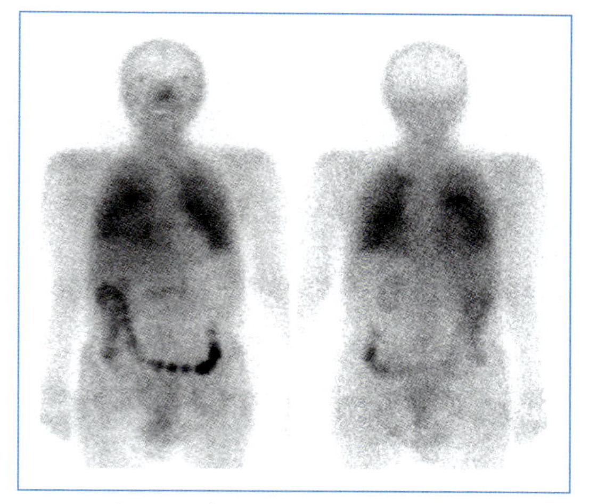

図X-5　肺野へのびまん性集積
肺野へのびまん性集積は各種間質性肺炎のほか，粟粒結核，肺野型サルコイドーシス，塵肺症などでみられる．

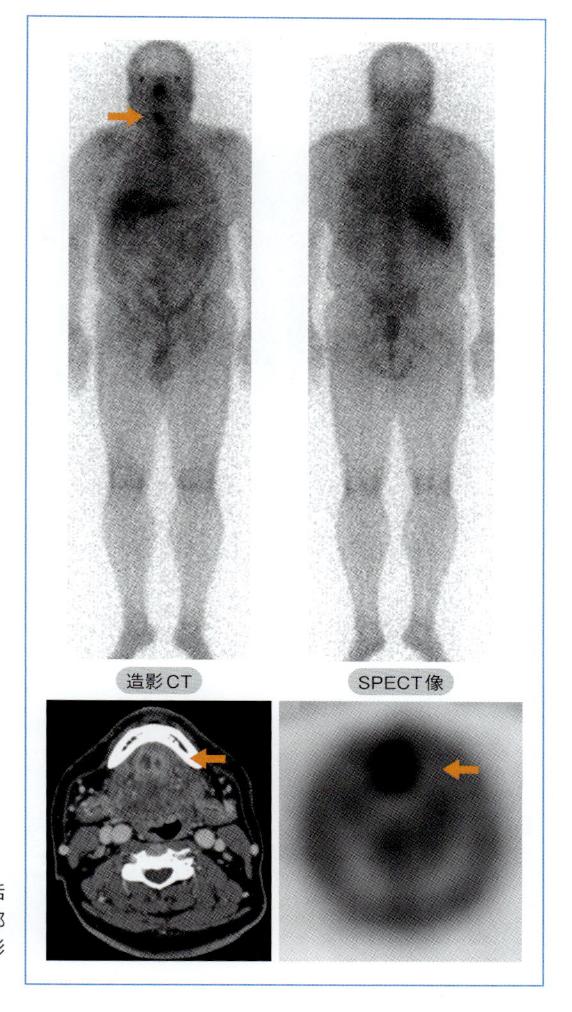

図X-6　炎症性疾患（膿瘍）
起床時嚥下痛を自覚．嚥下痛は徐々に軽減したが残存するため，活動性の炎症性病変評価目的にGaシンチグラフィを施行．口腔底部からオトガイ部にかけて限局性の集積が認められる（矢印）．造影CTでは辺縁増強効果を示す膿瘍性病変（矢印）を認める．

図X-7　炎症性偽腫瘍
左眼窩内の腫瘤性病変に強い集積を認める（矢印）．生検の結果，炎症性偽腫瘍であった．ステロイド治療後のGaシンチグラフィでは集積は著明に減弱している．

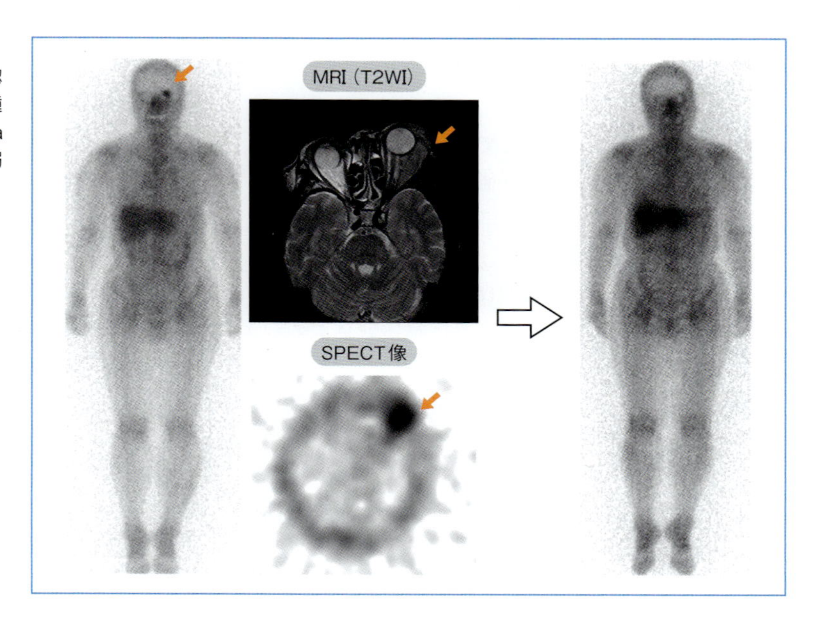

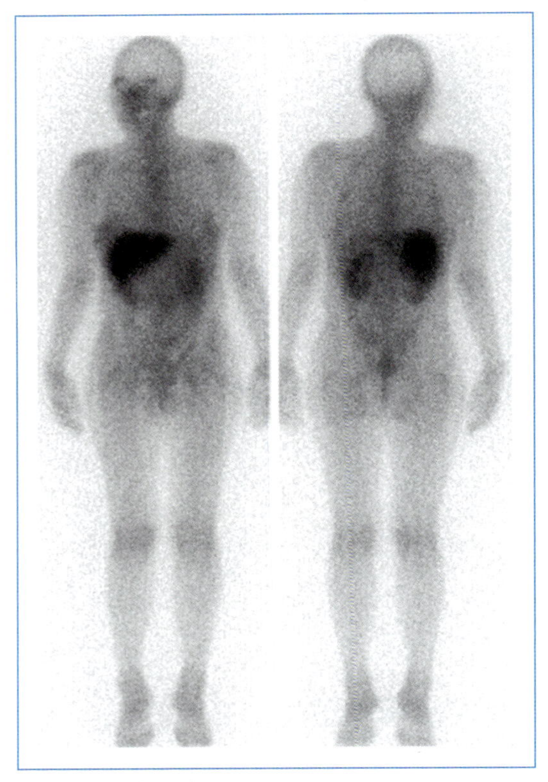

図X-8 間質性腎炎
全身性エリテマトーデス(SLE)患者．腎機能低下，炎症反応上昇により，ループス腎炎(間質性腎炎)が疑われた．両腎にびまん性に集積が認められ，間質性腎炎を反映した所見と考えられる．

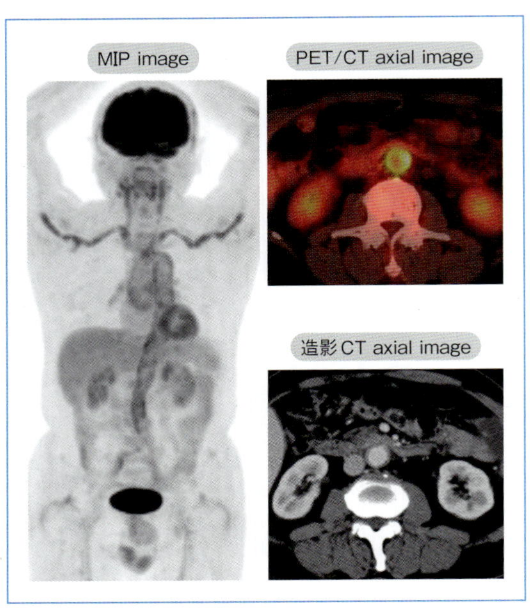

図X-9 高安動脈炎
maximum intensity projection(MIP)像で血管壁に沿った集積亢進所見が認められる．腹部のaxial imageでは，大動脈壁に沿ったFDGの集積，造影CTでは壁肥厚が認められる．

染巣の活動性の評価に有用であるという報告がいくつもなされている（図X-9）．

❷ 画像の読み方

生理的な描出部位に関しては「Ⅸ　腫瘍」を参照されたい．悪性腫瘍の評価目的に行われた^{18}F-FDG PET/CTでは，炎症に伴う集積部位は偽陽性と判断される（図X-10）．軽微な炎症でも描出されることが多く，集積の程度から感染の有無を評価するのは難しいことがあり，臨床症状とあわせた評価が望まれるのはいうまでもない．臨床的に感染が疑われている場合に異常な集積病変を指摘する，臨床的に疾患が絞られていればその部分についてより詳細に評価することが望ましい．

以下，大型血管炎（高安動脈炎または巨細胞性動脈炎）および，サルコイドーシス，免疫グロブリンG4 immunogloblin G4（IgG4）関連疾患，不明熱について触れることにする．

a．大型血管炎(高安動脈炎または巨細胞性動脈炎)

高安動脈炎，巨細胞性動脈炎はいずれも原因不明の疾患である．高安動脈炎は非特異的大型血管炎であり，大動脈およびその主要分枝や肺動脈，冠動脈を主体として動脈壁に炎症性肥厚をきたす疾患である．その結果，血管の狭窄/閉塞または拡張/瘤が生じうる．巨細胞性大動脈炎は，大動脈とその主要分枝といった大型・中型の動脈に巨細胞を伴う肉芽腫を形成する．巨細胞性動脈炎は，以前は側頭動脈炎とも呼ばれていた通り，しばしば側頭動脈にも血管炎が認められ，頭痛を生じることがある．高安動脈炎は若年女性に好発するのに対して，巨細胞性動脈炎は50歳以上の高齢者（やや女性に多い）に発症する傾向にある．

巨細胞性動脈炎では，約3割の患者でリウマチ性多発筋痛症を合併する．

b．サルコイドーシス

サルコイドーシスは原因不明の非乾酪性肉芽腫性疾患であり，全身の臓器が侵される可能性がある．病変は両側肺門リンパ節，肺，眼，皮膚，唾液腺にみられることが多く，活動性の病変に

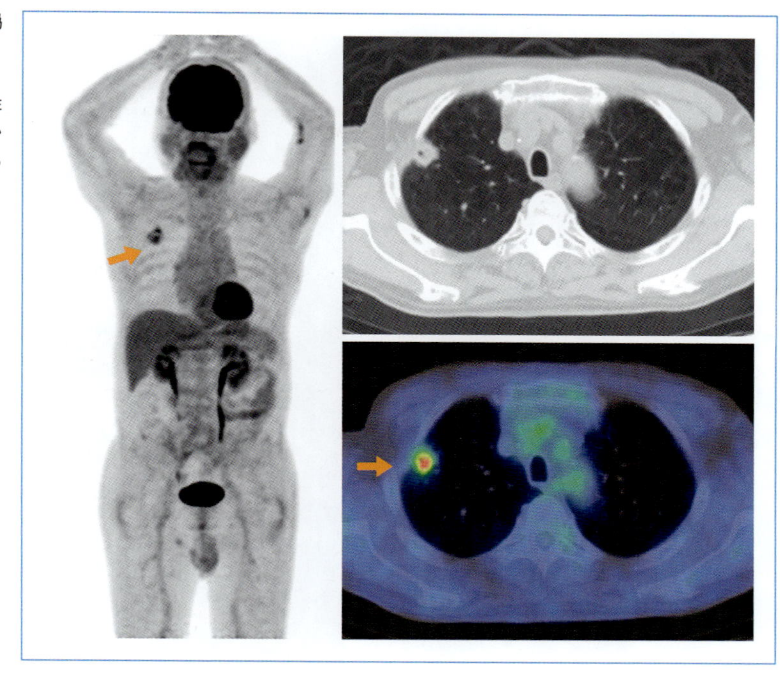

図X-10　非定型抗酸菌症に伴う偽陽性

右肺上葉末梢に空洞性病変を認め，FDGの強い集積を認める（矢印）．非定型抗酸菌症の症例であるが，集積からは原発性肺癌との鑑別は困難である．

Note 2

● 骨シンチグラフィによる感染評価

人工関節の術後の緩み（loosening）や感染の評価には，通常の骨シンチグラフィ（骨相）の撮像に加え，静注直後の血流相，その後の血液プール像を追加する．感染の場合は血流亢進，血液プールの増加，骨相での集積がみられる（図）．

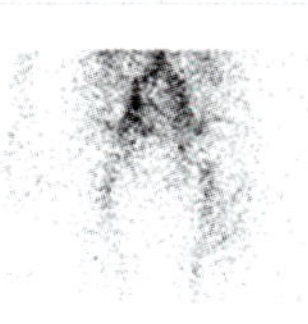
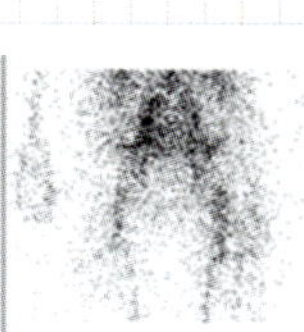
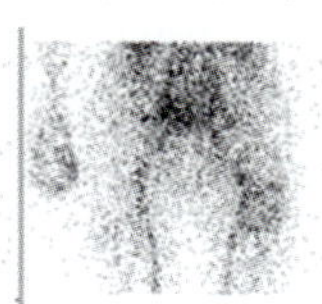
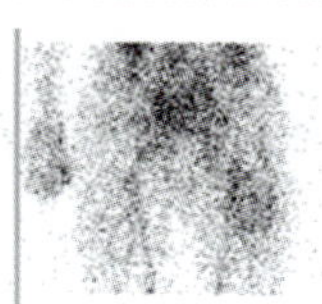
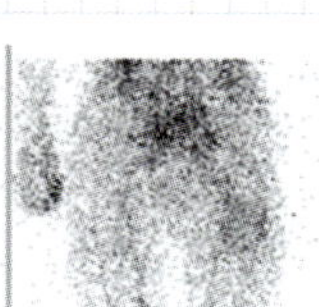

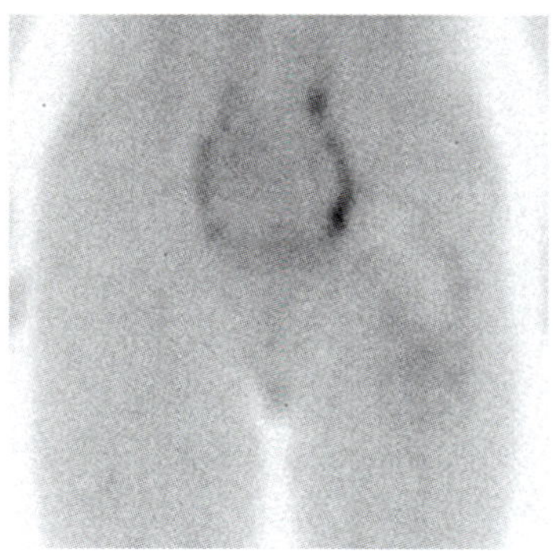
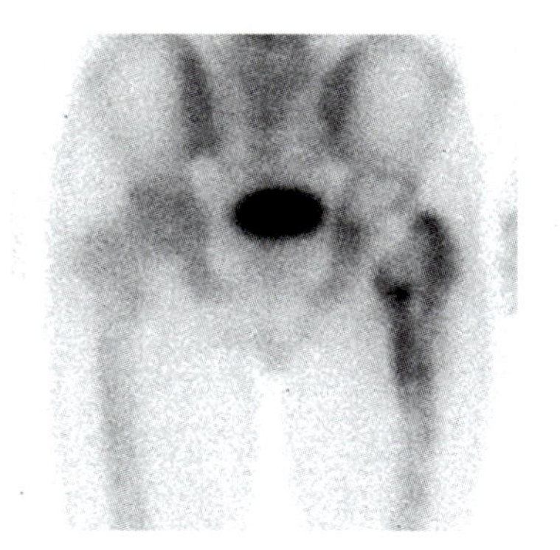

図　右股関節置換術後の感染

右股関節痛が増強．炎症反応上昇のため，感染疑いで検査施行．背面像を示している．血流相で右股関節から大腿に局所的な血流亢進のほか，同部に血液プール増加を認める．骨相で人工股関節周囲に集積亢進を認める．人工関節周囲の感染と考えられる．

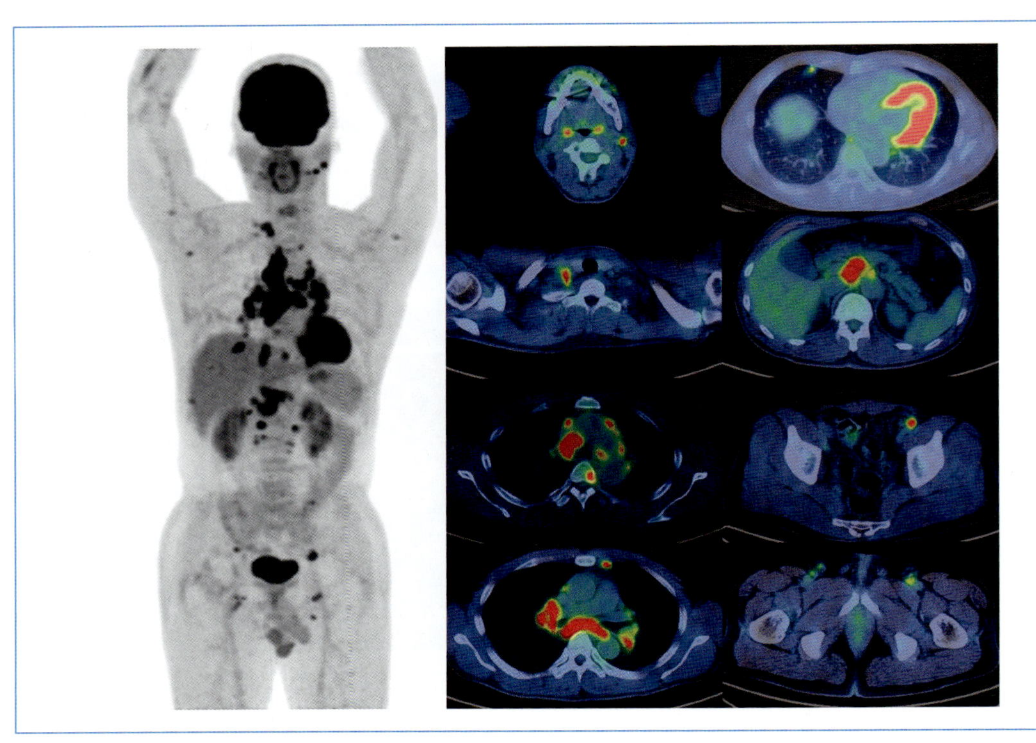

図X-11　サルコイドーシス
全身のリンパ節に多数の集積が認められるが，縦隔，両側肺門部，右鎖骨上窩にも集積亢進が認められ，Gaシンチグラフィでいうところのラムダサインを呈している．そのほか，肺野や骨にも集積亢進病変が認められ，サルコイドーシス病変と考えられる．左室心筋にはびまん性に集積亢進が認められており，生理的と考えられるが，この条件では心サルコイドーシス病変の評価は難しい．

は^{18}F-FDGが強く集積する（図X-11）．頻度はそれ程高くないものの，心サルコイドーシスの炎症部位の診断に関しては保険適用となっている．活動性の評価や抗炎症剤の治療効果判定にも有用と考えられる．心サルコイドーシスの詳細については「Ⅲ　循環器」を確認されたい．

c．IgG4関連疾患

IgG4関連疾患では，血清IgG4高値となり，全身にIgG4陽性の形質細胞の浸潤を伴う腫瘤や隆起性病変が出現する．原因は不明であり，Mikulicz病（涙腺や唾液腺の対称性腫脹）や自己免疫性膵炎などがこの疾患に含まれると考えられている．自己免疫性下垂体炎，眼窩偽腫瘍，唾液腺炎，甲状腺炎，間質性肺炎，心膜炎，硬化性胆管炎，間質性腎炎，後腹膜線維症，前立腺炎，リンパ節炎，髄膜炎，動脈炎，皮膚偽リンパ腫などによりさまざまな臓器が侵される．^{18}F-FDGはそれらの病変に強く集積するため，病態把握評価に有用と考えられる（図X-12）．

d．不明熱

古典的な不明熱の定義は，「38.3℃以上の発熱が認められる状態が3週間を超えて続き，1週間の入院精査でも原因が不明なもの」であるが，PET/CT時においては，他検査で診断がつかない，もしくは疑われるが確信が持てない場合ということになる．

既存のmodalityと比較して，熱源の検索に有用だという報告はいくつもなされているが，^{18}F-FDG PET/CTでも検出できない症例は少なからず存在する．不明熱に伴う骨髄の集積（反応性賦活化）を評価することも有用であるという報告もあり，確かにそのような目的で撮像された場合は，体幹骨の骨髄にびまん性に集積亢進がみられる例が多い（図X-13）．

^{67}Gaシンチグラフィと^{18}F-FDG PET/CTの比較

^{67}Gaシンチグラフィとの比較における^{18}F-FDG

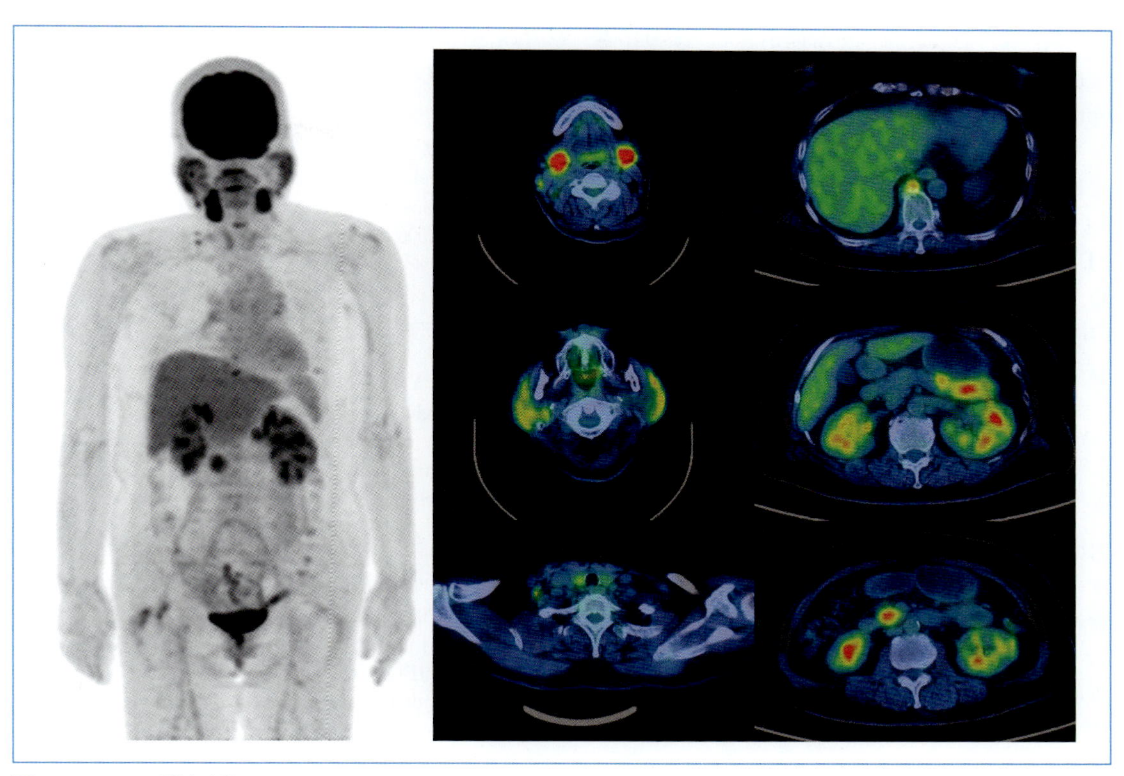

図X-12　IgG4 関連疾患
両側耳下腺，顎下腺にびまん性の集積亢進を，膵頭部，尾部，後腹膜に強い集積を認める．免疫グロブリン G4（IgG4）関連疾患に伴う炎症性病変が描出されている．甲状腺にも軽度の集積が認められ，頸部や腹部リンパ節にも集積亢進を認める．

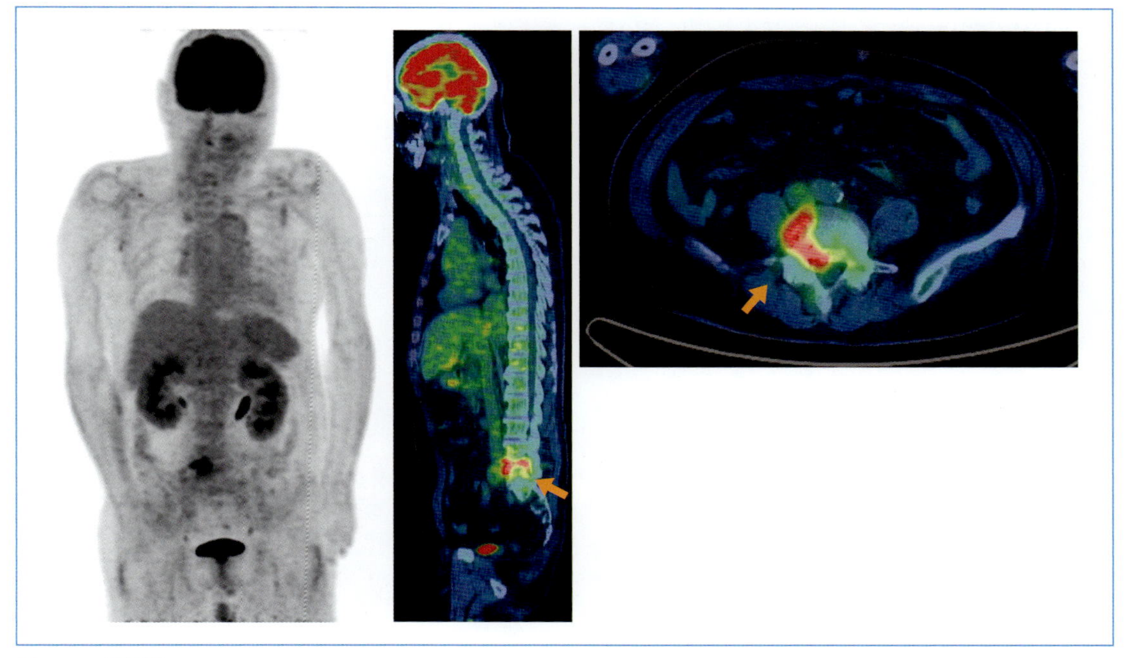

図X-13　不明熱
3 週間ほど前から 38℃台の発熱あり．第 4/第 5 腰椎右側に限局性集積亢進部位を認める（矢印）．椎間板炎が描出されている．骨髄への集積がやや亢進，脾臓の集積もびまん性に亢進しているが，炎症に伴う機能の賦活化を反映した所見と考えられる．

PET/CTの利点は，1）分解能が高く，より小さな病変の評価が可能である，2）standardized uptake value（SUV）maxなどによる半定量評価が可能であり，治療効果判定や病態の推移も客観化しやすい，3）Gaシンチグラフィでは投与後2～3日間を空けて画像を撮像するのに対し，^{18}F-FDG PET/CTでは投与同日に撮像ができるため，（その施設の検査枠などにもよるが）より緊急的な病態把握が可能である，4）被曝量が少ないなどである．

また^{18}F-FDG PET/CTに対する^{67}Gaシンチグラフィの利点は，1）保険適用がされる（現在のところ^{18}F-FDG PETは保険適用外である），2）^{18}F-FDGの生理的描出部位である脳，腎臓などの炎症病変の検出が可能，3）PETよりシンチグラフィの方がより広く普及しているため使える施設が多い，などが挙げられる．

^{67}Gaシンチグラフィでは心筋にも生理的集積がみられないため，心サルコイドーシスに関しては特異度が高く，2006年の診断基準と診断の手引きでは，診断基準の一つとして挙げられている．しかしながら，心臓の項目でも述べたが，^{18}F-FDG PET/CTでも心筋への生理的集積を抑制する前準備がいくつも提唱されており，感度が非常に高い．現在では心サルコイドーシスの評価においては心臓MRIと^{18}F-FDG PET/CTでの有用性が高いと考えられている．

◆ 参考文献

1）Gemmel, F et al：Radionuclide imaging of spinal infections. Eur J Nucl Med Mol Imaging 33：1226-1237, 2006
2）日本サルコイドーシス/肉芽腫性疾患学会 診断基準改訂委員会：サルコイドーシスの診断基準と診断の手引き―2006. 日サルコイドーシス肉芽腫会誌 27：89-102, 2007
3）Ishida, Y et al：Recommendations for (18) F-fluorodeoxyglucose positron emission tomography imaging for cardiac sarcoidosis：Japanese Society of Nuclear Cardiology recommendations. Ann Nucl Med 28：393-403, 2014
4）Zhang, J et al：Characterizing IgG4-related disease with ^{18}F-FDG PET/CT：a prospective cohort study. Eur J Nucl Med Mol Imaging 41：1624-1634, 2014
5）Yang, J et al：PET Index of Bone Glucose Metabolism (PIBGM) Classification of PET/CT Data for Fever of Unknown Origin Diagnosis. PLoS One 10：e0130173, 2015
6）Balink, H et al：^{18}F-FDG PET/CT in inflammation of unknown origin：a cost-effectiveness pilot-study. Eur J Nucl Med Mol Imaging 42：1408-1413, 2015

要点

- ^{67}Ga シンチグラフィにより炎症性病変の検出が可能である．
- ^{67}Ga シンチグラフィでの腹部病変の評価の際には，撮像前の下剤服用もしくは，撮像前に浣腸を行うなどの事前準備が望ましい．
- 生理的集積との鑑別に SPECT 像の追加や時間を空けての追加撮像が有用なことがある．
- 炎症性疾患の評価にも ^{18}F-FDG PET/CT が有用なことがあるが，現在は大型血管炎および心サルコイドーシス以外の疾患では保険適用外である．

Note 3

● FDG の将来性

FDG は活動性の高い炎症性病変にも集積する．そのため，悪性腫瘍の評価を目的として行われた検査では，炎症性病変は偽陽性と判断される．悪性腫瘍と炎症性病変の鑑別は，集積程度では難しいことが多く，CT 所見や画像/臨床経過と合わせて評価する必要がある．

一方で，膿瘍，関節炎，椎間板炎，不明熱などの炎症性病変の検出や活動性評価についての有用性がいくつも報告されている．

図 a は，肺癌に対して左肺上葉切除術後で腰痛の主訴がある患者の FDG PET/CT である．左肺尖部手術部位近傍に集積を認め（青矢印），再発病変と考えられる．また，L3/4 の椎間板およびその周囲の集積が認められ（赤矢印），椎間板炎および椎体周囲炎の所見と考えられた．抗菌剤の投与により腰痛は改善した．

図 b は同一患者の 1 年後の FDG PET/CT である．再発病変は増大しているが，椎間板およびその周囲の集積は消失しており，活動性炎症の改善が示唆される．

椎間板炎に対する FDG PET/CT の有用性についてまとめたメタアナライシス[1]では，感度 95%，特異度 88%と報告されている．残念ながら，2021 年 9 月現在で保険適用とはなっていないので検査を行う際には注意が必要である．将来的に保険適用が拡大され，さまざまな炎症性疾患に利用できるようになることを期待する．

1）Kim, S-J et al：Comparing the Diagnostic Accuracies of F-18 Fluorodeoxyglucose Positron Emission Tomography and Magnetic Resonance Imaging for the Detection of Spondylodiscitis：A Meta-analysis. Spine（Phila Pa 1976）44：E414-E422, 2019

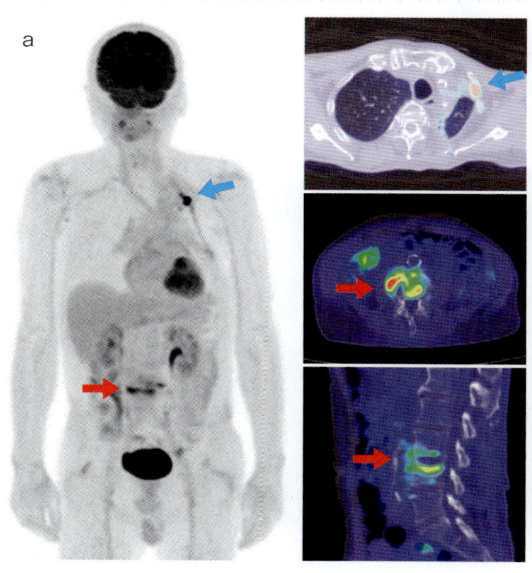

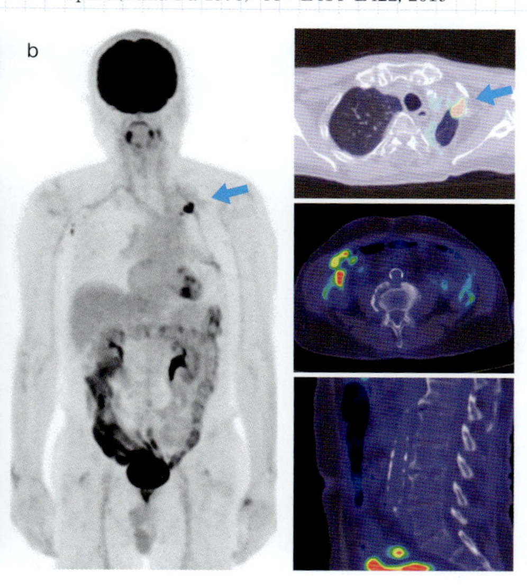

図　FDG PET/CT による椎間板炎の描出

XI

リンパ節・リンパ管

A センチネルリンパ節

病態生理

悪性腫瘍の転移形式の一つとしてリンパ性転移が挙げられる．特に主病巣からのリンパ流が最初にたどり着くリンパ節はセンチネルリンパ節と呼ばれるが，リンパ流は個人差が大きい．センチネルリンパ節への転移の有無により治療方針や予後が変わってくるため，その評価が重要となる．

現在，乳癌と悪性黒色腫のセンチネルリンパ節検出に関しては，保険適用となっており，胃癌，食道癌，頭頸部癌，外陰癌，子宮頸癌などでも有用だという報告がある．

乳癌では臨床的に明らかな腋窩リンパ節転移が認められている場合は，レベルII（中部腋窩）までのリンパ節郭清が推奨されている．よってセンチネルリンパ節シンチグラフィは臨床的にリンパ節転移が明らかではない場合に行われ，センチネルリンパ節転移が陰性であればリンパ節郭清を省略する（図XI-A-1）．それに伴い術後合併症や上肢機能障害が減り，quality of life（QOL）の改善につながる．また，センチネルリンパ節転移が陰性の場合，腋窩リンパ節郭清を省略しても長期予後は変わらないという大規模臨床試験の結果が出ている．

悪性黒色腫では原発腫瘍が厚いほどセンチネルリンパ節の陽性率が高く，センチネルリンパ節転移の有無が予後に影響を及ぼすことが知られている．予防的リンパ節郭清と比較し，センチネルリンパ節生検は低侵襲であるためその有用性は高いと考えられる．その有効性は原発巣の厚さにも関係があるといわれている（図XI-A-2）．原発巣が下肢にある場合は膝窩や鼠径に，原発巣が腹部や背部にある場合は鼠径部や腋窩に，原発巣が頭頸部にある場合は側頸部にセンチネルリンパ節の描出がみられることが多い．

検査法の概説

現在，センチネルリンパ節を同定する方法として，ラジオアイソトープ radio isotope（RI）法と色素法が広く用いられている．RI法のメリットとしては視野外の深部のリンパ節も同定可能であること，手技が比較的簡便であることが挙げられる．一方，デメリットとしては検査費用が高価であること，ガンマプローブなどの機器が必要であること，わずかであるが被曝を受けることなどが挙げられる．

RI法はリンパ移行性の高い放射性医薬品（^{99m}Tc-ヒト血清アルブミン human serum albumin（HSA），^{99m}Tc-フィチン酸，^{99m}Tc-スズコロイド）を，原発巣または周辺組織に皮下もしくは

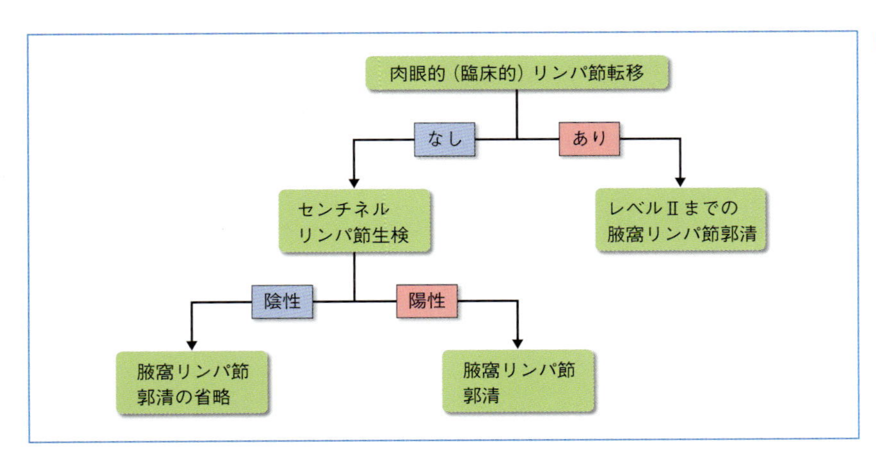

図XI-A-1 乳癌に対するセンチネルリンパ節生検
肉眼的リンパ節転移がない場合はセンチネルリンパ節生検を行い，陰性であれば腋窩リンパ節郭清は省略される．

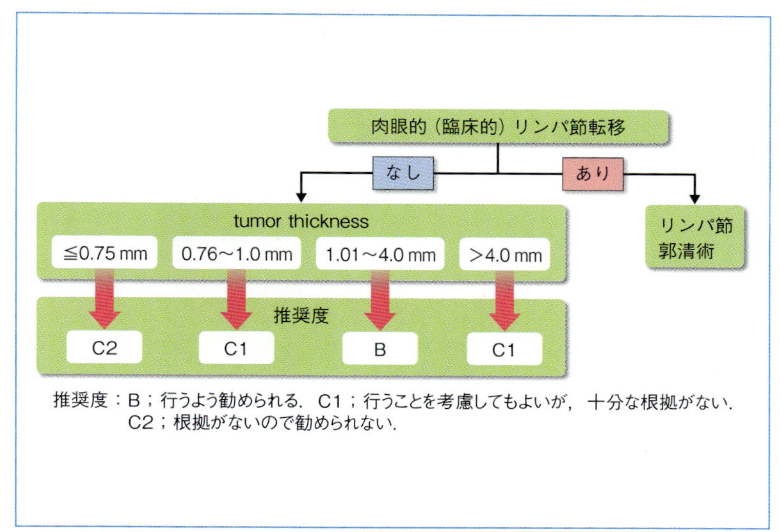

図XI-A-2 悪性黒色腫に対するセンチネルリンパ節生検
明らかな遠隔転移がない悪性黒色腫患者に関しては，肉眼的リンパ節転移がある場合はリンパ節郭清術が推奨される．肉眼的リンパ節転移がない場合にはセンチネルリンパ節生検は主病巣の厚さで推奨度が変わる．悪性黒色腫の早期リンパ節郭清術の意義を検証した多施設共同ランダム化比較試験の結果によると，センチネルリンパ節転移陽性患者に対してリンパ節郭清術を早期に施行した群（郭清術群）と経過観察群の間に疾患特異的生存期間で差を認めなかった[1]．また，郭清術群ではリンパ浮腫などの有害事象は高率に発生したため，センチネルリンパ節転移陽性例で，リンパ節郭清術が控えられる傾向にある．

皮内投与することで，病巣部周囲のリンパ節の同定を行う方法である．乳癌に関しては腫瘍の占居部位にかかわらず乳輪下に投与することで腋窩のセンチネルリンパ節が同定可能であるという報告があり，簡便な方法として用いられている．リンパ系内の貯留時間はコロイド粒子の大きさにより異なり，小さなものほど移行が早い．^{99m}Tc-フィチン酸は径200〜1,000 nmとリンパ節描出に適度な大きさであり，汎用されている（表XI-A-1）．

表XI-A-1 各種トレーサの粒子径

トレーサ	粒子径(nm)
^{99m}Tc-HSA	2〜3
^{99m}Tc-フィチン酸	200〜1,000
^{99m}Tc-スズコロイド	400〜5,000

Note

● センチネルリンパ節理論

センチネルリンパ節生検を行い，陰性であった場合，郭清を省略するという治療方針を行うためには，センチネルリンパ節理論が成り立つ必要がある（図）．

センチネルリンパ節理論とは癌細胞は主病巣からリンパ流を経てリンパ節に到達するが，最初に到達するリンパ節（センチネルリンパ節）が存在する．癌細胞はそのリンパ節を素通りせず，それより先のリンパ節に転移する場合はそこを経由していくという考えである．センチネルリンパ節は主病巣に最も近いリンパ節とは限らず，また一つだけとは限らないので注意が必要である．

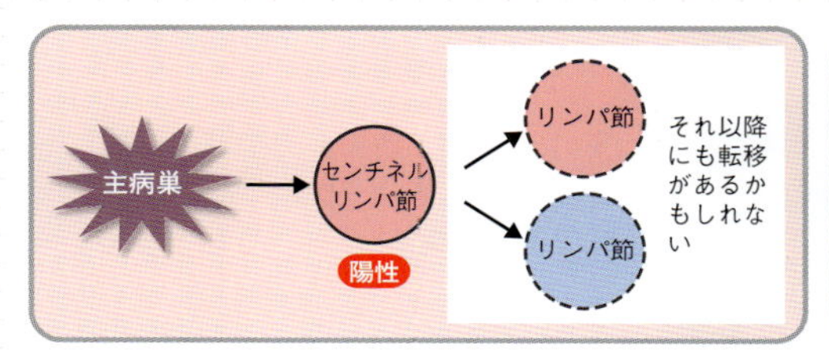

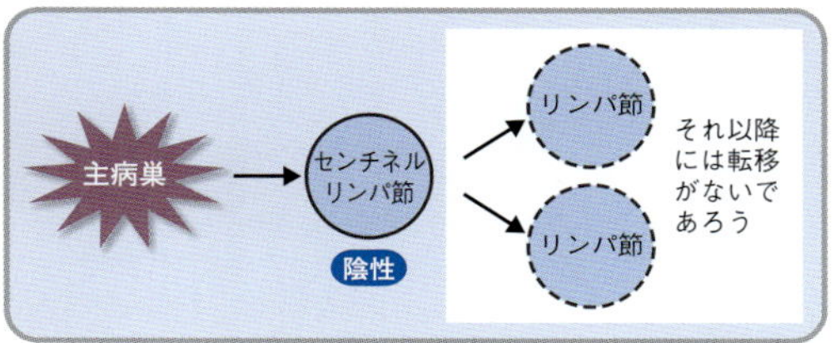

図 センチネルリンパ節理論
センチネルリンパ節に転移があった場合はそれ以降にもリンパ節転移が存在している可能性がある．逆にセンチネルリンパ節に転移がなかった場合は，それ以降にも転移がないと考えられ，郭清を省略できる．

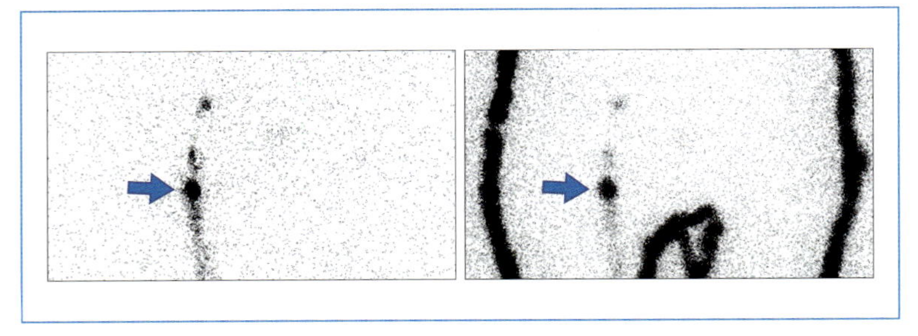

図XI-A-3　右足趾悪性黒色腫術前センチネルリンパ節シンチグラフィ
右足趾悪性黒色腫術前．センチネルリンパ節生検前にシンチグラフィを撮像．原発巣周囲皮下に ^{99m}Tc-フィチン酸投与後，リンパ流およびリンパ節（矢印）が認められる．体表を線源でなぞり体輪郭を描出することで，右鼠径部リンパ節と判断しやすくなる．

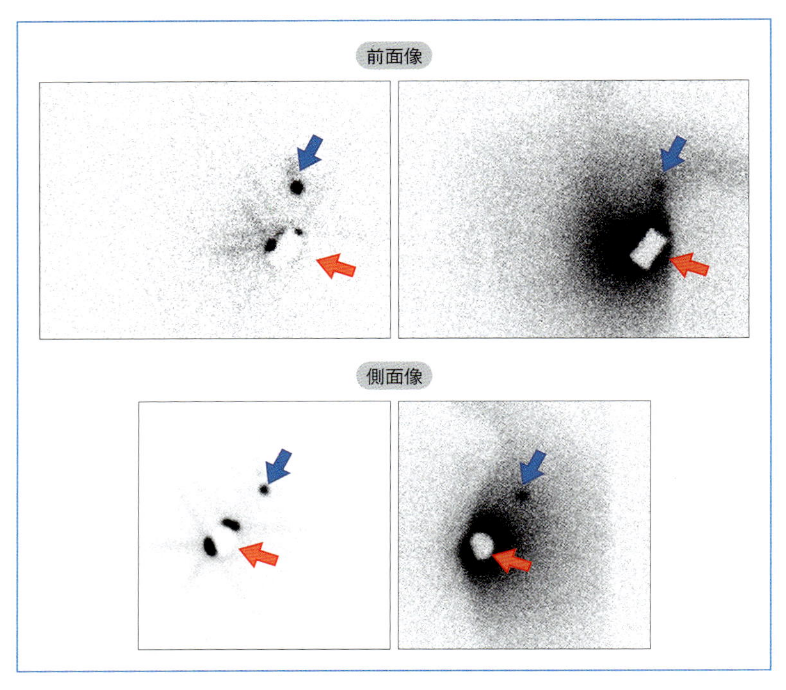

図XI-A-4　左乳癌術前のセンチネルリンパ節シンチグラフィ
左乳輪近傍に2ヵ所皮下注を行っている．鉛板（赤矢印）による欠損像が認められる．左腋窩リンパ節の描出が認められる（青矢印）．Compton 散乱で体輪郭を描出することにより，部位が同定しやすくなる．

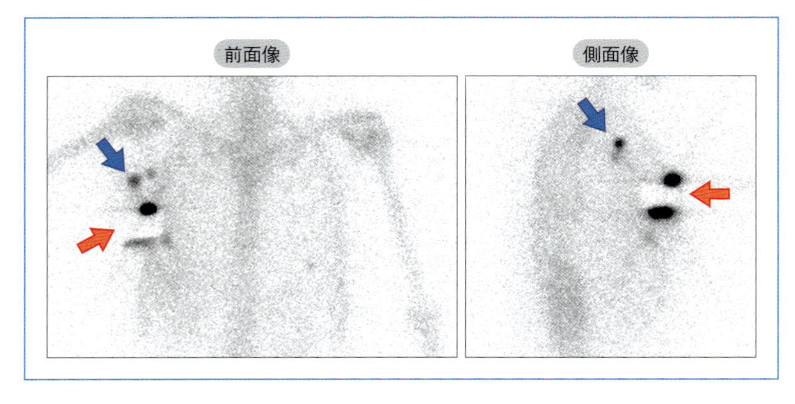

図XI-A-5　右乳癌術前のセンチネルリンパ節シンチグラフィ
右乳輪近傍に2ヵ所皮下注を行っている．鉛板（赤矢印）による欠損像が認められる．右腋窩リンパ節の描出が認められる（青矢印）．前日に骨シンチグラフィを行っており，骨が描出されているため部位の同定が可能である．

要点

- センチネルリンパ節を同定する方法の一つとしてラジオアイソトープ(RI)法が用いられる.
- RI 法では視野外の深部のリンパ節も同定できる.
- 乳癌ではセンチネルリンパ節転移がない場合は腋窩リンパ節郭清の省略が可能である.
- 悪性黒色腫では原発巣の部位により，センチネルリンパ節の描出されやすい部位が異なる.

検査の進め方・画像の読み方

通常，手術前に原発巣または周辺組織の皮下もしくは皮内に投与し，ガンマカメラでシンチグラムを撮像することでリンパ節の描出を行う．成人では 18.5～111 MBq（投与から検査実施までの時間などにより増減）の ^{99m}Tc-フィチン酸を適宜分割して投与する．注入部位が強く描出されるため，鉛板で遮蔽する．SPECT/CT がない場合には体輪郭を描出するため，体表を線源でなぞる（図Ⅺ-A-3），Compton 散乱で体輪郭を描出する（図Ⅺ-A-4），骨シンチグラフィと同時撮像する（図Ⅺ-A-5）などの工夫が必要である．リンパ節は通常，限局性にみえるが，二つ以上のリンパ節が描出されることもまれではない．その場合は，早期に描出されたリンパ節がセンチネルリンパ節と考えられるが，同時に描出された場合は複数存在すると判断する．また，リンパ節が転移性病変で満たされている場合は，センチネルリンパ節が描出されないことがある．

色素法を併用する場合には，手術直前に色素を投与する．

手術中にγ線検出用のガンマプローブ（図Ⅺ-A-6）を用いてセンチネルリンパ節を同定・摘出し，術中迅速病理診断で転移の有無を確認する．

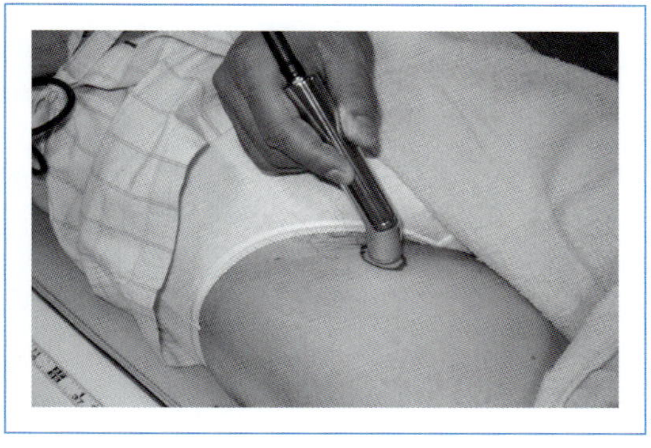

図Ⅺ-A-6 ガンマプローブ
ガンマプローブを用いることで体外からもセンチネルリンパ節の検出ができる．シンチグラフィで得られた画像を参照することでより簡便に検出が可能となる．

◆ 文献

1) Faries, MB et al : Completion Dissection or Observation for Sentinel-Node Metastasis in Melanoma. N Engl J Med 376 : 2211-2222, 2017

◆ 参考文献

1) 日本乳癌学会編：科学的根拠に基づく乳癌診療ガイドライン①治療編2015年版，金原出版，東京，2015
2) 日本乳癌学会編：科学的根拠に基づく乳癌診療ガイドライン②疫学・診断編 2015 年版，金原出版，東京，2015
3) Pezner, RD et al : Arm lymphedema in patients treated conservatively for breast cancer : relationship to patient age and axillary node dissection technique. Int J Radiat Oncol Biol Phys 12 : 2079-2083, 1986
4) Clarke, M et al : Effects of radiotherapy and of differences in the extent of surgery for early breast cancer on local recurrence and 15-year survival : an overview of the randomised trials. Lancet 366 : 2087-2106, 2005
5) Krag, DN et al : Sentinel-lymph-node resection compared with conventional axillary-lymph-node dissection in clinically node-negative patients with breast cancer : overall survival findings from the NSABP B-32 randomised phase 3 trial. Lancet Oncol 11 : 927-933, 2010
6) 日本皮膚科学会ほか編：科学的根拠に基づく皮膚悪性腫瘍診療ガイドライン 第 2 版，金原出版，東京，2015
7) Gershenwald, JE et al : Multi-institutional melanoma lymphatic mapping experience : the prognostic value of sentinel lymph node status in 612 stage Ⅰ or Ⅱ melanoma patients. J Clin Oncol 17 : 976-983, 1999

B リンパ管シンチグラフィ

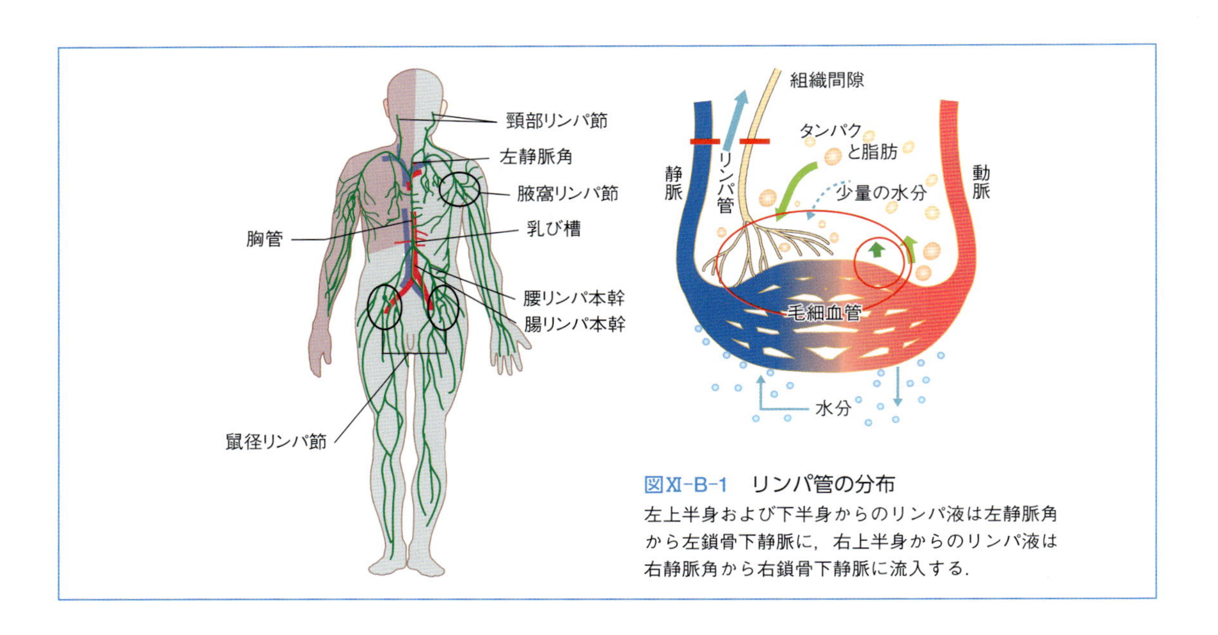

図XI-B-1 リンパ管の分布
左上半身および下半身からのリンパ液は左静脈角から左鎖骨下静脈に，右上半身からのリンパ液は右静脈角から右鎖骨下静脈に流入する.

病態生理

リンパ系とは，リンパ液を生成し運搬する体液ネットワークのことで，リンパ組織（胸腺，脾臓，Peyer 板，扁桃など)，リンパ管，リンパ節から成る．リンパ系には，組織から余剰になった液体を除去する，消化吸収された脂肪酸と脂質を循環系まで送る，リンパ球/単球/形質細胞などの免疫担当細胞を産生するという機能がある．特に小腸から吸収され脂質を多く含んだリンパ液は乳びと呼ばれる.

全身の毛細血管から滲出した血漿成分がリンパ液としてリンパ管を通り集合し，右リンパ本幹，胸管を介して左右の鎖骨下静脈から血液循環系に合流する（図XI-B-1）．リンパ管の要所要所にはリンパ節が存在する．哺乳類ではリンパ管に逆流を防止する弁があり，主に骨格筋の収縮による圧力が加わることでリンパ液が一定の方向に流れる．このリンパの流れが何らかの原因で滞り，組織にリンパ液が溜まることで，手足などにむくみが生じる状態をリンパ浮腫と呼ぶ.

リンパ浮腫は原因不明の特発性リンパ浮腫および，治療（外科治療や放射線治療）や悪性腫瘍の再発・リンパ節転移などにより生じる続発性（二次性）リンパ浮腫に大別される．乳癌，子宮癌，卵巣癌，前立腺癌などの手術後に発症するケースが少なくない.

リンパ浮腫の程度，左右差，手術適応などを評価するためにリンパ管シンチグラフィが行われる.

検査法の概説

特別な事前準備は必要ない．皮下に投与するため，事前に穿刺部位に痛みが出ることを伝える．その際，静脈内に注入しないように逆血がないことを確認する．腕の浮腫であれば指間，脚の浮腫であれば趾間から投与する．特に制限がなければ第 1/2 指（趾）の間から投与する．左右両側からの投与を行うことで，左右差をみることが可能だが，2 人での投与が望ましい.

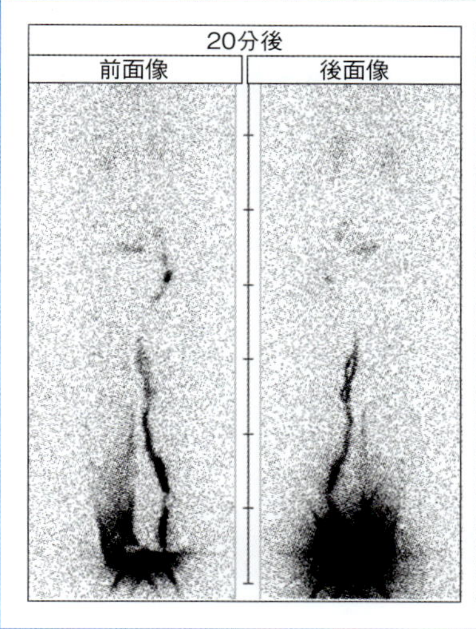

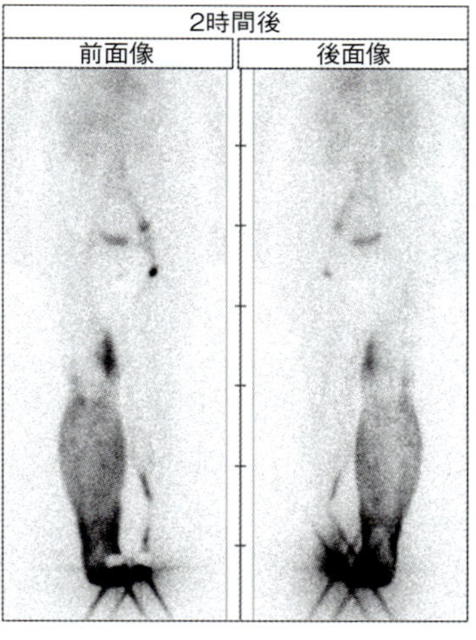

図Ⅺ-B-2 右下肢リンパ浮腫のリンパ管シンチグラフィ
左右の第1趾間に同時に皮下注射を行っている．投与から20分後の画像では，左下肢のリンパ管は正常に描出され，左鼠径リンパ節も描出されている．右下肢のリンパ管描出は不良．投与から2時間後の画像では，左下肢のリンパ管からの洗い出しが進んでいる．肝臓や心内腔血液プールの描出も認められ，左鎖骨下静脈から血液循環系に合流したと考えられる．右下肢ではリンパ管の描出は依然として不良で，下肢の体表部の描出(dermal backflow)が認められる．左側は正常所見で，右側はリンパ浮腫を反映した所見．

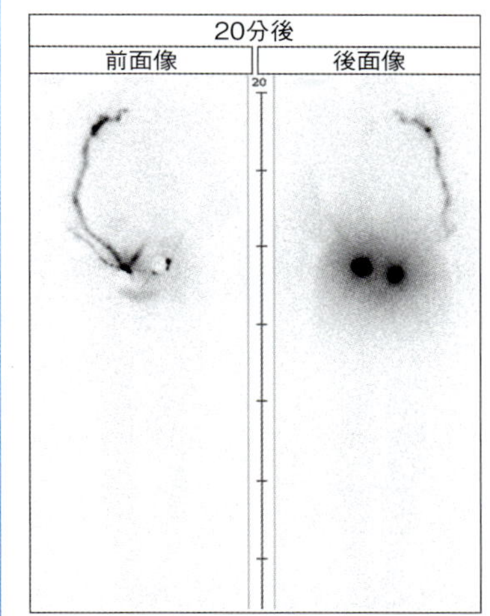

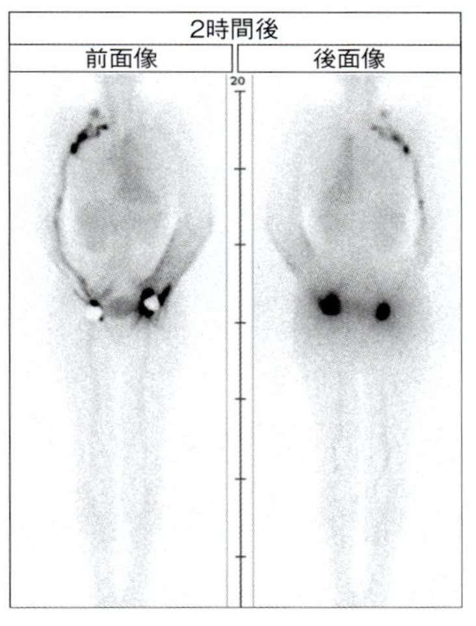

図Ⅺ-B-3 左上肢リンパ浮腫のリンパ管シンチグラフィ
左右の第1指間に同時に皮下注射を行っている．投与から20分後の画像では，右上肢のリンパ管は正常に描出されているが，左上肢のリンパ管描出は不良．投与から2時間後の画像では，肝臓や心内腔血液プールの描出も認められ，右鎖骨下静脈から血液循環系に合流したと考えられる．左上肢ではリンパ管の描出は依然として不良で，前腕の体表部の描出(dermal backflow)が認められる．右側は正常所見で，左側はリンパ浮腫を反映した所見．

検査の進め方

^{99m}Tc-ヒト血清アルブミンジメルカプトコハク酸 human serum albumin dimercaptosuccinic acid（HSAD）は，投与部位1ヵ所当たり，約40～80 MBqを容量が0.1～0.2 mL以内となるように調製のうえ，皮内に投与し，経時的に観察部位のシンチグラムを得る．投与直後から10分程のdynamic撮像を行い，投与から20分後，1時間後，2時間後などにstatic imageを得る．患者によってラジオアイソトープ radio isotope（RI）の描出速度が異なるため，適宜画像をみて撮像を追加する．間に歩行運動をしてもらうことで，正常のリンパ管の描出が促される．

画像の読み方

皮下に投与された^{99m}Tc-HSADは，リンパ管内に取り込まれ，リンパ液に拡散し，リンパ流に乗って移動する．正常の場合は，注入部位から1本のリンパ管像が延びていき，鼠径または腋窩で複数のリンパ節に繋がり中枢側に進んでいく．リンパ浮腫の状態ではリンパ管の描出遅延，描出不良，側副路の発達やうっ滞による体表部の描出（dermal backflow）がみられる（図Ⅺ-B-2，3）．

要点

- リンパ管シンチグラフィにより，リンパ浮腫の有無，程度を評価する．
- 経時的評価によりリンパ管の描出遅延，描出不良，側副路の発達，うっ滞の有無を確認する．

◆ 参考文献

1）Williams, WH et al：Radionuclide lymphangioscintigraphy in the evaluation of peripheral lymphedema. Clin Nucl Med 25：451-464, 2000

2）Ogawa, Y et al：99mTc-DTPA-HSA lymphoscintigraphy in lymphedema of the lower extremities：diagnostic significance of dynamic study and muscular exercise. Kaku Igaku 36：31-36, 1999

XII

内用療法

A 基礎

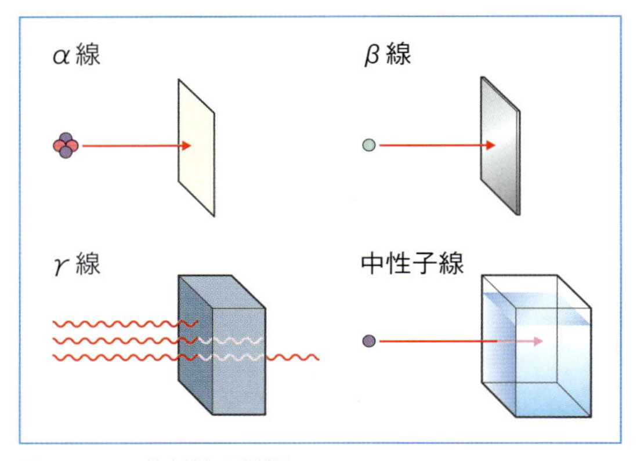

図XII-A-1　放射線の種類
放射線には，α線，β線，γ線，X線，中性子線などが存在するが，核医学診断に用いられるのはγ線，核医学治療に用いられるのはβ線とα線である．

内用療法の背景

これまで紹介してきた核医学診断に用いられる核種は，いずれもγ線を放出するものであった．γ線は透過性の高い放射線であり，体内に集積した核種から放出されたγ線は，体外で検出することができる．この特性を利用することで，画像作成が可能となる．

一方で，核医学治療である内用療法にはβ線やα線を放出する核種が用いられる．β線やα線はエネルギーが大きいため細胞障害性が強く，癌細胞などの病変に放射性同位元素が取り込まれると治療効果がある．また放射線の透過性が低く，組織内での飛程はβ線が数mm，α線が数10 μmである．それ故，周囲の正常組織への被曝は最小限に抑えることができる（図XII-A-1）．保険適用になっている内用療法に用いられる薬剤としては，甲状腺癌，Basedow病に対する^{131}I-sodium iodide ヨウ化ナトリウム，前立腺癌骨転移に対する^{223}Ra-radium chloride 塩化ラジウム，および悪性リンパ腫に対する^{90}Y-ibritumomab tiuxetan イブリツモマブ　チウキセタン，消化管内分泌悪性腫瘍に対する^{177}Lu-DOTATATE ドタテート治療が挙げられる．また，保険適用ではないものの，悪性褐色細胞腫および傍神経節腫，神経芽腫に対する^{131}I-meta iodobenzylguanidine（MIBG）治療が一部の施設で行われている（表XII-A-1）．さらに前立腺癌に対する^{177}Lu-前立腺特異的膜抗原 prostate specific membrane antigen（PSMA）治療も大きな注目を集めてきている（NOTE）．

内用療法の治療効果予測・判定 —theranostics—

内用療法の治療効果は，治療薬が標的病変に取り込まれるかどうかにより大きく左右される．そのためいずれの内用療法でも，治療前に治療薬の分布を予測することが重要であり，γ線を放出する核種を用いた核医学診断によって治療の適応を判断することが多い．このように特定の検査から特定の治療の適応を判断していく治療戦略が，診断（diagnostic）と治療（therapeutic）の英語を組み合わせた造語「theranostics（セラノスティクス）」と呼ばれ，国際的な広がりをみせている．内用療法は放射性同位元素を使うため，radioisotope theranosticsと呼ぶことがある．また，特定の治療の適応判断に使う特定の検査による診断を，コンパニオン診断ということもある．

また，内用療法後にβ線やα線だけでなくγ線（例：^{131}I，^{177}Lu）や制動放射X線（例：^{223}Ra）を同時に放出する核種は，治療から数日後にガンマカメラで撮像することで，治療薬の分布をシンチグラフィ画像として確認することができる．これにより治療効果や正常臓器への副作用を早期に予測することができ，治療効果を期待できる場合は追加治療を，期待できない場合はほかの治療を選択するなど，当該治療後の治療方針決定に有用な情報をもたらす．このように内用療法は核医学診断と互いに密接に関係している．

要点

- 内用療法には，細胞障害性が強く組織内透過性が低いβ線やα線を放出する核種が用いられる.
- 内用療法は，それに対応した核医学検査を事前に行い適応を判断する治療戦略「セラノスティクス」により，病態に適した治療を判断することができる.
- 内用療法後に治療薬の分布をシンチグラフィ画像として確認し，当該治療後の治療方針決定に活用することができる.

表XII-A-1 代表的な核医学治療薬剤

放射性医薬品	半減期	放出放射線	適応	コンパニオン診断/効果判定
^{131}I-ヨウ化ナトリウム(Na^{131}I)	8.04日	β線，γ線	甲状腺分化癌・低分化癌 甲状腺機能亢進症	^{131}I または^{123}I シンチグラフィ/ ^{131}I が放出するγ線
^{223}Ra-塩化ラジウム($^{223}RaCl_2$)	11.4日	α線，制動放射線	前立腺癌骨転移	骨シンチグラフィ/ ^{223}Ra が放出する制動放射線
^{90}Y-ibritumomab tiuxetan(イブリツモマブ チウキセタン)	2.67日	β線のみ	悪性リンパ腫	^{111}In-イブリツモマブ チウキセタン シンチグラフィ/ なし
^{177}Lu-DOTATATE(ドタテート)	6.65日	β線，γ線	膵・消化管神経内分泌腫瘍	^{111}In-ペンテトレオチド シンチグラフィ/ ^{177}Lu が放出するγ線
^{131}I-MIBG	8.04日	β線，γ線	交感神経系内分泌腫瘍	^{131}I または^{123}I-MIBG シンチグラフィ/ ^{131}I が放出するγ線
^{177}Lu-PSMA	6.65日	β線，γ線	前立腺癌	^{68}Ga または^{18}F-PSMA PET/ ^{177}Lu が放出するγ線

Note

前立腺癌に対する新しいPSMA-PETとPSMA治療

前立腺癌細胞にはPSMAが多く発現することが解明され，PSMAに結合する低分子化合物に核種(^{68}Ga：半減期68分)を標識したPET製剤が，ドイツで開発された．これを用いたPET検査をPSMA-PETと呼び，原発巣と転移巣の検出において非常に高い診断精度を持つ．2020年12月に，転移が疑われる前立腺癌と，前立腺特異抗原 prostate specific antigen(PSA)上昇により再発が疑われた前立腺癌に対して^{68}Ga-PSMA-PETが米国で承認され，欧州などでは^{18}F-PSMA-PETの研究も進んでいる.

同様にPSMAに結合する治療用放射性同位元素を用いた治療薬も開発され，PSMA治療として国際的に研究が進められている．PSMA治療は既存のホルモン治療や化学療法とは全く異なる作用機序を持つ全身治療であり，去勢抵抗性前立腺癌 castration-resistant prostate cancer(CRPC)に対する新たな治療戦略として，高い治療効果が期待されている．β線を放出する^{177}Luを用いたPSMA治療の研究が最も多く，海外で承認に向けた臨床試験が行われている．^{177}Lu-PSMA-617を用いたPSMA治療の第III相試験は，化学療法や新規ホルモン製剤に抵抗性のCRPCに対して行われ，全生存率と画像診断による無増悪生存率が，従来の治療群と比較し有意に改善したと報告している．さらに治療効果が高いと期待される，α線を放出する^{225}Acを用いたPSMA治療も開発されている．わが国でもこれらの治療における早期の臨床研究，承認が望まれる.

PSMA-PET製剤とPSMA治療薬は同じ機序で前立腺癌細胞に結合するため，PSMA-PETで集積する病変がPSMA治療の適応となるtheranosticsの代表例でもある.

B 甲状腺癌

病態生理

甲状腺癌は年間約18,000人が罹患し，男女比は1：3と女性に多く好発年齢は60歳代である．相対5年生存率は92.6％と比較的予後のよい腫瘍であるが，遠隔転移がある進行した癌では相対5年生存率が72.2％と予後不良である．甲状腺原発癌の組織型は主に分化癌（乳頭癌と濾胞癌），低分化癌，髄様癌，未分化癌に分けられ，分化癌が罹患数の95％以上を占める．分化癌と低分化癌の基本的治療は手術であるが，比較的進行した分化癌の甲状腺全摘後の再発・転移に対する治療および残存甲状腺破壊が内用療法の対象となり，放射性ヨウ素内用療法と呼ばれている．

放射性同位元素として ^{131}I を標識したヨウ化ナトリウムカプセルが用いられる．^{131}I は食材に含まれるヨウ素と同様に Na/I symporter（NIS）を通して甲状腺組織や甲状腺癌の細胞内に取り込まれ（「V-A　甲状腺，検査の進め方」参照），放出される β 線の細胞障害により治療を行う．放射性ヨウ素内用療法は古くから標準治療であるため，再発・転移に対するほかの治療との治療効果の比較は十分でないが，甲状腺全摘後に放射性ヨウ素内用療法を追加した群は，追加しなかった群と比較し再発率が有意に低下したとの報告がある．^{131}I の組織内での β 線の平均飛程は約0.6 mm，物理的半減期は8.04日である．

適応と禁忌

甲状腺分化癌（乳頭癌，濾胞癌）に対する甲状腺全摘後の再発・転移に対する治療，および残存甲状腺破壊が放射性ヨウ素内用療法の対象となる．低分化癌も適応のコンセンサスは得られている．肺転移・骨転移では第一選択の治療となる．術後残存や局所再発，転移リンパ節は外科的切除が困難な症例に行われる．分子標的薬も根治切除不能な甲状腺癌に適応があるが，長期寛解の可能性がある放射性ヨウ素内用療法が優先され，治療不応例に分子標的薬が勧められる．一方，脳転移は放射性ヨウ素内用療法より放射線外照射や手術が優先される．また，腫瘍マーカーとして用いられる血清サイログロブリン thyroglobulin（Tg）は高値であるにもかかわらずほかの画像検査で病変がみつからない場合においても，放射性ヨウ素内用療法後のシンチグラフィで初めて転移巣がみつかることがある．

一方，原発巣が限局しており，甲状腺全摘術で根治切除をできたと思われる場合でも，残存甲状腺（甲状腺床）に潜在的な腺内転移を起こしている可能性がある．甲状腺全摘後に残存甲状腺を破壊することで長期予後が改善し，甲状腺全摘後の患者に対する放射性ヨウ素内用療法は，甲状腺癌腫瘍診療ガイドラインで強く推奨されている．

妊娠中または妊娠している可能性のある女性および授乳中の女性には，原則として治療しないこ

Note 1

● サイログロブリン thyroglobulin（Tg）について

甲状腺ホルモンの前駆物質であり，甲状腺で合成・貯蔵される．甲状腺組織以外では合成されず，臓器特異的なタンパクである．正常では血中にほとんど認められないが（正常値35 ng/mL以下），甲状腺刺激ホルモン thyroid stimulating hormone（TSH）や TSH 受容体抗体による刺激，甲状腺腫瘍により産生されるほか，甲状腺炎などでの甲状腺組織の破壊によっても高値になる．甲状腺乳頭癌や濾胞癌では，甲状腺全摘術後の腫瘍マーカーとして用いられる．血中 Tg 値が高くなった場合は，その高い特異度から積極的に再発や転移を考慮する．ただし，甲状腺癌では20～30％で抗 Tg 抗体が陽性といわれており，その場合，Tg 値はマーカーとして使用できない．

とが望ましい．治療後6ヵ月まで避妊，授乳中断が可能であれば治療を行うことができる．

^{131}I 投与後は，患者周囲の人々の被曝を軽減する目的で，患者自身が排泄や廃棄物の管理を含む身の回りのことを行う必要があるため，これらを理解でき日常生活動作 activities of daily living（ADL）が保たれていることも放射性ヨウ素内用療法の適応として必要である．

治療前準備

放射性ヨウ素内用療法の主な流れは図XII-B-1の通りである．甲状腺癌の ^{131}I の取り込み量は分化型であっても，正常甲状腺組織の1/10程度といわれており，多くの正常甲状腺組織が残存していると，内服した ^{131}I のほとんどが残存甲状腺組織に取り込まれ，癌への集積効率が悪くなってしまう．そのため甲状腺癌に対する ^{131}I 内用療法に際しては，原則として事前に甲状腺が全摘されている必要がある．

放射性ヨウ素内用療法の前には，癌細胞への ^{131}I の取り込みを促すために，以下の二つの前処置が必要である．

1）ヨウ素制限

2）甲状腺刺激ホルモン thyroid stimulating hormone（TSH）の上昇

1）ヨウ素制限は，ヨウ素制限食の摂取以外にヨウ素を含有する薬剤やうがい薬，消毒薬，造影剤の禁止を含む総合的な厳しい前処置が必要である．ヨウ素制限食は，1日のヨウ素摂取量 50 μg 以下を基準とした食事を ^{131}I 投与の2週間前から行う．失敗した場合は治療の延期を考慮する．

2）TSH の上昇には以下の二つの方法がある．

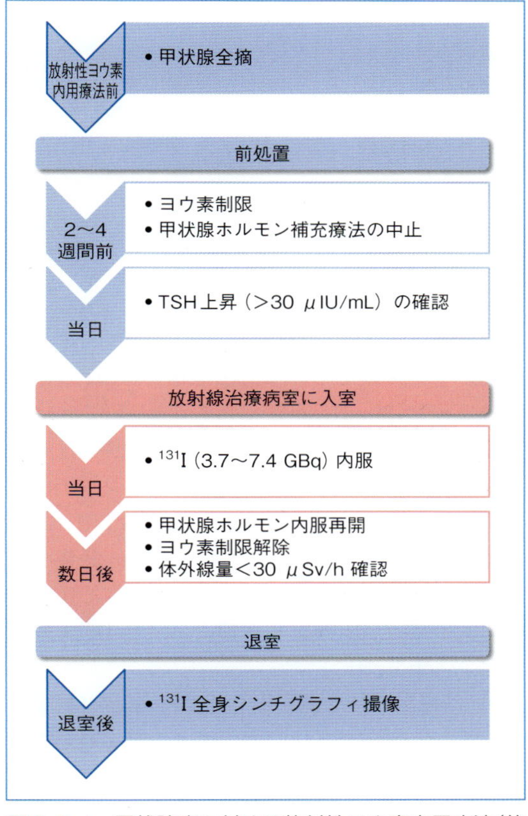

図XII-B-1 甲状腺癌に対する放射性ヨウ素内用療法（放射線治療病室に入室の場合）

a）甲状腺ホルモン補充療法の中止（休薬）

b）遺伝子組み換えヒト型 TSH recombinant human thyrotropin（rhTSH）の投与

a）は甲状腺全摘後に必須な甲状腺ホルモン補充の中止により，人為的に甲状腺機能低下症を作ることで，negative feed back を利用して TSH を上昇させる．甲状腺ホルモン薬の投薬は L-T4 の

Note 2

ヨウ素制限について

ヨウ素含有率の高い食品として，海藻類(コンブ，ワカメ，海苔，ヒジキ，モズク，テングサ)，昆布加工品・昆布エキス含有食品，ヨード卵が挙げられる．また，ある種の魚介類(たら，さば，いわし，かつお，ぶり，にしん，まぐろ，さけ，ます，貝，えびなど)にもヨウ素は含まれており，大量摂取を控える必要がある．

ヨウ素含有率の高い薬品としてはヨード造影剤，ヨウ素含有うがい液・消毒薬，甲状腺ホルモン剤のほか，アミオダロン塩酸塩，肝不全用アミノ酸輸液製剤(アミノレバン®)などが挙げられる．

ヨウ素制限が効果的に行われたかどうかの評価は，治療直前の尿中ヨウ素の測定を行うことで推測が可能である．結果が出るまで日数がかかるため，当該治療の方針を変更することは困難であるが，次回以降の参考になる．ただし正式な保険適用要件には入っていない．

表XII-B-1　主な甲状腺機能低下症状

・易疲労感	・うつ状態，認知機能の低下
・食欲不振	・浮腫，心機能の低下
・便秘	・腎臓機能の低下
・寒気，皮膚冷感	・血圧低下，徐脈
・皮膚乾燥	・糖尿病治療中の血糖値低下
・睡眠障害	・気管支喘息の悪化
・体重変動	

場合 4 週間以上前より中止，L-T3 の場合 2 週間前迄の中止が勧められる．治療前の TSH の目標値は TSH>30 μIU/mL とされている．十分な TSH の上昇が得られない場合には，治療日を延期する．代替として甲状腺刺激ホルモン放出ホルモン thyrotropin-releasing hormone（TRH），または rhTSH を投与する方法もあるが，効果や保険適用は確立されていない．副作用として甲状腺機能低下症状が出ることが多く，程度は個人差が大きい（表XII-B-1）．

b）は遠隔転移を認めない患者の残存甲状腺破壊に対して適応があり，甲状腺ホルモン補充療法を継続し，甲状腺機能低下症を避けて治療を行うことが可能である．rhTSH は ^{131}I 投与の 48 時間前と 24 時間前の 2 回，臀部に筋注する．

治療の進め方

甲状腺癌の治療には，放射線治療病室に入院し原則として 3.7～7.4 GBq の ^{131}I カプセルを経口投与する．目標量の投与量の調節には数個のカプセルを組み合わせる．遠隔転移を認めない患者の残存甲状腺破壊では 1.11 GBq の ^{131}I を用いた外来治療が可能である．

放射線治療病室に入室して ^{131}I を投与した場合は，患者の体表面から 1 m における線量率が 30 μSv/h を下回るまで，同室内にいることが義務付けられている（NOTE 3）．隔離期間は通常 2～4 日程度だが，排泄能が低下している場合や病変に ^{131}I が強く集積した場合は，1 週間以上になることもあるため，投与量の調節や事前の説明が重要である．

TSH 上昇時は血清 Tg 値も上昇し，通常の甲状腺ホルモン補充による TSH 抑制下の Tg 値よりも病変の状態を高感度で把握することができる．ただし抗 Tg 抗体が陽性の場合は Tg 値が過小評価されるので，抗 Tg 抗体も確認する．前処置が甲状腺ホルモン休薬の場合は ^{131}I 投与当日，rhTSH 投与の場合は最終の rhTSH 投与から 72 時間後に TSH，Tg，抗 Tg 抗体の採血を行うことが多い．

^{131}I 治療後

^{131}I 投与後速やかに甲状腺ホルモン補充の再開を行う．再開する際は相対的な甲状腺機能亢進症の自覚を防ぐために原則として少量から漸増し維持量にする．^{131}I 投与の 2 日後にヨウ素制限を解除する．^{131}I 投与後数日経過し退出基準を満たせば，治療病室から退出できる．退出後に全身シンチグラフィを撮像し，^{131}I の分布を視覚的に確認する．外来治療の場合は ^{131}I 投与から 2～3 日後に撮像する．退出後（外来治療の場合は ^{131}I 投与後）は，周囲の人々への放射線被曝を低減させるために，特に 1～3 週間は小児や妊婦と親密に接触することは避けるなどの生活上の注意点がある

Note 3

退出基準

内用療法の際に，外来で行える基準，放射線治療病室入室後に退室できる基準については，「放射性医薬品を投与された患者の退出に関する指針」で核種，投与量ごとに決められている．

(1) 投与量に基づく退出基準

^{131}I の投与量が 500 MBq を超えない．

^{90}Y の投与量が 1,184 MBq を超えない．

(2) 測定線量率に基づく退出基準

^{131}I 投与後，患者の体表面から 1 m の線量率が 30 μSv/h を超えない．

(3) 患者毎の積算線量計算に基づく退出基準

残存甲状腺破壊目的の ^{131}I 投与量が 1,110 MBq を超えない．

^{223}Ra の投与量が 1 投与当たり 12.1 MBq（1 治療当たり 72.6 MBq）を超えない．

※ ^{177}Lu-DOTATATE 投与後，患者の体表面から 1 m の線量率が 18 μSv/h を超えない．

図XII-B-2 内用療法のフローチャート

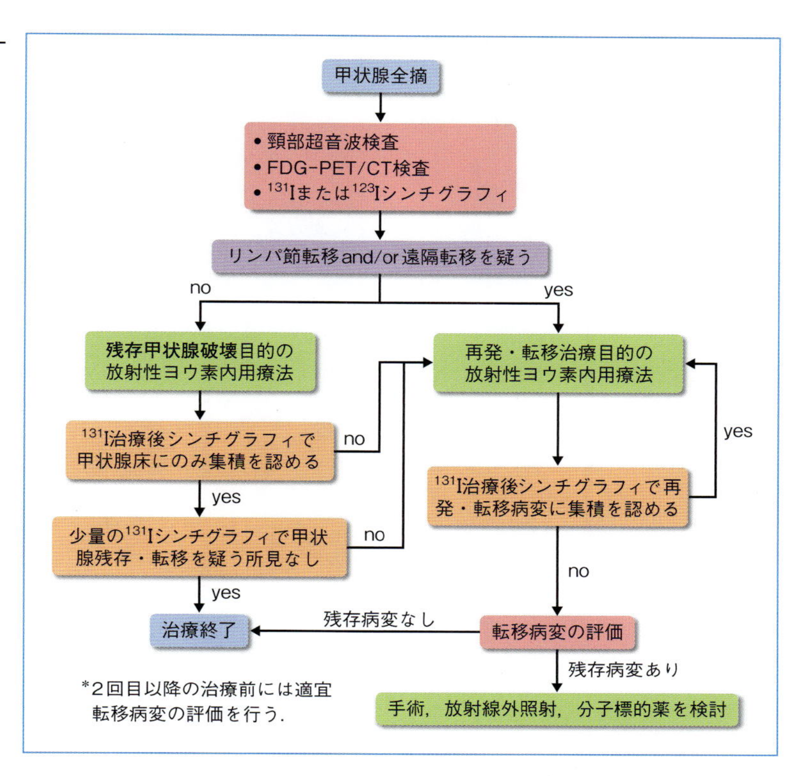

（詳しくは「放射性ヨウ素内用療法に関するガイドライン」を参照）.

残存甲状腺破壊目的の治療の場合，^{131}I 治療後シンチグラフィにて残存甲状腺のみに集積が認められた場合は，半年～1 年後に少量（185～500 MBq）の ^{131}I シンチグラフィ検査と Tg 測定を行い，残存甲状腺や転移病変の有無を評価する．シンチグラフィで甲状腺残存・転移を疑う集積がみられなければ治療終了とし，みられれば再治療を検討する．再発・転移治療目的の場合，治療後のシンチグラフィにて病変に集積がみられれば，治療効果が期待できるため，半年～1 年後に追加治療を検討する．転移病変への集積がみられず，転移病変の残存があれば，手術や放射線外照射，分子標的薬が考慮される（図XII-B-2）.

副作用・注意点

起こりうる副作用としては大きく分けて，治療前の甲状腺ホルモン休薬に伴う甲状腺機能低下症状と，^{131}I による放射線障害が挙げられる．

甲状腺機能低下症状は，**表XII-B-1** の症状が挙げられる．症状の有無や程度は個人差が大きく予防は困難で，対症療法が主な対処となるが，うつ病や心疾患などを合併している場合は主治医との連携も重要である．

放射線障害は，急性期には主に消化器症状，唾液腺炎，味覚障害が挙げられる．消化器症状では食欲不振や嘔気，嘔吐がしばしばみられ，対症療法を行う．^{131}I が消化管から吸収される投与 24 時間後までは嘔吐しないよう制吐剤の投与などを考慮する．吸収された ^{131}I は甲状腺や甲状腺癌以外に唾液腺にも集積し，口腔内に分泌されることから，唾液腺炎や味覚障害もみられる．唾液腺炎に対しては，冷却することで緩和を図る．味覚異常は通常，数週間以内に改善する．まれに喉頭浮腫を起こすことがあり，症状に応じてステロイド投与などを行う．

慢性期の放射線障害としては，唾液腺障害と骨髄抑制が起こりうる．唾液腺障害は治療回数や ^{131}I の総投与量に応じて増える傾向にあり，不可逆性の障害として残る場合もある．骨髄抑制も ^{131}I の総投与量が多いほど起こりやすく，特に白血球（好中球），血小板が減少するが，多くは

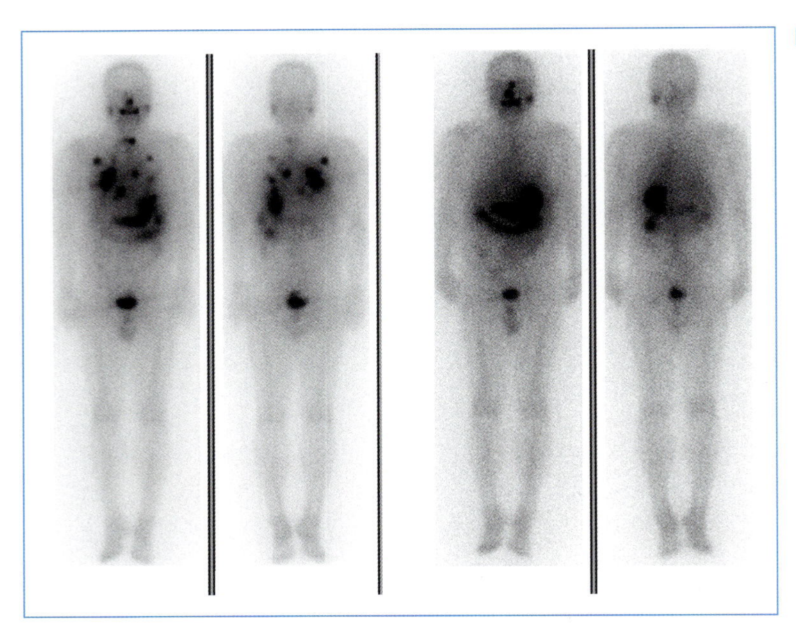

図XII-B-3　^{131}I 治療が奏効した例

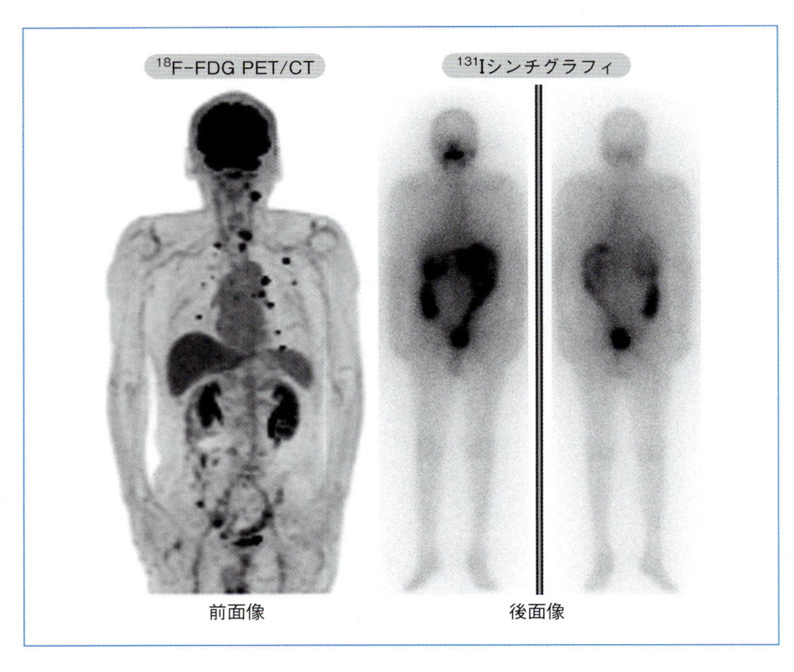

図XII-B-4　^{131}I 治療効果が乏しい例

軽度で半年～1年程度で回復傾向がみられる．ただしまれに一時的に高度な血球現象を起こす場合もあり，治療後の血算確認は重要である．複数回の放射性ヨウ素内用療法を行う場合は，半年後に再治療の適応となるので注意を要する．

びまん性肺転移やびまん性骨転移への ^{131}I 転移病変への集積が強い場合，まれに治療後に肺線維症や強い骨髄抑制を呈する場合がある．このような症例には治療前に ^{123}I 全身シンチグラフィで転移病変の摂取率を予想し，^{131}I 投与量を減量することも検討されるが，具体的な指標はない．

要点

- 甲状腺分化癌・低分化癌に対する甲状腺全摘後の患者のほとんどは，放射性ヨウ素内用療法の適応である．
- 放射性ヨウ素内用療法では，治療前のヨウ素制限および甲状腺ホルモンの休薬を含む厳重な前処置が重要である．
- 遠隔転移を認めない患者の残存甲状腺破壊と，放射性ヨウ素内用療法後の ^{131}I 検査に対しては，甲状腺ホルモン休薬を行わず，遺伝子組み換えヒト型 TSH (rhTSH) を投与する前処置が可能である．
- ^{131}I は β 線とともに γ 線を放出するため，残存甲状腺破壊目的で 1,100 MBq 以下を投与する場合を除き，^{131}I 投与から数日間は放射線治療病室に入室する必要がある．
- 残存甲状腺破壊目的の放射性ヨウ素内用療法後は，半年～1 年後に治療効果確認の ^{131}I 検査を行う．

症例提示

実際に放射性ヨウ素内用療法を行い，治療効果のあった症例を図XII-B-3 に示す．甲状腺乳頭癌術後，多発肺転移が指摘されている．初回治療後の ^{131}I シンチグラフィで転移病変への強い集積を認め，治療効果が期待できる．4 回治療を行い，転移病変への集積は消失，胸部 CT 上も転移病変は消失したため，治療終了となった．

また，治療効果の乏しい症例を図XII-B-4 に示す．甲状腺乳頭癌術後，頸部リンパ節および多発肺転移が指摘されている．^{18}F-フルオロデオキシグルコース fluorodeoxyglucose（FDG）PET/CT で頸部リンパ節および肺野に複数の結節状集積を認め，甲状腺癌の転移病変と考えられる．^{131}I 治療後シンチグラフィでは転移病変に明らかな集積がなく，治療効果は乏しいと考えられた．一般に，^{18}F-FDG の集積が強い病変は脱分化傾向にあると考えられ，^{131}I が集積しない傾向にある．

◆ 参考文献

1) 国立がん研究センター：がん情報サービス「がん登録・統計」，2017
2) 全国がんセンター協議会：全がん協生存率調査2010年～2012 年全症例
3) 日本核医学会分科会 腫瘍・免疫核医学研究会 甲状腺 RI 治療委員会：放射性ヨウ素内用療法に関するガイドライン 第 6 版，2018
4) 甲状腺腫瘍診療ガイドライン作成委員会：甲状腺腫瘍診療ガイドライン2018．日内分泌・甲状腺外会誌 35(Suppl. 3)：1-87，2018
5) 日本医学放射線学会ほか：残存甲状腺破壊を目的とした I-131(1,110 MBq)による外来治療実施要綱 改訂第 4 版，2018
6) Mazzaferri, EL et al：Long-term impact of initial surgical and medical therapy on papillary and follicular thyroid cancer. Am J Med 97：418-428, 1994

C Basedow 病

病態生理

Basedow 病の有病率は 1,000 人あたり約 3 人といわれ，男女比は 1：4 と女性に多く，好発年齢は 20～30 歳代である．治療は大きく分けて抗甲状腺薬の内服，甲状腺の外科的切除，放射性ヨウ素内用療法があるものの，わが国では内用療法へのアクセスが容易ではなく，大多数は抗甲状腺薬の内服や外科的切除によるコントロールがなされていると思われる．しかし，抗甲状腺薬は無顆粒球症や腎障害，肝障害などといった強い副作用のリスクがあり，外科的切除は侵襲性が高く術後反回神経損傷のリスクや整容的な問題がある．

一方，放射性ヨウ素内用療法は比較的安全な治療法といえ，欧米では第一選択としている国も多い．欠点としては，治療効果が表れるまで数週間～数ヵ月の期間を要すること，治療効果の予測が難しく，甲状腺機能低下症になり甲状腺ホルモンの内服が永続的に必要になる場合が多いことが挙げられる（**表XII-C-1**）．効果不十分な場合もあるが，治療の繰り返しによって十分な効果を期待でき，甲状腺機能低下は甲状腺ホルモンの投与によりホルモンが安定し Basedow 病再燃のリスクをほぼなくす意義があるため，一概に欠点とはいえない．放射性同位元素として甲状腺癌に対する放射性ヨウ素内用療法と同じ ^{131}I-ヨウ化ナトリウムカプセルが用いられ，経口摂取 ^{131}I がナトリウム/ヨウ素共輸送体 sodium/iodine symporter（NIS）を通して甲状腺に集積し，細胞障害を起こす．組織内での β 線の平均飛程は約 0.6 mm，物理的半減期は 8.04 日である．

適応と禁忌

Basedow 病に対して具体的な適応例は，抗甲状腺薬で副作用を認めた場合，抗甲状腺薬でコントロールが難しい場合，甲状腺亜全摘もしくは片摘後の再発，患者が手術，抗甲状腺薬による治療を希望しない場合，心不全，不整脈，周期性四肢麻痺などにより確実なコントロールが必要な場合などである．Basedow 病以外に機能性甲状腺結節 autonomously functioning thyroid nodule（AFTN）による甲状腺機能亢進症も適応になる．欧米では第一選択治療になりうることから，実際の適応は広いと考えられる．放射性ヨウ素内用療法後，甲状腺ホルモンの投与によりホルモン動態を安定させることができるため，甲状腺ホルモン動態が不安定な状態や，抗甲状腺薬を 2 年以上内服しており寛解が期待できない場合にも積極的に適応を考えてよい．また，妊娠が Basedow 病増悪のリスクになること，主な抗甲状腺薬であるチアマゾールに催奇形性の可能性があることから，妊娠前（6 ヵ月以上）に甲状腺ホルモンを安定させたい場合も放射性ヨウ素内用療法を検討できる．

妊娠中または妊娠している可能性のある女性，授乳中の女性は原則として禁忌とされている．ただし治療後 6 ヵ月まで避妊，授乳中断が可能であれば治療を行うことができる．18 歳以下の小児に対する放射性ヨウ素内用療法は，慎重投与となっている．これは小児に対する安全性に関して十分な臨床試験成績が得られていないことが理由である．抗甲状腺薬で重篤な副作用が発生した場合や治療抵抗の症例でやむをえず行うことは容認されるため，ほかの治療法が選択できない時は，患者，家族と相談して行う．

甲状腺眼症がある場合，放射性ヨウ素内用療法により症状が増悪することが知られている．放射性ヨウ素内用療法後の眼症悪化に対してステロイド治療などが必要となる可能性があるため，あらかじめ眼科で眼症を評価し，活動性が高い場合はまず眼症の治療を行うことが優先される．

甲状腺癌に対する放射性ヨウ素内用療法と同様に，^{131}I 投与後，患者周囲の人々の被曝を軽減するための生活上の注意を理解でき，ADL がある程度保たれていることも，適応として必要である．

表Ⅻ-C-1 Basedow 病に対する治療

症状	利点	欠点
抗甲状腺薬	・多くの施設で実施可能 ・治療を開始しやすい ・初期費用が安い	・副作用(肝機能障害，無顆粒球症，皮膚瘙痒など)が多い ・甲状腺ホルモンのコントロールが難しい場合がある ・寛解しない場合がある ・チアマゾールに催奇形性の可能性がある
手術	・即効性が高い ・確実に甲状腺機能亢進症を改善できる	・侵襲性，リスクが高い ・頸部に術創が残る ・再燃のリスクがある
放射性ヨウ素内用療法	・比較的安全 ・甲状腺機能低下後の再燃がほぼなく，甲状腺ホルモン状態が安定しやすい	・治療効果が出るまでの期間が長い ・治療効果の予想が難しい ・甲状腺ホルモンを永続的に内服する場合が多い

治療前準備

治療前は，甲状腺へのヨウ素摂取率を上昇させるために，以下の二つの前処置が重要である．

1）ヨウ素制限

2）抗甲状腺薬の中止

1）ヨウ素制限は，甲状腺癌に対する放射性ヨウ素内用療法と同じ意義で行われるが，ヨウ素の甲状腺摂取率はほとんどの症例で正常上限（40%）を超えることから，期間は ^{131}I 投与の 1～2 週間前から 2～3 日後まで，摂取ヨウ素量は 400 μg/日以下でもよいとされる．ヨウ化カリウム製剤を内服している場合は，2 週間前から約 3 日後まで中止する．

2）抗甲状腺薬は ^{131}I 投与の 3～7 日前から約 3 日後までの中止が推奨されているが，これにより甲状腺ホルモンが上昇し甲状腺機能亢進症状が悪化するため，甲状腺クリーゼのリスクがある場合は抗甲状腺薬の減量や継続にて治療を行う場合もある．

前述の治療後の眼症悪化は喫煙がリスク因子であり，治療前に禁煙することが望ましい．また，^{131}I 投与前に治療効果予測のために超音波検査で甲状腺体積を，^{123}I シンチグラフィで甲状腺摂取率を測定しておくことが望ましい．

治療の進め方

上記準備の後，^{131}I カプセルを内服する．Basedow 病では甲状腺のヨウ素摂取率が高いことから，^{131}I 投与量は甲状腺癌に対する治療より少ない．投与量が上記 500 MBq 以下であれば外来で治療を行えることから，多くの施設で実施が可能である．投与放射能量は症例それぞれの甲状腺の状態や，目標とする治療結果などを加味して決定されることとなり，決められている投与量はない．治療の理想的な目標は甲状腺機能が正常になり，その状態が長期間継続することと考えられているが，^{131}I 投与量が不十分でなかなか抗甲状腺薬を中止できないことがあるために，短期間で甲状腺機能低下症を目指すという考え方もある．

具体的な投与量の決定方法としては，主に以下が考えられる．

1）すべての患者に固定した量の ^{131}I を投与

2）患者の甲状腺重量，^{123}I 摂取率，有効半減期から目的の吸収線量になる投与量を設定

3）重量別に g 当たりの投与量を設定

1）は最も単純な方法であるが，甲状腺機能の正常化は難しく，短期間で甲状腺機能低下症を目指すことになる．

2）では一般に Marinelli-Quimby の式*で吸収線量を算出し，目標値に到達するように，投与量を決める．吸収線量は治療結果の目標によって 60～120 Gy 程度に設定されることが多い．しかし，その結果は多岐にわたる．原因として甲状腺重量の正確な測定が難しいこと，Basedow 病の活動性や，甲状腺組織への実際の取り込み量，甲状腺組織の放射線に対する感受性が患者によって異なっていることが影響している可能性がある．

*Marinelli-Quimby の式

$$\text{dose (Gy)} = \frac{14.7 \times \text{有効半減期 (day)} \times 24\text{時間甲状腺摂取率 (\%)} \times \text{dose (MBq)}}{\text{甲状腺推定重量 (g)} \times 3.7 \times 100}$$

・甲状腺推定重量はエコー検査もしくはCTで甲状腺容積を推定し算出する.

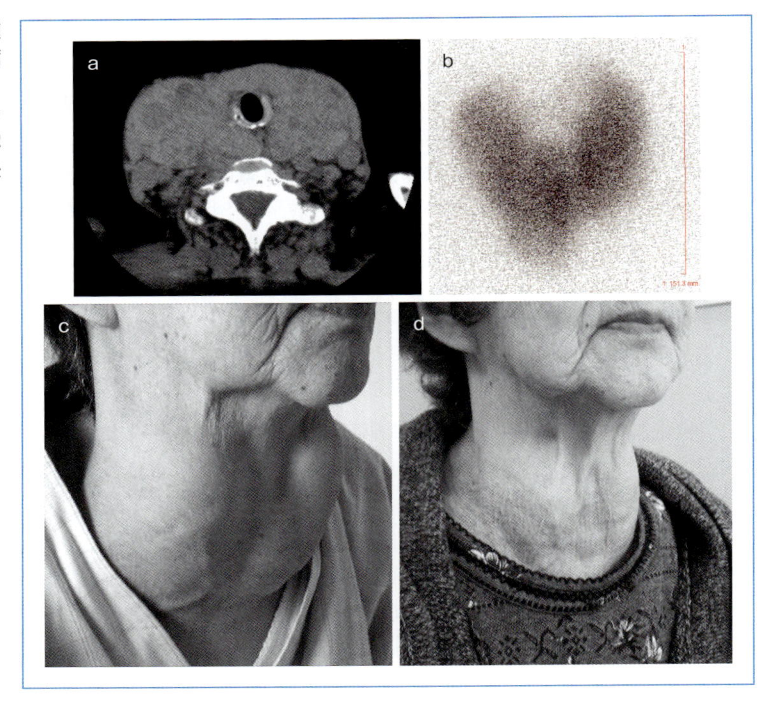

図XII-C-1 ^{131}I治療により甲状腺腫の著明な縮小が得られたBasedow病の症例

^{131}I治療前の頸部CT(a)と，^{123}Iシンチグラフィ(b)．甲状腺の著明な腫大を認める．^{131}I治療前(c)に比べて^{131}I治療後(d)は頸部の腫大が改善した.

3）の考え方は最も予後に影響すると考えられている甲状腺重量のみを重要視する方法で，1）と2）の間をとった方法であるといえるが，投与量の設定が報告により1.48～7.4 MBq/gとばらつきが大きい.

^{131}I治療後

500 MBq以下の投与量であれば患者は^{131}Iカプセルの内服直後に退出でき，帰宅できる．ただし周囲の人々への放射線被曝を低減させるために，甲状腺癌に対する放射性ヨウ素内用療法と同様に生活上の注意点がある.

^{131}I投与から約3日後にヨウ素制限が解除される．同様に^{131}I投与から約3日後に中止していた抗甲状腺薬を再開し，その後甲状腺機能亢進症は改善することが多い．ただし甲状腺機能亢進症が強く甲状腺クリーゼになる恐れがある場合は，再開を早める.

^{131}I投与後1ヵ月間は，治療効果により甲状腺組織が破壊され甲状腺機能亢進症が増悪する可能性があるため，慎重に経過観察する．治療後4ヵ月間は，原則として月に1回以上の間隔で経過観察を行い，理学症状や甲状腺機能（遊離トリヨードサイロニン free triiodothyronine（FT3），遊離サイロキシン free thyroxine（FT4），甲状腺刺激ホルモン thyroid stimulating hormone（TSH）など）の測定をする．少なくとも半年間は，理学的所見の観察とともに甲状腺機能（FT3，FT4，TSHなど）の測定を行うことが望ましい.

甲状腺ホルモン値が持続的に低下し，TSHの上昇を認めた場合は，甲状腺ホルモン薬の補充療法を検討する．永久的甲状腺機能低下症に移行した

要点

- 抗甲状腺薬による Basedow 病のコントロールが難しい場合は，放射性ヨウ素内用療法が適応になる．
- 放射性ヨウ素内用療法では，治療前のヨウ素制限および抗甲状腺薬の休薬の前処置を病態に応じて行う．
- 放射性ヨウ素内用療法は，500 MBq 以下の投与量であれば外来で治療可能である．
- 治療に際しては甲状腺クリーゼや甲状腺眼症悪化に対する体制を整えておく．

症例の経過観察については，年に 1～2 回，TSH を中心とした甲状腺ホルモン測定を加え，甲状腺ホルモン薬の補充量を微量調整する．

^{131}I 治療により甲状腺腫の著明な縮小が得られた症例を提示する（図XII-C-1）．

副作用・注意点

起こりうる副作用は，主に甲状腺機能亢進症の増悪である．良好にコントロールされていた症例であっても，抗甲状腺薬やヨウ化カリウムの休薬による甲状腺機能亢進症の出現に注意する必要がある（表XII-C-2）．基本的には対症療法で症状の改善を図る．甲状腺クリーゼの恐れがある場合は抗甲状腺薬の再開・増量または放射性ヨウ素内用療法の中止を検討する．また，前述の通り治療後 1 ヵ月間は甲状腺破壊により甲状腺機能亢進症が増悪する可能性があり，その際も対症療法や抗甲状腺薬などにて症状の早期改善を図る．一度甲状腺クリーゼに陥ってしまうと命の危険もあることから，経験豊富な施設で治療を行うことが望ましい．

また，前述の通り甲状腺眼症がある場合はまれに眼症悪化の可能性がある．禁煙が重要であるが，眼球突出や眼痛，視力低下など有症状の場合はステロイド治療が検討される．

表XII-C-2 主な甲状腺機能亢進症状

- 易疲労感，息切れ
- 動悸，頻脈，血圧上昇
- 多汗，暑がり
- 手指振戦，不安，神経過敏
- 体温上昇
- 下痢
- 睡眠障害
- 体重減少
- 心機能の低下

^{131}I による放射線障害は，甲状腺癌に対する放射性ヨウ素内用療法と比較し投与量が少ないことや，甲状腺の ^{131}I 摂取率が高く他臓器への集積が少ないことから，ほとんどない．

◆ 参考文献

1）浜田　省：一般外来で見逃してはいけない甲状腺疾患の頻度．医事新報 3740：22-26，1995
2）日本核医学会分科会 腫瘍・免疫核医学研究会 甲状腺 RI 治療委員会：放射性ヨウ素内用療法に関するガイドライン　第 6 版，2018
3）日本甲状腺学会：バセドウ病 131I 内用療法の手引き，2007
4）Valachis, A et al：High versus low radioiodine activity in patients with differentiated thyroid cancer：a meta-analysis. Acta Oncol 52：1055-1061, 2013

D 前立腺癌骨転移

病態生理

前立腺癌は近年増加が著しく，年間約90,000人が罹患する．男性のがん罹患率では最多で，高齢になるほど罹患率が高い．相対5年生存率は100.0%であるが，遠隔転移がある進行した癌では相対5年生存率が65.9%と予後不良で，死亡数は年間12,000人を超え増加が続いている．通常のホルモン治療に不応な去勢抵抗性前立腺癌 castration-resistant prostate cancer（CRPC）の治療は，以前はドセタキセルによる化学療法が主流であったが，近年新たな化学療法や新規抗男性ホルモン薬，分子標的薬が保険適用となっている．CRPCとなった患者のうち80～90%に骨転移がみられ，^{223}Ra-塩化ラジウム（$^{223}RaCl_2$）による内用療法は，骨転移患者に対する治療戦略のオプションとして挙げられる．国際第Ⅲ相試験ではプラセボ群に対し3.6ヵ月の全生存期間延長と5.8ヵ月の骨関連事象の遅延を示し，全生存期間の延長のみならず，骨折などの骨関連事象を防ぎ患者の生活の質 quality of life（QOL）を改善する効果がある．

ラジウム（Ra）はカルシウムと同じアルカリ土類金属である．カルシウムがリン酸と結合し，骨皮質の原料であるハイドロキシアパタイトを形成するのと同様に，ラジウムもリン酸との結合力を持ち，リン酸カルシウムと似た動態を示す．硬化性変化を伴う骨転移がリン酸製剤である methylene diphosphonate（MDP）や hydroxymethylene diphosphonate（HMDP）で同定できるのとほぼ同様の機序（「Ⅵ　骨」参照）で，骨転移病変に^{223}Raが集積し，腫瘍細胞に対して治療効果を示す．^{223}Raはα線放出核種であり，β線と比較し組織内飛程が短く線エネルギーが高い．そのため病変に対してより限局的に強い細胞障害を起こし，少ない副作用で高い治療効果を期待できる．^{223}Raの組織内でのα線の飛程は100 μm未満，物理的半減期は11.4日である．

なお，骨転移の疼痛緩和に保険適用となっている塩化ストロンチウム（$^{89}SrCl_2$）は，海外の薬剤供給元が生産を終了したため，現在は使用できない．そのため，現在の骨転移に対する内用療法は前立腺癌のみが適応となっているが，乳癌などほかの癌の骨転移への塩化ラジウム治療の適応拡大が望まれている．

適応と禁忌

骨転移のある去勢抵抗性前立腺癌が塩化ラジウム治療の適応となる（**表XII-D-1**）．疼痛の有無は問わない．骨シンチグラフィで集積亢進がみられる病変が治療標的病変となるが，骨シンチグラフィで集積がみられなくても一概に適応外にはならない．

塩化ラジウム治療は骨転移に対する治療であるため，内臓転移のある前立腺癌における有効性および安全性は確立していない．また骨シンチグラフィと同様に正常骨髄にも集積するため，骨髄抑制のある患者は慎重投与となっている．塩化ラジウムは腸管排泄が多いため，炎症性腸疾患（Crohn病，潰瘍性大腸炎など）の患者にも慎重投与となっている．一方腎機能低下症例は適応外にはならない．

塩化ラジウム治療と骨修飾薬（デノスマブやビスホスホネートなど）との併用群が骨関連事象をより抑制するという報告があり，これらの併用が望まれる．通常のホルモン治療との併用は可能であるが，新規抗男性ホルモン薬の1種であるアビラテロンとの併用は，骨関連事象が増加するため奨励されない．ほかの新規抗男性ホルモン薬や化学療法，分子標的薬，放射線外照射との併用における安全性は確立されておらず，少なくとも骨髄抑制の時期が重ならないよう配慮する必要がある．

塩化ラジウム治療は4週間間隔で最大6回まで静脈内投与するが，治療効果を得るには5回以上の投与が勧められるため，約半年後まで治療を継続できる見込みがあることが重要である．なお，

表Ⅻ-D-1 塩化ラジウム治療の適応

適応
・骨転移のある去勢抵抗性前立腺癌(疼痛の有無は問わない)
・骨シンチグラフィで病変に集積亢進がみられることが望ましい
慎重投与
・骨髄抑制のある患者(好中球<1,500/μL，血小板<100,000/μL，ヘモグロビン<10.0 g/dL のいずれか)
・炎症性腸疾患(Crohn 病，潰瘍性大腸炎など)の患者
非奨励
・内臓転移がある患者
・アビラテロンとの併用
・CTCAE(v3.0)においてグレード 3 以上の下痢，悪心，嘔吐，便秘，そのほかグレード 4 以上の事象がある患者

6 回の ^{223}Ra 投与を終えた患者に対する再投与の有効性および安全性は確立していない．^{223}Ra 投与後，患者周囲の人々の被曝を軽減するための生活上の注意を理解でき，ADL がある程度保たれていることも，適応として必要である．

上記を考慮すると塩化ラジウム治療は，約半年かけて 6 回の ^{223}Ra 投与を見込める患者で，内臓転移が出る前，ほかの治療により骨髄抑制が遷延する前，骨修飾薬使用中（顎骨壊死などが出る前），理解力や ADL が低下する前に行うことが望ましいため，適応になれば早期に治療を行うべきである．

治療の進め方

塩化ラジウム治療は 4 週間おきに最大 6 回まで繰り返し行う．前処置は特にないが，治療効果予測と治療効果判定のベースラインを目的として，初回治療前に骨シンチグラフィで集積亢進を示す骨転移病変を確認する．それぞれの ^{223}Ra 投与前 1 日以内に骨髄抑制がないか血液検査を行う．初回投与で好中球数 1,500/μL，血小板数 100,000/μL，ヘモグロビン量 10.0 g/dL のいずれかを下回る場合は，上記基準を満たすまで投与を延期する．Common Terminology Criteria for Adverse Events（CTCAE）Grade 3 以上の下痢，悪心，嘔吐，便秘がある場合も，Grade 2 以下に回復するまで投与を延期する（**表Ⅻ-D-2**）．

体外放射線は制動放射線による弱い電磁波のみであり，周囲への被曝は非常に少ないため，治療は外来で可能である．^{223}Ra の投与量は 1 回 55 kBq/kg，最大 12.1 MBq までで，^{223}Ra は経静脈的に 1 分以上かけて緩徐に投与する．血管外に ^{223}Ra が漏出すると漏出部位に障害を起こす恐れがあるため，血管外に ^{223}Ra 注射液が漏出しないよう細心の注意を払う．血管外漏出が疑われた時には，投与途中であれば直ちに投与を中断，抜針し，再度静脈ラインを確保した後に残りの量を投与する．投与後に疑われた場合には，吸収を促進して局所への滞留を防ぐために，腕を挙上し局所を加温する．血管外漏出が大量に起こった場合には，必要に応じて次の対処法を検討する．

1）直ちに注射を中断し，漏洩部位にマーキングを行う．
2）直後に漏洩部を含めた撮像を行い，漏洩放射能を推定する．
3）必要に応じ，経時的に局所残留放射能を測定し，クリアランスを求める．
4）腕を挙上し局所を加温するなどにより，拡散・吸収を促す．
5）経過観察を行う．

^{223}Ra 投与直後に退出でき，外来治療の場合は帰宅できる．ただし周囲の人々への放射線被曝を低減させるために，生活上の注意点がある（**表Ⅻ-D-3**）[1]．投与から数日後までは ^{223}Ra から放出される弱い制動放射線をシンチグラフィにて検出し，^{223}Ra の体内分布を確認することができるが，放射線量が少ないため画質が悪く，必須ではない．

副作用・注意点

起こりうる副作用は主に放射線障害による骨髄抑制と消化器症状である．

骨髄抑制は α 線による一時的な放射線障害と考えられており，ほとんどは経過観察で改善する

表XII-D-2　副作用の評価基準

	Grade 0	Grade 2	Grade 3
好中球(/μL)	基準値下限以上	1,500〜1,000	1,000〜500
血小板(/μL)	基準値下限以上	75,000〜50,000	50,000〜25,000
ヘモグロビン(g/dL)	基準値下限以上	10.0〜8.0	8.0〜6.5
下痢	症状なし	・ベースラインと比べて4〜6回/日の排便回数増加 ・<24時間の静脈内輸液を要する ・ベースラインと比べて人工肛門からの排泄量が中等度増加 ・日常生活に支障がない	・ベースラインと比べて≧7回/日の排便回数増加，便失禁 ・≧24時間の静脈内輸液を要する ・入院を要する ・ベースラインと比べて人工肛門からの排泄量が高度に増加 ・日常生活に支障あり
悪心	症状なし	・顕著な体重減少，脱水または栄養失調を伴わない経口摂取量の減少 ・<24時間の静脈内輸液を要する	・カロリーや水分の経口摂取が不十分 ・≧24時間の静脈内輸液/経管栄養/非経口栄養を要する
嘔吐	症状なし	・24時間に2〜5エピソードの嘔吐 ・<24時間の静脈内輸液を要する	・24時間に≧6エピソードの嘔吐 ・≧24時間の静脈内輸液または非経口栄養を要する
便秘	症状なし	・緩下剤または浣腸の定期的使用を要する持続的症状	・日常生活に支障をきたす症状 ・摘便を要する頑固な便秘

表XII-D-3　^{223}Ra投与後の生活の例

本剤の投与後1週間（各投与後の最初の1週間）の注意事項

【日常生活での注意】
- 患者が出血した場合の血液はトイレットペーパーなどで拭き取り，トイレに流すこと．
- 患者の尿や糞便に触れる可能性がある場合，また，これらで汚染された衣類などに触る場合は，ゴム製の使い捨て手袋を装着してから取り扱うこと．
- 患者の血液などの体液が手や皮膚に触れた場合は，触れた箇所を直ちに石けんでよく洗うこと．
- 性行為は控えること（投与後6ヵ月間は適切な避妊を行う）．
- 本剤の投与後2〜3日間は，患者と小児および妊婦との接触は最小限にすること．
- 患者の入浴は，その日の最後に行うことが望ましい．また，入浴後の浴槽は洗剤を用いてブラッシングなどによりよく洗うこと．

【洗濯物の取扱いに関する注意】
- 投与患者が着用した衣類などの洗濯は，患者以外の家族等の衣類とは別に行うこと．また，血液や尿が付着したシーツ類や下着類については十分に予洗いをすること．

【排尿・排便・嘔吐時の注意】
- 男性患者においても排尿は座位で行うこと．
- 使用後の便器などの洗浄水は2回程度流すこと．
- 便器や床面などに糞・尿がこぼれて汚した場合は，トイレットペーパーなどでよく拭き取り，拭いたペーパーはトイレに流すこと．
- 排尿・排便後の手は，石けんでよく洗うこと．
- 患者の排泄物，嘔吐物などが手や皮膚に触れた場合は，速やかに石けんで洗って，十分水洗すること．

（文献1）日本医学放射線学会ほか：塩化ラジウム（Ra-223）注射液を用いる内用療法の適正使用マニュアル第二版，2019より）

が，まれに顆粒球コロニー刺激因子 granulocyte-colony stimulating factor（G-CSF）の投与や輸血などを必要とする場合があるため，あらかじめ体制を整えておく．

消化器症状は下痢，悪心，食欲低下とそれによる体重減少が多く，適宜対症療法にて対処する．

要点

- 骨転移のある去勢抵抗性前立腺癌に対して，塩化ラジウム治療が適応である．
- 塩化ラジウム治療は，適応になれば早期に治療を行うべきである．
- 塩化ラジウム治療は，4 週間おきに最大 6 回まで繰り返し行う．治療効果を期待するには，5 回以上の投与が望ましい．
- 治療効果判定には，前立腺特異抗原 prostate specific antigen (PSA) ではなく骨シンチグラフィやアルカリホスファターゼ alkaline phosphatase (ALP) を参考にする．

^{223}Ra の投与時に投与基準を満たさない項目がある場合は，基準を満たすまで投与を延期する．そのほか，疲労感や一過性の骨痛増強が出現することもある．骨痛増強には適宜鎮痛剤にて対症療法を行う．

2 回目以降の ^{223}Ra 投与から 1 日以内の検査で好中球数 1,000/μL，血小板数 50,000/μL，ヘモグロビン量 8.0 g/dL をいずれかが下回る場合には，上記基準を満たすまで投与を延期する．Grade 3 以上の下痢，悪心，嘔吐，便秘がある場合も Grade 2 以下に回復するまで投与を延期する（**表XII-D-2**）．

塩化ラジウム治療の効果判定には骨シンチグラフィとアルカリホスファターゼ alkaline phosphatase（ALP）を用いることが多い．骨シンチグラフィでは骨転移疑いの高集積部位（ホットスポット）の割合（単位は％）を表す定量値である Bone Scan Index（BSI）を治療前後で比較することができる．腫瘍マーカーとして重要な前立腺特異抗原 prostate specific antigen（PSA）は，塩化ラジウム治療中は上昇する傾向にあり，効果判定の指標にならない．ただし PSA が急激に上昇した場合は内臓転移が出現している可能性があるため，各投与時に PSA 値も確認し，必要に応じて CT や FDG PET/CT などの画像診断を行うことが望ましい．

◆ 文献

1) 日本医学放射線学会ほか：塩化ラジウム（Ra-223）注射液を用いる内用療法の適正使用マニュアル第二版，2019

◆ 参考文献

1) 国立がん研究センター：がん情報サービス「がん登録・統計」，2017
2) 全国がんセンター協議会：全がん協生存率調査 2010 年～2012 年
3) Parker, C et al：Alpha emitter radium-223 and survival in metastatic prostate cancer. N Engl J Med 369：213-223, 2013
4) Hoskin, P et al：Efficacy and safety of radium-223 dichloride in patients with castration-resistant prostate cancer and symptomatic bone metastases, with or without previous docetaxel use：a prespecified subgroup analysis from the randomised, double-blind, phase 3 ALSYMPCA trial. Lancet Oncol 15：1397-1406, 2014

E 悪性リンパ腫

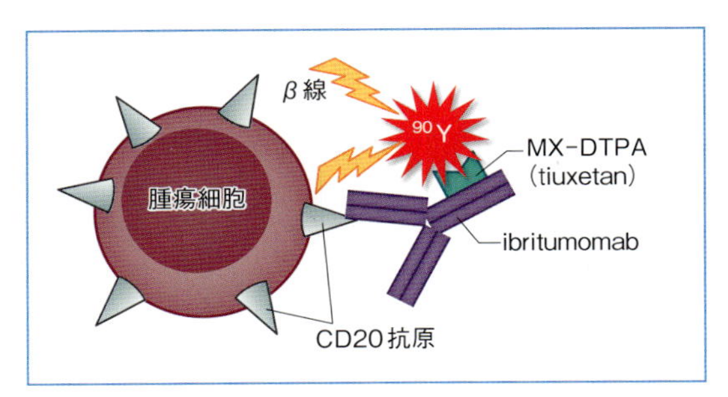

図XII-E-1　^{90}Y 標識の ibritumomab tiuxetan の模式図

病態生理

悪性リンパ腫は年間約35,000人が罹患し，男女比は1：1，好発年齢は70歳代である．わが国では90％以上が非Hodgkinリンパ腫で，5年生存率は組織型に大きく依存するが68.3％である．初期治療には化学療法や手術，放射線照射が選択されるが，再発が多く，難治性の低悪性度B細胞性非Hodgkinリンパ腫に対して，内用療法である^{90}Y標識抗CD20抗体を用いた放射免疫療法が適応になる．

治療に使用する薬剤は^{90}Y-ibritumomab tiuxetan（イブリツモマブ　チウキセタン）である．ibritumomabはBリンパ球に発現しているCD20に対するモノクローナル抗体であり，それとキレート剤であるMX-DTPA（tiuxetan）と共有結合させた修飾抗体がibritumomab tiuxetanである．β線放出核種である^{90}Y標識をそれとキレート結合させ，CD20陽性悪性リンパ腫の治療に用いる（図XII-E-1）．治療効果は^{90}Yが放出するβ線によって得られるため，抗CD20抗体が全ての腫瘍細胞に結合できない状況（大きな腫瘤径，少ない血管分布，CD20抗原の低発現など）でも効果が期待できる．^{90}Yから放出されるβ線の組織内飛程は平均5.3 mm，物理的半減期は2.67日（64時間）である．高いエネルギーを有するβ線であることから，制動放射線が体外に放射する可能性があるが，周囲への被曝は軽微である．国内の第II相試験では，奏効率83％（33/40例），完全寛解率68％（27/40例）の治療効果が報告されている．

^{90}Y-ibritumomab tiuxetanの治療前に，^{111}In（インジウム）で標識したibritumomab tiuxetanを用いてシンチグラフィを行い，体内分布を確認し治療の適格判定を行う．^{111}Inはγ線放出核種であり，半減期は2.81日である．

表XII-E-1　^{90}Y 標識抗 CD20 抗体を用いた放射免疫療法の適応

適応
- CD20陽性の再発または難治性の低悪性度B細胞性非Hodgkinリンパ腫，マントル細胞リンパ腫

禁忌
- 本品の成分，マウスタンパク質由来製品またはリツキシマブ（遺伝子組換え）に対する重篤な過敏症の既往歴のある患者
- 妊婦または妊娠している可能性のある女性

慎重投与
- 骨髄のリンパ腫浸潤率が25％以上の患者
- 骨髄機能低下のある患者
- 感染症（敗血症，肺炎，ウイルス感染など）を合併している患者
- 骨髄移植や末梢血幹細胞移植などの造血幹細胞移植治療を受けた患者，骨髄の25％以上に外部放射線照射を受けた患者
- 抗凝固剤または抗血栓剤を投与している患者，出血または出血傾向のある患者
- マウスタンパク質由来製品の投与歴のある患者
- 薬物過敏症の既往歴のある患者
- アレルギー素因のある患者

適応と禁忌

^{90}Y標識抗CD20抗体を用いた放射免疫療法の適応はCD20陽性の再発または難治性の低悪性度B細胞性非Hodgkinリンパ腫，マントル細胞リンパ腫である（表XII-E-1）．そのほかのリンパ腫に対する有効性および安全性は確認されていない．

^{90}Y-ibritumomab tiuxetanはマウスタンパク由来であることから，マウスタンパクに対する重篤

図XII-E-2 ^{90}Y 標識抗 CD20 抗体を用いた放射免疫療法

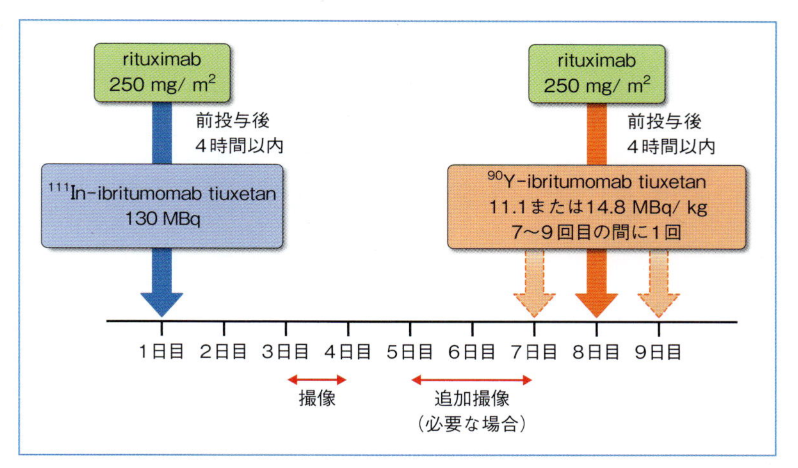

なアレルギー反応の既往がある患者や，rituximab（リツキシマブ）に対する重篤なアレルギー反応の既往歴のある患者への投与は禁忌である．妊婦または妊娠している可能性のある女性に対しても投与を行ってはならない．妊娠する可能性のある女性患者およびパートナーが妊娠する可能性のある男性患者に投与する場合には，投与後12ヵ月間は避妊する．授乳婦に投与する場合には授乳を中止する．

骨髄のリンパ腫浸潤が25%以上の患者，骨髄機能低下がある患者，造血幹細胞移植治療を受けた患者，骨髄の25%以上に外部放射線照射を受けた患者は，^{90}Y 標識抗 CD20 抗体を用いた放射免疫療法により骨髄抑制が強く出る恐れがあるため，慎重投与となっている．薬物過敏症の既往，アレルギー素因，マウス由来の他薬剤が投与された既往がある場合も，過敏反応が起こる恐れがあるため慎重投与である．抗凝固療法や抗血栓療法が行われている場合，出血または出血傾向のある場合，感染症を合併している場合も，出血や感染が悪化する恐れがあり慎重投与である．

^{90}Y-ibritumomab tiuxetan 投与後，患者周囲の人々の被曝を軽減するための生活上の注意を理解でき，ADL がある程度保たれていることも，適応として必要である．

^{90}Y-ibritumomab tiuxetan の再投与に関する有効性および安全性は確認されていない．

治療の進め方

^{90}Y 標識抗 CD20 抗体を用いた放射免疫療法の適応と考えられた場合は，治療の前に ^{111}In-ibritumomab tiuxetan シンチグラフィにて体内分布を確認し，分布が適格な場合に治療を行う（図XII-E-2）．^{111}In, ^{90}Y による ibritumomab tiuxetan の標識は投与当日に院内で行い，標識率を測定する．標識率が95%未満の場合は再測定を行い，再測定でも標識率が95%未満の場合は投与しない．^{90}Y や ^{111}In 標識 ibritumomab tiuxetan 投与直前に rituximab を投与することで，腫瘍細胞特異的な集積を促すことができる．

まず，第1日目に rituximab を点滴静注後，^{111}In-ibritumomab tiuxetan を 130 MBq 投与する．第3～4日目にガンマカメラで全身撮影を行い，^{111}In-ibritumomab tiuxetan の体内分布を撮像し，読影にて適格判定を行う（図XII-E-3）[1]．また，評価が不確定の場合は1日以上の間隔を空け追加撮像を行う．正常な骨髄，肝，脾，肺，腎，腸管などの臓器に著明な集積亢進がみられた場合，治療により重篤な副作用が現れる可能性があるため，不適格生体内分布として治療の適応外となる．一方，病変への集積の有無は適格判定には使用しない．

^{111}In-ibritumomab tiuxetan の体内分布が適切であると確認された患者に対して，第7～9日目のいずれかの日に，再度 rituximab を点滴静注後，速やかに ^{90}Y-ibritumomab tiuxetan を 14.8

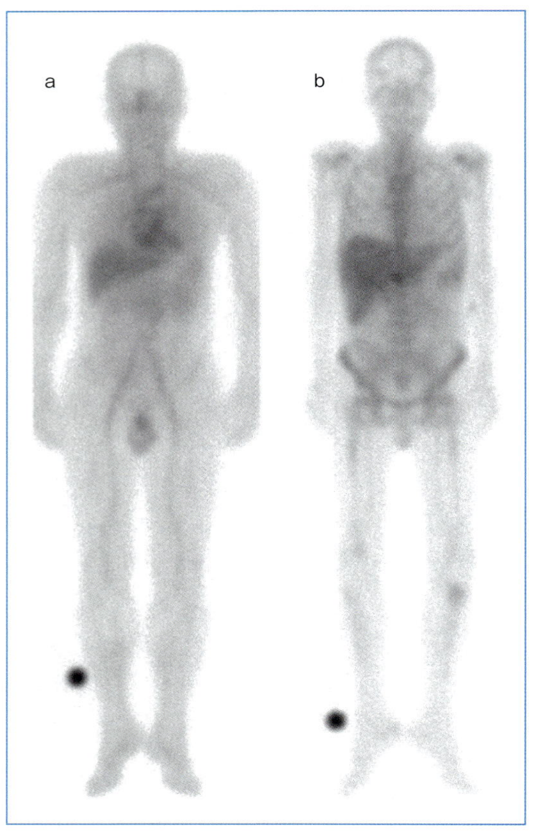

図XII-E-3 ^{111}In-ibritumomab tiuxetan シンチグラフィによる治療適格判定
a：適格生体内分布．主に血液プール，肝臓，脾臓に放射能の集積が認められる．
b：不適格生体内分布．骨髄の分布に一致した放射能の集積（骨盤，大腿骨上部および肋骨）が顕著である．
（文献 1）日本医学放射線学会ほか：イットリウム-90 標識抗 CD20 抗体を用いた放射免疫療法の適正使用マニュアル第 3 版，p16，2016 より引用）
下腿右側の集積は体外に置いた Standard RI.

MBq/kg（最大 1,184 MBq），持続注入ポンプなどを用いて 10 分間かけて静脈内投与する．投与量は投与前の血小板数が 100,000～150,000/mm^{3}未満の場合など，患者の状態に応じて 11.1 MBq/kg に減量する．血小板数が 100,000 mm^{3}未満の患者への投与は安全性が確認されていない．^{90}Y-ibritumomab tiuxetan の投与時は血管外に漏出させないよう注意する．血管外漏出の症状がみられた場合には，直ちに投与を中止し，漏洩部位にマーキングを行うとともに，加温およびマッサージにより拡散を促す．

^{90}Y は γ 線を出さず，制動放射線の放出もごくわずかであるため，^{90}Y-ibritumomab tiuxetan 投与直後に退室可能である．ただし周囲の人々への放射線被曝を低減させるために，生活上の注意点がある（表XII-E-2）[1]．

表XII-E-2 ^{90}Y-ibritumomab tiuxetan 投与後の生活の例

投与後 3 日以内の患者および家族（介護者）への注意
- 家族，配偶者，子供，一般公衆と長時間にわたる接触や近距離での接触をできるだけ避けること．
- 着用した衣類などの洗濯は，患者以外の人の衣類と別にし，血液や尿が付着したシーツ類や下着類は，ほかの衣類とは区別して洗濯し，十分にすすぐこと．
- 排尿・排便後や血液が付いた場合は，必ず手をよく洗うこと．
- 十分な水分を摂取すること．
- 男性も座位で排尿すること．
- 尿や血液がこぼれた場合には，トイレットペーパーできれいに拭き取り，トイレに流すこと．
- 使用後のトイレの洗浄は 2 回流すこと．
- けがをした場合には，こぼれた血液をきれいに拭き取り洗い流すこと．
- できるだけ毎日シャワーを浴びること．なお，入浴する場合は 1 人で最後に入浴し，入浴後は直ちに浴槽などを洗浄すること．
- 性交渉は控えること．また，投与後 12 ヵ月間は避妊すること

（文献 1）日本医学放射線学会ほか：イットリウム-90 標識抗 CD20 抗体を用いた放射免疫療法の適正使用マニュアル第 3 版，2016 より）

副作用・注意点

本療法による主な副作用は血液毒性である．投与から 2 ヵ月後まで血液毒性が進行する可能性があり，血液検査値が安定するまでは少なくとも週 1 回程度の一般血液学的検査および臨床症状のモニタリングが望ましい．重度の好中球減少および血小板減少に対しては，顆粒球コロニー刺激因子 granulocyte-colony stimulating factor（G-CSF）投与および血小板輸血などが必要になる．また，重篤な皮膚障害が発現することがあるので，紅斑，水疱，瘙痒，粘膜疹などが現れた場合には投与を中止し，適切な処置を行う．そのほかに頭痛，倦怠感，発熱，悪心，口内炎，便秘および下痢などが出現することがあるが，ほとんどが Common Terminology Criteria for Adverse

要点

- ^{90}Y 標識抗 CD20 抗体を用いた放射免疫療法の適応は，CD20 陽性の再発または難治性の低悪性度 B 細胞性非 Hodgkin リンパ腫，マントル細胞リンパ腫である．
- ^{111}In-ibritumomab tiuxetan シンチグラフィにて治療適格であることを確認した後に，^{90}Y-ibritumomab tiuxetan を投与し治療する．
- ^{111}In, ^{90}Y による薬剤標識は院内で行う．
- ^{111}In, ^{90}Y-ibritumomab tiuxetan 薬剤投与直前に rituximab を投与する必要がある．

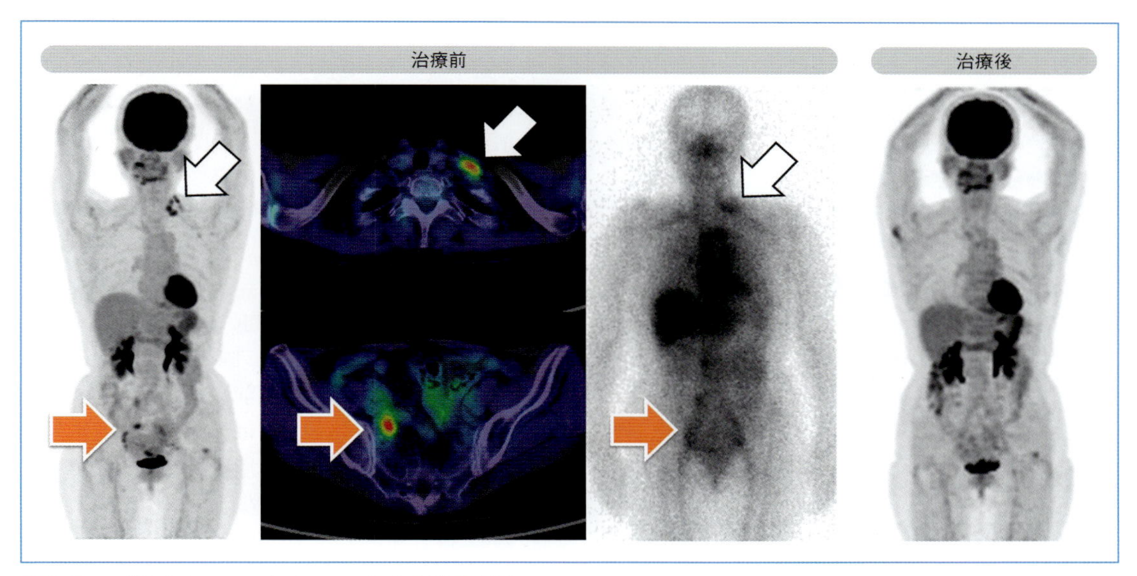

図XII-E-4 ^{90}Y-ibritumomab tiuxetan による治療症例

Events（CTCAE）Grade 1 または 2 と軽度である．

標識調製，投与，患者管理などに際して，集学的な知識・経験が必要となるため，核医学の医師のみならず，血液内科，臨床腫瘍科，放射線科などの複数の診療科の医師，看護師，薬剤師，放射線技師などの医療従事者による協力体制構築が不可欠である．

症例提示

実際に ^{90}Y-ibritumomab tiuxetan で治療を行い，治療効果があった症例を示す（図XII-E-4）．治療前の ^{18}F-FDG PET/CT で左鎖骨上窩，骨盤内に集積亢進を呈する悪性リンパ腫病変が認められる．^{111}In-ibritumomab tiuxetan 投与後シンチグラフィで治療適格と判定され，病変に集積亢進が認められた．実際に治療後の ^{18}F-FDG PET/CT では集積亢進が消失している．

◆ 文献

1）日本医学放射線学会ほか：イットリウム-90 標識抗 CD20 抗体を用いた放射免疫療法の適正使用マニュアル第 3 版，2016

◆ 参考文献

1）国立がん研究センター：がん情報サービス「がん登録・統計」，2017
2）全国がんセンター協議会：全がん協生存率調査 2010 年～2012 年全症例
3）Tobinai, K et al：Japanese phase II study of 90Y-ibritumomab tiuxetan in patients with relapsed or refractory indolent B-cell lymphoma. Cancer Sci 100：158-164, 2009

F 膵・消化管神経内分泌腫瘍

病態生理

膵・消化管神経内分泌腫瘍 neuroendocrine tumor(NET)は，新規発症率が人口10万人あたり1.27人とまれな疾患であるが，近年は増加傾向にあり，5年生存率は50%程度と予後は悪い．膵臓や胃，小腸，直腸および結腸などの消化管のさまざまな部位に発現する腫瘍であり，その多くはソマトスタチン受容体陽性である．したがって，ソマトスタチンアナログである「オクトレオチド誘導体」の放射性同位元素標識体は，NETに対して高い集積性を示す．わが国においても ^{111}In で標識した ^{111}In-pentetreotide（ペンテトレオチド）がNETのシンチグラフィ用薬剤として臨床使用されている（「V-D 神経内分泌腫瘍」参照）．

β線を放出する ^{177}Lu(ルテチウム)で標識したオクトレオチド誘導体の中の一つが ^{177}Lu-DOTATATE（ドタテート）であり，切除不能または転移性の神経内分泌腫瘍に対して有用性が報告されている．海外第Ⅲ相試験で治療開始20ヵ月後の無病生存率の予測値が65.2%と，対照群(オクトレオチド長時間作用型徐放性製剤（オクトレオチドLAR))の10.8%より大幅に向上し，近年欧米を中心に認可されてきている．わが国では2021年6月にルテチウムオキソドトレオチドとして製造販売承認された．^{177}Luはβ線とγ線を放出し，β線の平均飛程は約0.7 mm，物理的半減期は6.65日である．

適応と禁忌

切除不能または転移性の膵・消化管神経内分泌腫瘍が ^{177}Lu-DOTATATE治療の適応である．ソマトスタチン受容体陽性であることが条件であるため，theranosticsに基づいて ^{111}In-pentetreotideシンチグラフィで集積亢進を示す症例が適応条件に含まれる．欧米ではより解像度，感度が高い ^{68}Ga-DOTATATE PETが承認されているが，わが国では承認されていない．

ほかの内用療法と同様に，妊娠中または妊娠している可能性のある女性および授乳中の女性は，適応外である．治療後6ヵ月まで避妊すること，授乳を避けることが必要である．^{177}Lu-DOTATATE投与後，患者周囲の人々の被曝を軽減するための生活上の注意を理解でき，ADLがある程度保たれていることも，適応として必要である．

治療の進め方

通常は ^{177}Lu-DOTATATEを8週ごとに計4回投与する．前処置として，国内試験では ^{177}Lu-DOTATATE投与の6週間前に長時間作用型徐放性オクトレオチド製剤またはランレオチド製剤を中止，24時間前に短時間作用型オクトレオチド製剤を中止した．腎保護のため，^{177}Lu-DOTATATE投与の30分前にアミノ酸輸液（1,000 mL中にアミノ酸としてL-リシン塩酸塩およびL-アルギニン塩酸塩をそれぞれ25 gのみを含有する輸液製剤）の静脈内投与を開始し，投与後少なくとも3時間後まではアミノ酸輸液を継続する．アミノ酸輸液の投与前には制吐剤の投与も行う．国内試験ではセロトニン $5\text{-}HT_3$ 受容体拮抗薬を静脈投与した．

^{177}Luはγ線も放出するため，^{177}Lu-DOTATATE投与時は，放射線治療病室，またはトイレ付きの個室，汚染される恐れのある床をあらかじめ濾紙でカバーする，一時的に蓄尿保管するなどの特別な措置を講じた病室への入室が必要である．

^{177}Lu-DOTATATEの投与量は通常7.4 GBq/回で，注射液を生理食塩液により投与ラインへ押し出し，希釈しながら30分かけて静脈内に投与する．投与時は血管外に漏出させないよう注意する．

投与後は病室内で過ごし，患者の体表面から1 mの線量率が18 μSv/hを下回れば，退室可能となる．周囲の人々への放射線被曝を低減させるた

要点

- ^{111}In-pentetreotideシンチグラフィで集積亢進を示す切除不能または転移性の膵・消化管神経内分泌腫瘍が，^{177}Lu-DOTATATE治療の適応となる.
- 通常は ^{177}Lu-DOTATATE 7.4 GBq を 8 週ごとに計 4 回投与する.
- ^{177}Lu-DOTATATE投与時は，放射線治療病室，または特別な措置を講じた病室への入室が必要である.

めに，退室後も生活上の注意点がある.

^{177}Lu-DOTATATE投与後の翌日にオクトレオチドLAR 30 mgを筋肉内投与する．また全治療サイクルが終わった後，オクトレオチドLAR 30 mgを4週間ごとに投与する．ただし，国内で承認されて間もない治療なので，治療の進め方は今後変更される可能性がある.

副作用・注意点

副作用としては，^{177}Lu-DOTATATE投与後急性期に放射線宿酔による悪心，嘔吐，全身倦怠感の可能性がある．一時的な症状であり，必要に応じて対症的療法を行う.

亜急性期には，貧血・白血球減少・血小板減少などの骨髄抑制，腎障害が認められる．海外の報告では投与後5.1ヵ月で血小板が最も減少し，多くは2ヵ月後に改善したが，遷延する症例もあった．腎不全になった症例は1%以下であった．これらの副作用が認められた場合は，そのグレードに応じて，2回目以降の治療の継続，投与量の減量（3.7 GBq/回），または治療の中止を判断する.

晩期障害として，骨髄異形成症候群，急性骨髄性白血病が現れることがあるので，治療中，治療後は定期的に血液検査を行い，患者の状態を十分に観察する.

◆ 参考文献

1) Ito, T et al : Epidemiological trends of pancreatic and gastrointestinal neuroendocrine tumors in Japan : a nationwide survey analysis. J Gastroenterol 50 : 58-64, 2015
2) 日本医学放射線学会ほか：ルテチウムオキソドトレオチド(Lu-177)注射液を用いる核医学治療の適正使用マニュアル第1版，2021
3) Strosberg, J et al : Phase 3 Trial of ^{177}Lu-Dotatate for Midgut Neuroendocrine Tumors. N Engl J Med 376 : 125-135, 2017
4) 厚生労働省医政局地域医療計画課：医政地発0819第1号 令和3年8月19日 放射性医薬品を投与された患者の退出等について，2021

G 交感神経系神経内分泌腫瘍

病態生理

交感神経内分泌腫瘍はカテコールアミンを産生する腫瘍で，副腎に発生する褐色細胞腫，副腎外に発生する傍神経節腫を含めて年間約 3,000 人の患者がいると推定され，増加傾向にある．悪性腫瘍はその中で約 10%を占め，5 年生存率は約 50%と予後が悪い．メタヨードベンジルグアニジン metaiodobenzylguanidine（MIBG）はノルエピネフリンの類似物質であり，褐色細胞腫や傍神経節腫，神経芽腫，甲状腺髄様癌，カルチノイドといった神経内分泌腫瘍に集積することが知られている（「V-C　副腎，検査の進め方」参照）．具体的には腫瘍細胞への受動的拡散と neuronal uptake-1 による再取り込みによって，細胞質内の分泌小胞に貯蔵される．

^{131}I-MIBG 治療はその機序を利用し，MIBG を β 線放出核種である ^{131}I で標識することにより，治療効果を期待した薬剤で，わが国では 2021 年 9 月に製造販売承認された．組織内での β 線の平均飛程は約 0.6 mm，物理的半減期は 8.04 日である．

適応と禁忌

MIBG 集積陽性の治癒切除不能な褐色細胞腫・パラガングリオーマが適応となる．神経芽腫，甲状腺髄様癌，カルチノイドにも有効性が報告されているが，執筆時点では適応疾患となっていない．病勢のコントロールや，カテコールアミンを分泌する機能性腫瘍に伴う諸症状の緩和，骨転移による疼痛の緩和を目的として行われる．

絶対的禁忌としては妊娠中や妊娠の可能性がある女性，近い将来妊娠を希望する女性，期待余命が 1 ヵ月以下，高度腎機能障害（糸球体濾過量 glomerular filtration rate（GFR）<30 mL/分/1.73 m^{2}相当）が挙げられる．授乳中の女性は授乳の中断が可能であれば，治療を行うことができる．白血球数 3,000/μL 以下，血小板数 10 万/μL 以下といった骨髄抑制がある場合には，投与量の減量の検討や治療後の綿密な経過観察が必要である．^{131}I-MIBG 投与後，患者周囲の人々の被曝を軽減するための生活上の注意を理解でき，ADL がある程度保たれていることも，適応として必要である．

治療の実際

全身状態を把握するため，治療を行う前に MIBG シンチグラフィ，CT，MRI，骨シンチグラフィなどの各種画像検査や尿血液検査（カテコールアミン，結合/遊離メタネフリン・ノルメタネフリン，癌胎児性抗原 carcinoembryonic antigen（CEA），カルシトニンを含む），全身状態を評価し，治療適応を判断する．

前処置として，治療の 1～2 週間前から ^{131}I-MIBG の病巣への集積を阻害しうるラベタロール塩酸塩，レセルピン，三環系抗うつ薬などの薬剤を中止する．カテコールアミンを分泌する機能性腫瘍を有する場合には，α および β 遮断薬の投与を行い，血圧をコントロールする必要がある．また ^{131}I-MIBG から遊離した ^{131}I の甲状腺への集積，被曝を防ぐ目的で，治療の 1～3 日前から治療 7～14 日後まで無機ヨードの内服を行う．国内試験では，投与の 1～3 日前から投与 7 日後まで，ヨウ化カリウム 300 mg/日を経口投与した．また，投与前に制吐剤（5-HT$_3$受容体拮抗剤）を用いることができる．メトクロプラミド，ドンペリドンは，カテコールアミンを放出する作用を有するため使用しない．

^{131}I-MIBG 投与は，甲状腺癌に対する放射性ヨウ素内用療法と同様に，放射線治療病室で行う．退室基準や退室後，人々への放射線被曝を低減させるための生活上の注意点も，放射性ヨウ素内用療法と同様である．

^{131}I-MIBG の投与量は，成人に対しては 5.55～7.4 GBq であり，核医学治療室に入室後，約 1 時間をかけて緩徐に静脈内投与する．投与時は血管

要点

- MIBG シンチグラフィで病変に集積を認める切除不能または転移性の悪性褐色細胞腫，傍神経節腫が，^{131}I-MIBG 治療の適応となる．
- 機能性腫瘍を有する場合，^{131}I-MIBG 投与後にカテコールアミン症状の増悪（高血圧発作）が起こりうるため，治療前からαおよびβ遮断薬の投与による血圧コントロールが必要である．
- ^{131}I-MIBG 投与時は，放射線治療病室への入室が必要である．

外に漏出させないよう注意する．^{131}I-MIBG 治療は繰り返し可能であるが，少なくとも3〜4ヵ月の間隔を空けることが望ましい．1回あたりの投与量が多いほど，良好な治療効果が期待できるとされており，米国では1回大量投与による治療も行われているが，副作用が強くなる懸念がある．

副作用・注意点

治療早期には，放射線宿酔と唾液腺炎が出現する可能性がある．頻度は低いものの，腫瘍崩壊に伴うカテコールアミン症状の増悪（高血圧発作）が起こりうる．その場合には，循環器内科や麻酔科と連携してα遮断薬を含む投与を行う．

最も重要な副作用は，治療中期（数週間〜数ヵ月以内）に起きうる骨髄抑制である．一般的には2〜3ヵ月でほぼ回復するといわれているが，完全には回復せず，治療を反復する場合には徐々に骨髄機能が低下する．治療効果が得られていても，骨髄抑制が遷延してしまう場合には，治療継続が困難なことや治療後に重度の骨髄抑制が生じる可能性がある．

晩期（数ヵ月以降）には，骨髄抑制の遷延以外に，甲状腺被曝に伴う甲状腺機能低下症が起こりうるため，複数回治療の場合には，血液検査での甲状腺ホルモンの確認を行う．

◆ 参考文献

1） 成瀬光栄ほか：厚生労働省難治性疾患克服研究事業「褐色細胞腫の実態調査と診療指針の作成」研究班，2009
2） 日本核医学会分科会 腫瘍・免疫核医学研究会 ^{131}I-MIBG 内照射療法検討委員会：神経内分泌腫瘍に対する ^{131}I-MIBG 内照射療法の適正使用ガイドライン案，2014
3） Yoshinaga, K et al：Effects and safety of ^{131}I-metaiodobenzylguanidine（MIBG）radiotherapy in malignant neuroendocrine tumors：results from a multicenter observational registry. Endocr J 61：1171-1180, 2014
4） Yoshinaga, K et al：Effects of Repeated ^{131}I-meta-iodobenzylguanidine Radiotherapy on Tumor Size and Tumor Metabolic Activities in Patients with Metastatic Neuroendocrine Tumors. J Nucl Med 120：25083, 2020

Note

● α線放出核種を用いた治療について

近年になり，β線ではなくα線放出核種を用いた治療が開発されている．α線は高線エネルギー付与 linear energy transfer（LET）放射線であるため，高頻度で腫瘍細胞の DNA 二本鎖を切断し，殺細胞効果をもたらす．また，α線の飛程はβ線より短く，周辺正常組織の被害が抑えられる．

わが国でもα線放出核種である ^{223}Ra を用いた前立腺癌骨転移治療が使用されている．最近ではβ線を放出する ^{177}Lu を用いた膵・消化管内分泌腫瘍の DOTATATE 治療，前立腺癌の前立腺特異的膜抗原 prostate specific membrane antigen（PSMA）治療に対して，α線を放出する ^{225}Ac（アクチニウム）を用いた dotatate 治療，PSMA 治療が海外で研究されており，より高い治療効果が期待されている．わが国でも交感神経系内分泌腫瘍の ^{131}I-MIBG 治療に対してα線を放出する ^{211}At（アスタチン）を用いたメタアスタトベンジルグアニジン meta-astatobenzylguanidine（MABG）などを用いた新しい治療を開発中である．

XIII

核医学の今後の発展

XIII 核医学の今後の発展

これまでの核医学は，放射性薬剤，撮影装置，データ解析の三つの技術がそれぞれ発達する中で，さまざまな疾患や病態に臨床応用されてきた．これからの10年も基本的にはこの傾向が続くであろう．本書の終わりである本章では，一人でも多くの若者が核医学の発達に興味を持ち参入してくれることを願いながら，核医学の今後の発展について，どのような技術が臨床に寄与していくことができるか，数ページにわたって考えていきたい．

核医学の長所・短所

まずは，核医学（診断，治療）の長所・短所を再確認しておこう（**表XIII-1**）．

まず，同じPET装置というハードウェアに対して，異なる放射性薬剤を用いることで全く違う検査を生み出すことができる点を核医学の最大の長所として挙げたい．フルオロデオキシグルコース fluorodeoxyglucose（FDG）は脳に強く集積するため脳腫瘍の評価には（一部の強集積の腫瘍を除いて）向かないが，わが国未承認ではあるが^{11}C-メチオニンのように脳実質への取り込みが弱く脳腫瘍の評価に適した薬剤がある．前立腺癌の細胞に特異的に発現している前立腺特異的膜抗原 prostate specific membrane antigen（PSMA）を標的にした薬剤（本章ではPSMA製剤と呼ぶ）は，前立腺癌をFDGよりも優れた感度で描出する．

核医学検査が作る画像は，解剖や構造ではなく血流や代謝といった機能の情報であることも重要である．薬剤によるがんの治療効果は機能的変化が構造的変化に先行する．アミロイドのような物質の沈着は，すぐには構造的変化を起こさないが，PETでは可視化できる．PETが単独では解剖学的情報を与えないことは，画像診断においては短所でもある．この短所を克服するために，PET/CTやPET/MRIが複合機として生み出されてきた．

空間分解能が低いことも核医学検査の大きな短所である．これは研究者や企業の懸命な努力により年々改善してきているが，CTや超音波にはまだ及ばない．また，前述のように薬剤の数だけ検査の種類があるが，逆にいうと薬剤がないと検査ができない．世界的に供給が安定しない核種があり，これも短所となる．さらに，核医学検査では，低線量ではあるが，放射線被曝をすることも使用者は常に考えておく必要がある．これは小児では特に大きな意味を持つ．1回の検査での被曝は大きなものではないが，がんの治療経過，再発検索で繰り返し検査を行うとなると，意味が違ってくる．

これに加えて，わが国独特の特徴も理解しておく必要がある．わが国には臨床用PET装置（PET単独機，PET-CT装置，PET-MRI装置の総称）が極めて多い．2019年の調査では，全国で408の施設が臨床用PET装置を保有している（2019年8月19日現在，日本核医学会PET核医学分科会の報告による）．これは国民一人ひとりが遠方まで行かずともPET検査を受けやすい条件に置かれていることを意味する．一方で，新規の放射性薬剤の一般臨床での使用（薬事承認，保険収載）までの流れが，わが国は他国に比べて遅いことがしばしば批判される．例えば，前述した前立腺癌のイメージングには，^{68}Gaあるいは^{18}Fで標識されたPSMA製剤が世界的には標準的に用いられているが，わが国ではごく一部の施設が臨床研究として用いている段階である．日本で未承認の薬剤を使用するためには，一般の製剤であれば個人輸入という手段がある．しかし多くの放射性薬剤は半減期が短いため，輸送に時間のかかる個人輸入には適さない．その結果，海外の大学や病院に直接行って検査・治療を受けるという事例も報告されている．放射性物質であれば一律に危険物とみなすのではなく，臨床的有用性の高いものを迅速に薬事承認する体制が必要であろう．

以下では，これまで述べた長所をさらに生かし，短所を改善していくために，これからの核医

表XIII-1 核医学の長所と短所

	長所	短所
世界共通の項目	・放射性薬剤を変えることによって，同じ PET 装置から多数の検査が生み出される（薬剤の数だけ検査の数がある） ・機能を画像化できる ・分子を標的とした治療を行うことができる（ほぼ同一の化合物で検査と治療ができる：theranostics） ・定量性が高い	・空間分解能が悪い ・放射性核種の入手が困難なことがある ・低線量ではあるが放射線被曝がある ・核医学単体では解剖学的構造が分からない
日本特有の項目	・PET 装置が極めて多い ・サイクロトロンを持つ施設も多い ・薬剤のデリバリー体制が充実している	・新規薬剤の臨床使用までに時間がかかる ・放射線関連の法律によって規制される ・医師不足（診療および研究の両面で）

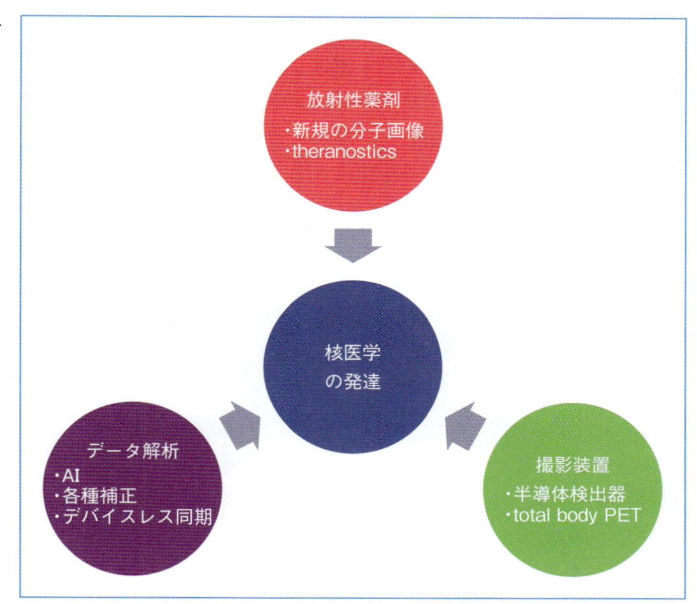

図XIII-1 核医学の今後の発展を牽引する各技術

学が向かっていく方向性を，具体例を挙げながら予想していきたい（図XIII-1）.

放射性薬剤

核医学検査の中で FDG PET が圧倒的に大きな存在感を持つようになって，20 年以上は経過したであろう．この間にも新規の放射性薬剤が数多く開発されてきたが，10 年前までは FDG に置き換わるようなものがなかなか登場しない状況が続いていた．その状況が最近になって変化してきている．放射性薬剤を考える時は，特定の腫瘍をターゲットにした specialist tracer と，FDG のようにあらゆる腫瘍を対象にした generalist tracer とに分けて考えると分かりやすい.

specialist tracer の代表格は，前述した前立腺癌をイメージングするための PSMA 製剤である．PSMA に結合する数多くの化合物が開発され，臨床試験で評価されてきた．ほかのモダリティーよりも早期に前立腺癌の再発部位を特定しうることが複数の論文で証明されている．標識核種には ^{68}Ga または ^{18}F が使われるが，それぞれに長所がある．^{68}Ga は ^{68}Ge/^{68}Ga ジェネレーターで生成することができるためサイクロトロンを要さないうえ，核種の置換によって theranostics が実現する．他方の ^{18}F は，画質において優れ，わが国では法的に使いやすい核種である．今後，PSMA 製剤がわが国でも使われるようになっていくであろうし，前立腺癌以外にも特定のがんを対象とした薬剤が開発されていくと考えられる．

generalist tracer としてごく最近報告され急速に広まっているのが，がん細胞の近傍に存在する線維芽細胞をターゲットにした fibroblast activation protein inhibitors（FAPI）である[1]．正常組織への集積が低く，多くの種類のがんに高集積を示すことが報告されている．現時点では ^{68}Ga 標識製剤のみであるため，国内での使用は難しいが，今後の動向には注目したい．

PSMA 製剤も FAPI 製剤も，放射性同位元素を ^{177}Lu や ^{225}Ac に置き換えることで β 線あるいは α 線治療が可能になることにも注意したい（theranostics に使われる）．特に今後の核医学治療は ^{225}Ac や ^{211}At などの α 線放出核種の使用が進んでいくことが期待される．α 線は大きな破壊力でデオキシリボ核酸 deoxyribonucleic acid（DNA）の二重鎖を切断し，腫瘍細胞を傷害する．核医学治療といえば甲状腺癌に対する ^{131}I 治療の比率が非常に大きく，ほかの治療薬はわずかに使用される程度というこれまでの図式は，これからの10年で大きく変わる可能性がある．

theranostics というと，放射性核種の入れ替えという文脈で使用されることが多いが，治療薬は放射性薬剤でなくてもかまわない．モノクローナル抗体やチロシンキナーゼ阻害などを機序とする多くの非放射性分子標的薬が市販され日常使用されているが，これらは一般に高価であり，副作用も現れることから，治療効果のある症例を選択して使用できれば理想的である．これを可能にするのが，こうした治療薬を診断用放射性核種で標識（コンパニオン診断薬と呼ぶ）して撮影する技術であろう．

ここまでがんを対象にした薬剤について述べてきたが，神経変性疾患ではアミロイド製剤はすでに広く使われ（わが国では保険適用なし），タウタンパク質，シナプス小胞，さまざまな受容体を可視化する薬剤も使われ始めている．循環器疾患，炎症性疾患においても新たな薬剤の開発が期待される．

撮影装置

数年前に半導体検出器を持つ PET 装置が各社から市販され，徐々に主流になりつつある．半導体検出器の特徴は，高い空間分解能と高い感度の両立である．空間分解能を高くすることで，より小さな病変を早期のうちに発見することができるようになる．また，腫瘍内の微小環境の不均一性を可視化でき，テクスチャー解析などの radiomics 解析に寄与する．高い感度は，放射性薬剤の投与量を減らしたり，撮影時間を短くしたりするのに役立つ．

ごく最近になって，total body PET 装置が現れて大きな話題を呼んでいる．体軸方向の撮影視野が 100 cm あるいは 200 cm（従来装置は 15～20 cm 程度）もあり，半身もしくは全身がすっぽりと PET カメラの中に入ってしまう．筆者も初めて聞いた時夢のような装置であると感じた．全身を 3 分程度で撮影するもよし，投与直後から全身のダイナミック・データを収集し，動態解析をするもよし，いろいろな臨床応用が考えられる．現時点では装置の価格が極めて高額であり，普及には価格の低下が必須であるが，今後が非常に楽しみな装置である．

PET-MRI 装置も，ゆっくりではあるが国内の施設への導入が進んでいる．PET-MRI 装置は，PET と MRI が同じ座標軸上で同時に収集できることが利点であり，もともと MRI 診断の占めるウェイトの大きい中枢神経領域や骨盤領域などにおいて活用されている．また，PET-CT の CT 部分の被曝をカットできることもメリットであり，小児への利用に期待される．難点はやはり装置が高額なことである．また，PET-CT と PET-MRI を厳密に比較した研究が少ないことも問題である．今後は，PET-MRI 装置が PET-CT 装置に対してどのような優位性を持つかを科学的に示していくことが課題となるであろう．

以上のほか，乳房専用 PET 装置は，乳房の撮影に特化することで有効視野 field of view（FOV）を小さくし，代わりに検出器を密に配置し，極めて高い空間分解能を実現した．最近では，検出機の位置を変えることで，乳房専用にも頭部専用にも使える装置が発売されている．頭部撮影に特化したヘルメット型 PET も同様に高い空間分解能を誇る（執筆時点でヘルメット型 PET 装置は未発売）．コンプトン効果を利用したコンプトンカメラ，そして PET 装置と組み合わせる whole gamma imagingも大変興味深い（いずれも開発段階）．放射線検出装置は検査室の中での使用が一般的ではあるが，手術室で使用することもできる．手術中にガンマプローブを使って手術を支援する方法は，従来からセンチネルリンパ節の同定で行われてきたが，ダヴィンチなどのロボット手術と組み合わせて，アームの先端にガンマプローブを装着する技術も開発され，今後臨床応用されていくかもしれない[2]．

データ解析

核医学技術で収集したデータがほかのモダリティーに比べて優れる点は，その高い定量性にある．定量性とはすなわち，体内のある範囲における放射能濃度（Bq/mL）を正確に測定でき，濃度が2倍になればシグナルも2倍になることである．従来，核医学画像解析といえば，「定量」がキーワードであった．今もその重要性は変わっていない．特に治療効果判定のために治療前後でのPET画像をstandardized uptake value（SUV）で比較するなら，正確なSUVを計算できていることが絶対条件である．また，動脈採血や左心室内腔を入力関数にして血流や受容体密度を正確に定量する技術の開発に多くの研究がなされてきた．

近年，新たな解析の波が訪れた．radiomicsであり，deep learningをはじめとする人工知能（AI）技術である．radiomicsは，腫瘍などの病変を視覚的に評価するのではなくピクセル値の集合（3次元配列された数字の集まり）として捉え，四則演算などの処理を経て「特徴量」を算出し，これを病変の良悪性鑑別や予後予測に用いるコンセプトである．筆者らは読影レポート中のSUVmaxをAI研究に生かす検討を行っている[3]．

AIは，画像の自動診断だけでなく画像生成にも役立てられている．実際，最近発表された核医学関連のAIの論文は，自動診断よりも画像生成に関するものの方が多い．画像生成技術を使えば，低画質のものを高画質に改めたり，異なるモダリティーの画像を仮想的に生成したりできる．被曝低減に直結するため大変注目されている．ただし，教師データに依存する特有のアーチファクトが生じるため，AIが生成した画像で診断するためには事前に十分な検討が必要であろう．

AIとも一部重なるが，さまざまな補正法の発達も目覚ましい．金属によるCTのアーチファクトは，頭頸部領域（歯科の金属）や股関節などの人工関節付近で強く現れ，診断に苦慮することが多かった．CT上に現れるアーチファクトは，吸収補正を経てPETにも影響する．昨今では，CTの金属アーチファクトが以前に比べてかなり低減されてきている．撮影中の体動もアーチファクトの大きな原因であるが，これも補正技術の発達により影響が小さくなってきている．

デバイスレス同期の技術もこれからますます活用されるであろう．従来，心拍に同期した撮影には心電図，呼吸に同期した撮影には呼吸運動モニター（体に装着するものや，赤外線で観察するものなど）という外部デバイスが併用されてきた．外部デバイスが，PET収集データを「切断」する位置を教えるのである．しかし，リストモードで収集したデータを解析すると，心拍および呼吸による周期的な「波」が観察される．データ自体が，切断位置を教えてくれるのである．データ・ドリブンの技術とも呼ばれる．1回の検査で収集されるデータ量は膨大であるから，この解析は相当に重たい作業であるが，ハードウェア（CPU）およびソフトウェア（アルゴリズム）の発達によって，これからはますます簡単に，しかも精度良く同期が取れるようになっていくであろう．

本章では，核医学の長所・短所を整理し，今後を予想してみた．本文中に述べたとおり，核医学の世界には将来が期待できるが発展途上にある技術が数多く存在する．若手をはじめとして数多くの研究者，医療従事者の活躍により，これらの技術が実を結ぶことを願ってやまない．

◆ 文献

1）Hicks, RJ et al：FAPI PET/CT：Will It End the Hegemony of ^{18}F-FDG in Oncology? J Nucl Med 62：296-302, 2021
2）Azargoshasb, S et al：Optical Navigation of a DROP-IN γ-Probe as a Means to Strengthen the Connection Between Robot-Assisted and Radioguided Surgery. J Nucl Med 62：1314-1317, 2021
3）Hirata, K et al：A Preliminary Study to Use SUVmax of FDG PET-CT as an Identifier of Lesion for Artificial Intelligence. Front Med（Lausanne）8：647562, 2021

索　引

和文索引

ち

て

と

な

に

の

は

ひ

ふ

へ

ほ

ま

む

も

や

ゆ

よ

ら

り

れ

欧文索引

K

L

M

N

O

P

Q

R

S

● T

● V

● W

● X

● Y

● Z

検印省略

わかりやすい核医学

定価（本体 12,000円＋税）

2016年1月15日　第1版　第1刷発行
2022年1月14日　第2版　第1刷発行

編集者　玉木（たまき）長良（ながら）・平田（ひらた）健司（けんじ）・真鍋（まなべ）治（おさむ）
発行者　浅井 麻紀
発行所　株式会社 文光堂
〒113-0033　東京都文京区本郷7-2-7
TEL（03）3813－5478（営業）
（03）3813－5411（編集）

印刷・製本：三報社印刷

ISBN978-4-8306-3764-3　Printed in Japan